Winnares *Pulitzer Prize* 1995

In twee aparte en toch onafscheidelijke romans die als een vorm van hoor en wederhoor op elkaar inwerken, vertelt Carol Shields de verhalen van Jack en Brenda Bowman.

Het toeval wil dat ze voor het eerst in hun huwelijksleven een weekend niet bij elkaar zijn.

Brenda ziet zich in een vreemde stad geconfronteerd met gevoelens die ze nooit toegelaten heeft. Zij speelt met het idee een verhouding met een andere man aan te gaan.

Van Carol Shields (Canada, 1938) verschenen eerder bij De Geus *De republiek der Liefde, De stenen dagboeken, Het Swann-symposium* en *Larry's Party*.

Shields werd in 1994 genomineerd voor de *Booker Prize*. De Amerikaanse critici verkozen *De stenen dagboeken* tot de beste roman van 1994 in de VS. *De republiek der liefde* verscheen in mei 1997 als honderdste Geuzenpocket.

Carol Shields

Het toeval

Het verhaal van de vrouw

Uit het Engels vertaald door Marianne Gossije

UITGEVERIJ DE GEUS — EPO

Tweede druk

Deze vertaling is mede mogelijk gemaakt dankzij een bijdrage uit het gezamenlijke subsidieprogramma van de Canada Council en het Department of Foreign
Affairs and International Trade Canada

Happenstance, The Husband's Story verscheen eerder onder de titel *Happenstance*
bij McGraw-Hill Ryerson, Canada 1980; *Happenstance, The Wife's Story* ver-
scheen eerder onder de titel *A Fairly Conventional Woman* bij Macmillan of
Canada, Canada 1982. Deze uitgave verscheen eerder bij Fourth Estate Limited,
Groot-Brittannië 1991
© oorspronkelijke tekst Carol Shields, 1980, 1982
© Nederlandse vertaling Marianne Gossije en Uitgeverij De Geus bv,
Breda 1997
© paperbackeditie Uitgeverij De Geus, Breda 1997
Omslagontwerp Robert Nix
Omslagillustratie David Sequiros, © Picture Box
Foto auteur Marc Cels
Lithografie TwinType, Breda
Drukkerij Haasbeek bv, Alphen a/d Rijn

ISBN 90 5226 415 5
NUGI 301
ISBN België 90 6445 026 9

Voor Catherine Mary Shields

I

Elke morgen wordt Brenda wakker, schiet in haar ochtendjas met ceintuur en zweeft – *zweeft* – de ruime eikenhouten trap af om het ontbijt klaar te maken voor haar man en kinderen. De afdaling langs de brede trap zonder loper heeft iets ceremonieels, ze doet het al zo lang. Jack en zij wonen nu dertien jaar in het huis in Elm Park, Rob was nog een baby toen ze hierheen verhuisden, Laurie, die afgelopen oktober twaalf werd, heeft nooit ergens anders gewoond.

In de keuken gaat haar hand naar het lichtknopje. Het is halfacht, een ochtend in januari, en de lamp aan het plafond knippert één, twee keer en werpt dan een gelijkmatig, fel licht op het blauwe bovenblad van de bar, wat haar even doet duizelen. Haar handen zetten borden neer, pakken ijskoude sinaasappelsap en melk uit de koelkast en Raisin Bran en koffiebonen uit de kast. Haar man, Jack, heeft haar met kerst een nieuwe koffiemolen gegeven, een Zweeds miniatuurmachientje dat nog steeds een beetje onwennig aanvoelt. Een knopje op de gladde zijkant laat een motortje zoemen, een kortstondig *zzzz* dat ogenblikkelijk zorgt voor een aangename vleug koffie-aroma. 'Philadelphia', mompelt Brenda in de door koffiegeur verzachte keukenlucht.

Ze brengt water aan de kook en schenkt het voorzichtig op. 'Philadelphia.' Haar stem klinkt zacht en zo geheimzinnig alsof ze een priester of minnaar toespreekt.

Al een maand lang, sinds ze besloot naar Philadelphia te gaan, hangt haar vliegschema rechts onderaan het prikbord in de keuken. Vertrektijd, aankomsttijd, vluchtnummer – allemaal eigenhandig geschreven op een van Jacks systeemkaartjes van acht bij twaalf.

Boven haar kaartje hangt nog een aantal briefjes. Brenda bedenkt, terwijl ze gaapt en haar ceintuur opnieuw strikt, dat sommige er vast al weken hangen. Maanden. Ze houdt zichzelf voor dat ze de boel eens moet uitdunnen, maar die chaos van mededelingen en boodschappen bevalt haar eigenlijk wel. Ze ziet zichzelf graag als een drukbezet iemand. *Brenda Bowman – wat een drukbezet iemand!*

De warboel op het bruine kurk spreekt haar aan, het is een bron van mogelijkheden die haar, in elk geval voorlopig, resoluut beveiligt tegen inactiviteit. Anderzijds voelt ze soms, wanneer ze er een vluchtige blik op werpt, een scheut van ongeduld: komt er dan nooit een einde aan al die irritante details? Afspraken. Rekeningen. Lijstjes. Mededelingen. Bovendien kleeft aan deze kleine herinneringen aan gebeurtenissen in heden en verleden een zweem van teleurstelling of risico. Dat oude theaterprogramma bijvoorbeeld, van die productie in het Little Theatre waar ze naartoe waren geweest – wanneer was dat ook alweer? Afgelopen november? *The Duchess of Malfi.* Zij had het een verschrikkelijke voorstelling gevonden. Verbazend genoeg vond Jack dat ook.

Iemand – Jack natuurlijk, wie anders? – had een spotprent uit de krant over het schoolcommissieschandaal opgeprikt, twee peervormige mannetjes die balanceren op vélocipèdes en vechten om een zak met dollartekens erop. Hoewel Brenda het schandaal min of meer met interesse heeft gevolgd, ontgaat haar de betekenis van de fietsen.

En daar, netjes onderin een hoekje – ze heeft er wat ruimte omheen gemaakt – hangt haar vluchtschema. Het ziet er opgewekt en doelgericht uit en heeft op de rommeligheid van de andere dingen zijn streepje voorrang voor. Brenda kijkt er elke morgen even naar wanneer ze beneden komt om het ontbijt klaar te maken. Het is het eerste waar haar oog op valt, en nog voor ze de koffiemolen aanzet en de eieren in de pan doet, kijkt ze om zichzelf gerust te stellen naar haar keurige handschrift: vlucht 452, United Airlines, vertrek Chicago om 8.35 uur. Morgenochtend, zaterdag. Aankomst in Philadelphia om 13.33 uur.

Er zijn twee korte tussenlandingen, in Fort Wayne en in Cleveland. Het retourbiljet – ze is maar vijf dagen weg en komt dus niet in aanmerking voor het goedkopere weektarief – kost 218 dollar. Haar tickets liggen in een enveloppe op het tafeltje in de gang onder een brok rode kwarts dat iemand ooit voor hen had meegebracht uit Griekenland. De gedachte aan de tickets raakt haar als een wiekslag van geluk, wat zowel absurd als kinderachtig is, waardoor ze even medelijden met zichzelf voelt. Belachelijk. Alsof haar leven op haar veertigste zo armetierig was geworden dat de gedachte aan vijf dagen in Philadelphia haar in verrukking kon brengen. Pathetisch!

Niet alleen pathetisch, maar ook irreëel. Jack en zij zijn verscheidene keren in New York geweest. Toen ze nog klein was ging ze een keer met haar moeder naar de Smoky Mountains. Later volgde haar huwelijksreis naar Williamsburg, ze reisde met Jack naar Denver en naar San Francisco voor een bijeenkomst van de National Historic Society, twee keer naar Bermuda en vier jaar geleden naar Frankrijk. Men zei zelfs dat Philadelphia bepaald geen aantrekkelijke stad was. Iemand – ze is vergeten wie, iemand kort geleden op een feestje – noemde Philadelphia de anus van de oostkust, een van die steden die last hebben van de nabijheid van New York en waar slechts snelwegen, hotels, fabrieken en een minderwaardigheidscomplex te vinden zijn. En toch, wanneer ze het woord 'Philadelphia' mompelt in de opstijgende koffiegeur, voelt ze de verwachting stijgen, een aangename, vreemde rode stroom rond haar hart die haar uit haar concentratie haalt.

De afgelopen dagen voelde ze zich genoopt haar opwinding te verbergen, kalmte voor te wenden. Een hand op haar schouder schijnt haar tot voorzichtigheid te manen, haar duidelijk te maken dat ze bij haar positieven en onverstoorbaar moet blijven. (Een bedrieglijke onverstoorbaarheid die niettemin echte kalmte opleverde, want het was haar toch maar gelukt om lijstjes te maken en orde op zaken te stellen.) Het lukte haar zelfs nonchalant haar schouders op te halen toen het programma van de tentoonstelling in Philadelphia een week geleden met de post kwam, met haar naam in de lijst op de achterkant: Brenda Bowman, quilter, Kunstnijverheidsgilde Chicago.

Toegegeven, ze was een van de honderden op de lijst, de drukletter had de grootte van die van het telefoonboek en alle quilters stonden op één hoop met de spinners, de wevers en zelfs de wandkleed- en de macramémakers. Ja, had Brenda tegen Hap Lewis, die zelf macramé maakte, gezegd, ja, ze was blij dat ze besloten had te gaan. Waarom ook niet? Het zou interessant zijn (en hier had ze lichtjes smalend haar schouders opgehaald) om eens te zien wat de quilters uit andere delen van het land deden. Misschien was het zelfs wel (weer een schouderophalen) inspirerend. Ze had zichzelf in bedwang gehouden, zelfs bij Hap, die ze beschouwde als een van haar beste vriendinnen, door een scheef gezicht te trekken wegens de kosten van een binnenlandse vlucht en door het uitstapje naar Philadelphia te betitelen als niet meer dan een bevlieging – ook al kostte die bevlieging een zekere voorbereiding. Jack en de kinderen waren niet gewend dat ze weg was. Ze moest iets verzinnen voor het eten. En voor de was. 'De pot op met het eten, de pot op met die verdomde was', had Hap haar aangemoedigd.

Vertrek om acht uur vijfendertig, aankomst om één uur drieendertig. Brenda had deze informatie telefonisch doorgekregen en de baliemedewerker van United gevraagd de tijden en het vluchtnummer nog eens te herhalen. Ze houdt van de bedrijvigheid die spreekt uit feiten en cijfers, maar ze wantrouwt ze ook en wanneer vandaag iedereen na het ontbijt de deur uit is, zal ze United nogmaals bellen voor een bevestiging.

In de koekenpan smelt ze een minieme hoeveelheid boter waarin ze vier eieren breekt, twee voor Jack, een voor elk van de kinderen en geen voor haarzelf. Ze let op haar gewicht, ze houdt geen dieet, ze let alleen op. Dat ze op gewicht blijft. En ze houdt een onrustig oogje op haar dochter Laurie, die in het afgelopen jaar is gegroeid van een grote kindermaat naar een mollige damesmaat. Laurie's gloednieuwe Big Sister-spijkerbroek past nu al nauwelijks meer, maar wanneer ze vanochtend haar ei op heeft, pakt ze gegarandeerd nog een tweede stuk toast. Ze is tegenwoordig alleen te genieten zolang ze zich kan volstoppen met koolhydraten. Puberteit is een vreselijke toestand, in zijn soort erger dan wantoestanden als een slechte eetlust of een moeizaam dieet. Brenda staart naar de glimmende zijkant van het koffiezetapparaat en ziet in het verschiet het tere begin van Laurie's borsten, die wegsmelten en verdwijnen onder nieuwe lagen vet. Ze stelt zich voor dat ze over een week thuiskomt en haar dochter obsceen opgeblazen van het eten aantreft en bijna gek geworden door te veel zoetigheid. Arme Laurie. 'Het ziet er naar uit dat we straks voor een baby-olifantje moeten zorgen', had Jack nog geen week geleden tegen Brenda gezegd. Brenda had woedend gereageerd. 'Het is alleen maar babyvet. Alle meisjes hebben zo'n periode.'

Het zou echter wel verstandig zijn Laurie vandaag apart te nemen en even met haar te praten.

Maar er is nog zoveel te doen en ze is nog niet eens begonnen met pakken. Twee blouses moeten nog gestreken: de groene, die zowel past bij haar broekpak als bij haar losse broek, en de bedrukte katoenen blouse die ze van plan is tijdens het slotbanket te dragen. Om kwart over drie gaat ze haar haar laten knippen, kleuren en föhnen in een nieuwe zaak in Lake Street, die tenen manden en geraniums in de etalage heeft en binnen zilverkleurig behang. En als er nog tijd is wil ze een of twee ovenschotels maken voor Jack en de kinderen – misschien lasagne, ze zijn dol op lasagne. Niet dat ze niet in staat zijn voor zichzelf te zorgen, zelfs Rob kan een aantal een- voudige dingen klaarmaken – roerei, hamburgers – en Laurie heeft geleerd om een redelijk goede Caesarsalade te maken. Ze zijn geen van beiden klein meer, houdt Brenda zichzelf voor.

Morgenochtend. Zaterdag. Dan brengt Jack haar naar het vlieg- veld. Ze zouden om zeven uur het huis uit moeten, nee, vroeger, de auto doet het de laatste tijd niet goed, de achterremmen. Wanneer ze terugkomt uit Philadelphia zal ze hem zelf naar de garage moeten brengen om hem te laten nakijken. Jack is gauw onzeker en heeft te veel vertrouwen (of wantrouwen) wat mechanische dingen betreft. En stel dat ze een lekke band krijgen op weg naar het vliegveld? Onwaarschijnlijk, maar toch… Ze moet de wekker maar op zes uur zetten, douchen, aankleden en dan Jack wakker maken. Vanavond zal ze alvast afscheid nemen van de kinderen. Onzin om ze in het weekend zo vroeg uit bed te halen.

Bovendien is er dan het risico dat Laurie zich aan haar vastklampt. Ze zou al over die fase heen moeten zijn, maar dat is niet zo. Zelfs wanneer ze 's morgens naar school gaat, staat ze soms in de deurope- ning, waardoor de warmte wegvliegt, en klampt ze zich aan Brenda vast. Deze omhelzingen zijn woordloos en heftig, waarbij Laurie's adem opgesloten schijnt in haar zwoegende borst. Dan voelt Brenda – of ze verbeeldt het zich – het wanhopige, onregelmatige kloppen van haar dochters hart dwars door de stof van haar windjack.

En Rob was de laatste tijd zo humeurig 's morgens. Lummelig, noemt Jack het, ook al neemt Brenda het voor hem op; Rob, of Robbie zoals ze soms nog aan hem denkt, is per slot van rekening haar eerstgeborene, en zijn neergeslagen ogen (nukkigheid) en don- kere krullen vullen haar hart nog steeds met liefde. 'Het is alleen maar puberen', zegt ze tegen Jack. 'Het zijn hormonen. Veertien is de moeilijkste leeftijd. We mogen ons gelukkig prijzen dat hij niet aan de drugs is. Of spijbelt. Kijk maar naar Benny Wallberg. Zelfs Billy Lewis…'

Ze legt messen en vorken op tafel en kijkt naar de eieren. Ze moet vandaag extra eieren kopen. Ze kunnen altijd terugvallen op eieren. Eieren, het volledige voedsel, waar had ze dat ook weer gelezen? En ze moest wat soep in blik kopen. Jack houdt van kippensoep met rijst, maar Rob houdt alleen van tomatensoep, en Laurie… wat nog?

Van boven klinken geluiden, de vertrouwde ochtendgeluiden die van verschillende kanten komen, maar zich verweven tot een soort grofgedraaide draad van rumoer waaraan het huis op dit uur schijnt te hangen. Een radio (van Rob) die aanstaat achter een gesloten deur, en het onregelmatige geklos van Laurie's Zweedse klompen over de vloer van haar slaapkamer. En het eindeloze lopen van de douche, beseffen ze niet – zelfs Jack niet – hoeveel ze per maand betalen voor water?

Over een paar minuten zijn ze allemaal beneden, hongerig, fronsend, op hun stoel hangend, dingen vragend en aannemend, afwezig, nog half slapend en niet reagerend op een glimlach of begroeting. Rob heeft weer een hele ris nieuwe pukkels op zijn kin, en de reeks van de vorige week, de oude pukkels, hebben allemaal korstjes – 'nooit krabben, nooit uitknijpen' heeft de dokter geadviseerd. Arme Rob. Laurie's blouse kruipt al half uit haar rok en een druppel ei, zo rond als een traan, zit naast haar mond. Jack komt naar beneden, ruikend naar talkpoeder, ruikend naar een mannelijk soort privacy, alsof zijn lichaam de helft van het dagelijks ritueel al heeft volbracht. Hij grijpt blind naar de *Trib*.

Zou ze eigenlijk niet verontwaardigd moeten zijn dat hij altijd het eerste katern van de *Trib* voor zichzelf houdt en, als een potentaat, de anderen de minder belangrijke stukken geeft, de modepagina's, de sport, het economische deel. Brenda zit meestal met het economische katern, dat ze in de loop der jaren verrassend genoeg steeds interessanter is gaan vinden. Niet dat ze de grafieken bestudeert of de artikelen leest over het Bruto Nationaal Product of de dalende cacaoprijzen in West-Afrika; ze bekijkt graag de foto's, de kolombrede plaatjes van mannen – natuurlijk ook af en toe een vrouw, de tijden veranderen – die recentelijk een of andere imposante leidinggevende functie hebben gekregen, die pas benoemd zijn in een of andere gedistingeerde directie, of die getransformeerd zijn tot vicepresident van een zilverwerkfabriek, een organisatie- en adviesbureau of een verzekeringsmaatschappij. Of ze maken promotie in de hiërarchie van vreemde firma's die geheimzinnige producten vervaardigen als vaculiassen, grasspinners of draairaspen. Brenda heeft het gevoel dat ze een verbluffend maar ingehouden succes hebben, ze staan klaar voor actie, springen bijna van de pagina af, maar iets houdt ze in toom. Er zit een verborgen kracht in de aangename, korte nekken en geknoopte dassen, iets donkers bij de haargrens dat een indruk geeft van kordate loyaliteit en wilskracht en waarschijnlijk een goede gezondheid. Geen gevaarlijke hoeveelheden zout of cholesterolrijke eieren voor deze uitverkoren sterren. Die-en-die, afgestudeerd aan de Northwestern Universiteit (A.B.), doctoraal bestuurskunde aan Harvard, langdurig in dienst bij de firma sinds hij in 1960 als stagiair binnenkwam. (1960? In dat jaar kreeg Jack een parttime aanstelling op het Instituut.)

Het publieke blijk van waardering, veronderstelt Brenda, is terecht, meer dan terecht. En waar zouden die succesvolle managers wonen, vroeg Brenda zich onwillekeurig af. In Wilmette? De Clarendon Hills? De Near North Side? Misschien hier in Elm Park? – natuurlijk, ze heeft verscheidene keren mensen gezien van wie Jack en zij weten dat ze prominent op de economische pagina's stonden. Maar deze mannen zijn merendeels vreemden, niet meer dan een naam die bij een gezicht hoort. Zijn ze getrouwd? Gescheiden? Zijn er kinderen? Kinderen die lastig en stuurs zijn geworden? Doet er niet toe, zij zijn degenen die de maatschappelijke ladder beklimmen. Hun gezicht is vol, glad en kalm, en Amerikaans geworden door het succes.

Het is verbazend, bedenkt Brenda, dat er elke dag weer een nieuwe reeks van deze snelle carrières in staat, het is een wonder dat er plaats is in de wereld voor zoveel succes en geld. Deze foto's en bekendmakingen zijn niet goedkoop, is haar verteld. Ruimte in de *Trib* kost geld. Het Great Lakes Instituut waar Jack werkt vindt dit soort bekendmakingen een nutteloze verkwisting.

Anders had zijn foto misschien wel in de krant gestaan toen hij uitvoerend beheerder werd van de afdeling onderzoek. En hoewel hij nooit enige teleurstelling heeft laten blijken over dit gemis aan publieke erkenning, weet Brenda dat hij zijn foto in de krant waarschijnlijk wel leuk had gevonden. Hij is heel fotogeniek. Die foto van hem bij het meer vorige zomer, in zijn geelgestreepte golfhemd – je zou hem achtendertig geven, geen drieënveertig. Hij heeft een voordelig uitkomend, beheerst gezicht en hij heeft geluk gehad met zijn tanden, die zowel regelmatig als wit zijn. 's Zomers wordt hij sneller bruin dan de meeste mannen en door zijn zandkleurige haar schemeren minder gauw kale plekken dan door donker haar. Arme Jack. Hij had graag zijn foto in de krant gehad. Dan had hij extra nummers gekocht: een voor zijn ouders en een voor zijn tante Ruth in het bejaardendorp bij Indianapolis. Wanneer hij dan in het weekend naar de wijn-en-kaasfeestjes of de barbecues in Elm Park ging, zou hij blij geweest zijn bij de gedachte dat zijn vrienden wisten van zijn promotie, dat ze zijn foto hadden zien staan naast die van effectenmakelaars en outillageverkopers. 'Ach ja,' zou hij gezegd hebben, 'het brengt wat meer verantwoordelijkheid mee, misschien wat meer reizen, maar ook meer hoofdpijn.'

Maar het Instituut waar hij werkt wordt gefinancierd met geld van derden en het heeft een bestuur dat de uitgaven controleert en dat onlangs heeft voorgesteld te bezuinigen op de airconditioning behalve in juli en augustus. Het budget van de bibliotheek wordt ook herzien en de beslissing om de kantoorinventaris te vervangen is uitgesteld. Bovendien is dr. Middleton, het hoofd van het Instituut, verknocht aan het wetenschappelijke ideaal van anonimiteit, en dus wordt het nieuws van promoties veeleer getemperd dan dat het wordt gevierd en aangekondigd in de kranten om de slaperig boven hun zwarte koffie en toast zittende vrouwen in de voorsteden te vermaken.

Maar morgen, denkt Brenda, morgen om deze tijd is ze weg. De krant, de koffiemolen, het raam boven het aanrecht met het rode gordijntje, het laagje rijp 's ochtends op het gras in de achtertuin – dat zal er allemaal nog zijn, maar zij is weg. Net als de weer samengevoegde atomen uit Robs sciencefictionverhalen, zal haar lichaam deze ruimte ontstijgen en opgewekt over de stad Chicago vliegen. Ze zal een bescheiden groet brengen aan de kleurige daken beneden en aan de rookpluimen, zo sierlijk als op een schilderij. Rond de punt van het meer, dan Gary met zijn kwade dampen die oplossen in de blauwe lucht, en vervolgens Fort Wayne – ze is nooit in Fort Wayne geweest, ook niet in Cleveland trouwens. Lunch aan boord, gevolgd door koffie, en dan Philadelphia. (Zij en Jack hadden ooit het plan de kinderen mee te nemen naar Independance Hall om de Liberty Bell te bekijken, maar ze wilden ook naar Washington, en in die tijd had Jack maar twee weken vakantie.)

Er was nog zoveel te doen: inpakken, haar haar, en dan de boodschappen. Haar kuiten doen ook pijn, ze moet ongesteld worden. Wat een timing! Ze zal de hele dag als een gek rondrennen, een gedachte die haar overspoelt met vreugde zodat ze het liefst zou huilen. En morgen zal iemand anders schudden aan de koffiemolen en zal iemand anders een klap geven tegen het broodrooster om het brood eruit te laten springen. Haar blik is er dan niet om te speuren naar stof op het kleed in de eetkamer en naar kruimels rond het broodrooster. Morgen staat ze niet in deze ruimte, zangerig dit onzinnige en ongevraagde gebed te prevelen in de ochtendstilte, haar rituele klaagzang van medelijden en hulpeloosheid: *arme Laurie, arme Rob, arme Jack.*

Het is een bezwering waarvan ze weet dat hij tot niemand in het bijzonder is gericht, maar die regelmatig terugkeert om langs de rand van haar blikveld te schuren als een stuk puimsteen. *Arme Laurie, arme Rob, arme Jack.* Ze veronderstelt dat het een soort zegening is, maar wel een waaraan de laatste tijd de warmte ontbreekt.

Ach, nou ja, ze klaart weer op, keert de eieren en schenkt zichzelf een beetje koffie in. Ach, nou ja. En dan begint ze te neuriën zoals ze 's morgens vaak doet: *Waarheen leidt de weg die wij moeten gaan, waarom zijn wij op aard?*

2

HET WAS ELF UUR 'S OCHTENDS EN HAP LEWIS STOND BIJ Brenda's achterdeur, haar armen krampachtig om zich heen van het rillen en een lach die doorbrak op haar lange gezicht.

'Kom binnen', riep Brenda door de tochtdeur.

Het was koud buiten, meer dan min zeven volgens de radio en het zou nog kouder worden. Er was sneeuw voorspeld. Brenda, die een oude bruine trui en een nieuwe spijkerbroek droeg, voelde de klamme buitenlucht rond haar enkels opkruipen.

Haps stem zoemde door het glas. 'Weet je zeker dat je even tijd hebt, Brenda? Jezus, je hebt het natuurlijk razend druk.'

'Natuurlijk heb ik even tijd. Kom binnen. Het vriest buiten en je hebt niet eens een jas aan.'

'Maar god nog aan toe, je hebt vast duizend-en-één dingen...'

'Ik ben al een heel eind', zei Brenda, met één hand over haar schouder wuivend en met de andere de deur sluitend. Ze had de bedden al opgemaakt, een heleboel was gedaan en een ovenschotel van gegratineerde Spaanse rijst klaargemaakt die ze had afgedekt met folie en in de koelkast gezet, en die alleen maar opgewarmd hoefde te worden. Haar koffer – gelukkig bezat ze één goede koffer – lag open op het bed, haar zorgvuldig gestreken blouses hingen op hangertjes te wachten tot ze werden opgevouwen, die kon ze er op het laatst indoen.

'Hoor eens, Bren, waarom ik even aan kom wapperen – ik kom alleen maar even langs om te horen of ik je nog ergens mee kan helpen of zo.'

'Ik geloof niet dat dat hoeft, Hap. Maar evengoed bedankt. Heel aardig van je. Dit keer is alles min of meer geregeld.'

'Eerlijk? Weet je het zeker?'

'Ik geloof het wel. Echt waar. Of je zou nog naar de A & P moeten gaan...?'

'De A & P? O, Jezus, net vandaag natuurlijk. De auto is er niet, dat is het probleem. Bud is ermee naar het centrum gegaan, hij had een of andere speciale vergadering of zo. Een vergadering van verkopers. Ik haat die vergaderingen. Anders had ik...'

'Het geeft niet...'

'Zeg maar wat je nodig hebt. Misschien heb ik het dan wel in...'

'Nee echt niet, Hap. Ik moet toch de deur uit. Naar de kapper. Dan rij ik even langs Vogel en haal ik daar onderweg een paar dingen.'

'Hoor eens, je weet dat die verdomde vrieskist bij mij altijd vol zit, als je eten nodig hebt. Maïs, courgettes, hele stapels hamburgers, zeg maar wat je...'

'Nee, echt niet...'

'Kan ik dan iets anders doen? Christus, waar zijn buren anders voor? Doet er niet toe wat...'

Ze was een goedhartige vrouw, zelfs Jack moest toegeven dat ze goedhartig was. Soms had Brenda de indruk dat ze bijna scheef hing van welwillendheid, alsof een overdaad aan vriendelijkheid haar op de een of andere manier had misvormd. En ze had een verbazende hoeveelheid energie. Brenda voelde zich slap wanneer ze door het keukenraam naar het huis van de Lewissen keek en Hap op ladders zag klauteren en de gebladderde verf zag afkrabben met een staalborstel, als voorbereiding op het verven van het huis in het voorjaar. Zij en Bud en de jongens zouden het zelf aanpakken. Vorig jaar hadden ze een nieuw dak op het huis gezet, Hap scheen zich volkomen thuis te voelen bovenop de nok, zwaaiend met haar hamer. Ze maakte ook citroentaarten voor nieuwe mensen in de buurt, een gebaar dat Brenda alleen maar kon zien als het gevolg van Haps jeugd in Danville, Illinois. (Brenda was nooit in Danville, Illinois geweest, ze was vrijwel nooit in het zuiden van de staat geweest en stelde het zich voor als een simpele rechthoek, prettig bevolkt door op buren gestelde zielen die naar elkaar wuifden vanaf de veranda's van hun keurige houten huizen.) Toen ze dertien jaar geleden in het huis in Elm Park waren komen wonen, hadden Jack en zij een van Haps citroentaarten ontvangen. Op een lichtblauw Fostoria-bord, vergezeld van een joviaal briefje: 'Hallo lui. Welkom in ons buurtje.'

Brenda had versteld gestaan, zij was opgegroeid in Cicero in een driekamerflat boven een stomerij, een dergelijk gebaar scheen een overblijfsel uit een vervlogen tijd. Het deed haar denken aan Broadway-musicals als *Oklahoma!* of *The Music Man*. Toen ze het bord een paar dagen later terugbracht, liep ze bijna over van dankbaarheid. Deze vreemdeling, deze Hap Lewis, was blij om haar als buurvrouw te hebben, deze fantastische, hartelijke vrouw wilde haar vriendin zijn.

Hap Lewis deed nog meer behalve taarten bakken. Ze speelde wedstrijdbridge, degelijk en betrouwbaar; zij en een vrouw genaamd Ruby Bellamy hadden twee keer de West Suburban Champion Playoff gewonnen. Hap was voorzitster van een leesclub die momenteel Soltsjenitzin onder handen had en overwoog in het voorjaar aan Flaubert te beginnen. Ze leidde een meisjesverkennerstroep, de oude Troep Twaalf, de oudste troep in Elm Park, en had ook nog tijd om truien te breien voor haar man Bud en haar twee tienerzoons – prachtige truien, met raglanmouwen en ingewikkelde dierenfiguren in het rugpand. Ze vroor groenten in uit haar eigen tuin – de snijbonen gewiekst verborgen achter de pioenen, een rij bloemkolen omgeven door petunia's – en legde courgettes in volgens een geheim familierecept, een recept dat ze niettemin doorgaf aan Brenda – en aan Leah Wallberg en Ruby Bellamy en nog een paar vrouwen in de buurt.

En de laatste jaren maakte ze grote wandkleden van ongebleekte wol, boomschors en andere natuurlijke materialen, die ze soms ook verkocht. Deze wandkleden met hun slingers en knopen deden Jack denken aan bepaalde verborgen delen van het menselijk spijsverteringskanaal die met een mes waren opengesneden om zo te blijven hangen en rotten. 'Ze schijnen erg goed te zijn', vertelde Brenda hem. 'Zou jij er een aan de muur willen?' vroeg Jack. 'Je moet ze zien als een vorm van beeldhouwen', zei Brenda tegen hem. 'Ik zie ze liever helemaal niet', zei Jack.

Ze was van Brenda's leeftijd, maar groter en zwaarder. Haar heupen bolden neerwaarts in een meedogenloze dubbele rol, en om deze heupen te verbergen droeg ze over haar spijkerbroek lange, losse tunieken die ze zelf maakte. Haar gezicht, dat boven deze tunieken uitstak, was wonderlijk hoekig en scheen meer dan de normale hoeveelheid botten te bevatten. Het was een langwerpig, nerveus, beweeglijk gezicht en achter haar bril glinsterden haar ogen helder, onderzoekend, naïef en hoopvol. Een grote, huiselijke vrouw met een onbehouwen lijf. Brenda stelde zich voor dat ze vroeger als meisje nog huiselijker was geweest, een lange geschiedenis van huiselijkheid viel af te lezen aan al die onstuimige, willekeurig uitgedeelde vriendelijke gebaren.

'Moet je jou nou zien, Brenda', riep ze verrukt en grijnzend. 'Je bent helemaal op orde, allejezus. Als ik morgen weg zou gaan, zou het een gekkenhuis zijn, een echt, onvervalst gekkenhuis.'

'Geloof me, het is niet...'

'En kijk nou eens naar die verdomde keukenvloer. In de was gezet! Mijn god, ik heb al in geen jaren boenwas geroken...'

'Het is niet echt...'

'Hoor eens, Brenda, ik beloof je, op mijn erewoord van padvindster – ha – dat ik niet blijf plakken. Ik weet dat je nog duizend-en-één dingen moet doen, maar ik dacht alleen maar, ik bedacht ineens – heb je je quilts al ingepakt? Of nog niet?'

'Jack zei dat hij me vanavond even zou helpen als...'

'Ik wilde gewoon even langskomen om *De tweede komst* een goede reis te wensen. Heb je hem af gekregen?'

'Zo ongeveer. Alleen nog wat handwerk in een hoek. En het quilten is klaar.'

'Schitterend. Ik had nooit gedacht dat je...'

'Ik heb hem gisteren van het quiltraam gehaald. Eens kijken, om vijf over halfvijf, geloof ik.'

'Bren, je bent fantastisch. Je had me moeten bellen. Dan hadden we het kunnen vieren. Ik begrijp niet hoe je het voor elkaar krijgt.'

'Ga maar mee naar boven. Ik wilde er net aan beginnen. Dan kun je hem een geluksklopje geven.'

Brenda's quiltkamer – soms noemde ze hem haar werkkamer – lag in de zuidoosthoek van het huis. Nog maar vier jaar geleden was het de logeerkamer, met niet veel meer dan een opklapbed met chintz overtrek, dat ze uitklapten voor de incidentele logé. Het opklapbed stond er nog steeds, maar Brenda had het in een hoek geschoven en bekleed met een van haar vroege quilts, een aarzelend cirkelvormig ontwerp in verschillende tinten blauw, de drie kussens waren overtrokken met een kleine versie van hetzelfde patroon. Ze zat hier graag laat in de middag koffie te drinken, terwijl ze haar vingers over de opbollende blokken liet glijden, de veerkracht tussen de rijen stiksels testend, denkend: dit heb ik gemaakt.

Haar quiltraam vulde een hele muur. Het was zo groot dat het aan één kant licht omhooggebogen was om het te laten passen, een opstelling waardoor de kamer vrolijk leek en een beetje uit balans, wat Brenda deed denken aan de ingelijste reproductie die ze ooit hadden van Van Goghs slaapkamer, een kamer als een gele kubus die overhelde onder het gewicht van zware, strokleurige sprookjesmeubelen. Misschien had Brenda deze prent wel in gedachten toen ze de kleuren voor de quiltkamer koos. Ze had zelf de muren geschilderd – drie wit en de vierde heldergeel.

Door deze kleuren en het gehaakte kleed op de glimmende vloerplanken was het de lichtste kamer van het huis. Hij leek als vanzelf ontstegen aan de saaiere kamers eromheen: de woonkamer met zijn lichtgroene muren en kleurloze tapijt (houd het op neutrale kleuren, hadden de interieurtijdschriften geadviseerd), de eetkamer met de grote gele vaas (niet slecht) en de Italiaanse boerentafel, stoelen en buffetkast (allemaal een vergissing), en hun slaapkamer – beige muren, een los vloerkleed dat te klein was, een ladenkast die betere tijden had gekend. Van de quiltkamer daarentegen, toch de meest recent ingerichte ruimte van het huis, had Brenda het gevoel dat hij van een veel jonger gezin was, van vrolijkere, energiekere mensen, mensen die wisten waar ze van hielden. Er stond een witte werktafel van glanzend plastic, op de kop getikt bij een uitverkoop van Sears, maar die zag er echt Scandinavisch uit. Ertegenover stond een houten ladenkast waarin Brenda haar patronen en naaigerei opborg. Daarboven had Rob, onlangs vakbekwaam geworden na één semester houtbewerking, een plank opgehangen voor de rieten manden waarin Brenda haar stoffen bewaarde. (Ze was begonnen met blauw en vervolgens overgegaan op groen. Nu werkte ze met geeltinten.) 'Quilter Brenda Bowman uit Chicago is niet bang om simpele, primaire kleuren naast elkaar te gebruiken', stond er afgelopen september in een artikel in de *Elm Leaves Weekly*. In een hoek van de kamer stond een laag tafeltje gemaakt van stenen en planken, ongeveer zoals de stenen-met-plankentafel in hun studentenflat van lang geleden, alleen was dit stijlvoller en Brenda had er een klein koffiezetapparaat en een blad met aardewerk mokken op gezet. De laatste tijd had ze de gewoonte de vriendinnen die langskwamen mee naar boven te nemen.

Er was maar één raam, maar dit was groot en vierkant en bij goed weer vol zon. Ze had na lang wikken en wegen besloten geen gordijnen op te hangen. In plaats daarvan had ze hangplanten: een tradescantia, een pluimasperge en een nieuwe in een plastic pot die erwtenplantje genoemd werd. Buiten in de achtertuin stonden iepen, Japanse kersen en een dwergeik die knoestig en ruw was, maar gezond – toen de kinderen nog kleiner waren zaten ze urenlang op de takken. Bovendien was er nu ook het uitzicht op de nieuwe cederhouten veranda die Larry en Janey Carpenter hadden laten maken. Aan de overkant van het achterpad stond het huis van Bud en Hap Lewis, een groot Victoriaans, met hout afgewerkt huis met twee verdiepingen dat 's winters zichtbaar was door de kale takken. 's Zomers werd het vrijwel geheel aan het oog onttrokken door gebladerte.

Brenda hield van haar huis, een uit de jaren twintig daterend stenen huis met twee verdiepingen; bij de eerste aanblik was ze er verliefd op geworden. Het meeste hield ze van de met eikenhout afgewerkte gang en trap, die om de een of andere reden op grotere schaal waren gebouwd dan de rest van het huis. De brede trap had een soort macht over haar, hem 's morgens afdalen betekende haar dag kalm beginnen. De trap gebood haar te zweven. De houten lambrisering was solide en zwaar, de leuning had een zijdeachtige koelheid die sereniteit schonk.

Na de gang hield Brenda het meeste van de achtertuin, vooral van de bomen. Sommige iepen waren natuurlijk doodgegaan, en de drie die over waren ondergingen een radicaal nieuwe behandeling met seruminjecties. Niet goedkoop, maar op den duur de moeite waard, had Jack besloten. En ze hield van de Japanse kersen die ze voor de garage hadden geplant in de zomer dat ze hier waren komen wonen.

Jack was nerveus geweest, hij had nog nooit in zijn leven een boom geplant en hij had het gevoel, en Brenda ook, dat het een serieuze aangelegenheid was, bijna een soort proef die ze moesten afleggen. Ze waren beiden opgegroeid in een appartement in de stad en vreesden dat ze behept waren met bepaalde stadse tekortkomingen. Ze hadden een huis gekocht – heel roekeloos, hield Jacks vader vol – in een van de oudste, meest gevestigde voorsteden. Misschien namen ze te veel hooi op hun vork door samen met dit solide stenen huis ook nog een garage, een schuurtje, grond, bloembedden en struikgewas te verwerven. Mysteries.

Ze kochten de twee jonge Japanse kersen bij de naburige West-gate-boomkwekerij, waar de eigenaar hen graag van advies diende. Jack luisterde beleefd en schreef de instructies op een stukje papier: hoe diep de pootgaten moesten zijn, hoe ver de bomen van de garage moesten staan, boomwortels kunnen schade toebrengen aan de fundering, werd hun verteld. En ze kregen ook te horen dat laat in het najaar de beste tijd was om bomen te planten. Het was nog maar juli, het was riskant om bomen te planten midden in de zomer. 'Tja…' zei Jack, langs zijn kin wrijvend met de rug van zijn hand.

Hij en Brenda keken naar de boomwortels, onzichtbaar gebundeld in een jutezak, hoe wist een boom nu welke maand het was, schenen ze elkaar te vragen. Ze besloten het er op te wagen. 'Ik heb u gewaarschuwd', dreigde de man van de Westgate-boomkwekerij.

In het begin vertoonde een van de bomen tekenen van verwelking, en Jack ging terug naar de boomkwekerij en kocht een aanbevolen merk insectenspray. Elke avond, wanneer hij terugkwam van het Instituut en zijn tas op het gras zette, controleerde hij de onderkant van de bladeren op mijten. Brenda kwam, vaak met Rob in haar armen, het huis uit om te kijken. 'Volgens mij ziet het er goed uit', zei ze steevast tegen hem.

'Ik had een sterkere soort moeten kopen', treurde Jack. Ze herinnerden zich beiden dat Bud en Hap Lewis aan de overkant van het pad een bepaald soort bloeiende pruimenboom hadden voorgesteld; die net zo decoratief was maar beter bestand tegen de koude wind. Met angst en beven wachtten ze de eerste vorst af.

Maar de herfst was onverwacht mild geweest dat jaar, en die winter was een van de zachtste in de geschiedenis. Half maart stonden de twee jonge bomen in knop. De tweede zomer groeiden ze maar liefst een halve meter uit en hun roodachtige takken verzachtten de gepleisterde garage erachter. Jack had het over asperges zetten. Twaalf jaar later zei hij nog steeds van tijd tot tijd dat het een goed idee zou zijn om eens asperges te proberen.

'Ik neem aan dat het uitzicht vanuit uw atelier heel inspirerend is voor uw werk', zei de verslaggeefster van de *Elm Leaves Weekly*. Het was een jong meisje in een geborduurde blouse, een studente journalistiek die voor de zomer was aangenomen en die op een middag naar het huis was gekomen om Brenda te interviewen.

'Ja, ik geloof het wel', antwoordde Brenda met een stem vol twijfel. 'Zo zou je het kunnen noemen.'

En misschien klopte het ook wel. In elk geval had haar eerste echte quilt – de eerste die ze had verkocht – de natuurlijke groene kleurschakeringen van licht en donker. Ze had hem *Sparrenbos* genoemd.

'Waarom *Sparrenbos*?' had Jack gevraagd. 'Waarom niet eikenbos of zoiets?'

'Omdat ik hem een naam moest geven', zei ze. 'Ik vulde het aanmeldingsformulier in en toen schoot de naam *Sparrenbos* door mijn hoofd.'

'Je zou helemaal naar Wisconsin moeten om een sparrenbos te zien', zei Jack op een, voor hem ongewone, zeurende toon.

Eigenlijk leek de quilt meer op een grasveld dat tegen de avond afkoelt, een gazon in een voorstad, overschaduwd door de donkere, vereenvoudigde vormen van spirea, jasmijn en wingerd. Ze had lange sprieten van donker linnen uitgeknipt (gras? sparrentakken? misschien golven? messen?) en die zo geschikt dat ze over de lengte van de quilt kronkelden. De vormen schoten uit en overlapten elkaar, en het groene, onderdompelende effect van de kleur werd doorgezet tot de randen, en zelfs daarbuiten, want Brenda had, met een plotseling ontwakende inspiratie, besloten de rand van de quilt onregelmatig te maken. (Later werd het toepassen van een onregelmatige rand een soort handelsmerk van haar.)

Sparrenbos: hij won de eerste prijs op de Kunstnijverheidstentoonstelling van Chicago, vier jaar geleden. Er was een ceremonie, de burgemeester was er en ze kreeg een medaille en een bos rozen. 'Wat ging er op dat moment door u heen, mevrouw Bowman?' vroeg de jonge verslaggeefster van de *Elm Leaves Weekly*. 'Had u het gevoel dat u aan het begin van een nieuwe carrière stond?'

Dat had ze niet. Ze had het gevoel dat het veel meer geluk dan wijsheid was geweest. Iemand had geld neergeteld voor een droom die zij tot werkelijkheid had gemaakt. Het duurde dagen voor ze besloot de cheque naar de bank te brengen.

De quilt was gekocht door een kleurrijk middelbaar stel, Sy Adelman en zijn vrouw Slim Morgan. Ze kwamen naar de opening van de tentoonstelling, zagen *Sparrenbos*, en schreven ter plekke een cheque uit voor zeshonderd dollar. 'Hij staat gegarandeerd schitterend in onze woonkamer', zei Sy Adelman. 'We wonen in Oldtown, in een juweel van een huis met hoge plafonds en dakramen, je kent het wel.'

'In jullie woonkamer?'

'Hij bedoelt aan de wand', zei Slim Morgan zoetgevooisd. 'Boven de piano. Het is precies waar we al tijden naar zoeken.'

'Al tijden', zei Sy Adelman.

'Wie is Sy Adelman?' vroeg Brenda later aan Jack. 'En wie is Slim Morgan?'

'Je weet wel, Sy Adelman, die nachtclubcabaretier. Van de vroegere Chicago Review-groep. En Slim Morgan is nu zo ongeveer een klassieker. Iemand vertelde me laatst dat haar eerste platen bijna onbetaalbaar zijn.'

'Nee maar!' zei Brenda.

Wanneer ze aan een quilt werkte, keek ze slechts zelden uit het raam, en ook nergens anders naar trouwens. Af en toe maakte ze een schetsje, heel ruw, alleen een paar lijnen op een stuk papier, maar de patronen schenen te ontspruiten aan een simpeler soort geheugen, soms kwamen ze als een pulserende stroom wanneer ze onkruid trok in de tuin of sneeuw ruimde voor het huis, maar meestal kwamen ze 's morgens vroeg voor ze haar ogen opendeed, een compleet ontwerp dat geprojecteerd stond op het innerlijke scherm van haar oogleden. Ze zag de kleinste details, elk steekje. Alle onderdelen waren aanwezig en de kleuren en verhoudingen waren uitgezocht en geordend. Wanneer ze haar ogen opendeed in het daglicht, verwachtte ze altijd dat het beeld zou verdwijnen, maar het bleef intact, alsof het afgedrukt stond op een denkbeeldige muur of zacht kloppend achterin haar hoofd. Ze had geen idee waar de ideeën vandaan kwamen.

Er moest, bedacht ze, een of ander innerlijk reservoir bestaan, en ze vroeg zich af wat dat dan was. Ze stelde zich een vibrerend orgaan voor, iets tussen een hart en een placenta in. Ze dacht aan patronen die als borden stonden opgestapeld op een keurige plank, en het verbaasde haar dat ze deze ingewikkelde beelden blijkbaar uit hetzelfde deel van haar brein kon halen waar ze simpele recepten bewaarde en de verjaardagen van haar vriendinnen bijhield. Ze had zichzelf nooit gezien als een introspectief of origineel iemand. ('Brenda is zo'n open iemand', had Hap Lewis verscheidene keren gezegd met Brenda binnen gehoorsafstand.)

'Volgens mij zit er een Byzantijnse of Turkse invloed in Brenda's werk', zei Leah Wallberg, die kunstgeschiedenis had gestudeerd. Brenda, die secretaresse en typiste was geweest voor ze met Jack trouwde, wist maar weinig – eigenlijk niets – van kunstgeschiedenis. Desondanks scheen ze te beschikken over een innerlijke vijver vol kleuren en patronen waar ze toevallig toegang toe had en moeiteloos uit kon putten. Het was een natuurlijke en gestage bron waarvan ze de stroom zonder veel moeite kon omzetten in vorm. Eigenlijk was het soms bijna belachelijk eenvoudig en Brenda geloofde heimelijk dat iedereen dit kon.

Tegelijkertijd merkte ze dat haar quilts veranderden. De vogels en bloemen en boten en huizen van haar vroege ontwerpen – die Leah Wallberg haar folkloristische periode noemde – maakten plaats voor iets abstracters. De vormen grepen in elkaar op een andere, complexere manier. Een jaar geleden had ze die nieuwe, veerachtige randen nooit aangedurfd. Ze was blij dat niemand haar meer vroeg wat die-of-die quilt 'voorstelde'. Ze zou het niet weten. En ze was ook blij dat ze slechts zelden gedwongen werd uit te leggen wat ze bedoelde met de namen van haar quilts. Zelfs Jack trok niet langer een wenkbrauw op en vroeg: 'Waarom *Sparrenbos*? Waarom *Boeddha's lied*? Waarom *Rotssplinter*? Men nam aan dat ze haar eigen redenen had, dat haar gave voor stikwerk haar het recht van de kunstenaar gaf op interpretatie en naamgeving.

Ze had ze natuurlijk naar de kleuren kunnen noemen of kunnen nummeren – *Studie in groen, Gebrande oker nr. 2* – maar ze gaf liever een echte naam, die het ontwerp met haar verbond, ook al wist ze dat de quilts zelf in andere handen over zouden gaan. Ze herinnerde zich dat Rob en Laurie, toen ze nog jonger waren, de eilandjes namen gaven bij het zomerhuisje dat ze elk jaar in augustus huurden. Namen geven was een vorm van bezit. Het was een voorrecht, er waren talloze mensen die nooit de kans kregen om iets of iemand een naam te geven.

De naam *De tweede komst* was haar nog geen maand geleden ingevallen. Zij en Jack reden op een avond naar de stad voor een receptie op het Instituut en kwamen toevallig langs een zwart uitgeslagen doopsgezind kerkje aan een met onkruid overgroeide hoek in de buurt van Madison. Het verlichte bord op het dak liet weten: 'De tweede komst is op handen.' De tweede komst. Ze zei het hardop.

'Wat?' zei Jack, stoppend voor een rood licht.

'Niets.'

Ze zei het opnieuw, dit keer in zichzelf. De tweede komst. Het klonk gewichtig. Het klonk gelukbrengend.

'Het is een prachtige naam', zei Hap Lewis, die Brenda naar boven en de quiltkamer in volgde. 'Het heeft allerlei bijbetekenissen. Als je begrijpt wat ik bedoel.'

Brenda vouwde de quilt kordaat open, spreidde hem uit op de werktafel en kondigde beverig blij aan: 'Nou, hier is ze dan.'

'Jezus!' Haps knarsende stem stierf weg.

'Nou?' Brenda hield haar adem in. 'Wat vind je er echt van?'

'Wat ik er echt van vind, mijn gevoelsmatige reactie,' Hap zweeg even, 'is dat dit het beste is dat je tot nog toe hebt gemaakt. Fantastisch, echt waar, een tien plus. Nog beter dan dat Boeddha-ding. Jeee-zus! Hou hem eens omhoog.'

'Vind je dat paars niet te paars…?'

'Godverdorie, nee, het is sensationeel, dat paars. Nogal onverwacht, maar precies goed.'

Ze tilden de quilt op door ieder twee hoeken te pakken en droegen hem samen naar het raam. Het grijze januarilicht viel naar binnen op een geblokt bed van kleur – merendeels groene en gele tinten – waarbij een soort woeste gloed van één kant kwam. En donkerpaarse vlekken stonden als een voetnoot of een inscriptie langs de randen met vormen die op monden leken.

'Als jij niet uit Philly terugkomt met een of twee prijzen, dan eet ik mijn kippenveren op.'

'Ik reken er helemaal niet op dat…'

'Je bent weer veel te bescheiden, Bren. Wacht maar tot de jury deze ziet. Je hebt gezien wat voor rotzooi die meiden aan de lopende band produceren. Moet je horen, Brenda, het is je gelukt. Je weet wel wat ik bedoel. Deze heeft zo iets beheersts, niet echt stil, maar je weet wel, langzaam bewegend, als iemand die iets wil zeggen, maar de woorden niet geformuleerd krijgt. Begrijp je wat ik bedoel?'

'Nou, ja…'

'Ik bedoel, de sensualiteit zit er volledig in genaaid – sorry voor de beroerde woordspeling – maar het is ook, eh, sexy.'

'Sexy?' Brenda moest lachen.

'Je wilt het aanraken. Of uit je kleren springen en er in rondrollen.

Ik bedoel niet alleen maar simpele seks van seksuele gemeenschap, foei o foei, niet dat er iets mis is met gemeenschap. Ik heb het over energie. Maar het soort energie dat je in toom houdt. Beheerste energie – begrijp je wat ik bedoel? Dat zo op je afspringt als je het loslaat.'

Over het hellende oppervlak van de quilt keek Brenda Hap teder en dankbaar aan. Ze voelde warme tranen in haar keel opwellen.

Hap Lewis was een tateraar, zei Jack altijd. En dat klopte. Ze had de neiging om maar door te gaan. Verbale overversnelling, noemde Jack het. Ze werkte hem op de zenuwen en hij vroeg zich, soms hardop, af hoe Brenda haar kon uitstaan. Hij had echt te doen, zei hij, met Bud Lewis, die arme sul, wat voor seksleven kon je hebben met een vrouw die nog geen tien tellen haar mond hield?

'Maar ze meent het', zei Brenda altijd. 'Zo is Hap nu eenmaal. Ze meent alles wat ze zegt.'

Ze bleven nog even staan, de quilt naar het raam houdend. Brenda had het duizeligmakende gevoel dat er iets bijbels gebeurde: twee vrouwen bij de bron, die licht vingen in een net. Geen van beiden sprak, en Brenda had het gevoel dat de stilte onbreekbaar was en ondergedompeld in gelukkige herinneringen van vroeger.

'Ik wou dat je meeging, Hap', zei ze impulsief. 'Ik wou dat je toch had besloten om mee te gaan.'

Hap, die nog steeds de quilt vasthield, haalde haar schouders op. 'Hoe kan dat nou? Bud, en de jongens…'

'Aha! Weet je nog hoe je reageerde toen ik zei dat ik dacht dat ik niet weg kon?'

'Wat zei ik dan?'

'Je zei, en ik citeer je letterlijk, ze kunnen allemaal de pot op.'

'Hé', riep Hap uit. 'Hé, Brenda. Je hebt het gezegd. Eindelijk heb je het een keer hardop gezegd. Weet je wat ik denk dat dat betekent?'

'Wat dan?' Naar elkaar toelopend vouwden ze de quilt op, eerst in tweeën, daarna in vieren.

'Ik denk', zei Hap, 'dat het een soort voorteken is. Dat je iets goeds staat te wachten.'

3

'JACK?'
Geen antwoord.
Ze probeerde het opnieuw, iets luider. 'Jack.'
'Ja.' De omfloerste, toonloze stem kwam schor vanuit een diepe slaap.
'Het is kwart over zes.'
Hij draaide zich om en begroef zijn gezicht in het kussen.
'Het is tijd om op te staan, Jack.'
'Nog tien minuten. Het is nog nacht.'
'Ik heb koffie voor je meegebracht. Hier op het tafeltje.'
'Omkoperij', kreunde hij in het verenkussen.
Ze zat op de rand van het bed. 'Hoe heb je geslapen?'
'Goed. Zolang het duurde.'
'Vraag eens hoe ik heb geslapen.'
'Hoe heb jij geslapen?'
'Belabberd.' Ze begon over zijn rug te wrijven door de gestreepte pyjama heen. 'Belabberd.'
'Niet ophouden. Dat voelt lekker. Ahhh.'
'Ik bleef maar denken aan alles wat ik vergeten ben. Zoals die man die de klep van de ketel komt maken. Ik geloof dat hij zei dat hij maandag zou komen.'
'Mmmmm.'
'En ik lag daar maar wakker, voor mijn gevoel urenlang. Ik hoorde de klok beneden tikken, zo stil was het. Toen begon ik te tobben hoe ik de quilts uit de luchtvracht moet krijgen zodra ik in Philadelphia ben. Brengen ze de doos naar de bagageband of moet je hem ophalen bij luchtvracht?'
'Ik denk dat...'
'Ik heb besloten dat ik eerst mijn koffer ga halen en als de doos

met quilts er niet is, dan neem ik een taxi en vraag ik de taxichauffeur of hij even wil stoppen bij de afdeling luchtvracht.'

'Mmmmm.'

'Wat zei je?'

'Ik zei dat dat volgens mij een uitstekend en weldoordacht plan is.'

'Je valt weer in slaap.'

'Ik droomde zo heerlijk.'

'Je koffie wordt koud.'

'O, dat voelt lekker. Een beetje lager.'

'Hier?'

'We moeten een nieuwe matras kopen. Wat denk je van een waterbed?'

'Wat mankeert er aan deze matras? Hij is nog niet eens versleten.'

'Na twintig jaar hebben we wel recht op een nieuwe matras. Ze zeggen dat het wonderen doet voor...'

'Waar ging die droom over?'

'Ik weet het niet. Ik geloof over wiebelen op een waterbed. Maar alles verdween toen iemand keihard kwart over zes in mijn oor toeterde.'

'Ik wil niet te laat komen.'

'Neem nou maar van mij aan dat je te vroeg bent.'

'Jack?'

'Wat is er?'

'Ik ben vergeten de stof voor Laurie te kopen.'

'Wat voor stof?'

'Voor school, voor huishoudkunde. Ze moet een rok maken of zoiets en ze had de stof vorige week al moeten hebben.'

Stilte.

'Denk je', zei Brenda, 'dat jij het met haar kunt gaan kopen? Vanmiddag misschien? Bij Zimmerman of Mary Ann of zo'n soort winkel?'

'Oké.'

'En ze moet ook een patroon kopen. Ze weet wat ze hebben moet, dat heb ik haar gisteren gevraagd.'

'Oké.'

'Je vergeet het toch niet, hè?'

'Erewoord.'

'En nog iets, ik heb nagedacht over Rob.'

'Wat is er dan met hem?'

'Ik heb gewoon over hem nagedacht. Gisteravond toen ik niet kon slapen. Ik bedoel, misschien moet je eens met hem praten.'

'Volgens mij is hij redelijk goed op de hoogte…'

'Volgens mij moet jij, of moeten wij samen, eens met hem praten over zijn gedrag.'

'Brenda?'

'Wat?'

'Waarom kruip je niet lekker even onder de dekens, dan kunnen we erover praten.'

'Je bent tijd aan het rekken. Je wilt gewoon niet opstaan.'

'Niet waar.'

'Ik ben trouwens al aangekleed. Ik ben al een uur op. Heb je de douche niet gehoord?'

'Nee. Ik had zo'n heerlijke droom…'

'Was het onkuis?'

'Onkuis?' Hij draaide zich om en glimlachte lui naar haar. 'Dat woord heb ik in geen twintig jaar meer gehoord.'

'Geil dan. Was het een van je geile dromen?'

'Weet je zeker dat je niet twee minuutjes onder de dekens wilt kruipen?'

'Zeker weten. Het is halfzeven, bijna…'

'Eén minuut dan. Ik beloof dat ik snel zal zijn.'

'Jack…'

'Je ruikt naar tandpasta. Ik hou van vrouwen die naar tandpasta ruiken. Eau de Crest.'

'Het is Infini. Het is dat parfum dat je tante heeft gestuurd. Ruik maar aan mijn pols.'

'Hmmmm.'

'Lekker?'

'Ik zal maar niet vragen waar ik naar ruik', zei Jack.

'Dat is inderdaad maar beter.' Hij rook naar lakens, ongepoetste tanden en iets vaag faecaals. Zijn lichaam was warm en ontspannen onder de elektrische deken – was eigenlijk één geheel met de warmte van de deken – en heel even overwoog ze haar rok uit te trekken en naast hem te kruipen. Nee, daar was geen tijd voor. En dan moest ze nog eens douchen en misschien haar blouse strijken…

'Afgewezen', zei Jack. 'Afgewezen en verlaten. Dat zou een goede filmtitel zijn.'

Ze aaide zijn wang. 'Je koffie…'

'Jullie carrièrevrouwen zijn allemaal hetzelfde.'

'Dat meen je niet.'

'Steeds maar wegrennen om het vliegtuig te halen.'

'Wat wreed, hè?'

'Je kunt toch even lief voor me zijn.'

'En waarom dacht je daar gisteravond dan niet aan, aan lief zijn?'

'Omdat ik van jou naar dat Barbra Streisand-gedoe op tv moest kijken, van jou en je kinderen.'

'Ik dacht dat je van Barbra Streisand hield. Je hield altijd van…'

'Moe word ik van Barbra Streisand. Hondsmoe.'

'Maar goed, je hebt mijn vraag niet beantwoord, Jack.'

'Welke vraag?'

'Over die man die de klep van de ketel komt bijstellen.'

'Die komt gewoon, Brenda. Hij belt aan. Niemand doet open, dus dan gaat hij gewoon weer weg.'

'Misschien moeten we wel betalen voor het voorrijden.'

'Dat denk ik niet.'

'Maar ik geloof dat ik heb gezegd dat ik thuis zou zijn. Ze belden vorige week op en vroegen of de vrouw des huizes thuis zou zijn op…'

'De vrouw des huizes?'

'En ik zei…'

Hij keek haar steels aan en zei opnieuw op verwonderde toon: 'De vrouw des huizes.'

'Wat is daar zo grappig aan?'

'Net zoiets als kasteelvrouwe. Ben je echt', hij zweeg even, 'de vrouw des huizes?'

'Als jij die koffie niet opdrinkt doe ik het.'

'Niks ervan.' Hij steunde op een elleboog en pakte het kopje.

'Waarom drink je het niet op terwijl je je aankleedt?'

Hij nam een slok. 'Sterk.'

'Expres. Om je wakker te maken.'

'Ik heb altijd van koude koffie gehouden. Dat gaat goed samen met koude tandpasta.'

'Je vergeet de stof niet, hè? Het moet deels polyester zijn, zei ze.'

'Wat?'

'De stof voor Laurie. Dat heb ik je net verteld. Ze...'

'O, díe stof.'

'En Jack, misschien kun jij die mensen van de ketel laten weten dat ik er niet ben. Het nummer staat in mijn boekje. Onder de O van olie. En anders staat het onder...'

'Brenda, liefje.'

'Ja.'

'Ik ga je een vraag stellen. Als het daarvoor tenminste niet te vroeg is.'

'Wat voor vraag?'

'Hoeveel inwoners heeft Chicago?'

'Hoeveel inwoners heeft Chicago? Hoe moet ik in hemelsnaam weten hoeveel inwoners Chicago heeft?'

'Je hebt hier je hele leven gewoond. Je moet toch vaag een idee hebben van...'

'Drie miljoen. Het schoot me net te binnen.'

'Toen je nog op school zat waren het er drie miljoen. Zo ongeveer. Nu is het waarschijnlijk zes miljoen.'

'En?'

'Nou, als je vier mensen per gezin rekent dan krijg je anderhalf miljoen – miljóen – gezinnen die het dagelijks rooien zonder dat die befaamde vrouw des huizes, Brenda Bowman, het schip bestuurt.'

'Eruit!' beval ze, abrupt opstaand en in één beweging de dekens van het bed trekkend.

'Mijn god, het is ijskoud.' Hij deed een poging om de dekens te grijpen, maar miste.

'Het is koud door de klep van de ketel. Daardoor is het minder warm. Toen die man kwam om het filter schoon te maken legde hij uit dat...'

'Wat een baan! Zo'n baan lijkt me wel wat. De hele dag met vrouwen praten over hoe kleppen werken.'

'Hij was heel aardig. Jong en...'

'Weet je dat je er vanmorgen beeldschoon uitziet?'

'Weet je hoe laat het is, Jack?'

'Een beetje zoals Olivia de Havilland.' Hij pakte haar hand. 'Dank je wel, Brenda.'

'Waarvoor?' Ze ging op de rand van het bed zitten.

'Dat je niet lijkt op Barbra Streisand.'

'Was dat maar waar.'

'En dat je niet klinkt als Barbra Streisand. En dat je je mond niet zo vreselijk wagenwijd opendoet zoals Barbra Streisand...'

Ze sloeg haar armen om hem heen. Het haar op zijn achterhoofd stond in plukjes overeind en ze streek ze glad met haar hand. Weldra zou daar een hele kale plek zitten, de gedachte aan deze kwetsbare plek deed haar keel samenknijpen en ze boog zich vooroverenkuste hem op het voorhoofd, waar ze vaag de smaak van zout proefde.

'Ah, liefje', mompelde hij en sloot zijn ogen.

'We moeten echt zo weg', zei ze na een minuut.

Hij deed zijn ogen open. 'Is dit een nieuwe?'

'Wat?'

'Deze blouse.'

'Deze? Die heb ik vorige week gekocht. Bij Field's. Ik heb hem je laten zien, weet je nog?'

'O, ja.'

'Vind je hem niet mooi?'

'Ik vind hem prachtig.'

Hij maakte de knoopjes los. Zij protesteerde een beetje met een meisjesachtige mauw en hij liet zijn handen achter haar rug glijden en haakte haar bh los.

Het was een oud spelletje van hen: hij was de jager, de vleier, degene met alle tekst, waarvan een deel zowel waar als onwaar was. En zij was zwijgzaam, plagerig, tegenzin en verstrooidheid veinzend, waarna ze zich ten slotte liet veroveren. Er waren ook andere spelletjes, andere scènes, sommige prikkelender en wilder, maar telkens weer kwamen ze terug op deze. Brenda had het idee dat het een manier was om hun jeugd terug te halen, een soort toneelstuk dat ze opvoerden om hun jongere ik te vermaken. Hij mompelde in de lange holte tussen haar borsten de woorden *prachtig prachtig*, en ze voelde zich wazig en sprakeloos worden en maakte hijgende geluidjes terwijl zijn tong rond haar tepels cirkelde. Langzaam.

Haar blouse lag onder hen en haar rok – zwart met groene tweed – zat in een rol opgeduwd rond haar middel. Ver weg in een groene en kalmere ruimte bedacht ze dat de kreukels er waarschijnlijk wel uit zouden zakken. En dat de blouse toch onder haar jasje zat, dus geen mens die het zou zien. Misschien had ze zelfs nog even tijd om de kraag te fatsoeneren terwijl Jack zich schoor.

Philadelphia, Philadelphia, herhaalde ze voor zichzelf, zich tegen hem aandrukkend, en als een mantra opende het woord de deur naar een ruimte, groter en warmer dan gewoonlijk. Ze werd overweldigd door vertrouwdheid, katoen, huid, de druk van Jacks benen, en achter haar gesloten oogleden opende zich een lange, donkere gang, verlicht door muurlampjes, roodachtig van kleur en enigszins Victoriaans van vorm.

'Ik hou van je', zei ze, zoals altijd wanneer de lampjes opflakkerden, en daarna – deze ochtend, omdat ze wegging – voegde ze eraan toe: 'Ik hou echt van je.'

'Mijn schatje', zei hij in haar losvallende haar. 'Mijn Brendabeer, mijn enige enige.'

4

H ET WAS BRENDA'S MOEDER, ELSA PULASKI, DIE HAAR HAD leren naaien. Gedurende haar hele jeugd in Cicero, Illinois, had haar moeders zwarte naaimachine in een hoek van de volle woonkamer gestaan, ingeklemd tussen de radiator en de doorgezeten bank. Het was een Singer Standard, gemaakt van glanzend zwart metaal, altijd een beetje stoffig, met gouden krulwerk aan de onderkant en een hefboompje dat bediend werd door er met de knie tegenaan te drukken. Een vlijtige, olieachtige geur steeg op rond de motor. Het geluid was lieflijk en ritmisch, bijna menselijk. Elsa schepte graag op over hoe weinig ze ervoor had betaald, met slechts een beetje aftroggelen had ze hem bij de groothandel op de kop getikt voor dertig dollar, wat bijna voor de helft van de prijs was. Het was een kastmodel en de machine kon worden weggeklapt onder een tafeltje van walnotenfineer, hoewel dat maar zelden gebeurde.

Want wat voor nut had het hem op te bergen, zei ze altijd, met haar omhooggaande intonatie, wat voor zin had het als ze toch altijd aan iets zat te werken – 's avonds, in het weekend, zodra ze maar even tijd had. Elsa's knie die tegen het hefboompje rustte, zo lichtjes voor een zware vrouw, was voor Brenda een scholing in lichthartigheid geweest. Ze maakte al haar eigen kleren, de jurken van maat achtenveertig – met lange mouwen voor de winter en korte voor de zomer – die ze nodig had voor haar werk. (Dertig jaar lang, tot aan haar dood, verkocht ze herensokken en -onderbroeken bij Wards – vijf dagen per week, van negen tot vijf, en om de week op zaterdagmorgen tot de vakbonden zich ermee bemoeiden en hier een eind aan maakten.) Ze maakte haar eigen rokken en blouses en zelfs haar winterjassen: 'Probeer maar eens een fatsoenlijk confectiemodel te vinden voor een meid van mijn maat.' Ze maakte nachtponnen voor zichzelf van coupons – sommige waren van vreemde niet-nachtponmaterialen, moiré of taffetas, die geschikter waren voor avondkleding – en ze zou ook haar eigen ondergoed gemaakt hebben als Wards zijn verkoopsters geen vijftien procent korting had gegeven. Ze naaide nylon gordijnen voor de ramen aan de voorkant van het appartement aan 26th Street en de stretch bekleding voor de twee leunstoelen en voor de bank die ze 's avonds openklapte als haar bed. Ze zoomde haar eigen theedoeken en lakens om. 'Betere textiel', legde ze Brenda uit. 'Honderd procent beter, en het rafelt niet gelijk na één keer wassen.'

Brenda herinnert zich nog de klank van haar moeders stem wanneer ze dit soort dingen zei, maar ze weet niet meer of ze Engels of Pools sprak. Elsa ging met gemak van de ene op de andere taal over en als kind was Brenda gewend aan die snelle wisseling, niet alleen aan het andere vocabulaire maar ook aan de erbij horende gevoelsstructuur en stemming. Wanneer Elsa op haar gelukkigst was, spuide ze een luid, komisch Engels met een Cicero-tongval.

Brenda groeide op met prachtige kleren. Op de Wilmot Public Grammar School in Cicero, waar andere meisjes jurken droegen van verkleurde kunstzijde die nog van hun oudere zusters waren geweest, droeg Brenda Pulaski nieuwe katoenen jurken – Egyptische katoen, 'dat strijkt als een zakdoek', zei Elsa – gemaakt volgens de nieuwste weer-naar-schoolpatronen van Butterick and Simplicity. De mouwen en kragen waren versierd met eigenhandig gemaakt borduursel of met sierrandjes van witte piqué. In de vierde klas had Brenda als eerste op school een New Look-ballerinarok en had ze als eerste een blouse met een Barrymore-kraag. In al die jaren dat ze opgroeide vond ze in haar kast in de rommelige slaapkamer achter altijd iets om aan te trekken, altijd droeg ze een jurk, een overgooier of een blouse die was afgewerkt met ingeslagen zomen en gefestonneerde knoopsgaten; ze hoefde nooit bang te zijn dat er een zoom loshing, er een knoop miste of dat er een gat verscheen bij haar oksel wanneer ze haar hand opstak in de klas. Op haar negende of tiende ging ze naar verjaarsfeestjes in de buurt in koningsblauwe of wijnrode fluwelen jurken met een strik op de rug en kant op de schouders; wanneer ze ronddraaide waaierde de rok van deze jurken uit in een complete cirkel. Op Morton High School, waar ze klassenoudste was, had ze een garderobe van bij elkaar passende corduroy rokken en vesten en wollen jurken waarvan de Schotse ruiten zowel aan de achterkant als aan de zijkanten aansloten, en witte, handgemaakte Peter Pan-kragen om aan de achterkant van haar truien vast te maken. Voor haar eerste schoolbal op haar vijftiende had Elsa een 'avondjurk' voor haar gemaakt van nylon mousseline, met baleinen verstevigd en strapless, met een bijpassend diadeem van tule voor op haar paardenstaart. In een van haar oude jaarboeken is een foto van haar in deze jurk. Ze staat onder een basket die versierd is met papieren linten, verbaasd en blij kijkend aan de arm van een slanke jongen, Randy Saroka, met kort, krullend haar en een gestreepte das, en bij de taille van haar jurk met wijde rok zit een corsage van twee gardenia's.

Wat Brenda's kleren betreft had Elsa vrijwel al het naaiwerk gedaan en alle patronen geknipt. 'De snit is het geheim', zei ze graag nadrukkelijk en geheimzinnig. Ze stond er ook op zelf de ritsen en de mouwen in te zetten. 'Als je ouder bent mag jij ook een mouw inzetten', beloofde ze Brenda. 'Daar is nog tijd genoeg voor.' (Brenda naaide op haar dertiende of veertiende haastig zijnaden, reeg en deed de zomen.) Wanneer Brenda 's avonds haar huiswerk maakte, of later op de avond, wanneer ze in bed lag, zat Elsa onder de lamp met de radio aan te werken aan dubbele plooien of zelfgemaakte knoopsgaatjes. 'Naaien is verdomd hard werken,' zei ze altijd met een heel lichte Slavische intonatie, 'dus is het stompzinnig om goedkope meterwaar te nemen.' Dus kwamen er voor haar dochter Brenda geen goedkope stoffen en geen coupons; zelfs tijdens de oorlog lukte het Elsa honderd procent zuivere scheerwol voor Brenda's schoolkleren te vinden. Voor een meter echte Engelse jersey betaalde ze ooit eens zes en een halve dollar. 'Kijk eens hoe dat valt', riep ze uit, terwijl ze het materiaal tegen het licht hield, het tussen haar vingers rekte en er een korte zijdelingse ruk aan gaf. 'Ik zeg altijd maar, niet beknibbelen als je zelf naait. Kwaliteit zie je er altijd aan af.' (Van de wollen jersey, herinnerde Brenda zich nog jaren later, was iets gemaakt dat een kokerrok werd genoemd. Zij was een van de eersten met een kokerrok geweest.)

Ze wist zeker dat, als haar moeder nog had geleefd, ze de nieuwe rode regenjas bewonderd zou hebben die ze had gekocht voor haar reis naar Philadelphia. Elsa zou hem binnenstebuiten gekeerd en plat op tafel hebben gelegd, ze zou de zomen en de voering hebben geïnspecteerd en het uiteindelijk een knap stuk werk hebben genoemd, een stuk kwaliteitskleding. Ze zou naar het prijskaartje gekeken hebben, goedkeurend knikkend en zachtjes fluitend: 'Voordelig geprijsd.'

De gedachte aan haar moeders postume goedkeuring – Elsa stierf vier jaar geleden op haar zesenvijftigste door complicaties na een simpele galblaasoperatie – bemoedigde Brenda, die in de auto zat met haar nieuwe jas over haar broekpak. Jack zweeg en reed naar het vliegveld, zijn tanden opeengeklemd in een gedecideerd plichtsbesef.

'Die verdomde ruitenwissers.' Hij boog zich voo, over en tuurde door de besmeurde voorruit. 'Ze gebruiken goedkope ruitenwissers voor deze auto's.'

Zijn eerdere goede humeur was vervlogen, verdreven door de kleine mechanische gebreken van de auto, en misschien ook door de koude wind die over de snelweg blies, en door het ochtendlijk duister, paarsachtig van de booglichten. Een vrachtwagen passeerde hen en zwenkte plotseling uit, waardoor Jack heftig vloekte. 'Godverdomme.' Brenda had het gevoel dat al deze dingen op raadselachtige wijze haar schuld waren, en op een of andere manier te maken hadden met haar besluit om naar Philadelphia te gaan.

Nee, dat was absurd. Belachelijk. Ze herinnerde zich dat het in feite Jacks idee was geweest dat ze zou gaan. Híj had het voorgesteld en híj had haar uiteindelijk overtuigd dat het een waardevolle ervaring zou zijn. Die woorden had hij gebruikt: 'Een waardevolle ervaring.' Ze wilde dit juist tegen hem zeggen toen hij plotseling remde, waardoor ze beiden naar voren schoten.

'Zag je dat? Jezus! Hij gaf niet eens richting aan. We hadden zo bovenop hem kunnen zitten.'

Brenda zei niets, maar concentreerde zich op haar handen, die rustten op de gladde stof van haar nieuwe regenjas. Ze had hem een week geleden bij Carsons gekocht voor tweehonderdvijftig dollar.

Toen ze het prijskaartje bekeek in het getemperde licht van de winkel, voelde ze paniek. Het was ongelofelijk. Tweehonderdvijftig dollar! En dan nog de btw erbij! Ze was ontzet. ('Ik was ontzet', stelde ze zich voor dat ze later tegen iemand – wie dan ook – zou zeggen.) Ze had geen idee dat jassen zoveel duurder waren geworden. Wanneer was dat gebeurd? Door de inflatie? Ze had het idee dat ze nog niet zo lang geleden tachtig dollar had betaald voor een

warme winterjas met een gemzenleren voering en een echte bont-
kraag – nee, dat was jaren geleden, het jaar dat Jack zijn eerste
promotie maakte op het Instituut – haar blauwe tweedjas, ze had
hem acht jaar gedragen.

De rode regenjas bij Carsons was afgeprijsd van driehonderdvijftien dollar. Wat een giller, hoorde Brenda zichzelf zeggen in een
toekomstige conversatie, met stemverheffing. Een doodgewone regenjas, en daarvoor durfden ze driehonderdvijftien dollar te vragen.
Anderzijds was het een mooi model, dat wist ze. Ze had de
advertenties in de *New Yorker* gezien: het langharige meisje scherp
afgetekend op een rots en de grijze man, sterk gespierd, met een
fijnbesneden gezicht, een paar passen achter haar, zijn gezicht in
halfprofiel en zijn blik strak op de branding gericht. En hij had een
uitritsbare voering, waardoor ze hem vrijwel het hele jaar kon dragen. Ze zou er een flinke tijd mee toe kunnen. Als hij verkleurde –
dat gebeurde soms met rood – dan kon ze hem terugbrengen. Ze zou
de rekening diep wegstoppen in de la van haar kleerkast...

Op het label stond maat achtendertig. Perfect. Zo gemakkelijk
was het niet om een maat achtendertig te vinden, je moest overal
zoeken. (Ze had al besloten hem te kopen, natuurlijk, het zou idioot
zijn om het niet te doen.)

Ze liet hem van het hangertje glijden en paste hem. Hij zat soepel
om de schouders – dat mag ook wel voor dat geld, mompelde ze in
zichzelf, een gezicht trekkend. Ze voelde zich vrolijk worden. Haar
heupen leken er bijna slank in – iets heel vernuftigs in de snit. ('De
snit is het geheim...') Het rugpand was bovenaan ingerimpeld en de
kraag en de zakken waren afgewerkt met sierstiksels, het soort details
dat geld kostte omdat ze met de hand gedaan moesten worden.
('Kwaliteit zie je af aan de details.') Maar toch, tweehonderdvijftig
dollar was een ongelofelijke hoeveelheid geld. Minstens tweeënhalve
week boodschappen. Je kon een herenkostuum kopen voor tweehonderdvijftig dollar, een driedelig pak. Ze kon een nieuwe salontafel met glasplaat voor de woonkamer kopen voor tweehonderdvijftig dollar. Ze hadden een nieuwe salontafel nodig, de oude, die
gekraste namaak 'Duncan Phyfe', zag er met de dag havelozer uit.
Tweehonderdvijftig dollar was een fors bedrag.

Aan de andere kant, ze had al de hele ochtend boodschappen
gedaan – bij Field's, Stevens en Saks – en begon zich moedeloos en

warm te voelen. Ze zag zich al deze jas aantrekken en over een van Philadelphia's straten lopen, de lucht neutraal boven haar – een smalle straat, er middeleeuws uitziend en kil, met kleine winkeltjes; een bakkerij verscheen plotseling in haar blikveld, met verse broodjes op een rij achter glas. Ze zou zich warm en dapper voelen wanneer ze er langs liep, zwaaiend met haar leren schoudertas onder het gaan.

Ze schreef een cheque uit voor de jas in plaats van het bedrag op rekening te zetten. Toen ze thuiskwam droeg ze hem naar boven naar de slaapkamer, tilde hem uit de doos en verwijderde het prijskaartje. Ze paste hem nogmaals en bekeek zichzelf in de lange spiegel op de deur van de linnenkast. Het materiaal voelde zijdeachtig aan. Zelfs de zoom was perfect en viel precies op de rand van haar laarzen – ze hoefde dit jaar in elk geval geen nieuwe laarzen te kopen. Hij was de volle tweehonderdvijftig dollar waard, de stem van haar moeder met het lichte accent bereikte haar via de zilverkleurige schuine rand van de spiegel – 'Voordelig geprijsd'. 'Kwaliteit zie je er altijd aan af.' Brenda stak haar handen onder de revers en glimlachte.

Jack en zij hoefden niet meer elk dubbeltje om te draaien, hield ze zichzelf voor. Jack verdiende goed op het Instituut, te zijner tijd zou hij promoveren tot hoofd van zijn afdeling. Dr. Middleton zou over vijf jaar met pensioen gaan. Wie weet wat er dan gebeurde. En ze had ook nog haar quiltgeld. Ze verdiende nu bijna regelmatig haar eigen geld. De afgelopen twee jaar had ze zelfs een eigen belastingformulier ingevuld. ('Dat is al een hele mijlpaal, jij mazzelkip,' had Hap Lewis opgetogen geroepen, 'dat je nu je eigen belastingformulier krijgt. Je hebt het gemaakt, wijffie.')

Ze had geluk gehad. Dat ze haar eerste quilt had verkocht voor zeshonderd dollar. Een meevaller, had ze indertijd gedacht, het kwam alleen maar omdat hij die prijs had gewonnen en er over geschreven was in *Chicago Today*. 'Huisvrouw uit Elm Park maakt hobby te gelde.' Indertijd dacht ze dat zoiets nooit meer kon gebeuren. Maar het was wel gebeurd. Mensen schenen bereid te zijn exorbitante bedragen neer te tellen voor originele handgemaakte artikelen. De laatste quilt die ze had verkocht, *Michigan-blauw*, was weggegaan voor achthonderd dollar. Een paar mensen uit Evanston hadden hem gekocht, een tandarts en zijn vrouw. Ze hadden de prijs opgewekt betaald, zonder te pingelen, zonder te vragen of er vijftig dollar van de prijs af kon of dat het zonder btw kon. Ze hadden over haar werk gehoord van een kennis, ze waren op een avond met de auto uit Evanston gekomen en hadden vooraf gebeld voor een afspraak. Haar handtekening was in de rechterhoek geborduurd, en ze hadden die tevreden bevoeld. ('Ik vind hem prachtig', had de vrouw gefluisterd. 'We nemen hem', zei haar man.)

Ze had inmiddels haar eigen naamkaartjes laten drukken, dat was Jacks idee geweest.

BRENDA BOWMAN

HANDGEMAAKTE QUILTS
ORIGINELEN EN OPDRACHTEN

576 North Franklin Blvd. Elm Park, Ill.

Ze had een kasboek met haar inkomsten en een register waarin ze haar uitgaven en verkopen bijhield. En deze week – vandaag – ging ze naar de Nationale Handvaardigheidstentoonstelling, waar de beste quilters van het land zouden komen. Eleanor Parkins, dé Eleanor Parkins, Sandra French, Dorothea Thomas, W.B. Marx en Verna of Virginia. Deze quilters vroegen duizend dollar, zelfs vijftienhonderd dollar voor een opdracht. Verna of Virginia had onlangs een quilt verkocht aan het Metropolitan Museum of Modern Art, die lovend was besproken in *Quilting and Stitchery*, met de toespeling dat de prijs meer dan vierduizend dollar had bedragen. En zíj maakte zich druk over een jas van tweehonderdvijftig dollar! Een paar dagen werk, meer niet, die gedachte liet haar een glimp zien van een verbijsterende nieuwe macht.

En Jack had de jas ook mooi gevonden. Ze showde hem voor Jack toen hij thuiskwam, dwars door de woonkamer paraderend, en liet hem zien hoe hij stond bij haar laarzen en schoudertas, en wees op de uitritsbare voering en de knoopsgaten die met de hand waren gefestonneerd zodat ze stuk voor stuk leken op een perfecte, satijnzachte traan.

'Mooi', had hij tegen haar gezegd. 'Echt heel mooi.'

Hij waardeerde mooie kleding. En deed zelf ook wel eens een impulsieve, extravagante aankoop. Nog maar enkele weken geleden had hij voor zichzelf een suède jasje gekocht, terwijl hij nog nooit in zijn leven een suède jasje had gedragen en dat waarschijnlijk, zo vermoedde Brenda, ook nooit zou doen. (Hij had haar niet verteld hoeveel het had gekost, zij had nagelaten ernaar te vragen, intussen hing het in hun kast, duur en nieuw ruikend.)

'Vind je hem echt mooi?' Ze draaide rond zodat de onderkant van de jas meisjesachtig uitzwierde. Haar handen streken het materiaal glad over haar heupen en impulsief gaf ze een korte, felle trap naar voren – een cancantrap, perfect uitgevoerd.

'Je wordt het grote succes van Philly', zei hij glimlachend tegen haar.

Ze keek hem lang en strak aan. Hij zat ontspannen achterovergeleund op de bruine bank, nippend van een gin met tonic uit zijn favoriete matte glas. Eén been over het andere geslagen; een jaar geleden was hij op Brenda's voorstel extra lange sokken gaan dragen. En hij knikte, *prachtig, prachtig* – maar hij reikte al zijwaarts naar de krant, de glimlach gleed al van zijn gezicht. Ze verlangde er plotseling naar hem terug te brengen, hem iets langer daar te houden, en dus kondigde ze met een laatste draai aan: 'En raad eens, Jack? Hij was afgeprijsd.'

Zijn wenkbrauwen gingen omhoog. De glimlach stond op het punt weer te voorschijn te komen.

'Extra voordelig. Afgeprijsd naar honderdvijftig dollar.'

Terwijl ze dit zei bleef ze doodstil staan bij de salontafel, haar handen modieus in de zakken van haar rode jas gestoken.

Het was even stil, toen maakte Jack een gebaar alsof hij toastte door zijn glas naar haar op te heffen. 'Spotgoedkoop', zei hij.

'Spotgoedkoop?' Ze glimlachte ijzig. 'Noem jij honderdvijftig dollar spotgoedkoop?' Ze hoorde dat haar stem schril klonk. En ze voelde een beschamend sluwe uitdrukking op haar jukbeenderen rusten.

'Nou ja, vandaag de dag…' Jack liet zijn drankje in het glas ronddraaien. 'Met deze inflatie…'

Hij was te gemakkelijk te misleiden, er zat geen weerstand in hem, ze had zich vaag bedrogen gevoeld. En ze was woedend omdat ze een hekel aan zichzelf had. Waarom, waarom, waarom? Later had ze de rekening verscheurd. Wat dan nog als hij verkleurde? Wat deed het er toe? Ze zou hem toch nooit terugbrengen.

Deze kleine teleurstelling ging samen met een andere – hoewel dat in zekere zin niets met logica te maken had, de tweehonderd-achttien dollar voor de vliegreis naar Philadelphia.

Toen ze besloot om naar Philadelphia te gaan, was het reisgeld niet haar grootste probleem. Ze maakte zich alleen maar zorgen of ze wel een week weg kon.

'Het is geen week, het is vijf dagen', had Jack haar herinnerd.

'Evengoed…'

Het zou anders geweest zijn als haar moeder nog had geleefd, die had kunnen komen om de boel te verzorgen. Hoewel Jacks ouders dichtbij woonden, waren ze te oud, te nerveus wanneer ze van huis waren, zelfs voor één nachtje, de kinderen werkten hen na een paar uur op de zenuwen.

Jack verzekerde haar dat hij het wel redde. De kinderen waren nu trouwens oud genoeg. Daar hoefde niet meer op gepast te worden. Het enige wat ze nodig hadden was eten in hun maag en iemand die ze 's avonds naar bed stuurde. Daartoe was hij heel wel in staat.

Twee dagen later belde ze United Airlines. Het ticket kostte tweehonderdachttien dollar. 'Hebt u geen aanbiedingen?' had ze gevraagd. Jack had haar aangeraden hiernaar te vragen.

'Er is ook een nachtvlucht', zei het zoetgevooisde meisje van United. 'Die kost maar honderdzesenzeventig dollar.'

'Hoe laat ben je dan in Philadelphia?' vroeg ze.

'Om kwart over drie 's ochtends.'

'Kwart over drie?'

'Deze vlucht is erg gewild bij zakenmensen.'

Brenda aarzelde. Kwart over drie in de ochtend. In het donker. Ze zou in het donker over Gary, Fort Wayne en Cleveland vliegen. En dan ook nog in januari, wanneer het jaar op zijn naargeestigst was. Ze stelde zich voor hoe het vliegtuig zich een weg baande door de zwarte nacht boven de Appalachen op weg naar het oosten. En bij Philadel-phia zou dan de scherpe daling zijn, waarna ze in de onbekende verwarring en de felle lichten van een vreemd vliegveld zou stappen. Er zouden uitgangen en roltrappen zijn die naar onbekende bestem-mingen leidden. De gedachte hieraan maakte haar onrustig en een beetje misselijk. Waar moest ze in vredesnaam heen op dat uur? En hoe? Ze zou behoefte hebben aan slaap, een bed, een kussen.

Tweehonderdachttien dollar min honderdzesenzeventig dollar. Dat was een verschil van tweeënveertig dollar. Brenda was altijd goed geweest in rekenen, beter dan Jack in prijzen vergelijken en percentages berekenen. Zij was degene die de rekeningen deed en in het voorjaar de belastingformulieren invulde.

Tweeënveertig dollar. Ze hoefde er niet eens over na te denken. Ze schudde heftig met haar hoofd. Wat was tweeënveertig dollar vandaag de dag? Een geringe prijs voor veiligheid, ze moest aan de kinderen denken en ook aan Jack. 's Nachts vliegen was riskanter, dat wist iedereen, hoewel Jack, die vaak vloog, beweerde dat het veiliger was dan om vijf uur 's middags over de snelweg rijden.

Bovendien, in de paar dagen sinds Jack haar had aangeraden om te gaan, had ze tijd gehad om zich de reis naar Philadelphia voor te stellen, en bij dat beeld hoorde een vertrek 's ochtends – koffie drinken uit een piepschuim bekertje op het vliegveld terwijl de zon zich naar boven worstelde door de gestreepte dageraad boven Chicago, en uiteindelijk, een paar minuten voor het opstijgen, een uitbarsting van helder daglicht.

'Ik denk dat ik toch de ochtendvlucht maar neem', zei ze in de hoorn.

'Uitstekend. Dan noteer ik u voor vlucht 452. Bowman, zei u. Is dat juffrouw of mevrouw?'

'Mevrouw.' Ze was nu kordaat, een en al zakelijkheid.

'Dank u wel, mevrouw Bowman. En dank u wel dat u United hebt gebeld.'

Een paar dagen later kwamen de tickets per post. Ze liet ze aan Jack zien.

'Dat lijkt me redelijk', zei hij. En vervolgens: 'Ze hadden dus geen aanbiedingen?'

'Nee', zei Brenda. 'Niet voor vijf dagen.'

'O, nou ja…' Hij was verstrooid, druk op het Instituut en gefrustreerd omdat hij blijkbaar nooit tijd had om aan zijn boek te werken.

Brenda legde de tickets op het tafeltje in de gang onder het brok rode kwarts.

5

'PARDON', ZEI EEN HEEL JONGE MAN IN EEN LICHTBRUIN kostuum. Hij stond in het gangpad en sprak Brenda aan, zijn hoofd naar beneden gebogen als een duiker voor de sprong. 'Pardon, mevrouw?'

Brenda keek op van haar tijdschrift. 'Ja?'

'Ik geloof dat u op mijn plaats zit.'

'Uw plaats?'

'14A.' Hij deed zijn mond open – een rode, kussenachtige mond in een geestdriftig gezicht – en toonde een verbazingwekkende hoeveelheid tandvlees aan de onderkant.

'Ik heb stoelnummer 14A.'

'Volgens mij staat er op mijn instapkaart…'

'Dat is vast een vergissing', zei hij volhardend.

Geagiteerd pakte Brenda haar tas. 'Ik weet zeker dat ik mijn instapkaart hier ergens heb.'

'Waarschijnlijk hebt u 14B. De stoel hier in het midden. Er zit niemand op 14B. En ook niet op 14C. En iedereen is vrijwel binnen. De deuren gaan al dicht.'

'Ik weet niet wat ik ermee gedaan heb, met mijn instapkaart. Ik had hem daarnet nog in mijn hand.'

'Is dat hem niet? Die rode kaart. Daar onder uw jas?'

'O, ja. Hier is hij.'

'En?'

'Er staat 14A op. Tenminste, mij lijkt het een A. Wat gek. En u zei dat u ook 14A had?'

'Kijk maar.' Hij duwde hem onder haar neus. 'Dan kunt u het zelf zien.'

'Dat is ook vreemd.'

Hij schudde zijn hoofd, wierp het vinnig achterover en toonde opnieuw zijn tandvlees. Het was zo roze als van een kind. 'Het is altijd hetzelfde. Elke keer als ik in een vliegtuig stap, is het een puinhoop. De vorige keer...'

'Hoor eens, waarom vragen we de stewardess niet of...'

'De vorige keer,' hij streek neer op de rand van 14B en sprak vertrouwelijk, 'de laatste keer zetten ze me in het rookgedeelte. Helemaal van Chicago naar Cleveland in het rookgedeelte. Niet dat ik op zich iets tegen rokers heb, maar ik ben allergisch. En daardoor krijg ik weer last van luchtziekte.'

'O', zei Brenda, niet in staat iets anders te verzinnen.

'Als kind werd ik al ziek in de auto. Wagenziekte. We hoefden maar een blokje om te rijden en dan zat ik al te kotsen. Daarom vraag ik altijd een raamplaats. Als je last hebt van luchtziekte, zeggen ze, kun je beter aan het raampje zitten. Dat is iets psychologisch in verband met...'

'Ik schuif wel een plaats op...'

'Iemand aan de balie heeft vast een fout gemaakt, want waarom zouden ze ons anders allebei 14A geven?'

'De computer', suggereerde Brenda zwakjes.

'Computers. Ik zou ze wel eens duidelijk willen maken wat ze met hun computers kunnen doen.'

'Gaat u maar hier zitten,' zei Brenda, plotseling resoluut terwijl ze haar spullen pakte – haar tijdschrift, haar tas en haar rode jas – 'dan ga ik wel op de middenplaats zitten.'

'Vindt u dat echt niet erg?'

'Helemaal niet.'

'Hebt u geen last van luchtziekte?'

'Nooit', zei ze, gestimuleerd door de positieve klank van haar stem, de gezonde, krachtige kordaatheid.

'Iemand zou eens een brief naar de vliegmaatschappij moeten schrijven', zei hij, opstaand, 'en ze vertellen wat hij vindt van hun service. Hun zogenaamde service, moet ik zeggen. Wanneer ik terug ben in Chicago ga ik misschien...'

'Ja, daar denk ik ook over...' Brenda stond op en wurmde zich langs hem heen naar het gangpad.

'Laat me in elk geval uw jas even opbergen.'

'Dank u wel.' Brenda gaf hem haar regenjas en keek bezorgd toe hoe hij hem in een dikke prop rolde en in een bagagevak boven hun hoofd duwde.

'Wiew, dat voelt beter.' Hij liet zich in de stoel bij het raampje zakken en stak zijn hand uit om de ventilator bij te stellen, een dunne pols die uit de glimmende rand van een bruine mouw schoot. 'Hebt u er zo geen last van?'

'Nee, dit is prima.' Ze zuchtte, voelde zich plotseling ouder en seksloos en iemand die zich aanpast, een soort stroperige aangenaamheid kleefde haar aan als plaque, ze voelde hoe het haar tanden en tong bedekte. Haar vreselijke vriendelijkheid.

'Ik neem altijd graag een diepe teug zuurstof voor het opstijgen. Ze zeggen dat dat helpt tegen dat onpasselijke gevoel dat je soms krijgt…'

Brenda sloeg haar tijdschrift open. *The Quilter's Quarterly.* Jack had haar een abonnement gegeven voor haar verjaardag. Het laatste nummer bevatte onder meer patronen voor driedimensionale dierenquilts voor kinderen. Vroeger zou dit soort quilts haar geïnteresseerd hebben, nu vond ze het effectbejag, vooral de quilt met de felgekleurde olifant die grote knopenogen had en een opgevulde slurf van bijna een meter. Nog maar vier jaar geleden zou ze hiernaar gekeken hebben en gedacht…

'Hé, dat is leuk!' De jongeman gluurde over haar schouder. Ze voelde zijn adem in haar nek.

'Pardon?'

'Dat met die olifant daar. Leuk idee. Voor een klein kind, bedoel ik.'

'Hmmmmm.' Een lok haar viel voor haar ogen en ze veegde hem opzij. Ze had haar haar nooit eerder zo gehad, zo losgeföhnd, opstaand vanuit een scheiding in het midden. Haarspray was iets van vroeger, was haar de vorige dag verteld bij de kapper. Nu moest het haar er krachtig en gezond uitzien. Permanent – vergeet het maar. Iedereen wilde dat het er natuurlijk en glanzend uitzag. Laat het maar golven en natuurlijk vallen.

Toen ze gisteren uit de Hij/Zij Salon in Lake Street kwam, had haar lichaam uitzonderlijk veerkrachtig gevoeld, de lucht rond haar hoofd voelde zacht en toen ze om zich heen keek ervoer ze een plotseling verlangen naar – naar wat? – voorjaar. Het voelde bijna of het voorjaar was.

Maar vandaag bleven lokken voor haar ogen vallen. ('U moet eens zo'n nieuwe sierkam proberen', had de kapper haar met klem aangeraden. 'Of een bloem.' Door het beeld van zichzelf met een bloem in haar haar gestoken had ze in lachen willen uitbarsten. Ze had het Jack nog willen vertellen – zag hij haar al staan koken met een bloem boven haar oor?)

'Hé, volgens mij gaan we opstijgen', zei de jongeman schril. Hij wierp een opgewonden blik op zijn horloge. Een benige pols, zag Brenda, kalkgebrek. En sproeten, honderden sproeten, het soort huid dat hopeloos kwetsbaar was. 'Vijf minuten te laat. Die halen we wel weer in als we eenmaal in de lucht zijn.'

'Waarschijnlijk wel', zei Brenda vriendelijk. Vriendelijk, vriendelijk, altijd maar vriendelijk. Behalve quilten was vriendelijk zijn haar enige talent. (Ze zei dit tegen zichzelf met een gemelijke vreugde, zonder het ook maar een seconde te geloven.)

'O, boy. Hier hou ik niet van. Het opstijgen. Zodra je in de lucht bent is het niet zo erg meer, dan kun je je ontspannen.'

'Ja', stemde Brenda in.

'En landen. Dat is ook een ramp.'

'Hmhm.' Ze zag hem rondtasten naar zijn veiligheidsgordel, zijn handen rozig fladderend langs zijn zij.

'Hier', zei ze, hem te hulp komend. 'Hier is het andere stuk.'

'Bedankt. Lastige dingen, die veiligheidsgordels.'

'Ja.' Ze sloeg de bladzijde om naar een artikel over Italiaans doorstikken, een Europese techniek waarover ze had gehoord bij het Kunstnijverheidsgilde, het was een moeilijke techniek, maar het gaf een interessant effect. Ze moest het ook maar eens proberen, besloot ze.

'Bent u ook op weg naar Cleveland?' klonk de stem naast haar.

'Nee. Naar Philadelphia.'

Een korte stilte. Vervolgens: 'Ik ben nog nooit in Philadelphia geweest.'

Dit keer duurde de stilte langer. Brenda besloot op te houden met lezen.

'We hebben geen afdeling in Philly', vertrouwde hij haar toe. 'Alleen in Cleveland. En in Syracuse, New York.'

'O.'

'En in Chicago natuurlijk. In Chicago staat trouwens ons hoofdkantoor.'

'Hmmmm.'

48

'Ik maak misschien wel een goede kans om volgend jaar overgeplaatst te worden naar het kantoor in Cleveland. Voorgoed. Niet dat ik Cleveland als stad zo leuk vind. Het is een doodse stad. Bijna totaal uitgeblust. Dat zeggen ze tenminste.'

'O ja?'

'Ik wil eigenlijk helemaal niet zo graag overgeplaatst worden, maar het probleem is dat de chef op kantoor, dat wij het niet altijd helemaal eens zijn.'

'Dat is jammer.'

'Niet over politiek. Op politiek gebied zijn we het eens. Het is meer wat je noemt een persoonlijkheidsconflict.'

'Hmhm.'

'Meestal gaat het wel, tussen hem en mij. Maar dan gebeurt er weer iets, zonder dat ik weet wat, iets onbenulligs waardoor hij woedend wordt. Die vent wordt gewoon gewelddadig. Een woedeaanval zoals je nog nooit hebt gezien. Hij is Iers, maar ze zeggen dat dat niks meer zegt. In elk geval is hij van Ierse afkomst. Op een dag waren we een keer aan het bekvechten en plotseling noemde hij me een schofterige bastaard.'

'O?'

'Sorry voor mijn woordkeus, maar zo noemde hij me. Gewoon zo recht op de man af noemt hij me een gore bastaard. Middenin het kantoor, terwijl iedereen er omheen stond te luisteren. O, jee.'

'Afschuwelijk.'

'U kunt zich voorstellen hoe ik me voelde.'

'Ja, nou en of.'

'Stel je voor hoe je je voelt als iemand je een…' hij zweeg even.

'Dat heeft iemand een keer gedaan.'

'Wat gedaan?'

'Iemand heeft me een keer een gore bastaard genoemd', zei Brenda.

'U? Echt waar?'

'Ja.'

'Ik… ik dacht niet dat dat woord ooit gebruikt werd voor, eh, dames. Alleen voor mannen.'

'Het gebeurde toen ik nog heel jong was. Als schoolmeisje.'

'En wat deed u toen?'

'Nou, niet veel. Ik bedoel, ik had het woord nog nooit gehoord. Ik was denk ik nog maar zes.'

'Zes! Maar u weet het nog steeds, hè?' Zijn mond viel open. Gele tanden, stevig roze tandvlees, een zacht, kinderlijk gezicht. 'Dat was vast heel afschuwelijk.'

'Het grappige is, dat ik later ontdekte dat ik echt een bastaard was.'

'Hè?'

'Ja, in de letterlijke betekenis van het woord was ik een bastaard.'

'U...'

'Ik bedoel', zei Brenda, 'dat ik geen vader had.'

'Iedereen heeft een vader.' Hij giechelde hier zachtjes om en strekte zijn hand uit om de ventilatie bij te stellen.

'Mijn moeder is nooit getrouwd geweest. Dus daarom ben ik, in elk geval technisch gezien, een bastaard.'

'En dat kind op school, die wist dat natuurlijk, hè? Over uw moeder.'

'Dat zal wel.'

'Kinderen kunnen wreed zijn, zoals u weet.'

'Het grappige is, dat het me niets kon schelen. Tenminste niet veel. Niet ik ontdekte wat het betekende, en dat het een bestaand woord was. Ik weet nog dat ik het opzocht in het woordenboek op school. Ik moet dus ouder geweest zijn dan zes, misschien acht of negen. Maar goed, het stond gewoon in het grote woordenboek op school, achterin de klas. Dus toen was het goed.'

'Dat was vast moeilijk, zonder vader.'

'Och, ik weet het niet...'

'Ik bedoel, geen vader die 's avonds thuiskomt.'

'Het enige probleem was dat mijn moeder moest werken. En dat in een tijd dat de meeste moeders thuis bleven en alleen het huishouden deden. Maar dat was het enige. Verder denk ik niet dat ik veel gemist heb.'

'Mijn vader was een redelijk aardige vent. Dat moet ik hem nageven.'

'Gelukkig maar.'

'Maar, jeetje, ik wed dat het af en toe wel moeilijk was. Ik bedoel, het stigma, dat je die schandvlek draagt. Vandaag de dag stelt het niets meer voor. Kijk maar naar Vanessa Redgrave. Maar in die tijd...'

'Eigenlijk,' Brenda schraapte haar keel en liet haar stem duidelijk en vast klinken – een aantal van haar vriendinnen had in de loop der jaren commentaar geleverd op haar duidelijke stem – 'eigenlijk herinner ik me niet dat ik ooit last heb gehad van een stigma. Misschien kwam het door de buurt waarin ik woonde. Of misschien gewoon door mijn moeder, door haar persoonlijkheid.'

'Dan had u vast veel zelfvertrouwen. Ze zeggen dat als je geboren wordt met een groot zelfvertrouwen, je vrijwel alles kunt overwinnen.'

'U hebt misschien wel gelijk.' Ze streek haar tijdschrift glad met de palm van haar hand en keek naar de ring aan haar vinger, een kleine saffier, die Jack haar twee jaar geleden had gegeven. Een emotionele gebeurtenis.

'Ik heb nooit veel zelfvertrouwen gehad. Ik volg nu een cursus bij de YMCA. Op woensdagavond. Daar leer je assertiever worden, jezelf een duwtje geven. Ik denk dat het me kan helpen in mijn werk.'

'En werkt het?'

'Ik weet het niet. Ik weet het gewoon niet. Je hebt het of je hebt het niet, volgens sommige deskundigen. Daarom denk ik er ook serieus over om volgend jaar naar Cleveland te gaan. Dat zou een soort nieuwe start zijn, als u begrijpt wat ik bedoel.'

'Ik denk het wel.'

'Maar je problemen kun je toch niet ontvluchten, dat weet ik wel.'

'Nee, dat klopt.'

'Ik ben natuurlijk nog jong.' Hij wierp haar een blik toe die Brenda interpreteerde als deels verontschuldigend en deels sluw. 'Ik heb nog tijd zat om mijn, u weet wel, capaciteiten te ontwikkelen.'

'Ja, natuurlijk', zei Brenda. 'Dat klopt.'

'Hé, kijk eens naar buiten.'

'Wolken.'

'Mooi, hè?'

'Ja.'

De wolken gleden langs het raampje, wit als stoom. Brenda klaarde op en voelde zich plotseling in harmonie met zichzelf. Wat een opluchting om niet meer jong te zijn! Het genoegen om verveeld te zijn, recht te hebben op dat genoegen, in staat te zijn dat toe te geven. Dit arme, sproetige wezen naast haar, dat zijn kaken opeenklemde, vocht tegen luchtziekte en hapte naar zuurstof en moed. Ze zou medelijden met hem moeten hebben, hij had zijn hele leven nog voor zich waar hij het hoofd aan moest bieden. Ze zou hem een troostend klopje op zijn knie moeten geven. Troost – daar had hij het meeste behoefte aan, ook al wist hij dat niet. Ze glimlachte over zijn schoot heen en zond haar zachte, medelijdende blik naar de wolken. Arme jongen, arme jongeman.

Niettemin, toen hij een minuut later opnieuw zijn mond opendeed om te vragen waar ze heen ging, antwoordde ze met een voor haar ongewone vinnigheid: 'Philadelphia.'

Ze zei het kortaf, een tinteling van azijn op haar tong, helemaal niet zoals ze het thuis had uitgesproken, zoals ze het vanochtend boven haar eerste kop koffie had gefluisterd: Philadelphia.

Dwaas. Stom. Wat had ze verwacht? Wat had ze in hemelsnaam verwacht?

Dit niet. Ze keek even naar haar reisgezel, die met zijn pink iets uit een kies probeerde te peuteren. Hij was al vergeten wat ze hem had verteld – of beter gezegd, hij had het genegeerd. Wat had ze dan verwacht? Dit niet, dit zeker niet.

6

D E WERELD WERD NIET BEVOLKT DOOR MOOIE MENSEN,
nee, zeker niet, en Brenda was niet zo dwaas om te geloven
dat het wel zo was. Fotomodellen en tv-sterren hadden niets te
maken met zoals mensen werkelijk waren. Echte mensen, zelfs de
sterksten onder hen, waren helaas behept met zwakten en tegen-
strijdigheden. Overal was onvermogen, evenals zelfzuchtigheid, laf-
heid, onenigheid en lichamelijke onvolmaaktheid – uitgesproken
lichamelijke onvolmaaktheid. Mensen leefden niet voor grote idealen of voor nobele visies, ze leefden voor hun scheidingen, hun
promoties en de instant bevrediging van seks en eten. Ze vertelden
leugens, ze lachten ironisch tegen zichzelf in de spiegel in het voor-
bijgaan. Brenda wist dit maar al te goed. 'Brenda is een realist', zei
Jack vaak, in de tijd dat hij dit soort verklaringen nog aflegde.
'Brenda ziet de dingen zoals ze zijn.'

Was dat wel zo? In het begin van hun huwelijk, toen haar man Jack
dit soort dingen beweerde over haar realiteitszin, zei hij, zo vermoedde
ze, ook nog iets anders, namelijk dat híj géén realist was. Dat zijn kijk
op de dingen romantisch was, ingehouden, bespiegelend. Er bestond
zoiets als een allegorie, er bestond zoiets als een metafoor, en de
waardevolle rijkdom van symbolen en mythen. Er bestonden lagen
en lagen – een oneindige gelaagdheid – van betekenis.

Al naar gelang het gezichtspunt veranderen de gebeurtenissen, zei
Jack graag; hij werkte in die tijd aan zijn proefschrift, een nieuwe
visie op La Salle en diens ontdekkingsreizen. Brenda, die 's avonds
het typewerk deed en hem hielp met de index, dacht indertijd dat hij
het nooit zou afkrijgen. Het onderzoek en het schrijven kostte een
vol jaar en een deel van de tweede zomer. Die tweede zomer was het
ergste. In hun studentenflat bij Lincoln Park was het heet en be-
nauwd, vooral 's nachts wanneer de hitte er zich de hele dag had

verzameld – tweeëndertig, vijfendertig graden.

Brenda herinnerde zich nog dat ze, beiden verhit en prikkelbaar, laat op een avond waren gaan wandelen in het park en onverwacht een authentiek jaren-zestigfenomeen hadden gezien, een love-in. Ze had over de bloemenkinderen gelezen in *Time* en kende de slogan 'Make Love Not War'. En plotseling was daar een demonstratie middenin Lincoln Park, nog geen zes huizenblokken van waar Jack en zij woonden.

Overal op het koele gras lagen lichamen languit, gitaren, lang haar, sommigen zongen, zachte stemmen die riepen, rondgestrooide bloemen, een geur van zoete rook die opsteeg – ze wist maar al te goed wat dat was. Er waren wiegende schaduwen van grote bomen en boven hun hoofd stond de maan als een grote bol, zoals in de kinderversjes. Een tv-camera van WGTV snorde op volle toeren en wierp zijn eigen lichtkring vooruit.

Brenda was verbaasd en opgewonden geweest door het schouwspel, maar Jack had gekeken van een afstand, zich op de achtergrond gehouden onder een boom, observerend, commentaar leverend en, naar het Brenda scheen, ter plekke documentatie verzamelend. Deze bizarre scène kon gezien worden als een brokje geschiedenis. Er kon al een fractie wijsheid achteraf aangehangen worden. Gebeurtenissen, zei Jack, konden, zelfs terwijl ze zich ontvouwden, worden verzacht en geduid door de context, hangend aan dunne draden van gezond verstand en analogie. En – en dit vond Brenda het moeilijkst te begrijpen – ze konden worden ondergraven door een verontrustende existentiële notie: is dit wel echt? gebeurt dit wel echt?

Brenda's kijk op de wereld was simpeler, scheen Jack te geloven. De dingen waren zoals ze waren en dat was dat. Daarom hield hij ook van haar. Hij was verliefd geworden op haar kalme kijk op de dingen, met dat snelle knikje van haar waarmee ze iets opnam en de dingen bij hun naam noemde, en vooral, o vooral, op de manier waarop ze haar handen ophield en, met het aanvaardende gebaar van een rijpe vrouw – o gelukkige Brenda – haar schouders ophaalde.

Dat simpele gebaar van schouderophalen. Het was zo exotisch, zo Europees, maar tegelijkertijd zo primitief, hij zag het heel romantisch als een stukje voorouderlijk erfgoed dat toevallig bij hem terechtgekomen was.

Eerlijk gezegd was dat schouderophalen vrijwel het enige zicht-bare trekje dat Brenda had geërfd van haar Poolse moeder: een atavistisch omhooggaan van de schouders, de ellebogen geheven en de handen geopend naar de lucht, een gebaar dat met een wonder-schoon hulpeloos Slavisch zwijgen verkondigde: het zij zo, Gods wil geschiede. Jack hield teder vol dat Brenda dit befaamde schouder-ophalen had laten zien de eerste dag dat ze elkaar hadden ontmoet en lunchten bij Roberto's. Ze had haar kom groentesoep halfleeg toen het gebeurde. Daar gingen haar handen omhoog en ook haar wenk-brauwen. Iets hierin, de eenvoud, de gratie, had hem de das omge-daan, zei hij graag, had hem ter plekke de das omgedaan.

Hij was zelf geen schouderophaler. (Het was een van hun grapjes, in het begin, dat hij in plaats daarvan was voorzien van alle correcte gebaren van de lagere middenklasse: langs zijn kin wrijven, op zijn lip bijten, met zijn vingers trommelen en met zijn voet tikken.) Hun kinderen, Rob en Laurie, haalden ook niet op die manier hun schouders op, zij waren nagelbijters en beenkrabbers, Rob fronste zijn voorhoofd soms op een vreemde scheve manier en Laurie schopte tegen tafelpoten en knarssetandde 's nachts. Alleen Brenda haalde haar schouders op. Zij was, veronderstelde ze, de laatste in de familie.

Maar zelfs zij scheen de laatste tijd minder vaak haar schouders op te halen – ook al beweerde Jack graag dat ook haar stem een soort schouderophalen kon hebben. Er was iets gebeurd, ze wist niet precies wat, maar niets scheen meer zo simpel als voordien. Ze had opgroeiende kinderen. Haar moeder was dood. Zijzelf was veertig. Ze had nu een bepaalde tegenzin om te zeggen: tja, zo is het nu eenmaal. Wanneer ze nu naar iets keek – een gezicht, een huis, een landschap – dacht ze veeleer, is dat nu alles?

Bij tijden merkte ze dat ze terugverlangde naar die andere ik, de Brenda van vroeger, glimlachend en nuchter. (Haar organisatie van de La Salle-index was een toonbeeld van logica geweest, dr. Middle-ton van het Instituut zei dat hij nog nooit iets dergelijks had gezien.) Wat het ook was dat het afgelopen jaar haar leven was binnen-geslopen, het had frustratie meegebracht. Een rusteloze boosheid en het gevoel van niet doorgekomen boodschappen. Vroeg in het najaar, vlak nadat ze waren teruggekomen van het meer, was ze begonnen aan een nieuwe quilt. Hij was nog niet af en lag op een stoel in een hoek van haar werkruimte. Ze had hem voorlopig opzij gelegd om te werken aan *De tweede komst*, die weliswaar experimenteler was in vakmanschap, maar traditioneler van ontwerp, en dus minder riskant voor een tentoonstelling (juryleden konden grillig zijn, bij dit soort dingen was het verstandiger het juiste evenwicht te vinden). De onafgemaakte quilt – zo noemde ze hem in gedachten, *De onafgemaakte quilt* – had geen echt patroon, slechts een heksenketel van kleuren, overwegend geel. Hij had een overvloedigheid en een kracht die haar fascineerden. Maar tegelijkertijd vertegenwoordigde hij een zorgwekkende afwijking, bijna een schending van de ordelijkheid en gelijkmoedigheid van haar vroegere quilts. 'Brenda Bowmans werk heeft een prettige ordelijkheid', had het artikel in de *Elm Leaves Weekly* verklaard.

Soms droomde ze er 's nachts over. Hij was nog maar voor driekwart klaar en bevatte al honderden lapjes. Er waren stukjes kleur zo klein als haar vingertop, een hartslag van leven die werd meegenomen op een stortvloed van geheime energie. Ze wilde deze stortvloed het liefst in steekjes vangen, maar had het moment van voltooiing uitgesteld. Het quiltraam scheen toch al te star voor wat ze wilde maken. In plaats daarvan was ze het quiltproces begonnen op een schootraam – zelfs nog voor het aan elkaar zetten van de stukjes was voltooid. Eigenlijk wist ze niet goed hoe ze het moest afmaken en was ze bang dat het gewicht van haar hand te zwaar zou zijn. Ze wilde een streng maar lyrisch patroon, ze zou voorzichtig moeten zijn, anders zou ze uitkomen op iets benauwds en uitleggerigs, terwijl ze juist iets meer wilde. Misschien, bekende ze zichzelf, laat op een middag uit het raam starend naar de zachte strepen zonlicht op het dak van de garage, misschien wilde ze wel meer dan ze met stof en stiksels kon bereiken. Desondanks wilde ze plotseling meer. Daar bleef ze voortdurend aan denken. Méér.

'Je hebt prachtige jukbeenderen', had Leah Wallberg een keer tegen Brenda gezegd.

Toen Leah Wallberg jonger was, nog voor zij en Irv waren getrouwd, had ze gewerkt als decorontwerper voor het Goodman Theatre. Ze liefhebberde nu in van alles en nog wat en werkte, zoals ze het zelf graag noemde, semi-professioneel. Leah Wallberg was degene die het decor had ontworpen voor de recente *Hamlet*-voorstelling in het Elm Park Little Theatre. (Wit met gele draperieën en een opstelling van trappen, alles heel strak en puur, zo kreeg Brenda te horen, die het toneelstuk niet had gezien.) Men zei dat Leah een goed oog had voor lijnvoering, jukbeenderen waren het soort dingen waar ze op lette. 'Het zijn geen Hepburn-jukbeenderen. Jij hebt brede jukbeenderen, Brenda, en die zien er op den duur interessanter uit.'

Waar kwamen die jukbeenderen van haar vandaan? Van haar moeder? Elsa was haar hele leven een zware vrouw geweest – in elk geval zo lang Brenda zich kon herinneren. Op een bepaald moment, vlak voor ze stierf, woog ze meer dan honderdvijftien kilo. Ze was een vrouw met zware botten, zei ze, zwaar in alle opzichten. Grote borsten onder kleurige jurken – ze hield het meest van blauw en wit – getuigden van massa, en ook van een geparfumeerde losheid. Van korsetten en bh's kreeg ze kramp en dus stelde ze het zonder na haar werk en in de weekends, zodat haar lichaam kon bewegen zoals het wilde. 'Wacht even tot ik dat korset uit heb en met een kop koffie kan gaan zitten.' Jarenlang had ze zo haar dochter Brenda begroet wanneer ze 's avonds van haar werk thuiskwam. Haar heupen, die bijna zuchtten van opluchting, spreidden zich breed uit, haar bevrijde dijen waren flodderig en vlekkerig waar het elastiek erin had gesneden. (Brenda, die de slecht verlichte badkamer met haar deelde, had deze kwellingen kalm geobserveerd – klaarblijkelijk was dit ook haar toekomst.) Elsa's bovenarmen waren rond en zo dik als het middel van een kleinere vrouw. Na een flinke maaltijd sloeg ze zichzelf op de heupen op een vriendelijke, samenzweerderige manier. Vet werd wellicht niet op prijs gesteld, maar het kreeg wel een plaats. Elsa's gezicht was versmolten tot iets breeds en blozends, en ingebed in dat gezicht waren een paar kleine, levendige oogjes en een mond die veranderde in een gekrulde, gelippenstifte H wanneer ze lachte. Als Elsa Maria Pulaski ooit bekend had gestaan om haar brede jukbeenderen, had Brenda dat in elk geval nooit gehoord, haar gezicht was een cirkel van lachend vet. Waarom zou er in die cirkel behoefte zijn aan jukbeenderen?

Brenda's jukbeenderen hadden daarentegen een gestroomlijnde, teruggetrokken properheid. Haar ogen waren licht geplooid, vaag oriëntaals – wat Jack Magyaarse ogen noemde. Op de foto van haar eindexamenklas zag ze er gezond en aantrekkelijk uit, sommige van haar vriendinnen vonden dat ze veel op June Allyson leek. Ze was gekozen tot 'Miss Vriendelijke Persoonlijkheid' van haar klas, en die titel stond in schaduwletters onderaan de foto. In die dagen was haar haar lichter – afwaswaterblond – hoewel ze zichzelf in haar dagdromen graag zag als honingblond. ('Ik ben werkelijk dol op je honingblonde haar', fluisterde hij zacht.) Het blonde haar, de Magyaarse ogen en de gestroomlijnde, platte jukbeenderen gaven haar een vriendelijk voorkomen.

Het beeld klopte met de werkelijkheid. Ze had een natuurlijke ongedwongenheid, die, naarmate ze ouder werd, haar een reputatie van grote redelijkheid verschafte. 'Waarom heb jij geen complexen zoals wij arme sukkels?' had Hap Lewis haar een keer gevraagd. Ze wist het niet. Haar spiegelbeeld staarde terug, vriendelijk, sereen en een tikje ironisch. Achter dat gezicht lagen aanvaarding en goedgehumeurdheid. Misschien had Jack gelijk. Ze was een realist. Ze aanvaardde de dingen zoals ze kwamen.

Hoe kwam het dan dat bepaalde dingen haar de afgelopen jaren waren gaan ergeren? Haar woedend maakten? Ze kon nauwelijks de minachting verklaren die ze soms voelde, deze nieuwe heimelijke veeleisendheid. Waar haalde ze het recht vandaan om te oordelen? Brenda Pulaski Bowman (vaderloos) uit Cicero, Illinois, die nu in Elm Park woonde – hoewel niet in het beste gedeelte van Elm Park. Ze had een diploma van de Katherine Gibbs-secretaressenopleiding. Ze had de tweejarige cursus gedaan in plaats van die van twaalf maanden, maar dan nog was dat niet hetzelfde als studeren, zelfs niet voor een lerarenopleiding. Wie dacht ze wel dat ze was, vroeg ze zichzelf ruw af, wie dacht ze verdomme wel dat ze was? Waarom begon het haar plotseling te ergeren dat Jack visitekaartjes en creditcardkwitanties in de rand van hun slaapkamerspiegel stak? Hij deed dit al zo lang ze hem kende. Hij liet ze er soms wekenlang zitten. Hij had ook de gewoonte oude elastiekjes rond de deurknoppen te draaien. Waarom deed hij dat? Uit zuinigheid? Uit ordelijkheid? Ze wist het niet. Maar plotseling stoorde ze zich eraan. Ze trok ze er met een klak vanaf en gooide ze weg. Ze rukte de kaartjes uit de spiegel en wierp ze in Jacks la bovenop zijn opgerolde sokken.

Er waren meer ergernissen: bij de naam Farrah Fawcett-Majors verstijfde ze. 'Je moet haar eens zien in *Charlie's Angels*', zei haar zoon Rob tijdens een van hun vertrouwelijke momenten. Op een avond had ze gekeken. Ze kon haar ogen niet geloven. Ze voelde zich krampachtig worden van verveling en minachting. 'Het is alleen maar als vermaak bedoeld', zei Rob stijfjes. 'Hmmmm', zei ze afkeurend – terwijl ze zelf was opgegroeid met *Fibber McGee and Molly* en *Duffy's Tavern*. Waar haalde zij het recht vandaan om te zeuren over Farrah Fawcett-Majors?

Toen ze onlangs naar een feestje ging bij Larry en Janey Carpenter zag ze, met onverklaarbare woede, dat er een exemplaar van de *New Yorker* in hun badkamer lag. Die badkamer was het pronkstuk van het huis van de Carpenters, met het getinte dakraam, het in de lucht hangende beeld gemaakt van de wervelkolom van een walvis en de antieke, paars geverfde badkuip. Aubergine, noemde Larry het. Aubergine! De meeste dingen in de badkamer kon ze wel waarderen, maar de aanwezigheid van de *New Yorker* was onuitstaanbaar, zoals hij daar zorgvuldig was neergelegd op de keurige witte plank boven het toilet. Die combinatie van de grillige humor van de *New Yorker* met privé-gekrcun en -gezwoeg vond ze obsceen. Ze dreef de spot met zichzelf om deze nieuwe fijngevoeligheid. Waar haalde ze het recht vandaan om op de Carpenters neer te kijken? Larry Carpenter had op Princeton gezeten. Of een van die universiteiten.

Ze had een briefje gekregen van Laurie's onderwijzeres dat begon met de woorden: 'Zoals u weet, vinden wij Laurie een van de uniekste kinderen van de zesde klas.' 'Uniek is uniek', was Brenda tegen Jack tekeer gegaan. 'Je kunt nooit een van de uniekste van wat dan ook zijn.' ('Je reageert overdreven', antwoordde Jack met be-vreemde blik.)

Ze kromp ineen wanneer Rob 's morgens het huis uitging naar school met een luid en schor: 'Ciao.' Ciao jezelf, wilde ze tegen hem zeggen. Alles was beter dan ciao, helemaal niets zou beter zijn dan ciao.

Ze had zich geërgerd aan Jacks beste vriend, Bernie Koltz, toen die haar voor kerst een bloemstukje stuurde. 'Denkt hij soms dat ik rijp ben voor het bejaardenhuis?' klaagde ze tegen Jack. 'Moet je zien, gladioli!' ('Gladiolen', corrigeerde Jack haar afwezig. 'Barst maar', zei ze tegen hem, wat haar onmiddellijk opkikkerde.)

Op een dag ging ze een nieuwe blouse kopen in een winkel met de naam De Schele Kat. Het was op Michigan Boulevard. Er lag een hoogpolig karamelkleurig tapijt en het plafond bestond uit spiegels met zachte Lucite-inbouwspots. De blouses zaten in transparante zakken en kostten tussen de tachtig en honderdtachtig dollar. Tweed rokken kostten tweehonderd dollar. Er waren bijpassende tweed blazers en ze bekeek juist het label van een daarvan toen ze op de achtergrond de zachte klanken hoorde van Simon en Garfunkel, die *Scarborough Fair* zongen.

> *Are you going to Scarborough Fair*
> *Parsley, Sage, Rosemary and Thyme*
> *Remember me to one who lives there*
> *She once was a true love of mine*

Vroeger had ze van dit liedje gehouden. Het deed haar denken aan liggen op de pier bij het meer of aan grasmaaien in de achtertuin. Maar in deze winkel, waar het uit met jaloezielatten afgewerkte openingen in de muur kwam, klonk het zoetig en sentimenteel. Waarom had ze dat niet eerder gehoord?

Vlak voor kerst waren Jack en zij uitgenodigd voor een dineetje bij Milton en Shirley McInnis in Evanston. Milt was het nieuwe hoofd Restauratie op het Instituut en Shirley, een grote, kwieke brunette, was maatschappelijk werkster bij de schoolbegeleidingsdienst van Evanston; het gezin had twee jaar in Zürich gewoond en toen de kinderen een voor een de eetkamer binnenkwamen om zich voor te stellen, gaven ze gewichtig een hand. 'Zij is aardig intelligent', mompelde Shirley McInnis over Daphne. 'Hij is waanzinnig intelligent', zei ze over Roger. 'Volgens ons wordt ze intelligent', had ze hen toevertrouwd over de kleine Stephanie van vier. Brenda, die met een vorkvol risotto halverwege haar mond zat, voelde zich eerst verontwaardigd, daarna misbruikt en ten slotte was ze woedend.

Vorige week waren ze als gewoonlijk naar Jacks ouders gegaan voor het zondagse ontbijt. Ma en Pa Bowman woonden in een oud, donker zeskamerappartement in Austin. Het ontbijt was altijd hetzelfde. Sara Lee-koffiebroodjes met kaneel- of kersensmaak. Filterkoffie. Borden gedekt op de keukentafel. Jacks moeder die neuriede, pantoffels droeg en koffie schonk in gestreepte mokken. Brenda hield van hen beiden, zij hielden van haar en beschouwden haar als hun dochter. Maar afgelopen zondag, toen ze aan tafel zaten, hadden ze haar een enveloppe overhandigd. Het was een kaart met Goede Reis erop en glittertjes en een afbeelding van door de blauwe lucht wiekende lijsters. In de kaart zat een in tweeën gevouwen tiendollarbiljet. 'Voor je vakantiereisje', had Ma Bowman geglimlacht, plotseling verlegen. 'Dan kun je eens echt lekker eten op onze kosten', had Pa Bowman geknipoogd.

Brenda was gegriefd en verontwaardigd geweest. Ze ging naar een nationale tentoonstelling, zij was een van de exposanten, ze was *uitgenodigd* om deel te nemen. Ma en Pa Bowman gaven Jack geen tien dollar wanneer hij naar Milwaukee of Detroit ging om een lezing te geven aan een afdeling van het Instituut. Bovendien scheen de kaart haar eraan te herinneren dat ze haar gezin in de steek liet, dat ze niet uit noodzaak op reis ging, maar alleen voor haar plezier. Ze bedankte hen uitbundig – ze bedoelden het goed, ze wilden alleen maar aardig zijn – maar ze had haar tranen nauwelijks kunnen bedwingen.

Wat betekende dit, dit nieuwe ongeduld, deze ziedende reactie op onbeduidende irritaties? Ze voorzag dat het nog erger kon worden. Dit soort woede kon iemand verlammen. Het was allemaal zo'n verspilling op de lange duur. En hoe, vroeg ze zich af, heette deze nieuwe woede, deze seismische gevoeligheid voor het feit dat de meeste dingen zo goedkoop en oppervlakkig waren?

Ze voelde dat het deels spijt was, want de laatste tijd werd ze overstelpt door het gevoel kansen gemist te hebben. Gebeurtenissen uit het verleden kwamen terug en veroorzaakten nutteloze gevoelens van wrevel. Ze herinnerde zich die zomer lang geleden in Lincoln Park, de love-in, de langharige bloemenkinderen die in het gras lagen. Ze had toegekeken, eerst opgewonden, maar daarna was ze, veel te snel, bezweken voor Jacks waakzame afstandelijkheid. Nu wilde ze het tafereel opnieuw beleven. Ze wilde haar handtas neerzetten bij de schimmige wortels van een boom en haar schoenen uitdoen. Ze zou een stap voorwaarts doen, enigszins aarzelend. Ze stelde zich voor hoe het maanlicht haar gladde wangen raakte, ze stelde zich voor hoe de grond zou voelen, koel en een beetje zanderig waar het gras was gesleten. Binnen de kortste keren zou ze ondergedompeld zijn in de liefelijke muziek en de nabijheid van andere lichamen. Broeders en zusters, allemaal nog zo jong. Iemand zou zachtjes haar naam roepen…

Ze scheen te worstelen met twee problemen, en bij beide ging het om het onvermogen onderscheid te maken. *De onafgemaakte quilt* die op een stoel in haar werkkamer lag, dit was het beste dat ze ooit had gemaakt of het slechtste. Ze wist het niet. En deze nieuwe woede die ze voelde, die betekende misschien alleen maar dat ze er een paar dagen tussenuit moest. Even vakantie. Even een ander tempo.

Maar het kon ook betekenen – en bij de gedachte alleen al overviel haar een nieuwe golf van woede – dat haar hele leven een vergissing was geweest.

7

'U w naam?'
    'Brenda Bowman.'
'Gespeld zoals het klinkt?'
'Ja.'
'U bent een van de laatsten die zich inschrijft.'
'O ja?' Brenda zette haar koffer neer.

De vrouw achter de balie ging met haar balpen langs een lijst namen. Haar grijzende haar, met de kleur van asfaltpapier, was opgedraaid in een achteloze rol en vastgezet met een schildpadkam. Ze zag er intelligent en hoogst opgewonden uit en was zeer zorgvuldig opgemaakt. 'En u komt uit?' vroeg ze.
    'Chicago.'
    'Chicago?' Ze keek op en gaf Brenda een glimlach die breed en stralend was en die de hele hotellobby scheen te omvatten. 'Dan ben ik bang dat u niet op de lijst staat. Hebt u zich wel vooraf aangemeld bij ons?'
    'Ik heb een formulier opgestuurd...'
    'Hmmm, vreemd, u staat hier niet geregistreerd onder Chicago.'
    'Elm Park dan misschien?' Brenda moest krachtig spreken vanwege een decoratieve fontein achter haar die luidruchtig bruiste. 'Ik ben lid van het Kunstnijverheidsgilde uit Chicago, maar ik woon in Elm Park, Illinois. Dat is een voorstad van Chicago.'
    'O!' Een blik van levendige interesse. 'Ik heb van Elm Park gehoord. Is dat niet waar Hemingway...'
    'Dat is Oak Park. Dat ligt vlak naast...'
    'Gevonden. Ik wist het wel. Brenda Bowman, mevrouw, 576 North Franklin Boulevard?'
    'Dat klopt.'
    'Helemaal van Franklin Boulevard naar de Franklin Court Arms.'

Ze liet een droog lachje horen en wierp haar hoofd op een inspirerende manier achterover.

'Daar had ik nog niet aan gedacht', zei Brenda.

'Weet u wat ik doe? Ik maak hier een aantekeningetje dat u eigenlijk deel uitmaakt van de delegatie uit Chicago.'

'Prima', zei Brenda, die zich weer opgewekter voelde en het woord delegatie aangenaam vond klinken. 'Dank u wel.'

'Alles is volkomen in orde, mevrouw Bowman. U bent nu geregistreerd. En we hebben uw cheque ontvangen voor het inschrijfgeld. Als u even wacht tik ik ter plekke een ontvangstbewijs voor u uit.'

'O, u hoeft niet zoveel moeite te…'

'U hebt het nodig wanneer het weer tijd is voor de belasting.' Ze sloeg haar heldere ogen op. 'U kunt dit aftrekken bij de aangifte. Het is een aftrekpost.'

'Dat soort dingen vergeet ik steeds', zei Brenda. 'Ik betaal nog maar twee jaar zelf belasting.' Ze lachte even, meisjesachtiger dan haar bedoeling was.

'Elke cent telt mee vandaag de dag.'

'Dat is zo', zei Brenda enthousiast.

'En wat laat u zien? Quilts, geloof ik, hè?'

'Ik heb ze bij me', wees Brenda naar een grote doos naast haar koffer. 'Hier.'

'Als u ze hier laat staan, zorg ik dat ze veilig opgeborgen worden.'

'O, dat is fantastisch. Dat zou ik fijn vinden. Het is zo'n groot pak…'

'En hier is uw naamplaatje. Dit jaar hebben we een nieuw soort met een kleefrand. U haalt er gewoon het papiertje af en plakt hem op uw jas. Die maken geen gaten in de kleren zoals die van vorig jaar. We hadden ik weet niet hoeveel klachten. Dus hebben we nu deze…'

'Vorig jaar was ik hier niet. Het is mijn eerste keer…'

'En hier is uw informatiekoffer. U ziet dat uw naam er al op staat.'

'Prachtig. De koffer, bedoel ik.'

'Schitterend, hè? Hij is voor ons ontworpen in New York. Hij laat goed zien dat het om handvaardigheid gaat, vonden we allemaal…'

'Alsof de buitenkant van stof is.'

'En die aardkleuren. We hadden om aardkleuren gevraagd.'

'Ik houd van aardkleuren', hoorde Brenda zichzelf zeggen.

'Hierin zit een plattegrond van Philadelphia. Ter beschikking gesteld door het vvv, de schatten. Bent u ooit eerder in Philly geweest? Dat geeft niet, de weg vinden is hier niet moeilijk. En hier is uw bumpersticker.'

'Bumpersticker?'

'Er staat op: "Ik ben een quilter". We hebben er ook een voor de wevers en de spinners. Die vind ik leuk – "Ik ben een spinner".'

'Bent u een spinner?'

'O, nee, ik niet. Ik ben de pr-medewerkster van de Associatie. Betty Vetter. Ik had me eerder moeten voorstellen. Vorig jaar kreeg ik het idee voor een bumpersticker, en het was een groot succes.'

'O', zei Brenda, over de ontvangstbalie naar Betty Vetter glimlachend.

'Behalve de plattegrond en de bumpersticker zit er een overzicht in van de kerken en synagogen in de binnenstad, al naar gelang uw voorkeur, aangeboden door de Oecumenische Raad van Phil...'

'Ik denk niet dat ik...'

'En voor het geval u nog wat tijd over hebt, wat ik ernstig betwijfel – we hebben een schitterend programma dit jaar – maar voor het geval dat, is hier wat toeristeninformatie. Er is een nostalgische wandeling. Die schijnt uitstekend te zijn. Helemaal georganiseerd door vrijwilligers. Vrouwen die echt hun vak verstaan.'

'Dat klinkt...'

'En een naaigarnituurtje met draad en naalden. En hier is zo'n wegwerpregenjas. Geschonken door een van de spinnerijen. Je weet nooit, misschien komt hij nog van pas. Hoewel, ik zie dat u uw eigen regenjas hebt.'

'Ja. Die zou waterafstotend moeten zijn...'

'En hier is een make-uptasje met een lipstickmonster, een blushmonster en wat al niet. Geschonken door de New Women Industries uit Houston...'

'Dank u wel', zei Brenda die haar woorden hoorde verdrinken in het geluid van de hotelfontein, die inmiddels nog heviger scheen te pompen en te spatten. Heel even dacht ze een natte nevel in haar nek te voelen.

'En hier is de brochure met de theaters in de stad. *Mame* draait op het moment, dat is altijd aardig amusement. En een nieuw stuk over een man die doodgaat. Als u ergens kaartjes voor wilt, vraagt u het gewoon aan de balie. En hier is de deelnemerslijst. Daarin staan alle deelnemers met hun echtgenoten of wat dan ook. Bent u met een begeleidend persoon?'

'Nee', zei Brenda, die haar blik liet rusten op Betty Vetters kleine bruine oorringetjes. 'Nee', zei ze luider. 'Ik ben hier alleen.'

'Prachtig, prachtig', zei Betty Vetter. Behalve de oorringetjes droeg ze een antiek zakhorloge aan een ketting rond haar hals, en wanneer ze voorover boog om te schrijven, stootte het zacht tegen de balie. Haar handen waren rood en smal, zonder ringen, en onder haar ogen zaten kleine, schubbige huidplooien die vreemd genoeg aantrekkelijk waren. 'Aangezien u alleen bent,' zei ze tegen Brenda, vooroverleunend op haar ellebogen, 'zou ik u een grote gunst willen vragen.'

'Natuurlijk', zei Brenda, die hulpvaardig wilde zijn.

'Het is namelijk zo', Betty Vetter zweeg even en tuitte haar lippen, 'dat we met een heel vervelend probleempje zitten.'

'O?'

'Het geval wil dat we het slachtoffer zijn geworden van ons eigen waanzinnige succes. Iedereen vond het vorig jaar zo fantastisch dat we plotseling meer inschrijvingen kregen dan we ooit hadden durven dromen. Ik bedoel, de mensen komen echt van heinde en ver. En nou ja, door al die echtgenoten en andere begeleidende personen lijkt het wel of de halve wereld plotseling naar Philadelphia, Pennsylvania is gekomen. Maar goed, om een lang verhaal kort te maken, het Franklin Hotel is overvol.'

'O?' zei Brenda opnieuw.

'We moesten extra kamers nemen in de Holiday Inn en zelfs in de Travelodge. Het probleem is eigenlijk ontstaan door de metallurgen.'

'De metallurgen?'

'Metallurgen. De Internationale Bond van. Ze vallen gedeeltelijk samen met ons, dat zul je altijd zien. Ze zijn met honderden. Wat ik u nu wilde vragen, mevrouw Bowman – of mag ik u gewoon Brenda noemen?'

'Dat is prima', zei Brenda snel.

'Dan noem jij me Betty. Dat doet iedereen. Gekke Betty, het wilde wijf. Ik weet dat het nogal ongerieflijk is, Brenda, en ik vind het afschuwelijk dat ik het moet vragen, maar, nou ja, zou je het heel erg vinden als je een kamer moest delen?'

'Een kamer delen? Tja, ik…' Brenda's stem haperde. Ze voelde haar lippen droog worden.

'Kijk, er zijn hier een heleboel vrouwen alleen die een kamer delen. En echte vreemden zijn ze ook niet voor elkaar. Ik bedoel, we maken allemaal deel uit van de handvaardigheidsbeweging, toch? Dus in principe zijn ze niet onbetrouwbaar of zo. We staan er voor in dat…'

'Dat is het probleem niet.'

'En', snelde Betty Vetters stem voort, 'het is niet voor lang. Maar vijf nachten. En je weet zelf hoeveel tijd je doorbrengt in een hotelkamer wanneer je op een conferentie bent. Niet noemenswaard, eigenlijk alleen om te slapen en te douchen. Bovendien', ze haalde adem en gaf een rukje aan haar horloge, 'spreekt het natuurlijk vanzelf dat de prijs van de kamer flink naar beneden gaat. Eens zien, je stond oorspronkelijk geboekt voor eenenveertig dollar per nacht. Als je een kamer deelt wordt dat tweeëndertig dollar. De hoteldirectie heeft me gegarandeerd dat het dan tweeëndertig dollar wordt. Dat is een besparing van, eens zien, eenenveertig min…'

'Negen dollar.'

'Negen dollar.'

'Het gaat niet om het geld', zei Brenda.

'Wat is het dan wel?' De balpen hing wachtend in de lucht.

'Het gaat om…'

Verdomme, verdomme. Brenda voelde zich moe. Ze was ook moe. Ze moest ongesteld worden, daar kreeg ze altijd pijn van in haar benen. En het vliegveld van Philadelphia was enorm groot en slecht georganiseerd, zo verschillend van O'Hare, en de man van de luchtvracht was kortaf geweest, eigenlijk bijna onbeschoft. Haar rode regenjas was aan de voorkant gekreukeld en er zat een vlekje op de kraag, misschien alleen maar een vetvlekje. Ja, ze was moe. Ze wilde op een bed gaan liggen en haar ogen dichtdoen. En ze had zich – een maand lang – een kleine kamer helemaal voor haar alleen voorgesteld, met een eenpersoonsbed, strak opgemaakt met hotellakens, bijna het bed van een non. Een stoel in een hoekje, en een tafel waaraan ze, als ze dat wilde, 's morgens kon koffie drinken en muffins eten. Volkorenmuffins… Er zou een lang smal raam zijn dat uitzicht bood op een straat, deze straat zou iets historisch hebben en aan de overkant was een rode stenen muur, en waarschijnlijk was er een straatlantaarn, een van die sierlijke oude ijzeren...

Het mocht niet zo zijn. Een golf van teleurstelling overspoelde haar. Ze keek naar Betty Vetter, die zat te wachten. Ze probeerde naar haar te glimlachen en het lukte. Betty Vetter glimlachte terug. Plotseling bleef er van haar teleurstelling slechts een milde scheut van spijt over – en zelfs die verdween vrijwel onmiddellijk. Het bord met muffins zweefde de ruimte in. De fontein achter haar spetterde vrolijk.

'Je hebt geen idee, Brenda, hoe wij dit waarderen. Ik bedoel – het is gewoon zo dat we echt niet weten hoe we dit anders moeten oplossen.'

'Zo erg is het niet...'

'Uitstekend. Fantastisch. Eerlijk gezegd hoopten we al dat de mensen zo zouden reageren. Maar je zou er versteld van staan als je wist hoeveel mensen bezwaar hebben tegen...'

'Het is toch maar voor vijf nachtjes.'

'En we geloven allemaal in hetzelfde, nietwaar?'

'Hmhm', zei Brenda onbeholpen.

'Je kunt je sleutel afhalen bij de balie van het hotel. Het is kamernummer 2424.' Ze gaf Brenda een knipoogje en zei: 'Ik hoop dat je geen hoogtevrees hebt.'

'O, nee. Ik heb nooit last gehad van...'

'En je kamergenote is, even zien, Verna Glanville. Ook een quilter.'

'Zei je Verna Glanville?'

'Ze is een fantastische meid. Jullie kunnen het vast heel goed met elkaar...'

'Uit Norfolk, Virginia?'

'Ik geloof het wel.'

'Verna of Virginia. Zo noemt ze zich, voor haar werk.'

'O, ja? Ze heeft zich een paar uur geleden ingeschreven, en ze was echt heel sportief. Over dat gedoe met de kamers. "Hoe meer zielen, hoe meer vreugd", zei ze, toen ik haar vroeg of ze een kamer wilde delen...'

'Dat is toch wel heel grappig,' zei Brenda, 'ik las laatst nog een artikel over haar. Over Verna of Virginia. Over een quilt die ze net verkocht heeft aan het Metropolitan Museum in New York...'

'Ze is vrij bekend op haar terrein...'

'O, ze is zelfs een van de besten, een van de allerbesten...'

'... en een glimlach voor iedereen, dat viel me gelijk op aan haar.'

'Ik hoopte al dat ik haar zou kunnen ontmoeten. En nu ga ik samen met haar...'

'Nog iets, mevrouw Bowman. Brenda. Ze hebben gevraagd of iedereen om klokslag vier uur in de Constitution Room wil zijn voor het programma-overzicht. Dat is maar één etage hoger. De tussenverdieping. Het is nu bijna vier uur, dus als je daar nu gelijk naartoe gaat, laat ik je bagage naar de kamer brengen.'

'Hartelijk dank', Brenda zweeg even, 'Betty.'

'Graag gedaan.'

'Ik vind het echt heel...'

'Geen enkele moeite. Ik ben blij dat ik kon helpen. Daar zijn we voor.'

8

DE LOBBY VAN DE FRANKLIN COURT ARMS, MET ZIJN HARD-groene tapijt en blankhouten wanden, doet Brenda denken aan buiten, met name een hoekje van Columbus Park in Chicago waar zij en Jack en de kinderen vroeger gingen wandelen op zomeravonden. Er staan grote planten in potten – eigenlijk bomen – en bij de ontvangstbalie is de grote luidruchtige fontein, gemaakt van roestvrij stalen bladen en glazen buizen. Overal valt het licht zacht vanuit onzichtbare lichtpunten die een soort spinnend geluid lijken voort te brengen. De trap naar de tussenverdieping, waar de bijeenkomst is, is van lichtgekleurd hout. Eiken misschien, denkt Brenda. De treden zijn uitzonderlijk dik en hebben geen stootborden, ze zweeft bijna naar boven. Manden met groene planten hangen boven haar hoofd, de meeste van een soort die Brenda niet kent, lichtgroen, veervormig, doorschoten met licht. Vrijwel zeker een of andere varensoort.

De Constitution Room vult zich snel met mensen, de meesten van hen, merkt Brenda, zijn vrouwen. Nou ja, dat was ook te verwachten. Er zitten twee of drie mannen samen aan één kant, en vooraan staat een knappe man met een grijze baard weids te gebaren. Aan het andere einde van de zaal is een podium, behangen met beige-bruine juten lappen – hetzelfde jute als op het koffertje dat ze draagt. Klapstoelen zijn neergezet in halfronde rijen, honderden stoelen, de meeste al bezet, en het hotelpersoneel worstelt om nog een laatste rij achteraan uit te zetten. De ruimte weerklinkt van stemmen, een vriendelijk rumoer dat tegen de gladde wanden kaatst en oprijst naar het gebogen houten plafond, waar drie kroonluchters fonkelen en schitteren. Brenda raakt haar naamkaartje aan met haar vingertop en kijkt rond op zoek naar een zitplaats.

'Ssst', zegt een vrouw. 'Ssst.'

'Ze proberen te beginnen daarginds.'

'Dames en heren…'

'Welke heren?' Een luid en schor gelach.

'Pardon,' fluistert Brenda, 'is deze stoel bezet?'

'Ik hou hem vast voor iemand. Ze komt zo.'

'Sorry.'

'Ssst.'

'Dames en heren, we zouden graag de bijeenkomst willen openen.'

'Pardon, zit hier iemand?'

'Helaas wel.'

'Kunt u mij ook achterin de zaal horen? Als dat niet het geval is, wilt u uw hand dan opsteken? Test, een, twee, drie.'

'Het klinkt prima,' roept een schorre stem, 'maar kunnen er hier achteraan nog wat stoelen komen?'

'Die komen eraan', zegt een mannenstem. 'Ze zijn er over een paar minuten.'

'Mag ik alstublieft uw aandacht…'

'Neem me niet kwalijk, mevrouw de voorzitster, maar mag ik even?'

Dezelfde schorre stem, die vanuit een hoek achterin de zaal dreunt.

Brenda voelt een rukje aan haar mouw en hoort een melodieuze stem zeggen: 'Hier is nog een plaats vrij.'

'O, dank je wel.'

'Ik ben Lenora Knox. Uit Santa Fe.' Ze draagt een bril met een lichtblauw montuur en haar haar is bruin en licht golvend.

'O, dan kom je van aardig ver.' Brenda zegt dit op converseertoon.

'En jij bent…?' Lenora glimlacht nadrukkelijk. Ze heeft een klein gezichtje.

'Brenda Bowman. Uit Chicago. Nou ja, uit de buurt van Chicago…'

'Ik ben nooit in Chicago geweest. Maar we hopen er ooit nog eens, ik bedoel voor het Art Institute en zo…'

'We zouden graag de vierde jaarlijkse Handvaardigheidstentoonstelling willen openen…'

'Wat doe jij?' fluistert Lenora Knox met haar meisjesachtige stem.

'Quilts.'

'Ik ook!'

'Echt waar?'

'Wat toevallig. We moeten een keer samen koffie drinken en serieus over quilts praten.'

'Mevrouw de voorzitster, mag ik een vraag stellen?' Weer diezelfde stem.

'Dat is buiten de orde.'

'Dat staat niet op de agenda.'

'Het toeval wil', volhardt de stem, 'dat het om een zeer dringende kwestie gaat. Ik weet zeker dat de voorzitster dat met me eens zal zijn, als ze me maar de kans geeft om te spreken.'

'Helaas...' De voorzitster is een gezette blonde vrouw van rond de veertig. Ze heeft een vriendelijk en aantrekkelijk gezicht en een kalme manier van doen.

'Ik kan de voorzitster verzekeren dat deze kwestie ons hier allemaal aangaat.'

'Wie is dat?' fluistert Brenda.

'Ik weet het niet.' Lenora Knox heeft een charmante, bescheiden en heldere manier van spreken. 'Ik ben voor het eerst bij zoiets als dit.'

'Ik ook.'

'Ik had geen idee dat er zoveel mensen zouden zijn.'

Brenda kijkt om zich heen. Een van deze vrouwen moet Verna Glanville zijn, Verna of Virginia. Wist ze maar hoe ze er uit zag. Jammer dat er geen foto...

'Orde in de zaal, orde in de zaal.'

'Ik verzoek u vriendelijk...'

'Het woord is aan Charlotte Dance.'

'Mevrouw de voorzitster. Ik dank u voor uw medewerking en wanneer u hoort wat ik te zeggen heb, denk ik dat...'

'Maar hou het alsjeblieft kort, Char. En geen politiek. Dit is bedoeld als een voorlichtingsbijeenkomst.'

Om de een of andere reden, die Brenda niet begrijpt, klinkt hierop luid gelach. Zelfs Charlotte Dance lacht met een sonoor, New England-achtig geluid. 'Ik vraag slechts twee minuten.'

'Ga je gang. Je hebt het woord.'

'Wiew! Het probleem dat ik wil aankaarten is niet echt politiek, maar het raakt ons allemaal omdat het gaat over de schending van onze rechten als vrouw…'

Gejuich. Een enkeling die kreunt.

'Het schijnt dat het hotel, het hotel dat wij bevóórrecht hebben met onze bijeenkomst – ik heb het over het Franklin Court Arms – het schijnt dat dit hotel niet anders is dan willekeurig welke andere door mannen gedomineerde commerciële instelling…'

'Kun je alsjeblieft tot de kern komen, Charlotte?' De voorzitster lacht breeduit. 'We hebben deze zaal maar voor een uur en het is al…'

'Misschien heeft een aantal van jullie al gemerkt dat er een groot probleem is wat het onderdak betreft.'

Hier en daar applaus.

'De directie van dit hotel heeft duidelijk gemaakt dat er niet genoeg ruimte is voor ons allemaal. En dat ondanks het feit dat onze organisatie een aantal maanden geleden al een reservering heeft ontvangen,' ze zwijgt even, 'een geconfirmeerde reservering.'

'In welke kamer zit jij?' fluistert Lenora.

'2424', fluistert Brenda terug.

'Hebben ze je gevraagd met iemand te delen?'

'Ja, ik…'

'Ik ook.'

'Ik wil de voorzitster er op wijzen dat een flink aantal van ons gevraagd is om een kamer te delen, en op zich vind ik dat ook geen enkel punt. Ik heb geen bezwaar tegen het delen van een kamer. Maar een groot aantal van onze leden is gevraagd om naar de Ramada Inn te gaan, die wel drie kilometer hier vandaan ligt. Drie kilometer! Ik heb natuurlijk gevraagd wat de reden hiervoor is. En het schijnt dat we, zoals dat geloof ik heet, weggewerkt zijn door de Internationale Bond van Metallurgen. Is de voorzitster het ermee eens dat dit de feitelijke gang van zaken is?'

'Het hotel schijnt inderdaad te vol geboekt te zijn. Ik kreeg een uur geleden te horen dat sommige van onze leden gratis met bussen zullen worden…'

'Ondanks het feit dat wij eerder hadden gereserveerd, worden wij nu gevraagd plaats te maken voor een andere groep…'

'Volgens mij gaat het alleen om mensen die met nog iemand zijn gekomen…'

'Neemt u mij niet kwalijk, mevrouw de voorzitster, maar wat ik hier luid en duidelijk naar voren wil brengen, is dat wij een organisatie zijn die helemaal uit vrouwen bestaat...'

'Niet helemaal, Charlotte liefje', klonk een goedgehumeurde mannenstem – de grijze baard – van de voorste rij.

'Pardon. Een organisatie die hoofdzákelijk bestaat uit vrouwen, wordt gevraagd plaats te maken voor een organisatie die toevallig – heel toevallig – bijna helemaal uit mannen bestaat.'

Luid gejuich. Gestamp. Applaus. Brenda en Lenora kijken elkaar even aan. Lenora kijkt angstig. De voorzitster verzoekt om stilte.

'Ik weet dat ik het zo kort mogelijk moet houden', vervolgt Charlotte Dance, 'en na wat ik zojuist heb gezegd, hoef ik daar denk ik niets meer aan toe te voegen. Het feit dat dit heeft kunnen gebeuren zegt alles al. De feiten wijzen overduidelijk op een ergerlijk gebrek aan morele verantwoordelijkheid van de kant van de hoteldirectie, en ik stel voor een commissie in het leven te roepen die zich onmiddellijk over deze kwestie buigt, zo mogelijk vanavond nog.'

'Ik doe mee.'

'We staan achter je, Charlotte.'

'En wat betreft de mensen van de pers – ik neem aan dat hier ook persmensen zijn – die zie ik graag terug na deze bijeenkomst om de verdere acties te bespreken...'

'Dank je wel, Char, dat je dit punt hebt aangekaart. Ik denk dat wij nu verder moeten gaan met het programma. Er zijn een paar punten...'

'Een vraag.'

'Ik denk dat we verder geen tijd hebben om...'

'Eén vraag. Meer niet, dat beloof ik.' De spreekster is een vrouw voor Brenda die is opgestaan en haar armen omhoog houdt. Ze is jong – tenminste, ze ziet er van achteren jong uit – en ze heeft lang, zwart haar dat tot haar middel valt. Ze draagt een gebreide sjaal in paarse en mauve tinten. Is dit misschien Verna of Virginia?

'Laat haar even wat zeggen.'

'Oké.' Een zucht klinkt zacht fluitend door de microfoon.

'Eén vraag, en niet meer dan één minuut. En daarna zullen we echt...'

'Ik wil protesteren, uit naam van alle vrouwen in deze zaal...'

'Wil je alsjeblieft je naam noemen, voor het verslag.'

'Margaret Malone, Kunstnijverheidsgilde Atlanta.'

'Ze is adembenemend', zegt Lenora Knox zachtjes.

Brenda knikt. 'Ja.'

'Ik wil protesteren tegen het zogenaamde cadeautje dat we vandaag allemaal hebben gekregen van een club die zichzelf New Women Industries noemt. Ik heb het' – en ze houdt de make-upset omhoog – 'hierover, over dit onnodige eerbetoon aan de traditionele vrouwelijke ijdelheid.'

'Goed zo.' Charlotte Dance staat weer overeind.

'Ik zou wel eens willen weten', gaat Margaret Malone verder, 'of de Internationale Bond van Metallurgen ook dit soort pakjes met… met luxedingetjes heeft gekregen. Met aftershave bijvoorbeeld. Of een goede, verleidelijke eau de toilette voor mannen.'

'Daar heeft ze eigenlijk wel gelijk in', zegt Lenora Knox halffluid.

'Dat is een uitstekend punt,' zegt de voorzitster, 'maar we moeten nu echt…'

'Ik heb hier toevallig een grote groene vuilniszak bij me en als de voorzitster het goed vindt, wil ik die graag achterin de zaal zetten. Als er nog meer vrouwen zijn die af willen van dit ongevraagde cadeautje van', ze zwijgt even, 'New Women Industries, dan kunnen ze net als ik…'

'Heel hartelijk dank. Ik weet zeker dat iedereen het hiermee eens is…'

Plotseling begint iedereen in de zaal te praten. Sommigen staan op en lopen naar de achterkant van de zaal waar de vuilniszak is neergezet. Brenda wil wel meedoen maar is bang haar stoel kwijt te raken. De hamer van de voorzitster gaat op en neer, maar de microfoon schijnt uitgevallen te zijn. Aan de zijkant van de zaal klimt een vrouw op een stoel. Iemand anders helpt haar omhoog, en inmiddels staat ze te praten. Brenda doet haar best te horen wat ze zegt, maar door al het rumoer kan ze het nauwelijks volgen. Iets over de legalisering van abortus. Iets over de burgerrechten in Mississippi en Alabama. Iemand anders in de zaal huilt, of misschien schreeuwt ze alleen maar om zich verstaanbaar te maken. Er klinkt een elektronische snerp uit de geluidsinstallatie, Brenda heeft het gevoel dat de zaal overhelt. Een paar vrouwen achterin de zaal beginnen te zingen. *The Battle Hymn of the Republic*? 'Glory, glory, hallelujah.' Iemand lacht hysterisch. De man met de grijze baard fluistert iets in

Charlotte Dances oor. Charlotte Dance heeft haar handen in haar zij gezet. Haar mond hangt open en haar hoofd schommelt heen en weer.

'Goeie genade', zegt Lenora Knox met haar lieflijke stem.

9

D E MAN DIE MET BRENDA IN DE LIFT STOND OP WEG NAAR de vierentwintigste verdieping, droeg een pak met een smal streepje. Ze keek er waarderend naar vanuit een ooghoek, ze had Jack onlangs zover gekregen dat hij een kostuum met een streepje kocht en dit pak had vrijwel dezelfde snit, maar was donkerblauw in plaats van bruin.

Toevallig stapte de man in het pak ook uit op de vierentwintigste verdieping, en alsof dit toeval een soort grapje was dat ze deelden, gaf hij Brenda een vluchtig, verstrooid lachje. Op zijn borstzakje zag ze een geplastificeerd kaartje: Internationale Bond van Metallurgen. Een van díe mensen, dacht ze, en keek hem iets doordringender aan. In kleinere letters stond ook zijn naam op het kaartje, maar Brenda, die uit de lift stapte, kon hem niet lezen en besefte dat ze moeilijk voorover kon buigen om hem te ontcijferen. En wat deed het er trouwens toe? Hij liep de gang in naar de ene kant en zij liep, aarzelender, de andere kant op. De vierentwintigste verdieping, ze dacht aan Betty Vetter die haar had gevraagd of ze hoogtevrees had, en vervolgens herinnerde ze zich, met iets triomfantelijks, de jongeman in het vliegtuig, die met het roze tandvlees. Hoe zou hij het, met zijn jammerende angsten, vinden om op de vierentwintigste verdieping gezet te worden?

Op een keer, toen het Historisch Genootschap bijeenkwam in New York, hadden zij en Jack een kamer op de drieëndertigste verdieping van een hotel in het centrum, en toen ze in bed lagen verbeeldden ze zich dat ze het gebouw zachtjes konden voelen bewegen in de wind. Ze was helemaal niet bang geweest, ze had het een aardig idee gevonden, dat die slanke stalen toren net iets meer dan een halve centimeter boog in de stormwind, dat zij zich deel voelde van die minieme technische overgave. Door hoogte kon je je ook veilig voelen – je liet alles achter, de lobby en koffieshops en bars waren allemaal mijlenver weg. Hierboven waren de trossen van de kamers losgegooid en voeren ze in hun eigen boog van duisternis. Het was doodstil op de gang.

Brenda viste de zware sleutel uit de zak van haar regenjas om het nummer te controleren. Kamer 2424 was vast aan het einde van de gang, ja, daar was hij, de kamer naast de ijsmachine. Ze wilde zo snel mogelijk de deur opendoen en haar schoenen uittrekken – vooral de rechterschoen, die te strak zat bij de tenen, ze moest onthouden nooit meer Italiaanse schoenen te kopen, ook al waren ze in de uitverkoop. Ze waren het niet waard.

Zou Verna of Virginia er al zijn? Brenda hoopte van niet. Ze wilde graag kennis met haar maken, maar tegelijkertijd wilde ze, had ze behoefte aan een paar minuten voor zichzelf. Ze zou haar schoenen uitdoen, en misschien ook haar rok. Ze had nog ander-half uur voor de officiële receptie. Nog even tijd om in bed te kruipen, als ze wilde zelfs genoeg tijd om haar ogen dicht te doen en zich de luxe te permitteren even te slapen. Een dutje kon heel verkwikkend zijn, tien minuten van wat Jacks vader 'even de ogen dichtdoen' noemde, kon wonderen verrichten. (Soms, wanneer ze 's avonds nog uitgingen, ging Jack eerst nog even een paar minuten liggen.) Het was heel verstandig dat ze haar reiswekkertje had meegenomen; als ze dat op zes uur zette, had ze nog genoeg tijd om een douche te nemen voor de receptie. Tenminste, als Verna niet in de kamer was.

Maar Verna was wél in de kamer. Ze lag op haar rug op een van de twee bedden.

Brenda nam tenminste aan dat het Verna was. Er lag in elk geval een vrouw zonder kleren aan op het bed bij het raam. Het licht was aan – een lamp op een kastje en een schemerlamp in een hoek – maar Brenda kon Verna's gezicht niet zien – ook niet veel van haar lichaam, trouwens – aangezien er een man bovenop haar lag. Hij was ook ontkleed. Hij had gladde, gespierde schouders, zag Brenda, en een brede, ovale rug. Ze bespeurde een lichte beharing en daar-onder een witte huid. En een paar billen die roodachtig van kleur waren en vrij klein. Ze was telkens weer verrast als ze zag hoe klein mannenbillen waren.

Vanaf het bed klonk muziek. Nee, het was geen muziek, het was gekreun – Brenda kon niet goed onderscheiden of het van hem of van haar kwam. De gordijnen waren niet helemaal dicht. Het was vijf uur 's middags en donker buiten, winters. De billen van de man rezen en daalden energiek en rusteloos. Verna's (Verna's?) lange benen gingen opzij en vouwden zich over de harige rug, de voeten ineengehaakt. Brenda dacht aan een beeld, iets op een zwaar voetstuk middenin een park, een Henry Moore, een en al hoeken en openingen. Er klonk opnieuw een zacht gekreun, bijna een gefluister, daarna het drogere geluid van hijgen en stampen en de gesmoorde kreet van een vrouw: 'Bijna, bijna.'

Brenda keek misschien twee of drie seconden naar ze. Het woord *neuken*, een woord dat ze nooit gebruikte, schoot haar ongenadig in gedachten, niettemin was ze uiterst kalm. Haar koffer was naar boven gebracht, zag ze. Daar stond hij, keurig tussen de twee bedden. Boven de bedden hing een ingelijste prent, een stilleven met fruit, iets wat op abrikozen leek en…

Een seconde later stond ze weer op de gang. Ze had de deur geluidloos achter zich weten te sluiten. Vlakbij, net om de hoek, liet iemand de ijsmachine ratelen. Ze keek de gang af, die eindeloos lang en onnatuurlijk sereen leek. Alle deuren waren dicht – een reeks gladde panelen, die privacy en fatsoen uitstraalden. En achter die bedrieglijke deuren: ze kreeg plotseling een verbijsterend meervoudig visioen van vurige paringen, vreemde vochtige ledematen die samenkwamen, gesmoorde kreten, niet-menselijk gemompel laat in de middag. Toppunten van extase. Willekeur. Toevalligheden. Risico's. Ze zag even een glimp van een diep historisch gat met daarin miljoenen paringen – het was bodemloos. Ze liet de sleutel weer in haar zak glijden en leunde, licht tollend, tegen de muur en om de een of andere reden klapperden haar tanden.

'Buitengesloten?' vroeg iemand haar. Het was de man in het streepjeskostuum, met een plastic ijsemmertje in zijn hand. Hij sprak op vrolijke, behulpzame toon. 'Nee', zei ze tegen hem.

Hij bleef voor haar staan en keek haar eens goed aan. 'Kan ik dan misschien… Is er iets niet in orde?'

Hij keek haar recht in de ogen. Aandachtig. Misschien dacht hij wel dat ze dronken was. Of ziek. Hoe groot waren haar pupillen? En dan die klapperende tanden. Ze merkte dat ze over haar hele lichaam beefde.

'Misschien moet u even gaan zitten', raadde hij vriendelijk aan. De krijtstreepjes dansten pijnlijk voor haar ogen. Ze merkte op dat de knoop van zijn blauw-met-bruine das luxueus en zijdezacht was.

'Ja', knikte ze, en wuifde vaag met haar hand. Waar?

'Of wilt u misschien dat ik iemand haal?'

'Iemand haal?'

'Er is vast wel een dokter in het hotel. Of een verpleegster. Of iemand die ze kunnen oproepen.'

'Ik heb geen dokter nodig', zei Brenda, verbijsterd door dit voorstel.

'Nou ja, ik dacht dat u zich misschien niet lekker voelde...'

'Ik ben alleen maar... een beetje duizelig, denk ik.'

'Kom, dan breng ik u even naar uw kamer. Dat lijkt me het beste.'

'Dit is mijn kamer. Deze hier.' Ten bewijze tikte Brenda zachtjes tegen het gladde hout van de deur.

'Aha.' Hij wachtte.

'Ik voel me al weer een stuk beter.' Waarom ging hij niet weg, waarom pakte hij zijn ijsbak niet en ging hij niet weg? 'Ik bedoel, ik voel me nu niet meer duizelig.'

'Mooi, heel goed.' Hij was een tenger gebouwde man, niet veel langer dan zijzelf. Zijn bruine ogen stonden alert, levendig en bezorgd, en zijn haar – Brenda lette altijd op haar, net zoals Leah Wallberg op jukbeenderen lette – was een mengeling van bruin en grijs en uitzonderlijk dik, het haar van een gezonde man. Een man achterin de veertig, veronderstelde Brenda.

'Het gaat wel weer.' Ze voelde zich ook weer beter en om de een of andere reden moest ze nu bijna lachen. Waarschijnlijk zenuwen. Niet lachen, hield ze zichzelf voor.

'Hoor eens', zei hij na een korte stilte. 'Ik wilde mezelf juist een drankje inschenken. Hebt u zin om mee te gaan? Ik zit iets verderop in de gang, dan schenk ik u ook wat in.'

'O, dank u wel, maar...'

'Dan kunt u even rustig zitten om bij te komen.'

'Nee, echt niet, het gaat prima.' Ze schudde heftig met haar hoofd als bewijs.

'Als u zich zorgen maakt om mij, ik ben echt geen verkrachter, of een moordenaar of zoiets.' Als om dit te bevestigen raakte hij het naamkaartje aan dat hem aanduidde als lid van de metallurgenbond.

'Als u even een paar minuten gaat zitten en misschien een drankje drinkt, dan gaat het vast weer beter.'

'Maar het gaat prima...'

'Neem me niet kwalijk, maar eerlijk gezegd vind ik u er nog een beetje zwakjes uitzien.'

'O ja?'

'Soms hebben mensen last van die verdomde liften, op dit soort hoogte...' Hij glimlachte op zijn vrolijke manier en Brenda dacht, wat een aardige man, wat een attente man om aan de lift te denken.

'Eigenlijk', begon ze uit te leggen – ze was hem toch een soort verklaring schuldig – 'is het iets heel grappigs. Wat er daarnet gebeurde.'

'Raar grappig of...'

'Beide.'

'Nou...?' Hij wachtte en glimlachte vragend. Door de manier waarop zijn voortanden overstaken voelde Brenda zich welwillend worden ten opzichte van hem.

'Niet echt grappig.' Ze zweeg, glimlachte. 'Een beetje...'

'Bizar?'

'Bizar, ja, dat is het goede woord. Surrealistisch ook. En,' nu begon ze te lachen, ze kon het niet meer inhouden, 'en volgens mij ook doodgewoon grappig.'

Ze herinnerde zich de rode billen, stevig als appels, vrolijk maar ook vreemd bedreigend. Ze begon nog harder te lachen. Ze leunde tegen de muur, haar hoofd heen en weer rollend, haar mond open. Ze moest als een krankzinnige klinken; deze man in het streepjes-kostuum, die zijn ijsemmer stevig vasthield, dacht vast dat ze gek was.

Maar dat scheen niet het geval. Hij begon met haar mee te lachen, ongedwongen en kameraadschappelijk. Brenda begreep niet waar-om. Ze hoorde de ijsblokjes tinkelen, een prettig sociaal geluid, geruststellend en normaal. Ze haalde diep adem.

'Het zou inderdaad goed zijn', zei ze. 'Een drankje, bedoel ik.'

'Goed. Uitstekend. Ik zit hier vlakbij. Naast de lift.'

'Het is heel vriendelijk van u. Ik bedoel, u weet niet eens...'

'Graag gedaan.' Hij nam haar bij de elleboog, een gebaar dat ze alarmerend zou moeten vinden, maar om de een of andere reden vond ze het dat niet. Zijn stem klonk enigszins Engels, zoals hij het woord *elevator* (lift) uitsprak – *elevetah*.

Hij had een tweepersoonskamer. Boven de bedden hingen nog meer prenten van vruchten, die een beetje ziekelijk en gekneusd diep in aardewerken kommen lagen. Er stond een koffer op een rek, met het deksel open, een das die eruit hing en gekreukeld ondergoed. In een hoek hing een lamp boven een gladde bruine leunstoel van gecapitonneerd vinyl.

'Ga hier maar zitten', stelde hij voor, terwijl hij haar uit haar jas hielp en deze netjes opgevouwen op een van de bedden legde. Hij zei niet, wat een mooie jas, of, wist u dat u prachtige jukbeenderen hebt. Hij zei: 'Maak het u maar gemakkelijk.'

'Eigenlijk is het heel vreemd.' Brenda ging zitten en voelde onmiddellijk een scherpe pijnscheut in haar kuiten. Het was een lange dag geweest. Ze leunde voorover en wreef met één hand de wreef van haar rechtervoet. Was het onbeleefd om haar schoenen uit te doen? Waarschijnlijk wel.

'Vreemd?' Hij stond bij een tafel en haalde glazen uit hun papieren omhulsel.

'Dat ik nu hier zit, bedoel ik. Voor een drankje. Terwijl ik niet eens weet hoe u...'

'Barry Ollershaw. Dat had ik eerder moeten zeggen. Sorry.'

Barry. Een naam die ze nooit echt mooi had gevonden. Het was een naam waaraan ernst ontbrak, hij had iets snoezigs en verlegens. 'En waar komt u vandaan?' vroeg ze beleefd.

'Uit Vancouver, B.C. Dat is in Canada.'

'Het schijnt daar heel mooi te zijn', zei Brenda, niet helemaal zeker waar Vancouver, B.C. lag. Waren er bergen? Ze vroeg zich plotseling af wat ze in de kamer van deze man deed en haar blik ging onwillekeurig naar de deur.

'Wilt u misschien dat ik de deur openlaat?' vroeg Barry Ollershaw.

'Niet dat ik...'

'Dat moesten we vroeger ook altijd op de universiteit. In het studentenhuis. Wanneer we een meisje op onze kamer ontvingen – dat was het woord dat we gebruikten, ontvangen – werden we geacht de deur op een kier te laten staan. Dat waren de huisregels. Dat was natuurlijk in de jaren vijftig. Bijna de middeleeuwen.'

'Echt waar?' Haar nerveuze lachje klonk weer.

'Ik zou het u niet kwalijk nemen als u zich niet op uw gemak voelt. Goeie God, als je de krant leest – dus als u liever de deur open...'

'Het is prima zo.' Verkrachters en moordenaars zagen er niet zo uit: ontspannen, intelligent, en met een naambordje op. Hoe zagen ze er dan uit? Ze wist zeker dat ze ze zou herkennen.

'Wilt u wel een gin? Meer heb ik helaas niet. Er is ook tonic en een beetje bitter lemon, dat is het zo'n beetje.'

'Tonic is prima. Ik hou van tonic.' Ze kwebbelde net zo erg als Hap Lewis. 'Met niet al te veel gin.'

'Zoiets?'

'Perfect. Ik ben blij dat u langskwam. Ik voelde me echt een beetje duizelig.'

'Prosit.' Hij hief zijn glas op.

'Pardon? O, prosit.'

'En u bent', hij tuurde naar haar naamkaartje, 'Brenda Bowman. Van het Kunstnijverheidsgilde in Chicago.'

'Ja.' Ze begon zich te ontspannen. 'Aangenaam.'

Hij ging tegenover haar op de rand van het bed zitten, zijn glas met zijn handen omvattend. 'En nu zou ik graag iets horen over dat vreemde, bizarre en surrealistische voorval waar u zo duizelig van werd.'

'Ik ben bang dat dat een afknapper wordt. Eerlijk gezegd vind ik het nu nogal dwaas.'

'Ik kan wel wat afleiding gebruiken. Ik heb de hele middag bijeenkomsten gehad.'

'U bent toch niet', ze keek hem recht in de ogen, bruine ogen met rossige wenkbrauwen, 'u bent toch niet toevallig preuts aangelegd?'

'Preuts? Daar ben ik nog nooit van beschuldigd. Zie ik er uit alsof ik preuts ben?'

'Ik heb nooit eerder een Canadees ontmoet.'

Waarom zei ze zoiets belachelijks? Wat was er met haar aan de hand? Bovendien was het niet waar – denk maar aan Bill Lawless op het Instituut. Hij kwam uit Winnipeg, en hij was bepaald niet preuts. Hij was zelfs...'

'Nou?' zei Barry Ollershaw, en draaide aanmoedigend zijn glas rond.

'Nou,' begon Brenda, 'eigenlijk moet ik eerst uitleggen dat ik hier ben voor de Nationale Handvaardigheidstentoonstelling.'

'Dat had ik al begrepen. Door het naamkaartje.'

'En ik zou een kamer voor mij alleen krijgen. Maar om de een of andere reden waren er niet genoeg kamers. Het gerucht doet zelfs de ronde dat wij verdrongen zijn door de Internationale Bond van…'

'Hou maar op. Ik weet er alles van. Ik kom net terug van een commissievergadering en het schijnt dat we echt in de penarie zitten.'

'Dus vroegen ze me bij de ontvangstbalie of ik het erg vond om een kamer te delen. Met een andere quilter. Dat doe ik ook. Quilts maken.'

'Ik ben gek op quilts. Mijn moeder maakte altijd quilts. En mijn tante ook. Patchwork. Niet dat ze van hetzelfde niveau waren, natuurlijk. Maar goed, ga door.'

'Ik kende die andere quilter niet, alleen van naam. We hadden elkaar nog nooit gezien. Maar toen ik naar de kamer ging, toen zag ik haar daar.'

'Ja?'

'Toen ik daarstraks de deur opendeed, zag ik haar, maar ze was… niet alleen.' Brenda had moeite met haar mond, die vreemd slap en vochtig voelde. En ze wist niet waar ze moest kijken.

'Ze was niet alleen.' Barry Ollershaw herhaalde dit alsof het een simpele mededeling was.

'Ze zag me zelfs niet binnenkomen. Ze was… nou ja… met een man. Aan het… u weet wel… vrijen.'

'Aha!' Barry's hoofd schoot achterover. 'Ja, ik begrijp het.'

'Echt waar?'

'Zelfs wij Canadezen…'

'Het was, ik weet niet hoe ik het moet zeggen, nogal een verrassing. Maar dat duurde maar even. Ik denk dat ik een beetje overdonderd was. Ik bedoel, dat was wel het laatste wat ik verwachtte, toen ik die deur opendeed. Alle lichten waren aan. Maar nu…' Brenda begon weer te lachen. Een druppel gin viel op haar rok, die ze wegveegde met haar hand.

'Maar nu?'

'Nu vind ik het gewoon grappig. Absurd. Idioot eigenlijk, als je erover nadenkt.'

Barry grijnsde breed en knikte begrijpend.

'Eerste positie?' vroeg hij plotseling.

'Pardon?'

'De missionarishouding? Deden ze het... de missionarishouding?'

'Eh,' Brenda zweeg even en nam een slok gin, 'ja.' Ze dronk snel haar glas leeg en staarde langs Barry Ollershaws hoofd naar de vruchten aan de wand.

'Ik kan me voorstellen dat het nogal een verrassing was.'

'En als je er in theorie over nadenkt...'

'Waarover nadenkt?'

'Over seks. In theorie is het een beetje, ik weet niet, lachwekkend.'

'Het beest met twee ruggen.' Weer een uitdrukking.

'Wat? O ja, dat is ook zo. U begrijpt dus wat ik bedoel?'

'Jazeker. Het is een soort aanfluiting van het mensdom. Om ons nederig te houden. Maar wie weet, over tien miljoen jaar, als we het zo lang uithouden, evolueren we misschien naar iets... eleganters.'

'Net als vissen', hoorde Brenda zichzelf zeggen. 'Ik las laatst een artikel over vissen – ik denk dat het in *Newsweek* stond, misschien hebt u het wel gelezen. Over visseneieren die gewoon worden... uitgestoten... en zich als een waaier in het water verspreiden.'

'Wilt u nog een glas?'

'Graag een beetje tonic, als er nog is. Ik weet niet waarom ik zo'n dorst heb. Waarschijnlijk de zenuwen. Maar ik wil u niet ophouden. U hebt waarschijnlijk nog van alles...' Ze zweeg plotseling. Het laatste wat ze wilde was opstaan uit deze stoel.

'Tot acht uur heb ik niets. Dus neemt u er alstublieft nog een. Om mij gezelschap te houden. Geef maar, dan maak ik er nog een.'

Misschien kon ze toch haar schoenen uitdoen. In elk geval de rechter. Maar bij nader inzien...

'Bent u getrouwd?' zei ze tegen Barry Ollershaws rug. Hij was druk bezig meer ijs in haar glas te schudden, enigszins onhandig pogend zijn vingers niet te gebruiken.

'Ja', zei hij.

'Ik ook. En wat zo grappig is. Ik ben al twintig jaar getrouwd, toch een behoorlijke tijd. Maar ik heb nog nooit echt iemand, ik bedoel dus iemand anders, zien vrijen. Dat is toch vreemd als je erover nadenkt.'

'Een beetje wel, denk ik, ervan uitgaand hoeveel het gebeurt.

Maar zo vreemd toch ook weer niet.'

'Ik ben blij dat u dat zegt. Want mij lijkt het plotseling heel raar.'

'Nou ja,' zei hij, zich omdraaiend, 'sommige mensen houden natuurlijk van spiegels aan het plafond en dat soort dingen.' Hij zei het langzaam en speculatief, waardoor Brenda zich afvroeg of hij wellicht een van die mensen was.

'Dat neem ik aan.'

'En dan zijn er altijd nog films. Pornofilms, bedoel ik. En soms bij een hengstenbal, maar ik kan me niet voorstellen dat u naar een hengstenbal gaat.'

'Maar dat is toch niet helemaal hetzelfde als... als letterlijk in de kamer zijn waar twee mensen...'

'Dat denk ik ook niet. Maar aan de andere kant zien kinderen hun ouders wel een keer per ongeluk zo...'

'Is u dat wel eens gebeurd?' Ze dacht aan de moeder die quilts maakte.

'Eén keer, ja. Mijn broer en ik. Het was natuurlijk donker, dus we zagen niet veel. Alleen maar bewegend beddengoed, dat soort dingen. Ik weet nog goed wat het met mijn broer en mij deed. Volgens mij waren we half hysterisch, we lachten als gekken, maar tegelijkertijd waren we diep geschokt.'

'Ik geloof dat ik me vandaag ook zo voelde.'

'En uw ouders? Hebt u die ooit...?'

'Het geval wil, dat ik nooit echt een vader heb gehad.'

'O?' Zijn gezicht stond geïnteresseerd. Halverwege zijn tweede gin met tonic sprankelde zijn vrolijke blik nog helderder, en Brenda vroeg zich af of dit wellicht een foefje van hem was, een professionele en geperfectioneerde omgangsvorm – altijd reageren, altijd energie uitstralen. Wat deed een metallurg eigenlijk? Iets met metaal – het testen waarschijnlijk.

'Tenminste,' zei ze voorzichtig, 'mijn moeder is nooit echt getrouwd geweest.'

'Aha.' Een krachtig knikje, de bruine ogen standvastig.

'Natuurlijk moet er ooit wel iemand geweest zijn. Maar mijn moeder sprak er nooit over. En er was nooit iemand anders – niet dat ik weet tenminste.'

'Hmmm.'

Waarom vond ze het de laatste tijd zo belangrijk om anderen, vooral vreemden, te vertellen dat ze geen vader had gehad? Dit was al de tweede keer vandaag; ze moest beter op haar woorden passen. Was dit het enige interessante feit dat ze te melden had, het enige dat haar onderscheidde van anderen: haar vaderloosheid? Ze had een aantal tijdschriftartikelen gelezen over psychologie en kon de gedachte aan exhibitionisme, en wat daar vlak onder lag, niet helemaal van zich afzetten. Was het de wens om te choqueren? Of wilde ze misschien alleen maar indruk maken op anderen met het gemak waarmee ze dit vermeende psychische trauma had verwerkt? Mensen gingen voor dit soort dingen in therapie. Eindeloos veel jaren van psychiaters, nachtmerries, neurosen. Mensen plaatsten advertenties in de krant in de hoop hun verloren vader terug te vinden, in de hoop zichzelf op de een of andere manier te vervolledigen. Ze huurden detectives. En ze kwelden hun moeder met vragen en aantijgingen. Maar zij niet, o nee, zij niet. Ze ging prat op haar robuuste geestelijke gezondheid, zoals ze ook pronkte met het feit dat ze geen hoogtevrees had.

Barry Ollershaw kuchte even. 'Dus er was niemand, in elk geval geen man, in de buurt?'

'Nee, nooit. Het is dus logisch dat ik zoiets nooit heb… en thuis zorg ik natuurlijk…'

'Ja?'

'Nou ja, we hebben een slot op de slaapkamerdeur.'

'O?' Zijn stralende blik. 'Een goed idee.'

'Kijk,' ze had het gevoel dat ze het moest uitleggen, 'het slot zat er al toen we in het huis kwamen, gewoon zo'n haakje. Eerst vonden we het vreemd, mijn man en ik, maar later, toen de kinderen groter werden…'

'Natuurlijk.'

'Maar goed, zoiets als dit is me nooit eerder gebeurd, dat ik zo een kamer binnenstap. Ik ben wel blij dat ze me niet gezien hebben. Tenminste, ik weet vrijwel zeker dat ze niet merkten dat ik binnenkwam. Want wat moet je zeggen in zo'n situatie?'

'Misschien "trekt u zich maar niets van mij aan".'

'Ga maar gewoon door, hoor.'

'En zelfs als ze u hadden gezien,' zei Barry, 'was het nog niet uw schuld. Ze hadden de deur op het binnenslot kunnen doen als ze echt privacy wilden. Dat is wat mensen meestal doen.'

Was dat zo? Brenda nam aan van wel. 'Misschien was het gewoon iets spontaans.'

'Misschien wel. Gezien de menselijke natuur.'

'Dat is ook een uitdrukking van mijn man Jack – gezien de menselijke natuur.'

'Hebt u misschien trek? Ik kan iets te eten laten brengen, broodjes en koffie bijvoorbeeld.'

Brenda schoot overeind. De receptie. Het was bijna halfzeven. 'Ik moet weg', zei ze tegen Barry. Haar voeten, o, haar voeten! 'Vindt u het erg, is het goed als ik even gebruik maak van de badkamer, om me een beetje op te frissen?' Ze betastte haar haar, duwde het naar achteren en wilde haar jas van het bed pakken.

'Natuurlijk.' Hij stapte opzij en wees de weg. Brenda had het gevoel dat zijn gezicht onschuldig was, was schoongepoetst met betrouwbaarheid. Ze wilde iets zeggen, het deed er niet toe wat. 'Ik ben u heel dankbaar dat u mij niet hebt verkracht of vermoord.'

Als antwoord maakte hij een gekscherende buiging, en opnieuw viel haar zijn dikke haar op. Het was opmerkelijk haar. Grof als gras, met een heel eigen vitaliteit. Ze had er graag haar hand even op gelegd om de veerkracht te beproeven. Toen herinnerde ze zich dat ze eerder die dag de knie had willen aanraken van de man in het vliegtuig. Maar ze zou zoiets nooit doen, besefte ze. Nooit.

10

B IJ DE RECEPTIE IS GRATIS DRANK, ER ZIJN TAFELS MET voedsel en honderden mensen staan te eten, te drinken en te praten. Het geluid van al die menselijke stemmen verdooft de geest, maar op een aangename manier en Brenda, die laat is en een kleine, vierkante sandwich pakt, voelt een golf van verwachting door zich heen gaan. Wat zou er nog allemaal gaan gebeuren?

Er zit iets taais tussen de sandwich, waarschijnlijk zure haring. (Ze is dol op zure haring, thuis heeft ze er een pot van in de koelkast staan en soms steekt ze er halverwege de middag haar vingers in om er een stuk uit te vissen.) Er zijn hapjes ter grootte van haar duimnagel waaruit oranje-achtige kaas druipt. En iets warms op een prikker – wat is het eigenlijk? – een of ander gehaktballetje met een plakje champignon erop. Heerlijk. Een ober in het wit biedt haar op een dienblad een drankje aan. 'Punch, mevrouw?'

Brenda kijkt de Republic Room rond op zoek naar een bekend gezicht, doet er niet toe van wie. Lottie Hart van het Kunstnijverheidsgilde uit Chicago zou er moeten zijn. Tenminste, ze zei dat ze zou gaan, maar dat was twee weken geleden. En Susan Hammerman – Susan Hammerman zat in het hoofdbestuur – die zou er ongetwijfeld zijn. Natuurlijk kent Brenda Susan Hammerman nauwelijks, ze heeft haar maar één keer ontmoet, en dat was afgelopen voorjaar bij een grote, rumoerige receptie in Chicago, eigenlijk zoiets als deze receptie. Maar het zou toch leuk zijn om… dan ziet Brenda plotseling Betty Vetter een paar meter verderop staan. Een bekend gezicht. Ze probeert haar blik te vangen, maar Betty staat te praten tegen een ober met een blad met glazen punch. Ze zwaait met haar armen – ze zwaait er niet echt mee, maar deelt kleine stoten uit aan de lucht – en Brenda hoort het gloedvolle, schriller wordende einde van een zin: '… denken aan het rampenplan en rekening houden

89

met eventuele afzeggingen.' Het klinkt als een ernstig en urgent gesprek.

Achter Brenda staan twee vrouwen te praten. Een van hen zegt: 'Het programma ziet er in elk geval beter uit dan vorig jaar. Gedegener, als je begrijpt wat ik bedoel.' De andere vrouw antwoordt, deels chagrijnig, deels vol heimwee: 'Ja, maar in het begin van deze bijeenkomsten kenden we iedereen. Weet je nog? Herinner je je dat eerste jaar in St. Louis nog? Ik zal het nooit vergeten, de sfeer was daar zo... Je kende echt iedereen. En nu...'

Daar stond Susan Hammerman, aan het andere einde van de zaal. Prachtig, ze ziet er prachtig uit, denkt Brenda. Het grijze haar in een losse coupe van een dure kapper. Die gele zijden jurk. Niet iedereen kan geel dragen, zeker niet na een bepaalde leeftijd, het doet iets met de teint, maar niet met die van Susan Hammerman. Brenda ziet dat Susan Hammerman druk in gesprek is met een groep vrouwen en even overweegt ze ernaartoe te gaan. Ze zou er tussen kunnen komen met een: 'Ik weet niet of u zich mij nog herinnert, maar we hebben elkaar ontmoet bij de Handvaardigheidsbeurs vorig voorjaar.'

Het is niet erg waarschijnlijk dat Susan Hammerman nog weet wie ze is, maar ze komt uit dezelfde stad en...

'Wilt u nog iets drinken? Nog een glaasje punch, mevrouw?'

'Nog niet, dank u.'

Brenda vraagt zich af of Verna of Virginia naar de receptie is gekomen. Misschien was ze nu wel hier, stralend, net gedoucht, nippend van een koel glas punch; en misschien was hij hier nu ook wel, naast haar staand, er blozend en zelfvoldaan uitziend.

'Hallo, Brenda.' Het is Lenora Knox uit Santa Fe die uit het niets verschijnt, innemend lacht en een lange rode, lichtelijk gekreukte katoenen rok draagt. Een geur van uitgebloeide bloemen stijgt op uit haar gekamde haar. Brenda wil haar bijna omhelzen. 'Ik ken hier niemand', zegt ze tegen Lenora, en de woorden klinken haar zelf als het opbiechten van een tekortkoming.

'Heb je je kamer gevonden, Brenda? Was alles in orde?' informeert Lenora.

'Ja', Brenda zwijgt even. 'En bij jou?'

'Nou kijk,' begint Lenora – en Brenda weet dat het een lang verhaal wordt – 'mijn kamergenote komt uit Fort Worth in Texas, ze is heel aardig, ze ontwerpt borduurpatronen. Ik denk dat ze dachten, die twee komen allebei uit het zuidwesten dus... maar ze is zo vreselijk verlegen. Ik weet niet wat ik er mee aan moet. Ze zegt nauwelijks boe of bah, alsof ze volledig van haar stuk is, je weet wel. Toen ik vroeg of ze mee naar beneden ging naar de receptie, zei ze nee omdat ze niemand kende, dus waarom zou ze dan gaan. Ik zei, dan ontmoet je juist mensen, dat is ook de bedoeling van dit soort recepties, om ons allemaal door elkaar te roeren zodat we elkaar leren kennen.'

'Brenda Bowman!' roept een krachtige stem. Het is de stem van Susan Hammerman, en daar komt ze aan, door de zaal schrijdend als een operazangeres, de ober ontwijkend, Betty Vetter ontwijkend en de gele jurk glanzend rond haar heupen. 'Ik wist niet dat jij er ook zou zijn, Brenda. Had het me maar gezegd. De afvaardiging uit Chicago is dit jaar niet erg groot, hè? Lottie Hart moest afzeggen. Maar is het niet prachtig, al die mensen van overal uit het land? Ik heb net staan praten met een fantastische vrouw uit St. Paul, Minnesota, die op haar vijfenzestigste begon met weven. Kun je je voorstellen, vijfenzestig? Mijn god, ik ben al blij als ik het zo lang volhoud zonder dat mijn vingers krom worden. Dat is toch heel inspirerend, vind je niet?'

'Ja,' zegt Brenda, 'dat is zo.'

'Dat is het zeker', zegt Lenora Knox met haar zuivere, hobo-achtige stemmetje.

'Door mijn grootmoeder ben ik ermee begonnen', vertelt iemand Brenda. 'Mijn grootmoeder van moederskant. Vroeger dacht ik altijd, die arme oude Nana en die arme oude vriendinnen van haar met hun naaikransje op dinsdag. Ik ga nog liever dood dan mijn leven op die manier door te brengen. Ik studeerde af in biologie aan de Staatsuniversiteit van Missouri. Maar mijn grootmoeder zorgde dat ik hiermee begon. Ik was in die tijd getrouwd en had kinderen. Ik begon gewoon met kleine dingen, om de tijd te vullen. Ik moet toegeven dat ik in het begin geen idee had hoe bevredigend het is om iets met je eigen handen te maken, gewoon iets uit niets maken. Nou ja, uit vrijwel niets. Wat zit er eigenlijk in die punch? Rum? Wel een beetje gemeen spul, hè? Maar ik denk dat ik die vrouwen nu heel wat beter begrijp, die vrouwen van de naaikrans. Met al hun gehaakte spreien en schorten en pannenlappen. Wie zegt dat die vrouwen geen kunstenaars waren. In elk geval maakten ze volkskunst. Ik zie dat jij uit Chicago komt.'

'Ja', zei Brenda.

'Ik heb een broer in Chicago. Om precies te zijn in Riverside...'

'Ik begrijp niet waarom ze hem gevraagd hebben voor de themalezing. Ik bedoel, wat weet hij er nou van?'

'Ik denk dat hij het zal hebben over de nieuwe internationale trends op de handvaardigheidsmarkt...'

'Maar hij wéét er toch niets van. Misschien weet hij wel iets van marketing, maar er is een verschil tussen het verkopen en het vervaardigen.'

'Iemand vertelde me dat hij heel geestig is.'

'Geestig! Wat heb je nou aan geestig!'

Brenda neemt een ingelegd artisjokhartje en bijt op iets hards in het midden. Een amandel. Wie had dat gedacht! Dat moest ze onthouden voor Bev Coulson. Bev schrijft het dan op een van haar kaartjes en bergt dat op bij haar andere ideeën voor hapjes vooraf. De laatste keer dat zij en Jack bij de Coulsons waren, had Bev kerriesojaballetjes, een vegetarisch recept dat ze zelf had verzonnen aan de hand van iets dat zij en Roger in Japan hadden gegeten.

Is koken een kunst? Brenda en Jack hadden hierover geredetwist toen ze terugreden. Jack zei van niet, omdat het niet iets blijvends was, niet eens de schijn van blijvendheid had. Brenda zei dat koken wel degelijk een kunst was omdat het rechtstreeks appelleerde aan het esthetisch gevoel en er sprake was van een esthetische afweging. (Ze is de laatste tijd steeds behendiger geworden in dit soort discussies.) Jack had zijn bedenkingen, maar gaf toe dat ze misschien wel gelijk had. Brenda herinnerde hem aan origami, hoe vergankelijk origami was. Ze noemde ook de draadfiguren van de Eskimo's. Ze herinnerde Jack er bovendien aan dat Bev Coulson inmiddels mijlenver verwijderd was van de tijd dat ze hen uitnodigde voor een hap na het voetballen en hen iets voorzette dat 'Naar ieders smaak' heette en dat bestond uit een nattig mengsel van gemalen vlees en bonen op een geroosterd broodje. 'Dat is waar', zei Jack.

'Dus jij bent een quilter?' zegt iemand tegen Brenda. 'Of moet ik zeggen quiltmaker?'

'Dat maakt niet uit', zegt Brenda, die zich blij voelt. 'Een van mijn buren stelde mij op een feestje een keer voor als "een quilter op eigen kracht".'

'Ik hoorde net dat Verna of Virginia hier ook zou zijn. Heb je haar ooit ontmoet?'

'Nee, maar het geval wil...'

Een man in een keurig pak zegt tegen Brenda: 'Ik ben wat ze noemen een begeleidend persoon. Een echtgenoot. Daar staat mijn vrouw, in het wit. Zij is in ons gezin het slimst met haar handen. Macramé. Ze macramédé al voor het populair werd. En nu geeft ze les bij de YWCA. Het houdt haar bezig. En uit de ellende. Ik zit in de hydraulica. Een kleine zaak met twee compagnons en kantoorpersoneel. En we doen verdomd hard ons best om het klein te houden. Het groeit maar door en dan stort de hele boel in. En wat is daar de lol van? Ik heb net de pocket *Klein maar fijn* gelezen en terwijl ik het las zei ik de hele tijd, absoluut juist, absoluut juist. Philadelphia heeft een boel aardige dingen, maar wie wil hier nou wonen? Kan ik nog wat punch voor u halen? Ik ging net nog een keer bijtanken. Het was een leuk gesprek. Wel een hele toestand hier.'

'Nee, dat klopt. Steenbokken zijn kunstzinniger dan Tweelingen.'

'Echt waar?'

'Ik doe nu acht jaar aan handvaardigheid', zegt een vrouw. 'Ik heb het geleerd toen ik opgenomen was. Er kwam daar elke dag een therapeute die ons dingen leerde. Beginnersdingen, maar ik had nooit geleerd om iets met mijn handen te doen, dus voor mij was het allemaal nieuw. Ik had een aantal shockbehandelingen gehad en ik kon nauwelijks nadenken, maar ik kon in elk geval mijn vingers bewegen. Als ik er achteraf aan terugdenk, was het net een droom. Het garen hing gewoon aan mijn handen en die vrouw hielp mijn vingers om het vast te houden. Sommige vrouwen hadden er een bloedhekel aan. Die huilden altijd. Een van hen ging midden op de grond zitten, deed haar schoenen uit en wond het garen helemaal rond haar benen. Het was eigenlijk wel grappig. Het kostte me een maand voor ik het eerste ding afhad. Ik viel steeds in slaap. Maar het tweede ging al sneller en de uitvoering was honderd procent beter, zelfs ik kon het verschil zien. Toen werd ik overgeplaatst naar een andere afdeling en mocht ik elke dag werken zo lang ik wilde. Zo ben ik begonnen.'

'… de Crossland-variant.'
   'Maar is die overtuigend.'
   'Ja en nee.'

Een vrouw vraagt: 'Zeg, weet een van jullie of ze dat gedoe met de kamers al hebben opgelost?'
   'Ik weet het niet', antwoordt Brenda. 'Ik heb er niets meer over gehoord.'
   'Nou,' oppert iemand anders, 'ik heb gehoord dat de commissie morgenochtend een bijeenkomst heeft met de metallurgen. Het is natuurlijk eigenlijk de schuld van de hoteldirectie.'
   'Maar iemand zei dat de metallurgen die extra kamers hebben gekregen omdat wij deze zaal hadden voor de receptie. Ze hadden een soort deal gesloten.'
   'Het schijnt dat zij hún receptie beneden in de Beierse kelder moesten houden.'
   'Echt waar? Goeie genade, dat is helemaal in de krochten van…'
   'Maar wel een goede sfeer. Heel informeel. Dat praat gemakke-lijker. Dit is eigenlijk overdreven plechtig.'
   'Dat is een feit.'
   Brenda's ogen gaan omhoog naar het witte krulwerk aan het plafond, de kroonluchters, het negentiende-eeuwse lofwerk en de zware blauwfluwelen gordijnen die worden opgehouden met vreemd verwrongen metalen houders. Aan een van de muren hangt een immens portret van Benjamin Franklin.
   'Moet je zien hoe hij op ons neerkijkt', zegt een van de vrouwen.
   'Die rode wangen.'
   'Hij was een groot man, hoor. Maar op dat portret is hij net een kantonrechter en geen genie.'
   'Zou dit een lijkend portret zijn', vraagt Brenda zich af, 'of een soort geïdealiseerde versie…'
   'Hij kijkt echt afkeurend naar ons omdat wij hier punch staan te

zuipen terwijl we eigenlijk vroeg naar bed zouden moeten en vroeg weer op.'

'Wie een stuiver spaart...'

'Was dat een uitspraak van Franklin?'

'Ik geloof het wel. Ik haal die van hem en die uit Spreuken altijd door elkaar.'

'Veelzijdigheid. Echt een man van de renaissance.'

'Trouwens, ze hebben het nooit over vrouwen van de renaissance, hè?'

'Veelzijdigheid kost tijd. Wie heeft er nog tijd?'

'De hele situatie is aan het veranderen. Ik las laatst een artikel in *Ms.*...'

'Ik bedoel, hoeveel tijd heeft de gemiddelde vrouw om te proberen iets te bereiken? Ze kan het zich niet veroorloven om een foute start te maken en weer helemaal opnieuw te beginnen. Als ze een kunstenaar is, en daar reken ik ook de handvaardigheidsmensen toe...'

'Amen.'

'... dan wordt ze geacht haar werk te doen tussen ladingen was door. Dan moet ze zich in allerlei bochten wringen om daar een paar uur per dag voor vrij te maken.'

'Dat is nu toch wel aan het veranderen, denk je niet?'

'Ik heb uiteindelijk een grote bek opgezet en een atelier gehuurd. En jij Brenda?'

'Nou ik...'

'Een kamer voor jezelf. Die goede oude Virginia. Die was bepaald niet achterlijk.'

'Maar...'

'We hebben echt heel veel te danken aan die eerste...'

'Dan zit ik achter mijn weefgetouw en dan betrap ik mezelf er op dat ik denk, misschien moest ik weer eens koekjes bakken voor de kinderen. Of een taart. Zoiets stoms. Ha.'

'Ik heb al in geen vijf jaar een taart gebakken.'

'Ik heb nog nooit een taart gebakken.'

'Wat moet je ook met een taart!'

'Ik in elk geval niets.'

'Soms denk ik wel eens aan dat boek, *The Greening of America*, weet je nog? Daarin zei hij iets over dat handvaardigheid een teken is van geestelijke heropleving in Amerika.'

'Prachtig. Dat is fantastisch. Dat schrijf ik even op.'

'Het is maar een vrije weergave, hoor. Maar daar kwam het wel op neer.'

'Die punch hakt er aardig in. Ik denk dat ik het vandaag voor gezien houd.'

'Ik ook. De themalezing is om klokslag negen uur.'

'Vroeg naar bed en vroeg...'

'Het is al één uur geweest. Ongelofelijk.'

'En ik wilde nog naar huis bellen. Horen hoe het aan het thuisfront is.'

'Het is wel al laat.'

'Dat vind ik ook.'

'Heb jij kinderen, Brenda?'

'Ja,' zegt Brenda, 'twee.'

'Ik ook. Hoe oud zijn die van jou?'

'Een jongen van veertien en een meisje van twaalf.'

'Ik wed dat je ze al mist.' De vrouw die dit zegt heeft een zachte, enigszins zuidelijk klinkende stem, maar de woorden raken Brenda met een schok. Ze heeft de hele dag niet aan haar kinderen gedacht. Niet één keer.

Kamer 2424. Brenda doet de sleutel in het slot, draait hem langzaam om en voelt haar hart krimpen. Dit is belachelijk, houdt ze zichzelf voor, ze kan moeilijk de hele nacht op de gang blijven zitten. Dit is haar kamer, hij was voor haar bestemd.

De kamer is leeg. Verna's bed is leeg, de lakens en dekens zijn dichtgeslagen in een poging tot orde en netheid. De lamp op de tafel is aangelaten, hij werpt een verwelkomende gele lichtcirkel op het plafond, bijna alsof hij speciaal voor haar is aangelaten.

Ze is moe, uitgeput, ze is duizelig van de rum-punch, en ook van al die mensen die ze heeft ontmoet en met wie ze heeft gepraat. Namen, al die namen, die onthoudt ze nooit allemaal. Ze besluit haar haar morgen te wassen. Morgen kan ze een strijkijzer lenen van het kamermeisje en haar andere rok oppersen. Ze wil alleen nog maar naar bed en haar ogen dichtdoen.

En de slaap komt gemakkelijk. Kleine, dikke wolkjes zweven geluidloos langs haar heen. Ze denkt aan Jack – niet aan zijn gezicht, maar aan de compactheid en de geur van zijn lichaam. Ze denkt aan haar kinderen, die nu thuis slapen, niet zoals ze nu zijn, maar zoals ze waren als klein kind – warm, zoetgeurend na hun bad. Ze denkt aan haar quilts, ergens in de duisternis van dit hotel wachten haar drie quilts. *De tweede komst. De tweede komst.* Ze gaat met een denkbeeldige vinger over het hogere middengedeelte en herinnert zich de nauwkeurigheid van de randen en de hoeken. Ze denkt aan haar rode jas (een verontrustend vlekje op de kraag), die verderop in de gang in Barry Ollershaws kamer hangt. Hij brengt hem morgen, heeft hij beloofd, en daaraan twijfelt ze geen moment. Die belofte zorgt voor een opwelling van blijheid. Vertrouwen oefent druk uit, het heeft de zwaarte van ernst, alles is veilig, alles is in orde. Ze droomt van het lichtgroene artisjokhart, de blaadjes opzij geduwd en de gepunte ovaal van een amandel ingebed in het midden.

Z E HIELD VAN HAAR KINDEREN, NATUURLIJK HIELD ZE VAN haar kinderen, haar baby's, Rob en Laurie. (Robert John Bowman, geboren in 1964, zeven pond en vier ons. Laura Jane Bowman, geboren in 1966, één minuut na middernacht, acht pond en twee ons.) Toen Brenda op zondagochtend wakker werd in een lege hotelkamer dacht ze als eerste aan haar kinderen.

Halfzeven op de reiswekker, maar pas halfzes thuis in Elm Park, Rob en Laurie zouden nog diep in slaap zijn, ze sliepen graag uit op zondagochtend, vooral Rob, die tot twaalf uur in bed bleef liggen als ze hem de kans gaven – en ze lieten hem steeds vaker uitslapen. Deze langdurige slaapaanvallen op zondagmorgen vulden zijn kamer met onaangename geuren – stof, slaaplucht, een verkilde, troosteloze sfeer. Dit en de warboel van vuile sokken, muntstukken op het bureau, platen en lege Sprite-blikjes, dit alles deprimeerde Brenda. Hij kneep altijd zijn Sprite-blikje samen wanneer hij het had leeggedronken, een handeling die ze dwangmatig en enigszins zorgwekkend vond, ook al wist ze dat andere mensen hetzelfde deden.

Nog maar een jaar geleden waren de muren van Robs slaapkamer behangen met driehoekige vilten clubvlaggetjes. Van de Chicago Bears. De Wisconsin Dells. Cave of the Mounds. Dearborn, Michigan. Delavan, Wisconsin. Crystal Lake, Illinois. Ze waren gemaakt van goedkoop, dun vilt, gescheurd aan de randen en ruw en ongelijkmatig bedrukt, maar ze hadden de kamer opgevrolijkt met een jongensachtige onschuld, wat Brenda deed denken aan uitstapjes met het hele gezin in de auto en aan dagen die nu zorgelozer schenen.

Op een zaterdagochtend vorig jaar in januari had Rob de vlaggetjes eraf gehaald, ze opgerold en weggeborgen op een plank in zijn kast. En in plaats daarvan had hij een kleine, ingelijste Escher-prent opgehangen, die hij van zijn eigen geld had gekocht – het geld dat hij voor kerst had gekregen, zei hij tegen Brenda toen ze hem ernaar vroeg. Hij had hem gezien in een etalage van het Westgate-winkelcentrum en wilde hem onmiddellijk hebben. Hij kostte vijfendertig dollar, afgeprijsd van vijftig dollar in de uitverkoop na Kerstmis.

Brenda kon zich nu niet meer herinneren waarom ze zo verontrust was geweest door de aanschaf van deze prent. Was het door het bedrag – vijfendertig dollar was veel voor Rob die maar vijf dollar zakgeld per week kreeg – of was het de stilzwijgendheid waarmee hij het geld had uitgegeven? (Hij had hen niets gevraagd, hij was gewoon naar de winkel gegaan en had hem gekocht.) Telkens wanneer ze nu, een jaar later, in zijn kamer kwam om het bed te verschonen – ze kwam tegenwoordig zelden voor iets anders in zijn kamer – bleef ze altijd even aandachtig naar de prent staan kijken.

Op het eerste gezicht leek het een abstracte voorstelling in zwartwit, maar bij nadere beschouwing bleek het een zwerm imposante vogels, zeemeeuwen, die met uitgeslagen vleugels, enigszins opwaarts van rechts naar links over het papier vlogen. De ruimtes tussen de vogels waren wit, en deze ruimtes werden steeds kleiner naarmate de vogels dichterbij de linkerkant kwamen, waar ze uiteindelijk exact dezelfde vorm aannamen als de vogels zelf. Het was een raadsel, een ruimtelijk vraagteken. Ze bespeurde een bepaald evenwicht, een zekere geheimzinnigheid en precisie, maar ook iets ironisch in de relatie tussen deze vogels en de kleine, luchtige maar duidelijke ruimtes die hen scheidden. Brenda voelde de verstilde beweging van hun vleugels als een last op haar ogen. De hoek waaronder ze opstegen was niet meer dan tien graden en vervulde haar met een vreemde, zoete melancholie. 'Wat betekent "begeren"?' had Rob haar niet zo lang geleden gevraagd, toen hij aan de tafel in de eetkamer zat en een opstel over mythologie schreef voor school. Ze zei hem dat het betekende dat je iets wilde wat iemand anders had. 'Bijvoorbeeld,' zei ze tegen hem, 'ik begeer jouw Escherprent.' Hij had blij opgekeken. Het deed haar bijna pijn toen ze zag hoe blij en onbevangen hij keek.

Laurie's kamer was groter, lichter en opgeruimder dan die van Rob, maar verkeerd ingericht. Al dat gespikkelde katoen en die ruches, het was redelijk smaakvol, maar zag er nooit echt proper uit. En die nep Ethan Allen-kast van esdoornhout uit hun studentenappartement van De Paul, rood en opzichtig en vol krasjes. Laurie had de opgerolde vlaggetjes in Robs kast ontdekt en gesmeekt of zij ze mocht hebben en nu hingen ze met punaises tegen haar met een rand van rozen getooide behang. Het geheel was druk en onevenwichtig. Een oude parfumfles van Brenda stond op Laurie's nachtkastje, propvol papieren bloemen, nog een afdankertje. (Laurie redde voortdurend dingen van de vuilnisbak en gaf al haar zakgeld uit bij kerkbazaars en garageverkopen.) Er lagen stapels stripboeken in haar kast en reeksen oude Bobbsey Twin-boeken met scheefgetrokken, streperige omslagen. Porseleinen miniatuurdieren in rijen, porseleinen miniatuurkruikjes. Plastic molentjes en fluitjes uit de pakken cornflakes. Pantoffels van dof roze pluche, een maat te klein. Een paar lappenpoppen neergezet op haar kussen. ('Ik geloof in poppen' – deze plechtige verklaring had Laurie lang geleden in Brenda's oor gefluisterd toen ze naar bed gebracht werd.) Op de vloer lag een klein kleed dat op de overloop had gelegen voor ze het mooie beige tapijt daar kregen. De radiator onder Laurie's raam moest geverfd worden, de roest viel eraf. Brenda beloofde zichzelf er komend voorjaar iets aan te doen. Er was niets in haar dochters kamer dat ze begeerde, niets. Nee, dat was niet waar. Ze begeerde het uitzicht op de weidse rust van North Franklin Boulevard. Ondanks de bomen aan de achterkant van het huis, werd het uitzicht daar verstoord door elektriciteitskabels, schuttingen en af en toe een glimp van het achterpad. Aan de oostkant zaten ze nauwelijks een meter af van Larry en Janey Carpenters gladde grijze stucwerk en aan de westkant stonden hun jasmijnstruiken strak tegen de heg van Herb en Ginger Morrison. Die bofkont van een Laurie had aan de voorzijde van het huis een weids, door vitrage gedempt uitzicht op iepen (momenteel bladerloos), gazonnen, struikgewas, de straatlantaarn aan de overkant met zijn matglazen kap en de donkere, bezwerende voordeuren van de buurhuizen, waarvan een paar nog zilverkleurige kerstversiering droegen.

Brenda vroeg zich af of Verna of Virginia ook kinderen had. Ze betwijfelde het. Daar stond Verna's koffer, een blauw met rode reistas van canvas met zwierige ritsen, zo anders dan die van haar. 'Ik ben niet iemand die in andermans koffers kijkt.' Dit zei Brenda tegen zichzelf, verwarmd door haar rechtschapenheid, maar tegelijk verbaasd dat ze op de gedachte was gekomen.

Waar was Verna trouwens? Aan de manier waarop de lakens en dekens lagen zag Brenda dat Verna niet meer in de kamer was geweest. Waar had ze dan geslapen? Misschien was er iets anders geregeld. Misschien had ze een andere kamer gevraagd. (Een beeld van rode billen flakkerde even op voor haar geestesoog, even kortstondig als een flitslampje.) Maar de koffer stond nog hier. Het was een raadsel, op een vage manier zelfs een berisping. Nee, dat was belachelijk.

Ze besloot het ontbijt op de kamer te laten brengen. Wanneer zij en Jack op vakantie in een hotel zaten, lieten ze altijd het ontbijt op de kamer komen, het was een van de genoegens van reizen, beweerden ze. Maar het was altijd Jack die roomservice belde. En eigenlijk was dat vreemd, nu ze er over nadacht, aangezien zij degene was die thuis altijd voor het ontbijt zorgde.

'Sinaasappelsap, volkorenmuffins en koffie', zei ze in de hoorn met geforceerd kordate stem. (Ah, een zakelijke vrouw die een voedzaam ontbijt bestelt. Een alerte en actieve vrouw, een vrouw met bepaalde verwachtingen, die gewend was bevelen te geven.) Brenda legde de hoorn neer en dacht: Ik ben nu veertig en heb voor het eerst van mijn leven roomservice gebeld.

Brenda wist natuurlijk – en dat wist ze al jaren – dat haar leven niet gelijk op ging met de tijdgeest. Haar overdreven nagemaakte, bevelende stem aan de telefoon maakte haar dat duidelijk, evenals de artikelen die ze in tijdschriften las. Artikelen over vrouwen die hun eigen advocatenkantoor opzetten, vrouwen die symfonieorkesten dirigeerden of fotoreportages maakten in Cambodja. Artikelen over vrouwen die alleen in een hutje in de wildernis leefden en dit heerlijk vonden, er opbloeiden en boeken schreven over hoe ze het overleefden. Artikelen over vrouwen die hun lichamelijke behoeften onderkenden en daaraan tegemoetkwamen, die vonden dat ze recht hadden op een bevredigend 'neukrooster' – ja, tegenwoordig heette het 'neuken', alleen die schattige mevrouw Brenda Bowman uit Elm Park, Illinois, noemde de liefdesdaad nog steeds de liefdesdaad. Wat een tut was ze toch, te lang blijven steken in haar meisjesjaren, iemand die zich afzijdig hield van het volwassen leven.

Nog maar een week geleden had ze een heel artikel gelezen over schaamhaar, hoe belangrijk het is, de verschillende soorten, hoe je het moet verzorgen, hoe je er indien nodig meer van kunt krijgen. Er schenen vrouwen te zijn die zich enorm bekommerden om hun schaamhaar en de gedachte aan deze vrouwen versterkte haar gevoel van vervreemding. Ze had een lastige leeftijd bereikt, veertig, in een lastige tijd – te vroeg om een van de nieuwe vrouwen te zijn, wat dat ook mocht betekenen, en te laat om een ouderwetse vrouw te zijn. Het was grappig, bedacht ze soms, of het was hartverscheurend. Enerzijds wist ze best dat het idioot was om een speciale crèmespoeling te gaan kopen (een natuurproduct gemaakt van gepureerde aardbeien) om glans te geven aan haar schaamhaar, maar wie weet, misschien liep ze wel iets mis. En ze kon niet hardop klote zeggen, betekende dat wat ze vermoedde dat het betekende? (Waarschijnlijk niet?) Ze hield van haar kinderen, ze hield van haar man, maar had deze kans aangegrepen, met beide handen, om aan ze te ontsnappen. En dat alles voor dit: een stille kamer, een ontbijt in haar eentje – koude muffins, bittere koffie en sinaasappelsap uit een pak. Wat was ze toch een uilskuiken.

Ze moest aan Jacks vader denken, wiens klacht al zolang ze hem kende was geweest dat hij te jong was geweest om in de Eerste Wereldoorlog te vechten en te oud voor de Tweede. (Ook al was hij benoemd tot blokhoofd tijdens de Tweede Wereldoorlog en uitgerust met een door hem gekoesterde zaklantaarn en gasmasker.) Hij was 'bedrogen door de tijd' zei hij, en zij was ook bedrogen. Jack zou het een historische samenloop van omstandigheden noemen, toeval. Al die jaren had zij baby's verluierd, boodschappen gedaan bij de A & P en badkamers behangen, terwijl andere vrouwen – wie waren die vrouwen? – vochten voor gelijke rechten, terwijl er een afschuwelijke oorlog woedde, terwijl het land op de rand van de revolutie verkeerde. Ze had het allemaal gezien – maar alles op televisie en op de pagina's van *Newsweek*. Bedrog. Maar waarschijnlijk had ze ervoor gekozen om bedrogen te worden. De uitweg van de lafaard. Brenda kon er maar niet achterkomen of zij de enige op deze planeet was die last had van deze speciale vorm van verwarring of dat deze toestand zo normaal was dat er niet over werd gesproken.

In de afgelopen paar jaar was ze regelmatig overvallen door het plotselinge verlangen zich in de tijd vast te zetten en voor zichzelf nauwkeurig haar plaats in het universum te bepalen. Hier ben ik, Brenda Bowman, terwijl ik op het vliegtuig naar Philadelphia stap. Hier ben ik, Brenda Bowman, terwijl ik aan een houten keukentafel mijn belastingbiljet invul. Hier ben ik, veertig jaar oud, moeder van twee kinderen, vrouw van een historicus, terwijl ik op de rand van mijn bed zit en Tawny Silk-nagellak opdoe om drie uur 's middags. Mijn naam is Brenda Mary Bowman-Pulaski, ik ben veertig, het is halftwaalf 's avonds en ik bedrijf geslachtsgemeenschap, de liefdesdaad, met een man genaamd Jack Bowman. Hier sta ik, een vrouw van veertig, terwijl ik uit een slaapkamerraam staar naar een stukje gazon (van mijzelf) in de staat Illinois in de Verenigde Staten van Amerika in de...

Haar verklaringen, die voortkwamen uit momenten die erom schenen te vragen, vormden een soort soelaas voor haar. Ze hadden het effect van stromend water, verkoelend en krachtig. Met deze uitingen kon ze een nauwkeurige cirkel rond zichzelf trekken, de omtrek van haar lichaam zien en het ritme van dagelijkse handelingen die voordien onzichtbaar waren. (Ik dweil nu de vloer van de keuken.) En ze kon, met opzienbarende helderheid, bepaalde ervaringsgebieden afpalen die haar tot dan toe waren ontgaan. Ik ben nooit op Mallorca geweest, ik heb nooit een diamant gehad behalve in mijn verlovingsring, ik heb nooit met een ziekte in het ziekenhuis gelegen, ik ben nooit in de steek gelaten of straatarm geweest, ik ben nooit aangeklaagd voor een misdaad, ik heb nooit te horen gekregen dat iemand mij haat, ik heb nooit met een andere man geslapen dan mijn echtgenoot, ik heb nooit een andere man gekust sinds mijn trouwen, behalve Bernie Koltz, één keer toen hij dronken was, ik ben nooit echt dronken geweest, ik heb nooit eerder, behalve nu, in een hotel de telefoon gepakt en muffins met koffie besteld.

Ah, maar ze had het gedaan. En het was doodeenvoudig geweest. Daar stond het dienblad als bewijs. Ze kon een pen pakken en een notitie maken, ze kon zeggen: Ik heb zojuist een ontbijt voor mezelf besteld.

Het was te stil in de kamer en om gezelschap te hebben zette ze de televisie aan. Zondagmorgen. Alleen maar tekenfilms en het optimistische stemgeluid van evangelisten. 'Broeders en zusters...'

Ze draaide aan de knop en viel in een educatief programma voor kinderen, een uitzending over een boerderij, gesponsord door de Nationale Zuivelunie. 'Goedemorgen, jonge vrienden.' Een boer, die er eerder uitzag als een zakenman in zijn jasje en stropdas, stond in close-up, zijn gezicht gebruind en fraai doorgroefd zoals het een boer betaamt. Hij zei op een vriendelijke maar onverzettelijke toon: 'Jongens en meisjes, in heel Amerika worden nu koeien gemolken.'

Als Jack hier was geweest, dacht Brenda, zou hij hierom hebben gelachen. Dit soort uitspraken vond hij grappig. 'In heel Amerika hijsen vrouwen nu hun panty op', zou hij zeggen. 'In heel Amerika fluiten mannen nu *Dixie* terwijl ze in hun onderbroek stappen.'

Wat zou Jack nu doen? Het was nog maar halfacht. Hij sliep vast nog. Hij was gisteravond waarschijnlijk naar het feestje bij de Carpenters geweest. Hij had niet veel goede vrienden, maar kon nauwelijks weerstand bieden aan een feestje. Misschien werd hij vanochtend wel met een kater wakker. Als de kater erg genoeg was, was hij misschien al wakker en strompelde hij naar de badkamer op zoek naar aspirine. Misschien was hij zelfs al beneden, waar hij een mok oploskoffie voor zichzelf maakte, zijn nek wreef en bedacht dat hij nog wat moest werken aan zijn boek over Indiaanse handelsgebruiken. Misschien zette hij die gedachte wel weer van zich af en zette hij in plaats daarvan gedachteloos de televisie aan en hoorde hij diezelfde boer zeggen: 'In heel Amerika worden nu koeien gemolken.'

Zou hij hardop lachen in de lege woonkamer? Ze betwijfelde het. Ze kon zich niet voorstellen hoe dat dan klonk. Ze was nog maar vierentwintig uur van huis en was al vergeten hoe zijn lach klonk, eigenaardig. Misschien was het wel een goed idee om later op de dag even te bellen om te horen hoe ze het er zonder haar afbrachten. Anderzijds bracht een interlokaal gesprek een aantal kleine irritaties met zich mee. Moest ze een persoonlijk gesprek aanvragen? Hoe laat zouden ze terug zijn van Pa en Ma Bowman? En was het eigenlijk niet een beetje neurotisch om naar huis te bellen terwijl ze nog maar vierentwintig uur weg was – nogal bezopen, zoals Rob zou zeggen. Bezopen. Ze kromp ineen als hij dat zei.

Een week geleden had Brenda een humoristisch stuk gelezen in de *Tribune* over het veranderende taalgebruik van de jaren zeventig. Bepaalde uitdrukkingen waren uit, scheen het, en andere – nieuwe jargonwoorden – waren in. Het was niet langer in zwang om het over je identiteit te hebben, deed je dat wel dan bestempelde je jezelf als een overblijfsel uit de jaren zestig. Het was niet langer *bon ton* om het te hebben over in contact komen met je woede of in contact komen met je gevoelens, en al helemaal niet over in contact komen met jezelf. Het was oubollig (vreemd genoeg was dit nog steeds een aanvaard woord) om te spreken van het hebben van een relatie, en helemaal oubollig als je wérkte aan je relatie. Het woord 'hip' was passé, net als het woord 'passé' zelf. Alleen twaalfjarigen hadden het nog over het hebben van een eigen ruimte. Zowel 'kitsch' als 'embryonaal' hadden hun langste tijd gehad. Als je tegen iedereen rondbazuinde dat je verstoken was gebleven van bepaalde 'keuzemogelijkheden', dan was je, zonder enige twijfel, vastgelopen in de afgezaagde vroege jaren zeventig waar je waarschijnlijk nooit meer uitkwam. Je liep het risico, met je woede en je nadruk op redelijkheid, jezelf weg te zetten in een nostalgisch stukje tijd, net als die simpele types die nog 'mieters' en 'te gek' en 'tjongejonge' zeiden.

Toen ze dit artikel las, was Brenda woedend geworden. Het was oppervlakkig en flirterig en in zekere zin verraad. Ze had woede gevoeld toen ze het las – echte woede, niet het soort dat je voorwendde of deelde. Maar ze had zich ook op een hartverscheurende manier buitengesloten gevoeld. Ze had opnieuw tien jaar gemist, eerst de jaren zestig en nu deze. Want er was inderdaad van alles gebeurd. Er hadden enorme verschuivingen plaatsgehad in de kijk op de dingen. Er waren ideeën opgekomen en weer verdwenen zonder het hart en de geest te raken van Brenda Bowman in Elm Park, Illinois, VS, Noord-Amerika, *et cetera, et cetera.* Misschien haalde ze het wel nooit meer in, en moest ze de rest van haar leven doorbrengen in deze onthutsende doodlopende steeg die de tijd en de omstandigheden haar hadden bereid. Brenda Bowman, veertig jaar oud, moeder van Rob en Laurie Bowman, die zich liet meedrijven, zich redde – moest ze daarom verheugd of verdrietig zijn? – zich verantwoordelijk opstelde, wachtte, af en toe ontsnapte (hoe pathetisch!) naar een hotelkamer in een tweederangs stad, muffins bestelde en dat betreurde, erover dacht naar huis te bellen, wenste dat Hap Lewis was meegegaan en zich afvroeg of haar man Jack die boer op de tv had gehoord die zei: 'In heel Amerika…'

Een klop op de deur. Brenda schrok op. Dat kon het kamermeisje nog niet zijn. Ze veegde de kruimels van haar ochtendjas. Misschien was het Verna die haar koffer kwam halen. Met haar hand streek ze haar haar glad.

Nee. Ze deed de deur open en zag Barry Ollershaw staan, die nerveus lachte, naar aftershave rook, haar goedemorgen wenste en haar een bos bloemen overhandigde.

12

'R OZEN!' ZEI ZE BIJ WIJZE VAN GROET.
Gele rozen. Een zestal kleine, nog stevig gesloten knoppen
die Brenda meer aan uien dan aan bloemen deden denken. Wat
vreemd! (En wat duur, kwam de ongevraagde gedachte.) 'Die zijn
vast niet voor mij', wist ze uit te brengen.

'Omdat het zondag is.' Zijn glimlach was gretig en gespannen.

'Maar…' Ze stak haar handen uit en voelde de vochtigheid van
groen bloemistenpapier. Ze werd meisjesachtig opgewonden, iets
waarschuwde haar dat ze moest oppassen. 'Maar waarom…?'

Hij hief zijn handen op. 'Beneden in de lobby was een meisje dat
ze verkocht. Ze droeg een lange jurk en had zo'n handkarretje.' Zijn
ogen lachten. 'Ik kon de verleiding niet weerstaan.'

'Ze zijn prachtig.' Brenda duwde haar vinger middenin het
groene nestje. Er zaten zachtogende, lichtgroene varentakjes weg-
gestopt tussen de rozen, waaruit een vochtige geur van kassen opsteeg.

'Eh, Brenda' – hij scheen haar naam te testen – 'vind je het goed' –
hij keek even langs haar heen de kamer in – 'dat ik even binnenkom?'

'Ja, natuurlijk, kom binnen.' Ze stapte opzij en voelde niet zozeer
paniek als wel verwarring. Bloemen, dure bloemen, en zo vroeg – het
was nog geen acht uur – en dan die herrie van de televisie. 'Ik ben
nog niet aangekleed.' Ze liep de kamer in, haar ochtendjas krampachtig dichthoudend, zich verontschuldigend. 'Ik was een beetje aan
het luieren…'

'Waarom niet als je de kans hebt.' Hij was vriendelijk. En voorzichtig.

'Ik zet even de tv af.' Broodkruimels over de hele tafel, hoe had ze
het voor elkaar gekregen. Ze was net zo erg als Laurie. En ook nog
koffie gemorst op haar schoteltje. En een natte handdoek op de stoel,

dat deed ze thuis nooit. 'Kom binnen, ga zitten.'

Ze graaide de handdoek weg en draaide hem schutterig ineen, waar moest ze hem laten? Toen keek ze naar de bloemen en zei: 'Die moet ik gelijk in water zetten.'

'Hier', hij sprong op. 'Wat dacht je van de koffiekan? Die lijkt me prima.'

'O, denk je dat dat…'

'Hij is bijna leeg. Ik kan het restje weggooien, als je dat tenminste niet meer wilt, en er dan water in doen.'

'Het is toch vieze koffie.'

'O?'

'Bitter.'

'O.' Het woord bitter bleef tussen hen in hangen. Hij knikte langzaam. 'Hotels…'

Brenda pakte de koffiekan en stootte daarbij tegen zijn arm.

'Laat mij maar', zei hij en verdween fluitend in de badkamer.

Ze was alleen in de kamer, hoorde het water lopen en bekeek zichzelf in de spiegel. Dit is waanzin, zei ze geluidloos en trok een gezicht tegen zichzelf. Ze herinnerde zich dat het een rommel was in de badkamer, die bezaaid was met – wat allemaal? Kousen over de stang van de douche, talkpoeder. Shampoo. Deodorant. Vaginaal-douche in de grote voordeelverpakking. De hele intieme inhoud van haar toilettas uitgestald op het planchet, inclusief, o mijn god, het nieuwe doosje Tampax (wees altijd voorbereid). Wat floot hij daar eigenlijk? Iets onwelluidends, wat het dan ook was. *Yankee Doodle.* Het herinnerde haar plotseling aan Jacks zingen in de badkamer, dat altijd bescheiden was, bijna een gemurmel.

'Daar zijn we weer.' Barry Ollershaw zette de bloemen op het bureautje.

'Ze zijn echt prachtig', zei ze opnieuw.

'Ik vroeg me af, eh, Brenda, of je plannen hebt om vanmorgen uit te gaan.' Zijn stem had iets slinks gekregen.

'Uit?'

'Het hotel uit.' Hij ging op de stoelleuning zitten, wachtend.

Brenda dacht even na. 'Ik weet het niet', zei ze. 'Om negen uur hebben we een lezing, de themalezing. En dan om elf uur een werkgroep. Dus ik denk niet dat ik vanochtend de deur uitga. Maar hoezo?'

Hij zuchtte diep. 'In verband met je jas, de jas die je gisteravond op mijn kamer hebt laten liggen.'

'Mijn nieuwe jas?' Het woord 'nieuwe' floepte er onwillekeurig uit.

'Was hij nieuw? O god.'

'Wat is er dan gebeurd?'

'Ik zou hem vanochtend terugbrengen. Als je je nog herinnert.'

'Dat weet ik nog, ja.' Wat had hij toch?

'Nou', hij zweeg even en zijn handen balden zich tot vuisten, 'ik kan het net zo goed meteen zeggen. Hij is verdwenen.'

'Wat is verdwenen? Mijn jas?'

'Ik weet zeker dat hij wel weer te voorschijn komt. Ik bedoel, hij is niet gestolen of zo. Ik weet alleen niet waar hij is. Op dit moment. Heb je niet toevallig', vroeg hij opklarend, 'nog een andere jas bij je?'

'Nee', zei Brenda langzaam. 'Alleen deze ene jas.'

'O.'

Er scheen niets meer aan toe te voegen.

'Bedoel je', zei Brenda, diep ademhalend, 'dat hij gisteravond nog in je kamer hing en dat hij er vanmorgen niet meer was?'

'Ja, zo ongeveer.'

'Maar misschien weet het kamermeisje er meer van. Misschien dacht ze dat hij geperst of gestoomd moest worden of...'

'Dat heb ik haar al gevraagd.'

'Maar', en Brenda lachte luider dan ze wilde, bijna met een schelle uithaal, 'een jas kan toch niet zomaar weglopen?'

'Ik denk dat ik wel een idee heb wat er mee gebeurd is. Wat de omstandigheden waren.'

'Wat dan?'

'Ik denk dat hij alleen maar, eh, geleend is.'

'Maar wie...'

'Het is nogal moeilijk uit te leggen...' Zijn blik scheen af te dwalen naar het boeket gele roosjes en ze nors, kritisch en onderzoekend te bekijken.

Brenda wachtte. 'In welk opzicht moeilijk?' zei ze ten slotte.

'Eigenlijk is het helemaal niet moeilijk. Er is namelijk een logische verklaring voor. Het zit zo, de directie vroeg of ik er bezwaar tegen had mijn kamer te delen, omdat ik een tweepersoonskamer heb. Je weet zelf alles van dat gedoe met te veel boekingen...'

'Ja, en?'

'Dat was gisteravond. Rond middernacht.'

'Middernacht?'

'Dus ik zei, waarom niet, het maakte mij niet veel uit.'

'En wat gebeurde er toen?'

'Ze zeiden dat er een andere metallurgist, uit New York geloof ik, zou komen. Maar ik wist niet dat hij een... eh... kennis mee zou nemen.'

'Een vriendin, bedoel je?'

'Ja, precies.'

'Heb je haar gezien?'

'Eerlijk gezegd heb ik geen van tweeën gezien. Ik sliep toen ze binnenkwamen. Dat moet rond een uur of twee geweest zijn. Ik werd even wakker toen ik ze hoorde, maar ze deden het licht niet aan, ze stommelden rond in het donker. Ik denk dat ze behoorlijk dronken waren. Tenminste, zo klonk het. En nogal in een verliefde bui. Dus ik bleef discreet met mijn gezicht naar de muur liggen.'

'Dat kan ik me voorstellen.' Brenda glimlachte en schudde haar hoofd.

'Het was nogal een langdurige en rumoerige voorstelling. Ik moest denken aan wat jij gisteren had meegemaakt. Mijn god! En toen ik vanmorgen wakker werd – ik had ondanks alles geslapen als het spreekwoordelijke blok – waren ze al weg. En je jas...'

'... was ook weg.'

'Ik denk dus dat ze een wandeling zijn gaan maken of zoiets. En gewoon jouw jas hebben geleend. Ik weet zeker dat ze hem wel weer terug zullen brengen. Misschien hangt hij er nu wel al weer. Ik ben nog naar beneden gegaan naar de balie, maar daar...'

'Heb je me daarom bloemen gebracht?'

'Nou ja...'

'Maar het was jouw schuld niet. Van die jas.'

'Ik voel me toch wel een beetje verantwoordelijk...'

'Ik weet zeker dat hij weer terugkomt... Barry.' Ze probeerde zijn naam uit.

'Dat hoop ik wel.'

Wat had hij toch een Iers gezicht – klein, robuust, met heldere ogen en een mond die zich snel weer sloot. Ze vroeg zich af of hij ook Iers was.

'Ik was bang', zei hij, 'dat je de hele morgen vast zou zitten in het hotel zonder jas. Vooral nu er zoveel sneeuw ligt.'

'Sneeuw?'

'Heb je de sneeuw nog niet gezien? Het heeft de hele nacht gesneeuwd volgens het nieuws.'

'Ik heb nog helemaal niet naar buiten gekeken.'

Ze deed de gordijnen open en ze zag niets dan sneeuw. Die viel nog steeds, de lucht was gevuld met zware, natte vlokken. Ze zweefden traag langs het raam en deden Brenda denken aan muzieknoten, aan een compositie vol akkoorden.

Er kleefden zelfs lange rechthoeken sneeuw aan het wezenloze glazen kantoorgebouw aan de overkant van de straat (wie had ooit gedacht dat er op dat gladde oppervlak gedeelten waren die deze tengere vormen konden vangen en vasthouden). Het lagere gebouw ernaast (een bank?) werd verzacht door een wit dek; het platte dak was veranderd in een onaangeroerd, landelijk veld, het weiland van een boer. De lucht was verbazend helder, als een belicht filmvel, grijswit met een achtergrond van zilver, en diep beneden zich zag Brenda de smalle, met sneeuwhopen versperde straat. Dit was een dorpsstraat. Wat was er gebeurd met het verkeer, de stroom auto's, bussen en taxi's? Die was verdwenen, met achterlating van deze ongecompliceerde helderwitte rivier. Een zwerm rondjes, menselijke figuren, bewoog in de richting van wat de ingang van het hotel moest zijn. Terwijl Brenda naar ze keek moest ze denken aan ijzervijlsel, aan een elektromagneet, aan meester Sloan op de Morton High School, enthousiast en theatraal en geneigd tot woordspelingen, die een demonstratie gaf in de kelder van de school. Brenda had zich aangetrokken gevoeld tot hem, het visgraatmotief van zijn jasje en de manier waarop zijn pakje Pall Mall uit zijn zak stak. Hij was slechts een jaar gebleven, later had een ander meisje haar verteld dat hij een 'homo' was en dus was verzocht te vertrekken. Ze had het indertijd niet geloofd, haar argeloosheid was standvastig en ontkende alles in die dagen, maar als ze er nu over nadacht was hij waarschijnlijk toch…

'Vredig, hè?' zei Barry Ollershaw.

'Ik moet me gaan aankleden.'

'Een paar jaar geleden waren we in Japan.' (We? – waarschijnlijk met zijn vrouw.) 'Ook voor een conferentie. Er viel toen sneeuw in

Tokyo. Net als dit, van die dikke vlokken. En iedereen bleef gewoon staan om ernaar te kijken. Mensen zaten de hele middag in restaurants thee te drinken en uit het raam te kijken. Iemand vertelde ons dat het een normaal tijdverdrijf is in Japan. In het voorjaar gaan ze naar de kersenbloesem zitten kijken, gewoon alleen maar kijken. En in de winter…'

'Het is vast hypnotiserend.'

'Een soort kunstvorm, zeggen ze…'

'Meditatie. Een decor voor meditatie.'

'Kalmte.'

'Je voelt de stilte. Door dat dikke glas…'

'Is alles gedempt en ver weg.'

'De sneeuw in Chicago ziet er niet zo uit.'

'O nee?'

'Misschien wel, maar ik kijk er nooit echt naar. Tenminste niet terwijl het zo valt als nu.'

'We hebben het allemaal te druk, denk ik.'

'En maar doordraven.'

'Volgens mij doen kinderen het wel.'

'Wat?'

'Stil blijven staan. En echt kijken naar de dingen.'

'Ik denk wel dat je gelijk hebt.'

'Heb jij kinderen?'

'Twee, een jongen en een meisje. En jij?'

'Nee.

'O.'

'Maar ik weet nog hoe ik als kind de dingen zag. Ik vertelde je gisteren toch dat mijn moeder quilts maakte, en nu, na al die jaren, herinner ik me nog precies hoe de quilt op mijn bed er uit zag. Vooral een hoekig stuk in het midden, een soort achthoek.'

'Werkelijk?'

'Het was een soort ruwe wol, donkerblauw. Ik weet nog dat ik in slaap viel met mijn handen erop. Als ik bedenk hoeveel ik intussen vergeten ben. Maar dat middenstuk herinner ik me nog precies, zoals het eruit zag en voelde.'

'Mijn man is ook zo.'

'Jack?'

Er was even een stilte. 'Hoe weet je zijn naam?'

'Die heb je gisteren genoemd.'

'O ja? Dat zal dan wel. Nou, toen hij klein was had hij zo'n houten tol. Een doodgewone houten tol met een touw. Toen Rob en Laurie klein waren, is hij alle winkels afgegaan om er net zo een te kopen, maar hij heeft er nooit een gevonden die precies hetzelfde voelde. Hij zegt dat hij zich nog precies herinnert hoe hij in zijn hand voelde.'

'Wij hebben niet veel sneeuw in Vancouver. Hooguit een of twee keer per jaar.'

'Dat wist ik niet. Ik dacht dat het in Canada...'

'Ik denk dat ik daarom van sneeuw hou.'

'Moet je zien. Het gaat nog harder sneeuwen.'

'Je kunt nauwelijks nog iets zien...'

'Ik vraag me af hoe hoog het ligt. Van hierboven kun je dat niet zien.'

'Vreemd, hè, zo van bovenaf naar de wereld kijken. Ik bedoel, als je zo hoog zit doet het weer er nauwelijks toe. Het is een beetje, eh...'

'Abstract.'

'Ja, precies. Abstract.'

'Misschien is dat eigenlijk niet goed. Dat je je niet betrokken voelt bij het weer. Dat je het weer niet nodig hebt.'

'Zoals boeren het nodig hebben, bedoel je?'

'Zoiets, ja. Nog iets dat ons is afgenomen.'

'Maar wel vredig.'

'Als je er zo naar kijkt.'

'Meer heb je toch niet nodig, als je er goed over nadenkt? Uitgaan, televisie, dat hebben we helemaal niet nodig.'

'We vergeten dat we af en toe stil moeten staan en gewoon alleen maar kijken.'

'Pillen slikken. In therapie gaan. En je hoeft eigenlijk alleen maar stil te staan en...'

'We zijn bang voor de stilte. Dat zegt een vriendin van me. Al valt er maar een kleine stilte tijdens een gesprek, dan hebben we al het gevoel dat we falen.'

'Dat is de hedendaagse maatschappij. We hebben het idee dat we van 's morgens vroeg tot 's avonds laat moeten communiceren.'

'Soms denk ik wel eens dat er te veel communicatie is in de wereld.'

'En niet genoeg tijd.'

'En we hebben tijd nodig om gewoon… te kunnen zijn.'

'Zoals nu.'

'Gewoon maar zitten. En kijken naar het vallen van de sneeuw.'

'Het werkt genezend.'

'Het is zo vreemd.'

'Ja.'

Brenda is Jack nooit ontrouw geweest. In alle twintig jaar van haar huwelijk is ze niet één keer ontrouw geweest. Toen Bernie Koltz een paar maanden geleden tijdens een picknick dronken was van de wijn, haar klem zette en vertelde dat hij dol op haar was, altijd dol op haar was geweest, had ze er geen seconde aan gedacht iets met hem te beginnen. Ze had zijn hand vastgepakt, er even een klopje op gegeven, had aangeboden een kop koffie uit de thermoskan voor hem te halen en tegen hem gezegd dat hij lief was – wat hij ook was. Een paar weken lang herinnerde ze zich af en toe, vooral wanneer ze naar bed ging, nauwkeurig hoe hij haar had aangekeken die dag in het Forest Preserve en zei: 'Ik ben dol op je, Brenda.' Maar dat was alles.

Jaren geleden had dr. Middleton, het hoofd van het Great Lakes Instituut een keer iets vreemds tegen haar gezegd. 'Je hebt prachtige ogen, Brenda. Ogen die het hart van een man doen smelten. Misschien vind je me wel een dwaas, maar soms droom ik van je ogen.' Brenda was stomverbaasd, onzeker en verward. Ze had geprobeerd er een grapje van te maken. 'Ah, dr. Middleton,' plaagde ze hem alsof ze zijn dochter was, 'ik word nog eens een onuitstaanbare ijdeltuit als u dat soort aardige dingen blijft zeggen.'

Een andere keer kwam ze op een middag toevallig Bud, de man van Hap Lewis, tegen bij Marshall Field's. Ze was op de begane grond en kocht sokken voor Laurie. Hij nodigde haar uit om wat te gaan drinken in een bar in State Street. Na een whisky met water greep hij haar hand en vertelde haar dat ze 'fantastisch' was. Hij vond het fantastisch zoals ze haar figuur had weten te behouden. Hij vond haar een fantastische moeder voor haar kinderen. Hij drong er op aan dat ze nog een borrel nam. Hij had soms last van depressies, vertelde hij haar. Hij en Hap hadden vrijwel niets gemeenschappelijks behalve de jongens en het huis. Het kostte Brenda enige moeite om van hem af te komen en ze verzon uiteindelijk een afspraak bij de huisarts.

Nog maar enkele weken geleden ontmoette ze tijdens een feestje een reisfotograaf. Hij was gespecialiseerd in stranden, vertelde hij haar, en reisde de hele wereld af om stranden te fotograferen voor reisbrochures. Hij vroeg haar of ze zin had om eens op een middag naar zijn studio te komen om zijn werk te bekijken. Hij vertelde haar dat hij opgewonden werd van intelligente vrouwen die goed konden luisteren.

Brenda piekerde er niet over een verhouding te beginnen met dr. Middleton, Bud Lewis of Bernie Koltz. Noch met de reisfotograaf, wiens naam ze nimmer te weten kwam. Ze hield van Jack, ze vertrouwde hem. Ze kende alle plooien en geuren van zijn lichaam. Ze was dankbaar voor zijn trouw en had er een beetje ontzag voor; veel stellen die Jack en zij kenden waren elkaar ontrouw. Maar zij niet.

Nu had ze voor het eerst het gevoel dat ze zich op het pad van de ontrouw begaf. Dus dit was het dan! Helemaal geen seks, maar iets nieuws, risico's, mogelijkheden. Ze zat in een hotelkamer in Philadelphia, kijkend naar de vallende sneeuw en hield een langdurige stilte in stand – minuut na minuut vergleed in stilte. Ze had het gevoel dat de stilte zuiver en kalm, en wellicht gevaarlijk was. Hoe langer zij, minuut na minuut, duurde, hoe verhevener zij werd. (Later zag zij die stilte sterk verkleind, maar onverzwakt.) Deze persoon die naast haar zat – deze man met zijn levendige Ierse gezicht en nerveuze handen – had haar, zonder enige behoedzaamheid of twijfel, deelgenoot gemaakt van zijn jeugdherinnering aan een speciaal achtzijdig stuk stof middenin de quilt uit zijn kindertijd. Uit zijn hele levensloop had hij juist dat gekozen. Ze wilde hem graag een aantal dingen vertellen in ruil daarvoor. Maar nu nog niet.

Ze dacht aan Jack, thuis in Elm Park, ontwakend in het lege bed, slaperig zijn hand uitstrekkend naar de wekker en – ook al wist hij het niet – al bedrogen.

13

M ORTON HOLMAN RONDT ZIJN THEMALEZING AF.
Zijn ogen schitteren en priemen, kijken op naar het gewelfde plafond, schieten neer naar zijn horloge, hij fixeert zijn
gehoor met een vragende, schelle uitroep, hen smekend om nog
vijf minuten aandacht.

'De geschiedenis van handvaardigheid is een geschiedenis van
zelfverloochening', neuriet hij zacht in de microfoon. 'De voldoening om het zonder te kunnen stellen. Iedereen hier beseft de waarheid van de historische uitspraak: minder is meer. Maar dames, en
heren, moet ik ook zeggen, wanneer u vandaag de dag om u heen
kijkt in de wereld, wat ziet u dan? Dan zien we een artificiële kunst,
gecreëerd door een elite zonder smaak die', hij zwijgt even, schudt
bedroefd zijn hoofd, opent zijn mond om in te ademen, 'een elite
die, ondanks al hun filantropie, hun trusts en hun eindeloze advies-
raden, de grootste vijand van de ware kunst is. En dan heb ik het
natuurlijk over de kunst die ontstaat uit noodzaak. Wat een woord:
noodzaak! Behoefte. Ik vraag u: hadden we behóefte aan schilde-
rijen van Griekse veldslagen door een lusteloze Engelsman die lui-
erde in Italië? Aan porseleinen *objets d'art* voor de slaapkamers van
invalide koningen? Aan de weerzinwekkende kwikjes en strikjes van
noviteiten en de al even weerzinwekkende idiotie van zelfingenomen
pretentie die onze wereld vult met nietszeggende voorwerpen – zoals
bijvoorbeeld de onuitsprekelijke, ongrijpbare gruwel van de beelden
in de musea. Dames en heren, de voorwerpen die ik u vandaag heb
laten zien – en die vanmiddag ook worden tentoongesteld in de
foyer – de shaker-hooivork, de porseleinen deurknop en de wind-
vaan uit New England – deze voorwerpen laten zien wat de menselijke verbeeldingskracht, getemperd door een sobere bruikbaarheid
en noodzaak, kan voortbrengen. Het samengaan van verstand en

gevoel, om een cliché te gebruiken. Een mensenhand die aanraakt wat een andere mensenhand heeft vervaardigd. De subtiliteit van deze deurknop, zoals hij in de hand past, zijn vermogen om te draaien en een secundaire beweging te veroorzaken, een functionele beweging! Ik weet dat ik niet veel tijd meer heb, maar ik vraag nog even uw aandacht. Dit soort dingen moet uitgesproken worden, dames. En heren. Door dit soort tastbaarheid – ik heb het over de deurknop – kunnen we datgene ontdekken wat ik zou willen noemen een nieuwe spiritualiteit. Een besef van noodzakelijke gemeenschappelijkheid. Eerst moeten we de maker, de handwerksman of -vrouw kennen, en leren vertrouwen op zijn of haar nabijheid, hem of haar niet langer te zien als uitgeblust of vluchtig – maar ik zie dat ik een teken krijg van de voorzitter en moet dus afronden. Tot slot wil ik u dan vragen de volgende woorden van William Morris in gedachten te houden en met u mee te nemen: lieflijkheid, eenvoud en bezieling. Een drieëenheid voor de oprechte kunstenaar, voor de man of vrouw die niet terugschrikt voor het etiket – als ik het zo mag noemen – het etiket handwerksman. In feite iemand die vreugde schept in deze erkenning van zijn of haar nuttigheid in een wereld die zo hard toe is aan verfrissing. Helaas heb ik deze gedachten niet zover uit kunnen werken als ik had gewild, maar ik besef dat ik hier spreek voor de bekeerden, de beoefenaars van deze denkbeelden, de mannen en vrouwen die openlijk en schaamteloos hun gereedschappen dragen en de afdruk van hun menselijkheid achterlaten op alles wat zij aanraken. Ik zie dat ik nu echt moet ophouden. Dank u voor uw aandacht. Ik voel mij vereerd dat ik, in zekere zin, met u op mag trekken.'

'Wat een ouwehoer', mompelt Susan Hammerman tegen Brenda door het applaus heen.

'Ze zeggen dat hij gewoon een spion is van de Gallery Naif in New York', zegt Lottie Hart, die onverwacht met de ochtendvlucht is gearriveerd. 'Ik zou er alles voor over hebben om er achter te komen hoe hij zich in het programma heeft weten te wringen.'

'... niets gehoord wat ik niet al wist.'

'... en toch...'

'Ik dacht even dat hij me zo in slaap zou lullen.'

'Maar hij is wel heel inspirerend', fluistert Lenora Knox. 'Over kunst en het gevoel van gemeenschappelijkheid en zo.'

'Ik heb verdomme geen woord gehoord over borduren. Ik denk dat hij borduurwerk te uitgeblust vindt.'

'Hij heeft wel gelijk', geeft Susan Hammerman toe, 'dat wij ons niet de minderen hoeven te voelen van de zogenaamde echte kunstenaars in deze wereld.'

'Waarom zouden we ons moeten gaan lopen verontschuldigen alleen omdat ons spul een bepaald nut heeft?'

'Hij weet echt alles over de Amerikaanse primitieven. Ik heb ergens een lovend artikel over hem gelezen. Ik geloof dat het in *Time* was.'

'Ssst.'

'Wat komt er nu?'

'O god, niet nog meer toespraken.'

Betty Vetter, keurig gekleed in een blauw wollen broekpak en met een bloem in haar revers, staat achter de lessenaar en probeert de aandacht te krijgen. 'Dames en heren, ik kom net terug van de vergadering van de ad hoc-commissie die zich zou buigen over de klachten met betrekking tot de kamerverdeling en ik kan u gelukkig meedelen dat er een voorlopige oplossing is gevonden met de Internationale Bond van Metallurgen...'

'Boe...'

'... een voorlopige oplossing voor wat betreft de ruimte.'

Er wordt gejuicht. Charlotte Dance, die voor Brenda zit, steekt een vuist in de lucht en kijkt breedgrijnzend van triomf om zich heen.

Betty steekt haar hand op om stilte te vragen. 'Veertig van hun afgevaardigden zijn bereid om een kamer te delen, zodat er twintig kamers vrijkomen voor onze leden en dat', ze houdt opnieuw haar hand omhoog, 'en dat is precies het aantal kamers dat we nodig hebben.'

Nog meer gejuich. Brenda merkt dat ze onstuimig klapt.

'Bovendien hebben ze ermee ingestemd om hun slotbijeenkomst te houden op woensdagavond om halfzeven, als – nee, wacht even – áls wij bereid zijn die van ons uit te stellen tot negen uur. Wie is daar voor?'

'Een compromis!' roept een afkeurende stem.

'Er zijn mensen die een vliegtuig moeten halen.' Nog een stem.

Maar het voorstel wordt aangenomen en Brenda, die haar rechterhand opsteekt, voelt een aanzwellende vreugde. Wat snel en bijna als bij toverslag worden er oplossingen gevonden. Wat een wonderbaarlijk iets is instemming toch. De wereld heeft behoefte aan mensen als Charlotte Dance en Betty Vetter, mensen die weten hoe ze problemen moeten oplossen.

Dit zegt ze later ook tegen Lenora, wanneer ze op hun congresverdieping op weg zijn naar de ruimte waar de eerste workshop wordt gehouden.

Lenora is het ermee eens. 'Natuurlijk, ik ben zelf helemaal niet politiek aangelegd.'

Brenda wil juist antwoorden dat zij zelf ook niet politiek aangelegd is, maar ze wordt onderbroken door een mannenstem die haar naam roept. 'Mevrouw Bowman. Bent u mevrouw Bowman?'

'Ja', zegt Brenda en ze voelt een golf van paniek. Er is iets gebeurd, thuis. Met de kinderen. Met Jack.

'Neemt u mij niet kwalijk, mevrouw Bowman.' De stem klinkt beleefd en geoefend. 'Mag ik me even voorstellen. Ik ben Hal Rago van de *Examiner* uit Philadelphia en we schrijven een aantal artikelen over de tentoonstelling. Een paar reportages. Interviews. We zijn op zoek naar heel persoonlijke, nuchtere dingen en ik sprak daarnet met mevrouw' – hij haalt een kaartje te voorschijn en draait het om – 'mevrouw Hammerman. Zij zei dat u misschien wel bereid bent een interview te geven.'

'Ik?'

'Vanuit een soort midwesten-perspectief, zo moet u zich voorstellen. Het oosten en het noordoosten hebben we al doorgespit. Die zijn gecovered.'

'Ik weet het niet. Ik zou eerlijk gezegd niet weten wat ik moest zeggen, maar als ik u er een plezier...'

'Uitstekend. Fantastisch. Laten we dan een afspraak maken in de Emerald Room, wat dacht u van een uur of drie vanmiddag?'

'Emerald Room?'

'St. Cristopher Hotel. Een paar blokken verderop. Het heeft een prettige sfeer, daar zitten de persmensen, u kent dat wel.' 'Een paar blokken verderop?' Brenda denkt aan de sneeuw buiten en aan het feit dat ze geen jas heeft. Maar tegen drieën zal ze hem toch wel terughebben. Maar misschien... 'Kan het ook iets later? Een uur of vier?'

'Dat is dan afgesproken, mevrouw Bowman. Tot vier uur vanmiddag in de Emerald Room. Vraag maar naar Hal Rago.'

'Kijk eens aan', zegt Lenora. 'Je komt in de krant.'

Brenda overweegt even haar over de artikelen in *Chicago Today* en de *Elm Leaves Weekly* te vertellen, en over het radio-interview voor WOPA, maar ze beheerst zich en zegt in plaats daarvan: 'Ik vraag me af wat ze bedoelen met een midwesten-perspectief.'

'Misschien iets over regionale motieven en zo. In het zuidwesten hebben we bijvoorbeeld een sterke band met het buitenleven, en er is een grote Navaho-Mexicaanse invloed. Dat zie je in het werk. Dat is je vast wel opgevallen.'

Brenda schudt haar hoofd, ze herinnert zich geen gedachten die zowel het midwesten als quilten omvatten. Ze had natuurlijk die ene quilt, *Michigan-blauw*, daar kon ze het over hebben. Hoe ziet ze het midwesten eigenlijk? Ruimte. Graanvelden. Rivieren. Vruchtbaarheid. Dat was een goed idee, ze kon het hebben over vruchtbaarheid. Of iets dergelijks.

Een handgeschreven bordje op de deur meldt: 'Werkgroep quilten'. Meer dan twintig vrouwen – Brenda telt ze snel – zitten rond een lange tafel. Een vrouw met op haar naamkaartje: 'Reddie Grogan, Concord, N.H.' geeft de aftrap voor de discussie door een vraag te stellen over de functie van nostalgie in de quilttraditie – op welke manier de aanblik van patchwork en appliqué associaties oproept met gedachten aan huis en haard en geborgenheid, aan allerlei dingen uit het recente verleden – en op welke manier dit proces deel uitmaakt van de fundamentele esthetische reactie van het publiek.

'Maar het is toch ook een verrijking?' werpt iemand op. 'Een soort tijddimensie, iets extra's, dat min of meer zorgt voor een creatieve voorsprong…'

'Maar dat ook botst met wat een bepaald werk wil uitdrukken, dat moet je toch toegeven. Het vertroebelt een heldere kijk erop, het maakt de afbakening onduidelijk, het ondergraaft de boodschap…'

'Een nostalgische quilt is teruggaan in de tijd', roept een jonge vrouw. 'Worstelen met nieuwe vormen, daar gaat het om.'

'Ik zeg niet dat je je erdoor moet laten opslokken, maar dat je wel naar het verleden moet kijken…'

'Hoor eens,' zegt een onverschrokken ogende vrouw in een strakke trui, 'moeten wij als quilters "streven naar kosmologie"?' – ze maakt aanhalingstekens met haar vingers – 'waarom zouden we eigenlijk? Kunnen we niet terug naar het maken van warme, aantrekkelijke spreien?'

Er gaat een gelach op. Iedereen glimlacht breed. Er is ontspanning. Brenda leunt blij en tevreden achterover en wisselt een blik met Lenora Knox, die een bril zonder montuur heeft opgezet waarin het licht van de lamp aan het plafond weerspiegelt en die haar heel even honderd jaar oud maakt.

'Quilten onderscheidt zich van de andere handvaardigheden door de ingebouwde huivering van de geschiedenis.' Heeft ze dit echt gezegd? Zij? Brenda Bowman? Ja. Verbazend genoeg heeft Brenda uit Elm Park, Illinois, gesproken en de vrouwen om haar heen luisteren en knikken. (Het is een uitspraak van Jack, 'de huivering van de geschiedenis' – geleend van Flaubert, wat hij altijd angstvallig vermeldt. Hij gebruikt hem redelijk vaak.)

'Maar is dit een belemmering voor ons werk? Daar ben ik benieuwd naar. Ik bedoel niet bewust, maar onbewust.'

'Bedoel je daarmee…'

'Een hand uit het verleden, op den duur een belemmering. Behalve natuurlijk als we doorhebben dat het zo werkt.'

'In de Mexicaanse traditie…' Zelfs Lenora bemoeit zich er nu mee.

'Maar weten we dan waar onze patronen vandaan komen?' vraagt iemand. 'Kun je stellen dat sommige vormen een erfenis van het verleden zijn en dat andere origineel en vernieuwend zijn?'

'Bedoel je dat sommige gewoon verzonnen zijn?'

'Ze zijn toch allemaal verzonnen? Wanneer ik iets uitknip met een schaar, dan maak ik een nieuwe vorm.'

'Ik denk het niet', zegt Brenda. Ze denkt aan *De onafgemaakte quilt* thuis. 'Sommige vormen zijn fundamenteel. Neem nou de cirkel.'

'De mandala', voegt iemand veelbetekenend toe.

'De wat?'

'Je kunt toch niet ontkomen aan de cirkel? Dat is niet alleen maar een traditionele vorm, hij is zelfs nog fundamenteler.'

'Mythisch.'

'De vorm van de wereld, een kookpot.'

'De mond van een baby.'

'Of een... hoe noem je dat... jullie begrijpen wel wat ik bedoel...'

'Ja.'

'Maar vragen dit soort dingen om een definitie? Ik bedoel, moeten we ze wel een naam geven?'

'Nee', zegt Brenda. 'We hoeven er zelfs niet over na te denken. Ze komen gewoon uit onze handen.' Wat zei ze daar? Weet ze wel waar ze het over heeft? Gelooft ze wat ze zegt? Ja, ze gelooft het.

'Bedoel je dat kunst anti-intellectueel is? Dat alles vanzelf ontstaat vanuit het instinct?'

'Nou,' ze voelt zich nu klem gezet, 'ik bedoel eigenlijk meer dat...'

'Ik denk dat ik wel snap wat je bedoelt. Volgens mij zeg je dat we op onze handen moeten vertrouwen. Dat onze handen soms een paar stappen voorlopen op onze geest.'

'Ja', zegt Brenda. 'Net als bij typen. De vingers weten gewoon waar de toetsen zitten.'

'Ik begrijp welke kant je op wilt.'

'Interessant. Zo heb ik er nooit naar gekeken. Die vergelijking met typen. Ik maak eerst altijd van die gedetailleerde patronen...'

'En je altijd maar zorgen maken over wat het betekent. Drukt het nu wel of niet iets uit.'

'Dat heb ik ook.'

'Instinct en spontaniteit, dat zijn twee kanten van dezelfde medaille.'

'Terwijl de bewuste onderdrukking van het geheugen of de nostalgie...'

'Ik vond Brenda's uitdrukking beter: de huivering van de geschiedenis.'

Brenda kijkt de tafel rond. Wat een intelligente vrouwen zijn dit! Ze voelt zich warm worden van liefde voor ieder van hen. Eén van hen priemt met haar vinger in de lucht en zegt iets over het naast elkaar bestaan van tijd en inhoud.

Tijd en inhoud. In haar geest zet Brenda deze woorden zorgvuldig apart. Ze moet het er met Jack over hebben...

14

B RENDA WAS NEGENTIEN TOEN ZE JACK BOWMAN ONT-
moette. Dat gebeurde tijdens een koude winter in Chicago.
Ze herinnert zich nog dat er eind maart van dat jaar sneeuwbuien
waren; de wind die over het meer kwam bracht ijsdeeltjes en zandkorrels mee en rukte aan de jassen van jonge secretaressen en win-
kelmeisjes en tilde ze onverwacht op wanneer deze jonge vrouwen
's ochtends vroeg uit de bus stapten.

Brenda had op de een of andere manier een baan gevonden als
typiste en archiefbeheerster bij het Great Lakes Instituut aan Keeley
Avenue in het zakencentrum de Loop. Er had een advertentie in de
krant gestaan: Gevraagd, een ervaren typiste. Dr. Middleton had
zelf het sollicitatiegesprek met haar gevoerd. Hij bood haar thee aan.
Een van de ramen van zijn werkkamer zag uit op de kleine, groene
kilte van een parkje, zuinigjes symmetrisch met stenen banken en
struiken en beelden. Aan een van de wanden van dr. Middletons
kamer hing een aantal donkere, vettige landschappen en aan een
andere een opstelling van houten figuren. 'Irokees', zei hij tegen
Brenda op een kille, eenzame toon. Op zijn bureau stond een foto
van een vrouw met glad blond haar en een mager gezicht. Dat was
vast zijn vrouw, hield Brenda zichzelf voor. 'Mijn vrouw, Anne', zei
dr. Middleton op een toon die plotseling ontdooide en warm klonk.
Brenda was verbaasd over de manier waarop hij 'Mijn vrouw, Anne'
zei. Ze had nooit eerder iemand zo gevoelig over een vrouw horen
spreken, behalve Cary Grant misschien.

'Vindt u het vervelend, juffrouw Pulaski, wanneer ik u vraag
waarom u weg wilt bij Commonwealth Edison terwijl u er nog
maar vier maanden werkt?'

Brenda aarzelde. Een hand ging naar haar mond. Wat moest ze
zeggen? Dat ze interessanter werk zocht? Iets met meer uitdaging?

Of de waarheid: dat ze zich onuitsprekelijk en onvoorstelbaar eenzaam voelde in haar eerste baan, waar ze de hele dag in een helverlichte ruimte zat met dertig andere meisjes, die allemaal als een razende typten onder de onbarmhartige lampen, de hele dag tik-tiktikkend. Een week geleden, toen ze met de bus naar haar werk ging, haar jas dicht om zich heen geslagen, waren de tranen in haar ogen gesprongen. Waarom was dat? En nu in dr. Middletons kamer gebeurde haar hetzelfde: haar keel kneep plotseling dicht door de tranen en haar ogen vulden zich. Ze tilde haar theekopje op en drukte het stijf tegen haar lippen.

'Misschien wilde u gewoon iets anders', zei dr. Middleton even later en het lukte Brenda om hierop te knikken.

Ze waren maar met zijn vieren – Brenda, Glenda, Rosemary en Gussie – op de typekamer van het Great Lakes Instituut; een van dr. Middletons grapjes was dat het helemaal geen typekamer was maar een typehokje. Glenda was roodharig, fors van boezem en breedgeheupt. Ze poederde haar grote neus met Charles of the Ritzpoeder in een speciaal voor roodharigen bestemde tint. Haar truien en blouses hadden allerlei schakeringen van rood en bruinrood. 'Arlene Dahl zegt dat wij' – *wij* betekende alle roodharigen ter wereld – 'het moeten houden op rood en bruinrood.' Ze droeg een korset dat speciaal voor haar was gemaakt op de korsettenafdeling van Field's en ze spaarde voor een paar maatschoenen. 'Je bent het toch met me eens', zei ze, 'dat elke voet anders is? De dokter van Billings verzekerde me dat hij nog nooit zo'n holle voet had gezien.'

Rosemary. Rosemary was dertig en had een gespikkelde huid en waterige ogen. Ze kwam bij voorkeur met sombere, hulpeloze, ontwapenende bekentenissen van gêne. 'En daar stond ik, zo rood als een kreeft' of 'Nou, en toen bleef ik er bijna in van ellende.' Ze was al twee jaar verloofd en droeg een ring met een zirkoon. Wanneer zou ze gaan trouwen? Daar werd eindeloos over gedelibereerd. Maar er waren problemen. Art wilde nog geen leven als echtgenoot, hij woonde bij zijn vader en moeder in Skokie, het was lastig om een goed appartement te vinden, bovendien was hij joods en verwachtte hij van haar dat ze zich zou bekeren.

Gussie Sears was tweeëntwintig en had aan één been een beugel. Polio. Haar gezicht was donker, skeletachtig en lelijk, maar desondanks was ze getrouwd. Ze was bijna een jaar getrouwd met een verlegen, lelijke jongen, genaamd Franklin Sears, die voor een verzekeringsfirma werkte in La Salle Street. Brenda, Glenda en Rosemary zagen Franklin Sears elke dag omdat hij klokslag vijf uur aankwam bij het Great Lakes Instituut, met een rood hoofd en buiten adem van de wandeling, om Gussie mee naar huis te nemen met de 'El-trein'. In de middagpauze belde hij Gussie op of zij belde hem. 'Het is heel moeilijk voor ons', vertelde Gussie Brenda een keer in de toiletten, 'om elkaar de hele dag niet te zien.'

De verlegen uitgesproken woorden waren voor Brenda een openbaring geweest. Dat liefde zo kon zijn, zo krachtig dat het pijn deed. En was het echt mogelijk dat liefde zelfs diegenen bereikte wie het ontbrak aan lichamelijke schoonheid, wier lichaam, onwetend van Arlene Dahl en Charles of the Ritz, niet meer was dan een oppervlakkige verzameling haren en botten en huid? Hoe was het mogelijk dat er hartstocht oprees uit zoveel saaiheid? Maar het was echt zo! Gussie verlángde echt naar Franklin, na de middag begon ze met haar balpen te tikken en op de klok te kijken. En Franklins slappe, blozende lichaam verlangde duidelijk naar Gussie. Zijn lange benen haastten zich om vijf uur de typekamer in en zijn onbeholpen handen beefden wanneer hij Gussie in haar wollen jas hielp. Brenda vond deze sensuele opwinding grotesk en een beetje belachelijk, maar ook verbijsterend.

Vanaf de eerste dag vond ze het heerlijk om op het Instituut te werken. Ze ontspande. Ze voelde zich er thuis. De verschrikkingen van Commonwealth Edison vervaagden spoedig. Ze hield van haar in vakjes gescheiden bureauladen, met de paperclips en potloden en extra typelinten. En ze hield van Rosemary en Gussie en Glenda. De uren die ze samen op de typekamer doorbrachten, verenigde hen binnen een paar dagen in een hecht en schertsend zusterschap. Ze leenden elkaar nagellak en Kleenex, ze bespraken hun moeders en ze zwoeren samen tegen dr. Middleton. Ze vielen voor elkaar in, ze vertrouwden elkaar. Op betaaldag gingen ze naar Roberto's om de hoek waar ze een bord spaghetti of lasagne bestelden. Zij waren de vier meiden van dr. Middletons typekamer en voelden zich waardevol en gewaardeerd.

Alleen Gussie viel er een beetje buiten en Brenda besefte dat dat kwam omdat zij als enige van hen vieren getrouwd was.

Getrouwd! Dat was een andere staat van zijn, een staat die in zijn onschendbaarheid was verzegeld als een enveloppe. De huwelijkse staat was verborgen en veilig, een cirkel van betoverd licht buiten het gezichtsveld van degenen die nu zonder meer buiten de boot vielen. Glenda en Brenda en Rosemary peilden de details. Wat maakte Gussie klaar voor het avondeten? Had ze al geprobeerd karbonades op de nieuwe manier klaar te maken, met geconcentreerde champignon-roomsoep? Had ze al eens geprobeerd klaverbladvormige broodjes te maken? En hoe zat het met het geld? Hadden zij en Franklin een weekbudget? Vast en zeker, zoveel voor leuke dingen en zoveel voor boodschappen. Vond Gussie boenwas uit een spuitbus net zo goed als uit een pot? Wat deden Gussie en Franklin 's avonds? Keken ze tv? En wat meubels betreft, hielden ze meer van vroeg-Amerikaans dan van rustiek Frans? Wat voor plannen en idealen hadden ze? Hoopten ze te zijner tijd hun eigen automatische wasmachine te krijgen? Spaarden ze voor een eigen huis? Was een opklapbed een verstandige investering voor een jong stel? En wanneer ze kinderen kregen, zou Gussie dan ophouden met werken en thuisblijven bij de kinderen? Echt zilver of verzilverd?

Brenda en Glenda en Rosemary snakten naar dit soort details. (Het was 1957.) En meer nog wilden ze graag weten, maar ze vroegen het niet, of Gussie al of niet een voorraad pastelkleurige nylon nachtponnen had en of ze de beugel van haar been deed voor ze naar bed ging – ja, natuurlijk deed ze dat! En hoe het voelde toen ze... nou ja... de eerste keer? Deed het pijn? Hoe vaak deden ze het en deden ze het licht uit en gebruikte Gussie daarna een vaginale douche?

Gussie, die arme Gussie, lachte bij de vragen over klavervormige broodjes en boenwas, haar bleke, ongelijke lippen weken vaneen, het scheen een wonder dat haar tanden heel waren. 'Tja,' zei ze dan peinzend, terwijl ze haar 'tja' weg liet drijven als sigarettenrook, 'tja, ik weet het niet precies.' Ze was duidelijk verbijsterd door hun belangstelling. Dit soort huishoudelijke aangelegenheden schenen niet bij haar te leven. Franklin was van plan zijn boekhoudcursus af te maken op de avondschool, dat was wat ze spontaan meldde. Op zondag reden ze naar Sycamore voor een bezoek aan zijn familie. Ze spaarden wel zegeltjes van A & P, maar nogal lukraak en de helft van de tijd vergaten ze het. En af en toe, in de zomer, waren ze naar de concerten geweest in Grant Park. (Bij het noemen van de Grant Park-concerten hadden Brenda en Glenda en Rosemary stralend geknikt. Dat was precies iets voor een jong stel, leerzaam en romantisch, en bovendien gratis.)

Maar over de kleur van haar keukenkastjes was Gussie ongewoon terughoudend. ('Ze zijn gewoon geverfd, iets geelachtigs.') Ze scheen niet veel te weten over de nieuwe boenwas uit een spuitbus, of over kastpapier of bleekmiddelen. Haar werk deed ze bedaard en ijverig, ze was een uitstekend typiste met een opgeruimd bureau. Als dr. Middleton een speciaal karweitje had, iets wat snel moest gebeuren, gaf hij dat altijd aan Gussie. Haar kleine, pezige lichaam spande zich en sloeg de toetsen energiek en competent aan; er waren dagen dat ze ook tijdens de koffiepauze doortikte en ze Brenda, Glenda en Rosemary alleen naar de kantine liet gaan om daar eindeloos lang te speculeren over de fijne kneepjes en de mysteries van het huwelijksleven.

Brenda begreep zelf niet waarom ze plotseling zo geestdriftig was over al die huiselijke details. Het kon niet de huiselijkheid van haar eigen leven zijn dat haar hierop had voorbereid, zij en haar moeder woonden nog steeds in hetzelfde appartement in Cicero, boven de stomerij, waar ze altijd hadden gewoond. Een dun laagje stof verzamelde zich nog steeds op haar moeders naaimachine en op de radiator in de woonkamer, de koelkast in de keuken maakte nog steeds zijn oude vertrouwde geluid en op de bedompte, metalig ruikende rekken lag salami, haring, een pak melk en een net navelsinaasappelen. Op het schoongeboende zeil op de keukentafel stonden als altijd de rood-met-witte suikerpot en de zoutvaatjes in de vorm van twee identieke eekhoorns. Dit alles troostte Brenda op een vage manier, maar niets van dit alles interesseerde haar.

Het was de huiselijkheid van een pasgetrouwd stel die haar bekoorde, die heldere, gepolijste tijdschriftensfeer die opsteeg uit het bruiloftswit en als een toneelstuk zicht bood op ruimtes met Armstrong-vloermateriaal. Rieten stoelen met corduroy kussens. Cafégordijnen aan koperen roeden, Brenda droomde in die tijd soms van cafégordijnen. Wat nog meer? Een Duncan Phyfe salontafel tegenover de bank, een wit, gewatteerd album met huwelijksfoto's dat te voorschijn werd gehaald voor het bezoek. Een loper op de trap en een schuine reeks ingelijste prentjes van bloemen. In de slaapkamer: gekleurde lakens, ruches, misschien een hemel boven het bed. Licht gekleurde handdoeken in de badkamer, opgestapeld op open planken – wat een rijkdom – en kleine geparfumeerde zeepjes in een glazen apothekerspot. Ze wilde een goed ingerichte linnenkast. Ze wilde zich dapper op het bereiden van niet te dure etentjes storten, zich met hart en ziel toeleggen op dampende pannen met boeuf Stroganoff en als toetje bevroren citroentaart met volkorenkorst. Ze wilde alles, alles erop en eraan: een stofzuiger met hulpstukken, een kruidenrek van bewerkt rood esdoornhout, een deurbel die klingelde – de hele santenkraam.

Jaren later, tijdens een feestje ter ere van haar – ze had net haar eerste prijs gewonnen – vroeg iemand waarom ze zo jong was getrouwd. Ze antwoordde met een oprechtheid die zelfs haar verbaasde. 'Ik wilde een rode keuken', zei ze. 'Ik smáchtte naar een rode keuken.'

In die tijd studeerde Jack geschiedenis en zat hij in het laatste jaar aan de DePaul Universiteit, waar hij een onderzoeksproject deed over de Franse ontdekkingsreiziger La Salle. Eind maart kwam hij op een ochtend naar het Great Lakes Instituut om een oude overzichtskaart te bekijken. Dr. Middleton begroette hem hartelijk, schudde hem de hand en toonde interesse voor zijn onderzoek – 'Wat we in de praktijk nodig hebben zijn jonge mannen zoals u' – maar had duidelijk niet veel tijd. 'Juffrouw Pulaski, Brenda heet ze, helpt u wel verder', verzekerde hij Jack.

Brenda nam Jack mee door de gang en de hoek om naar de kaartenkamer. Hij was altijd afgesloten en ze worstelde even met de sleutel.

'Laat mij maar.' Hij deed een stap naar voren. Hij had slanke handen, nogal behaard (maar op een vriendelijk manier) en een overhemd met Schotse ruiten. De deur zwaaide terstond open en maakte een krakend geluid waardoor ze elkaar aankeken en glimlachten.

Hij vertelde Brenda over het onderzoeksproject. 'Het is een soort dissertatie, zou je kunnen zeggen, alleen noemen ze het pas zo als je promoveert.'

In die tijd wist Brenda niet wat een dissertatie was, en ze was nooit eerder in de kaartenkamer geweest. Het was er droog en de lucht scheen er te ijl om je lekker te voelen. Langs alle wanden stonden gesloten kasten met laden en deuren, stuk voor stuk geverfd in een mat metalic groen. Ze bestudeerde de bos sleutels die dr. Middleton haar had gegeven en keek naar de kasten. 'Iene, miene, mutte', zei ze dommig.

Ze ontsloot een lade en deed een stap opzij. Jack begon er kaarten uit te halen, een voor een, ervoor zorgend ze aan de randen beet te pakken en ze niet te laten knakken. Ze merkte op dat zijn hemd was gemaakt van een soort flanel die niemand meer droeg. Ze zag dat de manchetten waren verkleurd door het dragen, bijna kleurloos waren geworden, en dit raakte haar diep.

'Hier heb ik hem', zei hij, een kaart ophoudend.

'Weet u het zeker?' Het was bijna niet mogelijk dat hij hem zo snel had gevonden, en nog wel in de eerste de beste la die ze had geopend.

'Ja, hoor. Kijk maar naar de aantekening hier aan de onderkant.'

Ze keek en zag een onregelmatige zin in onleesbaar schrift.

'O.'

'Heel hartelijk dank voor uw hulp.'

Ze vond dat ze hem uitleg verschuldigd was. Het was puur geluk, zei ze, dat ze de juiste la had opengedaan. Ze werkte nog maar een maand op het Instituut en was nog niet eerder in de kaartenkamer geweest. Een ander meisje, Rosemary, legde ze uit, hielp de bezoekers gewoonlijk. Voordat ze op het Instituut kwam werken, had ze voor Commonwealth Edison gewerkt. Maar daar was het zo groot. Daar werkten zoveel meisjes.

Ze taterde. Ze hoorde zichzelf rebbelen en werd zich plotseling pijnlijk bewust van een klein rood plekje koortsuitslag op haar bovenlip. Hij staarde haar bevreemd aan, alsof hij dacht dat ze gek was.

Een slecht begin.

Desondanks vroeg hij haar mee voor de lunch. 'Hier om de hoek is een restaurantje. Italiaans. Houdt u van Italiaans eten?'

'Bedoelt u Roberto's? Ik ben dol op Italiaans eten. Vorige week, toen het betaaldag was, zijn we...'

Ze hield zich bijtijds in.

Ze keek graag naar zijn gezicht, ook al viel haar op dat het te breed was en vrij leeg. Die indruk van leegte klopte niet, op zijn eenentwintigste moest hij nog ontsloten worden. (Brenda dacht aan de gesloten laden in de kaartenkamer.)

Zijn versleten manchetten indachtig, bestelde ze bij Roberto's groentesoep, vijfendertig cent, het goedkoopste op het menu – en een tosti en ze vertelde hem hoe ze aan het werk op het Instituut was gekomen, dat ze zo nerveus was geweest tijdens het sollicitatiegesprek, dat ze bijna thee had gemorst op haar schoot. 'O, het was zo mal', zei ze, het zelf bijna gelovend.

Zijn oogopslag, die eerst ingehouden was, werd een centimetertje guller. Hij had grote, er slaperig uitziende ogen. Ze zag hoe hij de blauwe curven van haar angora trui bekeek en zag iets van verrassing op zijn gezicht doorbreken. Hoe had ze dit voor elkaar gekregen, hem op die manier verrast?

Hij vertelde haar over de ontdekkingsreiziger La Salle en met een langzame, bedachtzame stem gaf hij toe dat hij dit onderwerp had gekozen omdat een professor het had voorgesteld. Er was nog niet veel onderzoek gedaan naar La Salles laatste reis en het was dus open terrein, zogezegd.

Zijn woorden wekten de indruk gekozen in plaats van eruit gegooid te zijn, en Brenda vermoedde een bewustzijn dat even zorgvuldig in kaart was gebracht als een kustlijn. Niettemin had ze het gevoel dat ze alles tegen hem kon zeggen, zelfs iets stuitends. Zijn handen rond zijn vork en mes hadden de typische compactheid van iemand die er op wachtte gechoqueerd te worden.

'Dit is verrukkelijk', zei Brenda, nadat ze haar laatste hap soep had genomen en aan haar tosti begon.

Hij wilde een fles wijn bestellen.

Ze keek op haar horloge; ze zei dat ze zich zorgen maakte dat ze dan te laat terug zou zijn op het Instituut.

'En bovendien', voegde ze eraan toe, 'drink ik gewoonlijk geen wijn bij de lunch.'

Tenminste, dat is wat Jack beweert dat ze zei, wanneer hij herinneringen ophaalt aan hun eerste ontmoeting.

Zíj kan zich niet voorstellen dat ze ooit zoiets achterlijks heeft gezegd. Maar ze weet het niet honderd procent zeker en ze wil niet één van Jacks favoriete verhalen bederven – een verhaal dat haar niet tot eer strekt, bedenkt ze, maar dat een argeloosheid laat doorschemeren die ze graag bezeten had.

Ze zou met hem trouwen. Die gedachte kwam als een bliksemflits die met snelle strepen een slaperig duister doorkliefde. Ze zou Jimmy Soderstrom, met wie ze de hele winter was uitgegaan, vertellen dat ze iemand anders had ontmoet. Ze zou niet alles tot in detail hoeven uit te leggen. Ze kon vriendelijk en vaag blijven; dat zou gemakkelijker gaan over de telefoon. Ze zou hem missen, zijn verlegenheid, zijn ongemakkelijke complimenten en vooral zijn begerige handen die onder haar winterjas rondtastten, zoekend over de zachte voorkant van haar trui. O, ze zou die vurigheid missen, die snelle, zware ademhaling in haar hals, dat moment van macht wanneer ze hem, veilig, vriendelijk, wegduwde.

Jaren later zag ze Jimmy Soderstrom op Roosevelt Road toen ze een bezoek aan haar moeder bracht. Hij stapte uit een kleine sportwagen en sloeg het deurtje energiek en ongedwongen dicht. Ze bleven even staan praten en ze was verbaasd geweest over het gemak waarmee hij sprak – hij was autoverkoper bij Chrysler – hij die vroeger zo moeilijk uit zijn woorden kwam.

Alles verandert, tenminste, alles schijnt veranderd te zijn. Wanneer Brenda terugkijkt kan ze nauwelijks geloven dat dr. Middleton, toen ze op het Instituut kwam werken, nog maar veertig was, jonger dan Jack nu. Ongelofelijk. En ze weet inmiddels dat toen deze jongere dr. Middleton de woorden 'mijn vrouw, Anne' sprak, dit niet met liefde maar met smartelijke uitputting was. Ze had toen nog geen idee hoeveel het mensen kostte om iets simpelweg uit te houden.

Nu gaat ze eenmaal per jaar lunchen met Gussie en Glenda en Rosemary. Deze jaarlijkse lunch vindt meestal een of twee weken voor kerst plaats en ze nemen altijd een tafel in de Fountain Room bij Field's en bestellen altijd iets lichts als tonijnsalade of vruchten.

Geen van hen werkt nog op het Instituut. Ze zijn allemaal getrouwd. Glenda is zelfs tweemaal getrouwd, haar eerste man was een alcoholicus. Hij had een keer met een klap haar kaak ontwricht en een andere keer twee ribben bij haar gebroken. En desondanks was ze naar hem teruggegaan.

Rosemary was ten slotte bekeerd tot het jodendom en uiteindelijk getrouwd met Art, en ze woonden nu met hun dochtertje in een klein huisje in Berwyn. Art, die technisch ingenieur is, valt af en toe ten prooi aan werkloosheid; één keer had hij twee jaar en vier maanden geen werk.

En Gussie? Gussie en Franklin Sears wonen in een grappig oud huis in Sycamore, Illinois, tachtig kilometer van Chicago. Franklin heeft al jaren artritis en hoewel hij af en toe weer enigszins herstelt, is hij min of meer bedlegerig. (Ja, biecht Gussie op, ze hebben een ondersteek.) Om het gezin draaiende te houden werkt Gussie als boekhoudster bij een plaatselijke houthandel en daarnaast fungeert ze als secretaris bij de schoolcommissie in Sycamore. Wanneer ze met de bus naar de kerstlunch komt, neemt ze foto's mee van de twee kinderen, een jongen met donker haar en een bril, en een meisje, engelachtig blond en buitengewoon mooi. Gussie komt altijd als laatste, geestdriftig omdat ze een vrije dag heeft, en terwijl ze haar jas uitdoet zegt ze in één adem door: 'De groeten van Franklin voor jullie allemaal.'

Wanneer Brenda terugdenkt aan haar typekamerdagen op het Instituut en aan de tijd dat ze Jack net kende, gelooft ze nauwelijks dat ze zoveel geluk heeft gehad. Wat had ze zich vol vertrouwen, maar zo blind, laten meevoeren, als een luie zwemmer op drift geraakt in een gevaarlijke zee. Wat wilde ze in die tijd? Waar had ze nog meer om gevraagd, behalve die rode keuken? Niet veel, schijnbaar, slechts iets wat ze had gezien uit een ooghoek, een beeld van beschutting en het daarbij horende karige meubilair. Wat wist ze toen van extase? Helemaal niets.

Maar alles kan de fragiele geluksboog doen breken, alles. Overal gebeuren ongelukken, Brenda ziet ze altijd of hoort erover. Zij is een van de fortuinlijken, en in haar leren handtas draagt ze amuletten om zich te beschermen: kiekjes, een dof Frans muntstuk, haar moeders oude vingerhoed, een krantenknipsel over Jacks benoeming in de Erfgoedcommissie van Elm Park. Zelfs haar sleutelhanger tinkelt voor voorspoed en belooft voorraad, beschutting, veiligheid.

15

'ZIJN ER NOG BOODSCHAPPEN?'
'Voor wie?'

Brenda staat na de lunch bij de hotelbalie en merkt dat haar adem als een droge noot in haar keel blijft steken, al zou ze niet kunnen zeggen waarom. 'Kamer 2424.'

De gekwelde receptionist fronst, draait zich om en geeft haar vervolgens een opgevouwen stuk papier. 'Alleen dit.'

Het is van Barry Ollershaw, een boodschap, neergekrabbeld op postpapier van het hotel. 'Brenda (streepje streepje) Nog geen jas, maar ik word al warm. Je hoort van me. Groeten (streepje streepje) Barry O.'

Brenda houdt het briefje in haar hand en voelt zich opgebeurd door een onverwacht gevoel van vrolijkheid, een plotseling lichter worden van de lucht in haar longen. Haar keel ontspant, ademt weer. Ik word al warm, heeft Barry Ollershaw geschreven – alsof zij tweeën, zij en Barry, opgewekte samenzweerders zijn in het Franklin Court Arms Hotel, een stel kinderen op jacht naar aaskevers. (Brenda sluit even haar ogen, een zachtgekleurde filmstrip schuift in beeld: zij en Barry rustig in hun stoel op de vierentwintigste verdieping van dit hotel, kijkend hoe de stille sneeuw langs het raam dwarrelt om ergens uit het zicht neer te komen.)

'Hopelijk is het geen slecht nieuws', fluistert Lenora Knox. Brenda is Lenora helemaal vergeten.

'Nee, niet echt.' Het lukt haar niet in Lenora's verontruste, onderzoekende ogen te kijken.

'Toch niets met de kinders?' informeert Lenora.

Haar kinderen. Rob en Laurie. 'Nee.' Brenda schudt haar hoofd. Waarom staat ze zo te glimlachen? Als een idioot. Ze voelt hoe haar gezicht steeds verder terugtrekt, bijna in tweeën splijt. Ze kijkt naar de grond en bijt op haar onderlip.

'Als ik van huis ben maak ik me altijd over de gekste, de stomste dingen zorgen', zegt Lenora, terwijl ze haar opoebrilletje opvouwt en het diep in haar vilten tas wegbergt. 'Bijvoorbeeld dat de kinderen zichzelf buitensluiten of hun brood vergeten mee te nemen of zoiets. Op een keer...'

Brenda vouwt het briefje weer op, strijkt de vouw strak met haar duimnagel en bergt het in het zijvakje van haar tas. Hmmm. Ze klopt even op de tas en waardeert opnieuw het zijdeachtige van het zachte, opbollende leer. Moet zíj een briefje voor Barry achterlaten? Tegen hem zeggen dat hij zich geen zorgen moet maken? Hem zeggen dat zíj wel iets zal laten horen?

'Weet je,' zegt Lenora, 'jij en ik moeten contact houden, Brenda. Wanneer dit voorbij is, bedoel ik. Wie weet kom je nog een keer naar New Mexico. Voor een bezoek aan de Grand Canyon of Mexico of zoiets. De Grand Canyon is natuurlijk in Arizona, maar dat is onze buurstaat. Ben je ooit eerder naar de Grand Canyon geweest? Ze hebben daar van die lastpaarden die je per dag kunt huren...'

'Wat zei je?' zegt Brenda, haar haar uit haar ogen vegend. Waarom heeft Lenora het over de Grand Canyon?

'In elk geval kunnen we elkaar elk jaar een kerstkaart sturen. Dat is het goede van kerstkaarten. Het is allemaal wel heel commercieel, maar het is de enige manier om contact te houden.'

'Ja', zegt Brenda enthousiast. De fontein middenin de lobby zuigt en gorgelt alsof iemand met de pomp aan het knoeien is. Ja, er is inderdaad een werkman die zich er overheen buigt en een arm in het roestvrijstalen binnenste steekt. De fontein begint plotseling te spuiten – een ruisend geluid dat haar lichthartig en genereus maakt. Ja, ze zal een boodschap voor Barry achterlaten. Waarom ook niet? Het is niet meer dan fatsoenlijk om een briefje te beantwoorden. (Jaren geleden werkte Brenda als correspondentiesecretaresse bij de Woodrow Wilson-vereniging voor ouders en leraren, onlangs was haar nog gevraagd of ze dezelfde taak op zich wilde nemen voor het Kunstnijverheidsgilde van Chicago.) Het was niet eerlijk om Barry Ollershaw over het verlies van haar jas in te laten zitten, hij was toch niet helemaal uit Vancouver, Canada gekomen om zich zorgen te maken over haar rode regenjas? Het was niet zijn schuld dat hij was verdwenen.

'Lieve help, ik hoop dat ik geen blunder heb begaan.'

'Een blunder?'

'Nou ja, dat ik het daarnet over kerstkaarten had. Ik bedoel, misschien ben je wel joods. Of...'

'Nee, dat ben ik niet. Joods, bedoel ik.'

'Vorig jaar heb ik mijn kerstkaarten gequilt. Je gebruikt gewoon katoenbatist en vloeipapier en wat zigzag sierzoompjes. Mijn man zei dat ik niet goed bij mijn hoofd was, echt niet goed wijs, maar ik had het patroon gevonden in *Quilter's Quarterly*. Ik kan het je wel opsturen als het je interesseert, of misschien...'

Brenda denkt, waarom stel ik Barry Ollershaw niet voor samen iets te gaan drinken? Ze maakt snel een berekening: het interview met Hal Rago is om vier uur, dan moet het dus later, misschien na het Presidentsdiner, dat mocht ze niet missen, of werd het dan te laat? Het zou wel na elven worden, maar de bars zouden nog open zijn en er was geen wet die het haar verbood...

'Het duurde natuurlijk een eeuwigheid voor ik die malle dingen afhad. Een eeuwigheid. Allen en ik versturen meestal zo'n vijfen- zeventig kaarten, dus je kunt je voorstellen. Maar de portokosten waren hetzelfde, dus dat was een meevaller...'

Ja, ze zou een briefje achterlaten. De eigenaardige, vredige licht- heid die ze voelde zou de pen stevig in haar hand doen liggen, haar in staat stellen als een schoolmeisje forse halen op het papier te zetten. Gegroet, zou ze schrijven in een fors, vlot linkshellend schrift. Ze zou opgewekt en luchthartig zijn en het papier vullen met grote lus- vormige letters, en ze zou gewoon ondertekenen met 'Brenda' – zodat de naam aan het eind omhoogging als een wimpel of een zijden sjaal in de wind – 'Brenda'. Ze zou er een of twee strepen onder zetten – er iets vastberadens, vreugdevols, volhardends en meisjesachtigs van maken – 'Brenda'.

'Ze zijn eigenlijk een soort souvenir, als je begrijpt wat ik bedoel. Dat hoor ik tenminste van iedereen.'

'Lenora?'

'Ja Brenda?' Lenora's ogen zijn groot en blauw. Zuiver blauw. Onschuldig blauw.

'Lenora, heb je misschien een stukje papier? Het geeft niet wat. Ik moet een boodschap voor iemand achterlaten.'

De grote tentoonstellingsruimte is rechtstreeks verbonden met het hotel door een lange ondergrondse promenade met aan weerskanten cadeauwinkels, reisbureaus en lingeriewinkels. (Een ervan, De Onderwinkel, trekt Brenda's aandacht wanneer zij en Lenora erlangs lopen.) Omdat het zondag is, zijn de meeste winkels vandaag gesloten en verduisterd met ijzeren rolluiken. Onderweg zijn er hier en daar smalle ondergrondse straten die in andere richtingen schieten, en ze hebben wegwijzers: parkeergarage, theaters, ingang museum. Brenda merkt op dat dit een complete ondergrondse stad is, helemaal afgesloten van het weer en overal zo hel verlicht alsof het buiten was. Je zou een week of een maand in Philadelphia kunnen blijven zonder een stap buiten te zetten. Waar waren de achtertuinen en schuttingen en huizen van Philadelphia? Die moesten er toch ook zijn. Maar alles buiten deze centrale ondergrondse hoofdader scheen teruggebracht tot niet meer dan een vermoeden. Je kon je zelfs voorstellen dat er bovengronds geen mensen waren, geen rumoerige bewoners met vaste gewoonten wat betreft restaurants of bussen of werk of favoriete kruideniers. Alleen de bezoekers bestaan echt, degenen die congressen bijwonen, horden metallurgische ingenieurs en zich verdringende naaisters. De enige mensen zijn wíj, denkt Brenda. Ze kijkt naar Lenora en glimlacht.

Kletsend en in etalages kijkend lopen ze volgens haar meer dan een of twee kilometer door de lichte tunnels met terrazzovloeren. Pijlen in primaire kleuren wijzen langs de hele route de weg naar de tentoonstellingsruimte. En daar is hij dan eindelijk, een glanzende hal die zich voor hen opent, honderden vierkante meters vrije ruimte, die Brenda doet denken aan een gymnastiekzaal voor reuzen. De dragende constructie is zichtbaar en dakramen hoog in de lucht laten daglicht binnen – hoewel het licht gefilterd is en van een grote afstand lijkt te komen, een vernisachtig, geel licht dat een waas van ernst legt over de uitgestrekte, bewegingloze atmosfeer binnen. De hele ruimte zoemt van licht, of is dat het verre elektrische gebrom van ventilatoren? Waarschijnlijk wel.

'We zijn nog niet open, dames.' Een bewaker in uniform, de armen gevouwen over een donkerblauwe borstkas, snijdt hen de pas af.

'We willen alleen maar even rondkijken.' Lenora zegt dit met haar hoge, vriendelijke, redelijke stem. 'Zou dat misschien kunnen?'

'Pas om zeven uur. Kijk maar in de krant. Hebt u niet in de krant gekeken? De tentoonstelling begint om zeven uur.'

Lenora houdt vol. Haar mondje wordt zo recht als een muntgleuf. 'Maar wij zijn exposanten. Mijn vriendin en ik willen alleen maar even controleren of ons eigen werk goed hangt.'

'Ik heb opdracht om…'

'Ik ben helemaal uit New Mexico in het zuidwesten van de Verenigde Staten gekomen.' Brenda herkent het timbre van Lenora's stem – ze heeft vriendinnen (Leah Wallberg, Sharon Olsen) met een vergelijkbare stem, een stem met een vriendelijke onverbiddelijkheid.

De bewaker gaat opzij. 'Ze zeiden dat er niemand in mocht. Hoe kon ik dan weten…'

'Dank u wel', zegt Lenora vriendelijk, en loopt snel langs hem heen.

Daar is de borduurafdeling. Daar is de macramé-afdeling. En daar is een afdeling gewijd aan leerkunst, een onderafdeling van kralenwerk. Maar de grootste afdeling is gereserveerd voor de quilts; de quilts vullen in feite de hele oostkant van de hal. Brenda heeft er nog nooit zoveel tegelijk tentoongesteld gezien. Zelfs op de Handwerkbeurs in Chicago, de grootste beurs van het midwesten, hangen er nooit meer dan dertig of veertig per jaar. Hier hangen er honderden, misschien wel duizend. Om ruimte te sparen is elke quilt op een groot draaibaar frame gehangen dat Brenda herinnert aan de uitstalrekken voor oosterse tapijten die ze heeft gezien bij Marshall Field's. Je kunt de quilts slechts een voor een bekijken door de scharnierende frames om te slaan alsof het de bladzijden van een boek zijn. Sommige quilts worden nog opgehangen door een team van jonge werklieden in schone witte overalls.

'Dit is toch wel… het meest opwindende…' Lenora slaat met haar vuist tegen haar slaap. 'Ik kan mijn ogen nauwelijks geloven.'

'Ja', zegt Brenda vol ontzag.

'Ik bedoel dat we hier tentoonstellen. Hier. Met,' ze slingert haar arm in de richting van de quilts, 'met al die andere. Wat een sensatie.'

'Ik begrijp wat je bedoelt', zegt Brenda.

Ze ontdekken dat de quilts alfabetisch op de achternaam van de quilters hangen, en Brenda en Lenora beginnen helemaal rechts achteraan om de werklieden met hun ladders niet in de weg te lopen. 'Kijk eens', roept Brenda. 'Deze zijn van Verna. Verna of Virginia.'

'Je geheimzinnige kamergenote.'

'Ja.'

'Mijn god, Brenda, moet je hier eens naar kijken.' Lenora's hand trekt aan het boordsel van Verna's quilt. Haar stem is verflauwd tot een wanhopig gejammer.

'Ik weet het', klaagt Brenda.

'Hoe krijgt ze het voor elkaar.'

'Die kleuren.'

'Lef, denk ik. Gewoon heel veel lef.'

'En vakmanschap.'

'Vakvrouwschap', giechelt Lenora.

'Dat Trapunto-stikwerk! Die blaadjes!'

'Zijn dat blaadjes?'

'Die lijnvoering. En wat heeft ze daar in die hoek gebruikt? Niet te geloven. Het lijkt wel denim.'

'Het is denim. Een oud stuk denim. Verkleurd.'

'Schitterend.'

'Ongelofelijk.'

'Het hele ding lijkt wel weg te zweven, vind je niet?'

'Net als de lucht, net als in het zuidwesten...'

'Of als water... zo koel als water.'

'Ik neem aan dat je wel gehoord hebt dat het Metropolitan Museum in New York City...'

'Ik wéét het.'

Ze lopen verder.

Lenora heeft twee van haar bekroonde quilts meegenomen om mee te dingen naar een prijs, *Fiesta* en *Terracotta*. De oranje uitstraling van *Terracotta* ontlokt Brenda onwillekeurig een kreet van verrukking. 'Dit is echt prachtig, Lenora.'

'Ik vind *Terracotta* ook wel geslaagd, maar mijn man zegt dat hij, als hij echt moet kiezen, de voorkeur geeft aan *Fiesta*. Allen heeft een zwak voor...'

'*Terracotta* komt recht op je af. Je kunt zo je armen om dat middenstuk slaan. Echt, Lenora, ik meen het, hij is echt prachtig.'

En hij is ook prachtig. In het midden staan een stengelloze bloem opgebrand door zijn eigen gloed en een kring van kribbige vogels met als juwelen fonkelende ogen en harde snavels. Prachtig. Brenda moet haar ongeloof beteugelen. Aan de andere kant, waarom zou Lenora Knox uit Santa Fe, New Mexico niet in staat zijn een kunstwerk te vervaardigen dat glinstert van originaliteit, en er is geen twijfel mogelijk, het wás ook origineel om op die manier een brede rand fluweel, zwart fluweel, rond het gloedvolle, oplichtende middengedeelte te naaien. (Het doet Brenda denken aan een simpele juwelendoos gevuld met verblindende primitieve schatten.)

'Hij won de onderscheiding van de staat vorig jaar', vertrouwt Lenora haar toe met haar zachte, toeschietelijke stem. 'Ik was zo verbaasd, nou ja, eigenlijk volkomen sprakeloos.'

Brenda's quilts *Helderziend* en *Oever van het meer* zijn al opgehangen, een van de werklui staat op een trap en is bezig *De tweede komst* behoedzaam op het metalen frame te hangen.

'Goeie genade,' zegt Lenora, 'goeie genade, Brenda, jij hebt echt talent.'

Lenora's ruitvormige ogen gaan wijd open, maar Brenda bespeurt iets hols in de woorden, alsof zij en Lenora inmiddels gevangen zitten in een soort ritueel van al te genereuze complimenten. Ze overweegt Lenora te vertellen over *De onafgemaakte quilt* thuis, maar ze houdt zich in. Lenora wil niets horen over *De onafgemaakte quilt*. Dat weet Brenda. Ze weet het door het pientere, cynische musje dat nu op haar schouder zit. Hij zit er al een tijd, die mus. Een jaar? Twee jaar? Het is moeilijk om dat soort dingen nauwkeurig te bepalen. En net zo moeilijk om het diertje ervan te beschuldigen dat hij (hij?) haar schade toebrengt. Maar hij tjirpt nu in haar oor, een hartbrekend piep-piep, en stelt brutale vragen ('Waar dient dit eigenlijk toe?') of zaait twijfel over zulke betrouwbare, gewone dingen als complimenten, medeleven en sympathie – soms zelfs het vertellen van de waarheid.

Lenora ratelt maar door. 'Ze zijn echt fantastisch, Brenda, alle drie. Ik wed om een dollar dat je met een prijs naar huis gaat. Vooral met die daar. *De tweede komst* zei je dat hij heette, hè?'

Brenda ziet de werkman worstelen met de bovenkant van de quilt. Door de onregelmatige rand is het lastig om hem aan het frame te bevestigen. ('Shit', mompelt hij in de stof.) Ze herinnert zich hoe zij en Hap Lewis deze zelfde quilt nog maar twee dagen geleden hadden opgetild en naar het raam in haar werkkamer hadden gedragen.

Een hevig verlangen naar huis overvalt haar, en ze hunkert naar haar achtertuin met de roerloosheid van iepen en eiken en bladerloze hagen, naar Hap Lewis met haar volle, heilzame lach, naar de uitlopende hangplanten en zelfs naar de stemmen van de kinderen beneden die ruziën en schreeuwen, maar de muren doen trillen en ademen. *De tweede komst* lijkt verloren in deze enorme tentoonstellingshal. Brenda zou hem het liefst meenemen, weg naar haar hotelkamer, hem op het smalle bed leggen en gaan liggen op de verkwikkende gele vierkanten. (Kinderlijk, berispt ze zichzelf.) Waarom is ze eigenlijk zo moe?

Maar ze mag niet moe zijn, ze heeft een afspraak om vier uur in het St. Christopher Hotel, en het is al na drieën.

'Neem me niet kwalijk', zegt ze plotseling tegen de man op de trap. 'Neem me niet kwalijk, maar dat is mijn quilt. Ik ben Brenda Bowman.'

'O ja?' Hij kijkt uitdrukkingsloos op haar neer.

'Moet u horen, ik wil hem nog even terughebben, oké?' (Thuis ergert het Brenda wanneer Laurie haar zinnen op die manier eindigt: oké?)

'Ik weet niet...'

'Ik moet er nog iets aan doen, een paar steken. Ik breng hem onmiddellijk weer terug.'

'Vind je dat nu wel verstandig, Brenda?' vraagt Lenora bezorgd.

'Ja.' Vastberaden.

'Hij moet weer terug zijn voor zevenen', zegt de man op de trap. 'De deuren gaan om zeven uur open en dan moeten wij klaar zijn en wegwezen.'

'O, ik breng hem ruim voor zeven uur terug', belooft Brenda. 'Ik wilde hem alleen maar even...'

'Gaat uw gang maar', zegt hij schouderophalend. 'Het is uw deken, u kunt er mee doen wat u wilt.' En hij laat hem los, laat hem licht als een parachute in haar open armen vallen.

16

D E LUCHT BUITEN HET HOTEL WAS VOCHTIG EN STRA-
lend, en de sneeuw, die eindelijk was opgehouden te vallen,
lag op de trottoirs te smelten. Toen Brenda door de grote bronzen
deur naar buiten ging, prees ze zich gelukkig dat ze haar winter-
laarzen had meegenomen.

De tweede komst werd onder haar kin bijeengehouden door een
grote veiligheidsspeld. Schuingedragen, met één hoek naar binnen
gevouwen, viel hij warm om haar heen en kwam hij zelfs tot haar
knieën. Gelukkig had ze besloten licht Dacron-vulsel te gebruiken –
ongeacht wat de puristen zeiden – en het was ook een geluk dat ze
hem excentrisch had gemaakt, zodat de felgekleurde rechthoeken in
een cirkel van haar schouder stroomden, hij leek wel speciaal hiervoor ontworpen. Het was natuurlijk onhandig dat ze hem van
binnenuit dicht moest houden, maar zodra ze daar eenmaal aan
gewend was…

Het waren maar vier huizenblokken naar St. Christopher, maar
wel lange grote-stadsblokken. De portier van het Franklin Hotel had
de weg gewezen. Hij bood aan een taxi voor haar te bestellen,
tegelijkertijd gebarend dat dit vrijwel hopeloos was, maar Brenda
had het idee weggewuifd. Ze had behoefte aan frisse lucht, ze wilde
wat tijd voor zichzelf, ze voelde zich koortsig en haar ogen prikten
van opwinding. De oogopslag van de portier verhelderde bij het zien
van haar cape, de blik kreeg langzamerhand iets verbaasds, vervolgens openlijke bewondering, waarop hij plompverloren, beleefd
opzij ging om haar langs te laten. 'Madam', neuriede hij, waarbij
ze een vleugje reukwater en whisky in haar gezicht kreeg.

Buiten was de wind fris en verkwikkend, en Brenda's haar, dat
dwars over haar gezicht woei, werd weer in de oude glorie hersteld,
een volheid die verloren was gegaan door vierentwintig uur droge

binnenlucht en door heimelijke erupties in haar stofwisseling (haar aanstaande menstruatie, die nu al drie dagen te laat was). Boven haar paste de lucht als een smalle streep tussen het complex van daken en bekroonde deze met blauw en goud. Ik loop niet, zei Brenda tegen zichzelf, ik schrijd. Ik ben een vrouw van veertig, even weg van huis en ik schrijd over straat in Philadelphia met een quilt rond mijn schouders. Ik ben op weg naar…

Twee vrouwen op de hoek, ingepakt in sjaals, hun hoofd gebogen tegen de wind, keken op toen ze passeerde. Brenda zond een glimlach over hun hoofden heen en hoorde als beloning het woord 'adembenemend…' door de lucht gaan.

Ah, de *adembenemende* Brenda Bowman, die voortschrijdt, of beter gezegd, die wordt voortbewogen langs rails van blauwe zuurstof, terwijl haar laarzen kwiek uit de stralende plooien schieten en scherpe afdrukken maken in het brosse laagje sneeuw. Mevrouw Brenda Bowman uit Elm Park en Chicago die voorbijzweeft en een onuitwisbaar spoor van kleur achterlaat in de wit geworden straat terwijl zij achter zich aan de nog levendiger kleuren meeneemt van – wat? Kracht, doelbewustheid, zelfverzekerdheid. En een scherp inzicht van wat ze had kunnen zijn of nog kon worden. Haar schaduw, die ze wel moest bewonderen of ze wilde of niet, ging haar voor over de zonovergoten straat. Voor deze ene keer had ze niets te maken met etalageruiten, affiches, neergekrabbelde graffiti, de half weggesmolten sneeuw rond brandkranen en lantaarnpalen. Veertig jaar lang sluipen, op je tenen lopen, leren om zo door een straat te lopen. Veertig jaar van voorbereiding – wat een verspilling, maar het kon nog goedgemaakt worden, als ze maar wist hoe.

Haar ruime schreden hadden iets heldhaftigs, een matriarchaal vuur, iets oerouds. Ze moest plotseling denken aan de Nikè van Samothraki, ook wel de Gevleugelde Victorie genoemd.

Toen ze vier jaar geleden in Frankrijk waren, wilden zij en Jack per se naar het Louvre om de Nikè van Samothraki te zien. ('Je kunt niet helemaal naar Parijs gaan zonder de Nikè van Samothraki te zien', had Leah Wallberg hen voorgehouden tijdens het onverwachte afscheidetentje dat zij en Irving voor hen hadden georganiseerd.)

Maar toen zij en Jack een paar dagen later aan de andere kant van de Atlantische Oceaan op de grote trappen in het Louvre recht voor het beeld stonden, waren ze verbijsterd. Was dit nu alles?

'Tja,' zei Jack, 'in aanmerking genomen dat ze geen hoofd en armen heeft...'

'Leah zei dat we naar de draperie moesten kijken', herinnerde Brenda hem. 'En naar de manier waarop de figuur door de steen schrijdt.'

'Hmmm.'

'Ze zei dat we naar de benen moesten kijken. De benen schijnen precies te weten waar ze heen willen.'

'Dat neem ik graag aan', zei Jack. Hij was iemand die goed weerstand kon bieden aan teleurstelling.

'Ze zei dat we vooral moesten kijken naar de vleugels en de benen,' hield Brenda vol, 'en dan moesten proberen de rest in de geest aan te vullen.'

'Ik geloof wel dat het een soort kracht heeft', besloot Jack en inderdaad kwam hij terug in Elm Park bij Leah en Irv Wallberg met de mededeling dat hij en Brenda heel even een wezenlijke kracht hadden gezien in de Nikè van Samothraki. ('Dat zei ik toch!' riep Leah uit met stralende ogen en haar vingers hemelwaarts priemend.)

Brenda hield haar cape stevig vast, de wind was kouder dan ze gedacht had, vooral op het kruispunt, waar hij van alle kanten wervelde en raasde, de huid van haar hals en wangen geselend en haar haar de lucht inblazend; de granieten funderingen van kantoorgebouwen jammerden wanneer de wind rond hun scherpe hoeken gierde. Binnen een uur zou de zon onder zijn en de lucht nog kouder worden. Waarom zou ze huiverend blijven staan wachten tot het licht op groen sprong? Er was nauwelijks een auto te zien. Ze stapte van het trottoir af. Onverschrokken. Statig. De cape wapperde om haar knieën. Binnenin haar hoofd lachte ze.

Jaren geleden had ze voor haar zoon Rob een Supermanpak gemaakt voor Halloween. Hij was toen acht of negen, een enthousiaster en hartstochelijker kind dan hij nu was. Hij had het aangetrokken en was onmiddellijk de tuin ingerend met de rode katoenen cape wapperend achter zich aan. Brenda herinnerde zich dat hij ook een oude blauwe panty droeg, van haar, en dat die lachwekkend uitzakte bij het kruis, de knieën en de enkels. Maar hij scheen zich totaal niet bewust van welke onvolkomenheid dan ook. 'Kijk eens,' had Brenda zich verbaasd, naar hem kijkend door het keukenraam, 'hij denkt echt dat hij Superman is. Kijk maar naar hem.' Jack, die naar het raam kwam om te kijken, had gelachen. 'Kleren maken de man.'

Samen stonden ze te kijken hoe hun zoon over het gras heen en weer rende en met uitgespreide armen over het bloembed met de bruine wirwar van uitgebloeide chrysanten sprong. 'Omhoog, omhoog, en wegvliegen', hoorden ze dwars door het voorzetraam, een woeste kreet, verbazend schel. Hij wervelde en zeilde en scheerde even later over de struiken de tuin van juffrouw Anderson in, greep een tak van haar eikenboom, slingerde breeduit en liet zich met een bezielde sprong in haar bladerhoop vallen. Brenda keek hoofdschuddend naar hem. 'Nou krijgt hij er straks van langs', zei ze, zo trots dat ze zich niet bij het raam kon wegrukken. Ze zag Jacks mond zacht worden van liefde. 'Helemaal Superman', zei hij teder, en er kwamen tranen in zijn ogen.

Juffrouw Anderson van hiernaast was een heks, dat wisten Brenda's kinderen en de andere kinderen uit de buurt heel goed. Het huis van de ongehuwde juffrouw Anderson was het enige waar ze op Halloween met angst en beven naartoe gingen, ook al kwam ze elk jaar weer heel vriendelijk aan de voordeur in haar bezoedelde jurk en liet ze in papier gewikkelde toffees in hun geopende zakken vallen. Brenda veronderstelde dat haar reputatie als heks hoofdzakelijk te wijten was aan het feit dat een van haar ogen dichtzakte en gelig was van chronische zweren, en aan de lange zwarte jas die ze graag droeg, een jas uit het eind van de jaren veertig of begin jaren vijftig, absurd, wijd geplooid, ouderwets, en gemaakt van een glanzend, elegant materiaal, zoiets als taffetas. Ze droeg deze jas het hele jaar door, zelfs wanneer ze de kleine paden van het zuidelijk deel van Elm Park doorliep voor haar jaarlijkse lentemissie.

Die missie bestond uit het zaaien van stokrozen in de kleine braakliggende gedeelten tussen garages, schuttingen en vuilnisbakken in de buurt. Hier, in hopen grond die al overwoekerd waren door dichte bossen paardebloemen en weegbree, strooide ze op vroege ochtenden in mei de zaadjes. Iedereen wist van deze expedities – het was algemeen bekend – en Brenda had haar zelfs eens met eigen ogen zo gezien toen ze vroeg was opgestaan en het vuilnis buitenzette. Dit tafereel was haar altijd bijgebleven, als een bevroren moment uit een oud bioscoopjournaal. Daar kwam juffrouw Anderson soepel voortstappend over het pad in haar ruisende jas, met een katoenen sjaal rond haar hoofd geknoopt en een stoffen tas met zaadjes aan haar nek. Er was geen sprake van moeizaam bukken, of van zorgvuldig zaadjes planten – ze zag natuurlijk al jaren slecht – alleen maar een eigenzinnig, arrogant, bijna willekeurig rondstrooi- en. Haar zwartgemouwde arm greep in de tas, kwam weer te voor- schijn en wierp handenvol zaadjes over de dunne aarde.

Een verbazend groot aantal van deze stokrooszaden kwam op, en hoewel juffrouw Anderson twee jaar geleden was overleden, hielden de lange, pluizige stengels en de tere, geplooide bloemen opmerke- lijk lang stand. Datzelfde kon niet gezegd worden van de herinne- ring aan juffrouw Anderson, want na haar dood, die zo snel en zonder complicaties was dat Brenda niet meer weet wat de precieze oorzaak ervan was, werd het huis verkocht aan Larry en Janey Carpenter, die het van onder tot boven uitbraken, de tuin omspitten en een mooie cederhouten zonnewaranda bouwden, de eerste in zijn soort aan Franklin Boulevard. Brenda kon nauwelijks geloven, en ze vond het ook een beetje oneerlijk, dat een menselijke persoonlijk- heid, vooral die van juffrouw Anderson, zo snel en grondig kon worden uitgewist. Nu en dan haalde Hap Lewis, uit opgewekte sentimentaliteit, wel eens herinneringen op aan Oude Cactuskut, maar de jongere stellen in de buurt hadden nauwelijks van haar gehoord. Brenda vindt het verbazend dat er geen verhalen over haar de ronde doen, gezien haar vreemde gewoonten; zelfs Rob en Laurie schijnen haar naam vergeten te zijn en verwijzen naar haar, zoals ze van tijd tot tijd nog doen, als die oude mevrouw met de jas, of simpelweg de Vrouw met de Jas.

Maar deze middag sprak de gedachte aan mevrouw Anderson en haar energieke, doelbewuste gang over de paden achter de huizen een deel van Brenda aan dat ze gewoonlijk met rust liet. Had ze niet moeten proberen haar iets beter te leren kennen toen ze nog leefde? Indertijd hadden de zwarte jas en de excentrieke zorg voor de voort- planting van stokrozen haar ontoegankelijk en onkenbaar doen lijken, en door haar leeftijd had ze voor een jongere Brenda niet de moeite waard geleken.

Maar het was misschien wel interessant en zelfs nuttig geweest om er achter te komen welke mysterieuze gebeurtenis in haar jeugd ervoor had gezorgd dat juffrouw Anderson oud, volhardend en, op de een of andere vreemde manier, ook tevreden zou worden. Iets in het verleden had die flukse pas voorbeschikt. Het was ook iets in het verleden dat haar een beetje gek had gemaakt. Iedereen had een geschiedenis, tenslotte, iedereen – zelfs juffrouw Anderson, zelfs Brenda's zoon Rob en zelfs die naamloze klassieke schoonheid (compleet met hoofd en armen) die duizenden jaren geleden model stond voor de Nikè van Samothraki.

Een van Jacks overtuigingen was dat zij, Brenda, geen historisch besef had. Hij bedoelde natuurlijk dat ze zijn levendige, aanschouwelijke besef miste van een wereld waarin hij nooit had geleefd, ze interesseerde zich er zelfs niet voor. Dat was maar al te waar, dat moest ze toegeven. Ze wist bovendien dat Jack hierom medelijden met haar had, ook al had hij dat nooit met zoveel woorden gezegd. Hij had ongeveer op dezelfde manier medelijden met haar als zij met hem vanwege zijn klaarblijkelijke onvermogen om vreemde talen te leren.

Voor haar was dat anders, als kind begreep en sprak ze Pools, volgens een oude vriendin van haar moeder zelfs met een beschaafde, bijna aristocratische uitspraak – hoewel ze dit nooit kon verklaren. En het Frans van de middelbare school was ze nooit vergeten, na vier jaar bij mademoiselle Wilson op de Morton High School kon ze zelfs nu nog een werkwoord te voorschijn toveren wanneer ze maar wilde – dat was slechts zelden, gaf ze toe, maar het gebeurde wel eens. Wanneer ze 's morgens de trap afkwam om het ontbijt klaar te maken, viel het woord *descendre* soms bleek als een opaal in haar bewustzijn. Wanneer ze boodschappen deed bij de A & P schoten haar de vroegere woordenlijstjes – *betterave, haricot vert, laitue* – te binnen, keurig op alfabet en met het onregelmatige meervoud erbij, *pruneaux.*

Ah, arme Jack. Toen ze in Frankrijk waren, bestelde zij de maaltijden en regelde ze de bustochtjes, terwijl hij, met zijn handen op zijn rug, verstomd opgesloten zat in de alledaagsheid van het Engels. Ze had zorgvuldig en geduldig voor hem vertaald, wat hij dankbaar en met evenveel geduld aanvaardde, maar desondanks had ze het gevoel dat hij werd opgelicht en onbillijk vernederd. De saaiheid van de Engelse woorden brak haar hart, vooral omdat Jack geen idee scheen te hebben van enig gemis.

Maar hij had iets wat zij niet had: een historisch besef, een gevoel voor het verleden, of, beter gezegd, een gevoel van persoonlijke verbondenheid met het verleden. Toen Jack in Parijs was had hij in de oude revolutionaire wijken gelopen – hij was dol op de Franse Revolutie – bedwelmd van geluk en zo in gepeins verzonken dat hij minutenlang geen woord zei, alleen af en toe stilstond, in de Michelingids keek – de Engelse versie – en Brenda vroeg: 'Besef je wel dat op deze zelfde keien...' of uitriep: 'Het was exact hier, onder deze boog...'

Ze probeerde iets waar te nemen van wat hij zag, maar dat lukte niet. Nee, ze kon zich de ruwe romantiek niet voorstellen van boeren die in hun vodden naderbij kwamen. De achttiende eeuw bleef een gesloten boek voor haar, en dat gold ook voor de negentiende. Nee, ze kon zich zelfs Simone de Beauvoir niet voorstellen die in een bepaald café zat met haar notitieboekje voor zich op tafel, nee, ze kon zich de geallieerde legereenheden niet voorstellen die over de Champs Elysées marcheerden. Het lag in haar aard om weerstand te bieden aan de beelden van het verleden. Maar wat Jack zag als haar onvermogen was slechts de keerzijde van haar gave om de dingen bij hun naam te noemen, haar verbondenheid met feiten en het heden.

En toch wist ze dat het niet helemaal waar was dat haar een historisch besef ontbrak. In zekere zin was haar vermogen om geschiedenis als een geheel te zien groter dan dat van Jack, gedetailleerder en steviger verankerd in de oorsprong van oorzaak en gevolg. Jack was een romanticus en veroordeeld tot de brede halen, zijn historische gebeurtenissen waren gedrenkt in een rode stroom van anoniem bloed. Geschiedenis was een monsterachtige machine, een John Deere-oogstmachine, die alles in een hopper bijeenbracht.

Hij scheen niet te begrijpen (en Brenda wel) dat geschiedenis slechts een reeks verhalen was van de dingen die iedereen overkomen en die, in de loop der tijd, levenspatronen vormden, ook dat van haarzelf. Dat sommige van deze verhalen somber waren (de verschrikkelijke en onverwachte dood van haar moeder) en andere zonovergoten (de onbegrensde liefde die zij voelde voor Jack en de kinderen) – dat maakte uiteindelijk weinig uit. Deze verhalen verrezen uit een mysterie, kregen een eigen vorm, en maakten te zijner tijd plaats voor nieuwe en andere verhalen. Het was allemaal zo eenvoudig, vond Brenda; andere keren vond ze het verre van eenvoudig.

Want sommige van deze verhalen hadden evenveel tentakels als

146

de meest exotische vegetatie, die ondenkbaar ver terugreikten. Mademoiselle Wilson van Morton High had Brenda aangemoedigd om naar DeKalb State te gaan (waar ze zelf ook had gestudeerd) om lerares Frans te worden, maar Brenda's moeder Elsa wilde dat ze secretaresse zou worden zodat ze niet de hele dag hoefde te staan (zoals zijzelf). En dus was Brenda secretaresse geworden en was op het Great Lakes Instituut gaan werken waar ze Jack Bowman ontmoette (volkomen onverwacht), waarna het langste verhaal van haar leven begon.

Sommige van Brenda's verhalen – en meer dan ze wilde toegeven – vonden plaats in de ongewisse toekomst. En een daarvan kwam nu bij haar boven, onderweg naar het St. Christopher Hotel. Het ging zo: zij en Jack waren op een dag in Vancouver, Canada, misschien wel voor een congres van historici – dat was niet echt onwaarschijnlijk – en dan deed zij boodschappen in een van de warenhuizen en zag ze plotseling een bekend gezicht. Nee maar, het was Barry Ollershaw! Ze zou naar hem toelopen, zijn arm aanraken, hem verrassen met haar stem. 'Weet je nog…'

Of ze zat aan een tafeltje met een man (zijn gezicht was onduidelijk) en dan legde hij zijn vingertoppen tegen de binnenkant van haar pols, het zachtste plekje van haar lichaam, en volgde de vaag zichtbare bloedvaten helemaal tot haar elleboog. Vervolgens liet hij diezelfde vingertoppen over haar lippen en oogleden glijden en dan – het tafeltje schoot uit beeld en werd vervangen door een veld met zacht gras – dan ging hij naast haar liggen om haar van dit verhaal naar het volgende mee te nemen.

Dit soort verhalen, die compacter schenen dan gewone fantasieen, konden verteld worden met wisselende annotaties, afhankelijk van de denkbeeldige luisteraar. 'Daar kon ik toch geen nee tegen zeggen?' tegen haar moeders grote wenkbrauwen. 'En waarom niet?' tegen Hap Lewis' open mond. 'Het leven is kort', tegen de verblufte blik van haar kinderen.

Eén ding stond vast. Deze gefantaseerde verhalen eindigden nooit zoals verhalen in boeken, met veelbetekenende uitspraken waaruit blijkt dat het doel bereikt is: '… en toen besefte ze…' of 'Het werd hem plotseling duidelijk dat…' In plaats daarvan eindigde het verhaal ergens op zijn eigen neergaande kromming, gewoon omdat er geen brandstof meer was of omdat het niet meer zo interessant was, of, zoals vaak gebeurde, omdat het werd onderbroken door de eisen die het echte leven stelde en door de terugkeer naar het ware, voortgaande verhaal dat zo strak als kleding tegen de huid drukte. De straat, de hardheid van het trottoir, de blauw wordende sneeuw in het verdwijnende licht.

En daar was het, het St. Christopher Hotel. Oud en sierlijk, met donkere, vochtige stenen muren en deuren met glas-in-lood en binnenin lampen die glinsterden als robijnen. Klokslag vier uur, de zon was bijna onder en Brenda stampte de sneeuw van haar laarzen en trommelde een gedicht op het koperen traliewerk van de vestibule. O sneeuw, o Liefde, o Victorie.

17

T WEE UUR LATER WAS BRENDA DRONKEN. ZO ZAT ALS EEN patat, zoals Hap Lewis zou zeggen. Of apelazerus, zoals haar man Jack zou zeggen. Buurman Larry Carpenter zou in zijn pompeuze namaak-Engels zeggen dat ze de hoogte had. Ze was toeter, zou haar zoon Rob zeggen, ook wel bezopen of high (of sloeg dat alleen op drugs?). Ze was beschonken, beneveld, kachel, laveloos en ladderzat. Ze was zo dronken als een tor, zo zat als een Maleier, o mijn god, o jezus christus-nog-aan-toe.

Het was zo snel gegaan. Ze kon het niet verklaren. (De luchtdruk? Op hol geslagen hormonen?) Ze was het St. Christopher Hotel binnengegaan, had de Emerald Room gevonden en daar, aan het donkere tafeltje in de hoek, zag ze Hal Rago van de *Examiner* uit Philadelphia met een brandende sigaret tussen zijn vingers. 'Hé, hallo, mevrouw B.', begroette hij haar.

Mevrouw B.? De nonchalante vrijpostigheid was pijnlijk en scheen te bevestigen dat ze maar heel gewoon was. Dat ze een huisvrouw was.

Ze ging zitten en liet de quilt van haar schouders glijden; *De tweede komst*, de cape die haar veranderd had, werd nu weer een belachelijke improvisatie. Kitsch.

'Hé, u liet iets vallen', zei Hal luid, en hij dook onder de tafel op zoek naar de veiligheidsspeld. 'Is die van u?'

Het plafond van de Emerald Room was van een zwart zonder diepte, bezaaid met felle lichtjes. De specialiteit van het huis was iets in een hoog groen glas dat Ierse Schele heette, en het was duidelijk dat Hal Rago er al een paar achterovergeslagen had voor Brenda kwam. 'Neem er ook een', zei hij, verlekkerd kijkend.

'Ik wil graag een cognac', zei Brenda. Ze voelde plotseling een ziedend verlangen om recalcitrant te zijn.

'Dan wordt het cognac.' Hij stak een vinger op om een kelner te roepen, en likte obsceen aan de achterkant van een viltstift. 'Zullen we dan maar ter zake komen?'

'Waarom niet?' antwoordde Brenda, bemoedigd door de glasharde mineralen in haar nieuwe stem. Weg was de fiere vrouw die door de sneeuw schreed. Poef. Het gewicht van twintig jaar drukte weer op haar schouders, samen met het spookbeeld van de middelbare leeftijd, met zijn geveinsde loyaliteit, zijn verraad, zijn lichamelijke lekkages en zijn verborgen vleesgroeisels en ranzige geuren. De Gevleugelde Victorie – Ha! Ze schudde haar haar ruw naar achteren en sloeg haar cognac achterover.

'Zo mag ik het zien. Dat is het enige wat er op zit op zo'n beroerde dag als deze.'

Ze keek hem boos aan, en hij riep onmiddellijk de kelner voor een tweede.

Met droefheid en zonder de hulp van een spiegel zag ze zichzelf: een vrouw met een onbenullige stripboeknaam – Brenda. Ze beet nog steeds op haar nagelriemen. Ze miste twee kiezen. Ze had zwangerschapsstriemen op haar buik en haar hals vertoonde rimpels – rimpels! Ze zou nooit meer hartstocht kunnen opwekken, ze was een dwaas.

Hal haalde zijn aantekeningen te voorschijn, staarde er langdurig naar alsof hij enige versterkende nuchterheid probeerde te halen uit wat hij eerder had geschreven. 'Misschien kunt u me uitleggen hoe u in de kunstnijverheid bent beland', stelde hij voor.

'Dat kan ik me nauwelijks meer herinneren', zei Brenda. De cognac begon wonderen te verrichten. Ze glimlachte naar Hal Rago, haar prinsessenlach zoals Jack het noemde.

'U komt toch uit Chicago?'

'Klopt.'

Hij maakte een aantekening. 'Een midwesten-perspectief willen ze. Jezus, wie bedenkt dit soort idiote invalshoeken? Dus, wat kunt u kort en bondig zeggen over het midwesten?'

'Ik zou het eerlijk gezegd niet weten.' Ze nam een flinke slok.

'Bent u op een boerderij of zoiets opgegroeid?'

'In Cicero, Illinois. Boven een stomerij.'

'Cicero, Jezus! Dat is toch waar de enige echte Al Capone…'

Ze knikte.

'Jezus, dat is een ruige plek, Cicero, echt een ruige plek.'

Ze begon hem aardig te vinden. 'Waar bent u opgegroeid?' vroeg ze vriendelijk.

'In Pennsylvania. Op een boerderij.'

Ze brulden van het lachen.

Hij vertelde haar een breedvoerige, flauwe grap over een boer uit Pennsylvania die naar New York ging voor het operaseizoen en vervolgde met een onsamenhangende anekdote over de jonge John O'Hara.

Zij vertelde hem waarom ze een quilt droeg in plaats van een jas.

Hij vroeg haar waarom hij *De tweede komst* heette, en zij vertelde hem dat ze die neonletters had gezien op een kerk in West-Chicago. '"De tweede komst is op handen." Het klonk zo bondig', zei ze.

Hij vertelde haar over zijn Italiaanse grootmoeder die wilde dat hij priester zou worden.

Zij vertelde hem dat mademoiselle Wilson had gewild dat ze lerares Frans werd. Ze sprak zelfs een paar woorden Frans tegen hem. En vervolgens een beetje Pools.

Hij had haar verteld dat hij was ontslagen bij zijn eerste krant (een ingewikkeld verhaal over het interviewen van een lijk).

Zij vertelde hem hoe ze haar man had ontmoet in de kaartenkamer van het Great Lakes Instituut.

Hij vertelde haar dat hij was gescheiden van een meisje genaamd JoAnne. Het vertellen van dit verhaal, dat vele hoofdstukken besloeg, nam veel tijd in beslag. Het was een tragische geschiedenis – JoAnne bleek een nymfomane te zijn – maar het moet ook iets grappigs gehad hebben, want later herinnerde Brenda zich dat ze een aantal pittige glaasjes cognac achterovergeslagen had en zich tranen had gelachen.

Uiteindelijk nam hij haar bij de arm en zette haar in een taxi. 'Het was prachtig, mevrouw B.', zei hij met benevelde ogen. 'En u bent een prachtige vrouw.'

Ze zei gedag tegen zijn grote, harde, rode gezicht en het lukte haar de woorden 'Franklin Court Arms' uit te spreken tegen de taxichauffeur.

Van de rit naar het hotel herinnerde ze zich niets meer, maar ze wist nog vaag dat ze door de lobby was gekomen, waar massa's mensen over het uitgestrekte tapijt golfden en waar het gespetter van de fontein haar straalmisselijk maakte – wat ze wist in te houden tot ze in haar kamer was.

Ze werd verscheidene keren wakker. Eén keer bleef de telefoon aan één stuk door rinkelen, het geluid scheen uit de donkere muren te komen, waarbij een helder fluorescerend blauw licht elke rinkel omgaf. Haar ogen en oren brandden. Minstens tweemaal strompelde ze naar de badkamer om glazenvol water in haar kurkdroge keel te gieten. Later, tegen de ochtend, deed ze één oog open en zag ze een vrouw met een kussen in haar rug op het andere bed liggen. Ze rookte een sigaret. Even bleef Brenda gefascineerd naar de roodgloeiende punt kijken en het lange, krachtige uitademen van de rook.

Toen viel ze in een diepe slaap die duurde tot de wrede zoem van haar reiswekker aankondigde dat het acht uur was.

18

'IK WALG VAN MEZELF', ZEI BRENDA, TERUGZAKKEND OP HET kussen.

'Shhh. Drink dit maar op.'

'Als ik dat doe drijf ik weg.'

'Het zal je goed doen. Hoe laat zei je dat je een aspirine had genomen?'

'Drie aspirines. Om acht uur, geloof ik. Toen de wekker ging.'

'Je kunt er denk ik nu nog wel een nemen. Het is na elven.'

'Elf uur! Ik heb de theoriebijeenkomst over appliqué gemist. En ook de Engelse quilt workshop. Of misschien is die vanmiddag. En het ergste is dat ik het Presidentsdiner gisteravond heb gemist.'

'Je hebt nu alleen maar rust nodig.' Barry nam het glas met sinaasappelsap van haar over en gaf haar een nat washandje.

'Ik schaam me zo ontzettend. Ik zie er vast vreselijk uit. Het stinkt hier waarschijnlijk als een…'

'Ga nog maar even slapen. Ik kom om een uur of twee wel terug. Dan heb je vast wel trek.'

'Nooit meer.' Een tikje dramatisch.

'Wacht maar af.'

'Barry.'

'Wat is er?' Zijn hand rustte op de sprei als een toevallig neergelegd voorwerp.

'Er is één ding dat je moet weten. Dat me dit nog nooit eerder is overkomen. Ik heb echt nog nooit een hele badkamer ondergespuugd om daarna bewusteloos te raken en mezelf compleet voor schut te zetten…'

'Trek het je niet…'

'Het is echt heel belangrijk voor me – ik weet ook niet waarom – dat je niet teruggaat naar Vancouver en denkt dat ik…'

'Shhh.'

'Dit is mijn eerste echte... blamage.' Ze drukte het washandje tegen haar voorhoofd. Het woord blamage had een raadselachtig warme klank. Ze voelde zich belachelijk theatraal, maar kon er niet mee ophouden.

'Is het waar? De eerste keer dat je je blameert?'

'Je klinkt verbaasd.'

'Dat ben ik ook.'

'Waarom?'

'Waarom? Nou ja, de meeste mensen hebben zich al vrij vaak geblameerd op deze...' Hij zweeg.

'Op deze leeftijd? Bedoel je dat?'

'Op deze leeftijd, ja.'

'Nou ja...' Ze dacht na.

'Nou ja wat?'

'Nou ja, op een keer toen Jack en ik – Jack is mijn man...'

'Dat weet ik.'

'We waren een keer te eten uitgenodigd bij dr. Middleton in Highland Park. Hij is het hoofd van het instituut waar Jack werkt...'

'En?'

'Het is al jaren geleden. In de tijd dat ik nog niet wist dat ik nerveus moest zijn voor een etentje daar. Ik weet nog dat ze witlof hadden, en dat had ik nog nooit gezien.' Brenda lacht flauwtjes en begint er aardigheid in te krijgen. 'En Engelse trifle, waar ik zelfs nog nooit van had gehoord. Maar ik wist me overal keurig doorheen te slaan. En toen we eindelijk afscheid namen, voelde ik me zo vrolijk en levenslustig en gelukkig dat de avond voorbij was dat ik mijn jas om mijn schouders zwaaide. En toen zwiepte ik een beeldje om dat in de hal stond. En dat bleek antiek aardewerk te zijn.'

'Onvervangbaar, natuurlijk.' Barry's ogen lachten.

'Niet echt pre-Columbiaans, maar wel bijna. Dat hoorde ik later. Het was afschuwelijk. Jack bleef er zowat in. Dr. Middleton had tranen in zijn ogen – echte tranen – toen hij de stukken opraapte. Iedereen was natuurlijk heel beleefd. Jack zei dat wij er vanzelfsprekend voor zouden betalen, en zij zeiden dat ze daar niets van wilden weten, dat het hun eigen schuld was omdat ze het zelf daar bij de voordeur hadden gezet. Wat eigenlijk ook waar was. Maar je kunt je voorstellen hoe ik me voelde.'

'Ja.'

'Er was geen enkele mogelijkheid om zoiets goed te maken. Ik heb ze jarenlang bij ons uitgenodigd in de hoop dat ze iets van mij zouden breken, maar dat gebeurde natuurlijk niet.'

'Wil je dat de gordijnen open blijven? De zon schijnt recht in je ogen.'

'Dat weet ik. Maar daar heb ik behoefte aan. Aan lijden.'

'In zak en as.' Hij glimlachte naar haar.

'Zoiets.'

'Je bent echt niet de eerste en de enige die een keer te veel heeft gedronken, hoor.'

'Ik moest net aan iets anders denken. Een andere keer dat ik me vreselijk geblameerd heb.'

'Vertel maar.' Hij nam plaats op de airconditioner, zijn handen rond zijn knie gevouwen.

'Het was vlak nadat we waren verhuisd naar Elm Park. Daarvoor woonden we in een studentenflat in het centrum en dit was zo'n beetje onze introductie in de betere kringen, zou je kunnen zeggen. Al mijn blamages liggen op sociaal terrein, geloof ik.'

'Ga door.'

'Een paar mensen in de buurt gaven een feestje zodat wij met iedereen kennis konden maken. Zo'n soort buurt is het – heel vriendelijk, zonder al te intiem te worden. Robin en Betty Fairweather – ze zijn nu gescheiden, vorig jaar was dat – die gaven dat feestje voor ons. Het was op een zondagmiddag, alleen drankjes en kaas en olijven en zo. En ze hadden iemand ingehuurd om met de drank en de hapjes rond te gaan. En ik was nog nooit op een feestje geweest waar zo iemand was ingehuurd. Dus ik stelde me aan die man voor. Hij droeg een wit jasje en zo, maar het kwam niet eens bij me op dat hij de kelner was. "Hallo, ik ben Brenda Bowman." Dat zei ik echt en ik gaf hem een hand.'

'En dat was je ergste blamage?' Barry schudde zijn hoofd.

'Eigenlijk wel, maar volgens mij telt het niet echt als een blamage. Want als door een wonder stond er op dat moment niemand in de buurt. Ik bedoel, er waren geen getuigen. Dus niemand heeft dit ooit geweten, behalve die kelner en ik. Eigenlijk is dit de eerste keer dat ik het aan iemand vertel.'

'Zelfs niet aan…?'

'Zelfs niet aan Jack.'

'Waarom eigenlijk niet?'

'Ik weet het niet. Jack zou waarschijnlijk alleen maar lachen. Tenminste, nu. Maar toen – nou ja, toen waren we nog jong. En ik weet niet, we lachen niet altijd om dezelfde dingen.'

'Ik begrijp wat je bedoelt.'

'Wat was jouw ergste blamage?'

Hij zat tegen de muur geleund met één knie opgetrokken. Deze houding nodigde op de een of andere manier uit tot intimiteit. Hij dacht serieus over de vraag na en zei toen: 'Ik geloof hetzelfde als voor de meeste mannen. Een fiasco op seksueel gebied.'

'O.' Ze sloot haar ogen. 'Ik had er niet naar moeten vragen. Het gaat me niets aan. Het spijt me heel erg.'

'Waarom zou het je spijten?'

'Ik denk dat ik nog een beetje dronken ben. Ik ratel maar door.'

'Je ziet er, eh, niet zo bleek uit. Als daarstraks.'

'Dank je. Ik bedoel, dank je dat je zo voor me zorgt. Het sinaasappelsap en de aspirine en zo. En dat je vanmorgen de quilt voor me naar de tentoonstellingshal hebt gebracht. Daar had ik waarschijnlijk ook op gespuugd.'

'Een beetje maar.'

'Oooooohhhh.' Ze kreunde achter haar handen.

'Ik heb er iets op gespoten. Je had iets in de badkamer staan…'

'Spray-Net.'

'Ik geloof het wel.'

'Het is mijn verdiende loon.'

'In elk geval zeiden ze dat hij nog ruim op tijd was. De jurering is pas in de loop van de middag. Drie uur geloof ik dat ze zeiden.'

'Ik kan het nauwelijks geloven.'

'Wat niet?'

'Je bent helemaal van de westkust hier naartoe gekomen voor een congres, en nu draaf je een hele ochtend rond met een smerige quilt die naar braaksel stinkt van iemand die je nauwelijks kent…'

'Ik heb je altijd al gekend.' Hij zei dit luchthartig, met een klein lachje en slechts ietwat spottend.

'Je gelooft toch niet in vorige levens, hè?' vroeg Brenda.

'Nee.' Verontschuldigend.

'Goed. Ik ook niet.'

'Mijn vrouw zegt dat er geen grammetje occultisme in mij zit.'

'Hetzelfde geldt voor mij. Ik lees zelfs de horoscoop in de *Trib* niet.'

'Ik maak zelfs de gelukskoekjes bij de Chinees niet open.'

'Je bent strikter dan ik. Ik maak ze wel open maar ik geloof niet wat ze voorspellen.'

'Ik heb me vaak afgevraagd hoe mensen zo worden. Zoals wij.'

'Ik ook. Ik denk dat we zo geboren zijn. Een speciaal soort mensen. Het soort dat er geen doekjes om windt.'

'Misschien wel een misdeeld soort mensen.'

'Hoezo misdeeld?'

'Bedenk eens wat we allemaal mislopen. Al die opwinding. Een extra dimensie.'

'Waarschijnlijk wel. Maar zou jij het anders willen?'

'Nee.'

'Ze was hier vannacht.'

'Wie?'

Brenda knikte in de richting van het andere bed. 'Verna. Mijn kamergenote.'

'Ah. Verna de gewezen maagd.'

'Tenminste, ik geloof dat ze er was. Ik werd wakker en zag een vrouw op bed liggen die een sigaret rookte. Ik denk dat het een uur of vijf was.'

'Misschien droomde je wel. Of…'

'Ik geloof het niet. En de sprei ziet er ook een beetje gekreukt uit, vind je niet?'

'Een beetje wel.'

'Ik moet je niet langer ophouden', zei Brenda. 'Je hebt waarschijnlijk van alles te doen.'

'Ik moet je laten slapen. Maar kan ik nog iets voor je doen voor ik ga?'

'Ik weet niet hoe ik je moet bedanken…'

'Laat maar.' Hij stond op en deed de gordijnen dicht. Het verdwijnen van het zonlicht kwam als een absolutie.

'Ik voel me als een kind waarvoor gezorgd wordt', zei Brenda.

Hij bleef even in het donker staan en zei geen woord.

'Is dat echt het ergste?' vroeg Brenda. 'Een seksueel fiasco?'

'Ik denk het wel.'

'Erger dan een mislukking in de liefde?'
Hij dacht na. Brenda wachtte met gesloten ogen.
'Daar moet ik over nadenken', zei hij.

19

B RENDA KAN HAAR OREN NAUWELIJKS GELOVEN. MEENT
deze vrouw wat ze zegt? Ja, ze meent het serieus.

Dr. Mary O'Leary, gastspreker: een roomzacht hoog voorhoofd,
blauwige strepen in dik, kastanjebruin haar, een damespak van
degelijke scheerwol en een door autoriteit veerkrachtige stem. En
ze heeft de juiste geloofsbrieven. Brenda leest over haar in het
programma: Radcliffe (doctoraal psychologie), de Sorbonne, daarna doctoraat kunstgeschiedenis op Stanford. Haar thema van vandaag is: 'Quilten gezien door een Freudiaanse bril, een nieuwe
interpretatie'.

Is het waar wat ze zegt? Is dat mogelijk? Overal om haar heen
zitten vrouwen, en één man, instemmend en goedkeurend te knikken en te luisteren. Dr. O'Leary heeft een stapeltje notitiekaarten in
haar hand en stipt de bekendste traditionele quiltpatronen aan, ze
noemt ze luchtig, alsof ze haar net zo vertrouwd zijn als de namen
van haar kinderen of haar beste vrienden. De lezing wordt begeleid
door dia's op een groot scherm. Eerste dia: de Ster van Bethlehem
die duidelijk een orgasme voorstelt, hoewel hij ook gezien wordt als
een immense, trillende vulva. 'De pioniersvrouwen in Amerika
onderdrukten hun seksualiteit zoals de samenleving van hen eiste,
maar de extase vond een uitweg in duidelijk omschreven naaiwerk.'

Tweede dia: de geliefde trouwringquilt, die het ingesloten karakter van de vrouwelijkheid symboliseert. De volgende: de quilt
met twee ringen, die, in plaats van die inperking te doorbreken, deze
juist versterkt. Vervolgens de traditionele waaierquilt die onderlig-
gend de spot drijft met de mannelijke ontologie – Brenda weet niet
precies wat het woord ontologie betekent, met zijn saaie, driedubbele herhaling; volgens dr. O'Leary is deze spot subtiel, bestraffend
en van pijn vervuld. De blokhutquilt, het meest veelzeggende en

beschuldigende quiltpatroon, toont een naadloos veld van fallische symbolen, zo stevig samengevoegd dat er totaal geen ruimte meer is voor vrouwelijke genitalia. De meervoudige fallische beelden duiden enerzijds op penisnijd en anderzijds op fantasieën over groepsverkrachting.

En ten slotte de ironisch genaamde 'wilde' quilt, waarmee de Amerikaanse vrouwen van vroeger zich legitiem bevrijdden van sociale en seksuele stereotypen, en die, in de handen van de dappersten, een uitdrukking was van wilde en primitieve verlangens. Dr. O'Leary heeft een gedetailleerde studie gemaakt van de vormen in deze zogenaamde wilde quilts, de aanwezigheid van vele driehoeken wijst op besluiteloosheid, misschien zelfs androgynie. Interessant genoeg zijn de borstvormen talrijker dan de fallussen, maar dr. O'Leary en haar medewerkster willen geen overhaaste conclusies trekken. Het is mogelijk dat vrouwen hun vrouwelijkheid verdedigden en verkondigden, of, en dit lijkt waarschijnlijker, ze drukten infantiele behoeften uit die niet bevredigd waren. De hedendaagse heropleving van het quilten ziet dr. O'Leary deels als apologie, deels als het ontvluchten van verantwoordelijkheid en deels als een continuüm van wat het altijd is geweest, een manier om greep te hebben op een wanordelijk en vijandig universum. Einde van de lezing.

Vanuit het publiek komt eerst hier en daar applaus, dat vervolgens aanzwelt, er klinkt zelfs enig gejuich. Maar Brenda, die van zichzelf weet dat ze zich maar al te gemakkelijk overgeeft, klapt helemaal niet. Zwijgend zit ze gevangen tussen sprakeloze verbijstering en een enorme lachbui.

'Onzin', zegt Dorothea Thomas uit Lexington, Kentucky. 'Woord voor woord lariekoek.'

Brenda glimlacht wanneer ze bedenkt hoe ze dit commentaar zal doorvertellen aan Hap Lewis en Leah Wallberg en Andrea Lord zodra ze thuis is. ('En ze zei echt lariekoek, net zoals Ma Perkins altijd deed.')

Dorothea Thomas, die beschouwd wordt als de Grandma Moses van de quiltwereld, vervolgt: 'Soms vraag ik me wel eens af waarom ik in hemelsnaam nog naar dit soort dingen toe ga, terwijl er alleen maar gepraat en gepraat en gepraat wordt over de meest belachelijke en vergezochte dingen. De Ster van Bethlehem is gewoon de Ster van

Bethlehem, verdorie. Dat ís het gewoon.'

'Denk je niet dat hij op een onbewust niveau een symbool is van...'

'Klets.' ('En ze zei echt klets!')

'Maar de blokhutquilt dan...?'

'Een van de fraaiste quiltvormen. Mijn eigen moeder – en dan heb ik het over 1902 of 1903 – had een blokhutquilt, eigenhandig gemaakt, en als je mijn moeder had gekend – ze stierf in 1919 – dan haalde je het niet in je hoofd om te verzinnen dat zij met dat soort gedachten rondliep. Verkrachting en dat soort dingen. Ze had het gewoon veel te druk met kinderen opvoeden en wassen en naaien en kippen en eenden houden en weet ik veel wat nog meer om zich bezig te houden met verkrachting. Ze zat altijd te naaien – zoals die vrouw kon naaien. Ze maakte al onze kleren, zelfs die van de jongens, hun broeken en hemden, en dan had ze telkens van die petieterige lapjes over, dus daar ging ze dan mee zitten en deed hetzelfde wat alle vrouwen op het platteland toen deden. Ze maakte die prachtige blokhutquilt, ik heb hem nog steeds. In die dagen was er geen elektriciteit, alleen de kerosinelamp en het licht van het haardvuur, en zo zette ze al die stukjes aan elkaar. En voor het quilten had ze haar vriendinnen. Zoveel vriendinnen als die vrouw had! Mijn vader niet, hij was een goede kerel maar hij had nauwelijks eigen vrienden, hij was nogal een eenzelvige, kalme man die nauwelijks sprak. Maar dan mijn moeder, wat een verschil, het huis was altijd vol familieleden, zusters en vriendinnen die even langskwamen en er was altijd koffie, ik kan me geen dag herinneren dat er geen hete koffie op de kachel stond, en daar zaten ze dan. Ze hadden een naaimand die ze altijd meenamen wanneer ze op bezoek gingen, ze hadden altijd een klusje onder handen, stopwerk, verstelwerk, borduurwerk, haakwerk, noem maar op. En zoals ze lachten, ze lachten om alles, om dingen van vroeger, oude herinneringen, roddelen zouden jullie denk ik zeggen, maar voor zover ik me herinner geen slechte dingen, ik bedoel, geen onaardige dingen. Ik was er altijd bij, tenminste zo herinner ik het me, nog maar een klein ding van een jaar of zeven, acht en niemand zei ooit vooruit en opgehoepeld. Ze gaven me hun rijgdraden die ik dan moest ontwarren, en die gebruikten ze dan opnieuw, stel je voor! O, ik vond het heerlijk om daar in die voorkamer te zijn wanneer ze naaiden en lachten, het was fantastisch. Dan dacht ik aan mijn vader die in zijn eentje in de schuur karweitjes deed – het was buiten ijzig – en dan bedacht ik wat een geluksvogel ik was omdat ik binnen zat met mijn moeder en de vriendinnen van mijn moeder die zaten te naaien en te lachen en elkaar verhalen vertelden.'

Dorothea's specialiteit was verhalende quilts. Ze was er beroemd mee geworden. Sommige van haar verhalende quilts hingen permanent in musea en andere waren verkocht aan filmsterren; men zei dat Paul Newman en Joanne Woodward er verschillende bezaten. Vorig jaar had er een artikel met foto's over haar gestaan in de rubriek levensstijlen van *Time*, waarin ze als volgt werd geciteerd: 'Net als iedereen hou ik van een mooi ontwerp, maar het moet wel een verhaal vertellen.'

Brenda ontmoette Dorothea Thomas bij de middagworkshop over narratief quilten. Dertig vrouwen (en twee mannen) dromden samen in de Freedom Room aan het eind van hun congresverdieping en luisterden naar mevrouw Thomas, achtenzeventig jaar oud, haar kin verzonken tussen de ruwe rondheid van wangen, die vertelde over haar vak. Met een verhaal, vertelde ze hen, bedoelde ze niet iets langs en ingewikkelds met allerlei zijwegen zoals melodramatische tv-series of *Gejaagd door de wind*. Gewoon iets met een begin, een midden en een eind. Ze had sprookjesquilts en quilts over volksverhalen gemaakt, maar het liefst maakte ze quilts die waren gebaseerd op gewone alledaagse familiegebeurtenissen.

Om dit te demonstreren liet ze haar quilt *De bekroonde pompoen* zien en ze vroeg Brenda en Lenora Knox, die op de voorste rij zaten, om hem op te houden zodat iedereen hem kon zien. Hij was vrij klein, het formaat voor een kinderbedje, en verdeeld in vieren. Soms, legde ze uit, verdeelt ze haar quilts in acht of twaalf segmenten, afhankelijk van de lengte van het verhaal. Het vierkant linksboven van *De bekroonde pompoen* toonde de vereenvoudigde omtrek van een jongen op zijn knieën die een zaadje in de grond stopt. Het beeld bestond uit primitieve kleuren en vormen, deels patchwork en deels appliqué en het geheel was gevolgd met grillig stikwerk – de tuinbroek van de jongen werd opgehouden door bretels van kruissteekjes, en het zaadje in zijn hand was een glanzende driedubbele Franse knoop van zijdeachtige draad. In het tweede vierkant mat de jongen met zongebruinde handen de hoogte van een jonge groene plant. Het derde vierkant – mevrouw Thomas boog voorover en wees met een benige vinger naar de hoek linksonder – was helemaal gevuld met het gezwollen geel van een pompoen, en het laatste vierkant toonde de jongen van voren met een blauw lint op zijn borst en een geopende hand met daarin een hoopje glanzende zaden.

Het verhaal, zei Dorothea Thomas, was waargebeurd en gebaseerd op haar zoon Billy, die nu een man van vijfenvijftig was en eigenaar van een donutzaak in Oost-Kentucky. Toen hij nog een jongen was, woonden ze op het platteland, en op een zomer had hij een bekroonde Hubbardpompoen gekweekt. 'Eén ding weet ik zeker,' zei mevrouw Thomas tegen de verzamelde toehoorders, 'ook al word ik honderdtien, ik zal nooit gebrek hebben aan verhalen. Ik hoef alleen maar het oude familiealbum voor de dag te halen en dan vind ik altijd wel iets.'

Ze heeft verjaarsquilts en trouwquilts en zelfs een redelijk aantal rouwquilts; om de een of andere reden zijn de rouwquilts het gewildst. Een van haar eerste ontwerpen – ze begon serieus met quilten op haar zestigste – was het levensverhaal in acht panelen van een huisdier, een geit genaamd Ruthie-Sue. 'Ik vond het prachtig om de mensen te vertellen over die gekke Ruthie-Sue van ons, dat ze met haar kop tegen de achterdeur bonkte wanneer ze aandacht wilde en mijn haagwinde opat en dat ze als een jonge hond op haar rug rolde – het leek wel of ze echt dacht dat ze een jonge hond was – en op snikhete dagen werd ze dol en begon ze aan de banden te knabbelen van de kleine vrachtwagen die we toen hadden. Iedereen vroeg me altijd hoe het met Ruthie-Sue ging, iedereen die ik tegenkwam. En op een dag dacht ik, waarom maak ik er verdorie niet gewoon een quilt van? Dus dat heb ik toen gedaan.'

Brenda luisterde en dacht aan verhalen – haar eigen verhalen, of eigenlijk de verhalen die ze deelde met Jack – verhalen die zelfs te gewoon waren voor het familiealbum, zoals die keer dat Rob zichzelf in de badkamer had opgesloten en hij door het raam bevrijd moest worden, of de keer dat Laurie, toen ze zeven was, ontdekte hoe de grasmaaier weer in elkaar gezet moest worden. En die keer dat Brenda's moeder werd beroofd in Wabash en ze maar eenendertig cent in haar portemonnee had. Die keer dat zij en Jack onheus werden bejegend – of dachten dat ze onheus werden bejegend – door een kelner van Jaques's. Of die keer in Frankrijk toen ze een man op een fiets zagen met een fles wijn onder zijn arm; het wiel raakte een kei waardoor hij over het stuur vloog, maar hij sprong op als een turner en ving de fles wijn behendig nog net op tijd op, waarna hij een kruisteken maakte naar de hemel, een verhaal als een prachtige stomme film.

Wanneer ze deze verhalen aan vrienden vertellen (zoals ze soms doen) zegt Brenda nooit tegen Jack: 'Alsjeblieft, niet weer dat afgezaagde verhaal', en hij zegt nooit tegen haar: 'Dat verhaal kennen we nu wel'. Ze houden van hun verhalen en beschouwen ze stilzwijgend als hun privé-verzameling, hun privé-voorraad, sub-tiel op smaak gebracht door het opnieuw vertellen. De timing en formulering hebben bijna een staat van perfectie bereikt, het heeft ze jaren gekost om zover te komen. Brenda heeft het idee dat alle stellen die lang bij elkaar zijn beschikken over net zo'n voorraad verhalen waaruit ze kunnen putten.

Toen Robin Fairweather vorig jaar scheidde van Betty Fairweather en hertrouwde met een vierentwintigjarige schoonheidsspecialiste genaamd Sandra, was het eerste waar Brenda aan dacht dat ze nooit meer dat vreselijk grappige verhaal zou horen over Robin en Betty's huwelijksreis in 1953, die ze doorbrachten naast een dierenwinkel in Akron, Ohio. Robin, die nu vijftig was, met een schommelende buik, moest nu weer helemaal opnieuw beginnen met het opbouwen van een voorraad goede verhalen (en op een of andere manier scheen Sandra, met haar contactlenzen en platte achterwerk een weinig belovende bewaarplaats). Wat zonde allemaal, dacht Brenda. Die hele gezamenlijke geschiedenis naar de knoppen.

Hoe konden mensen dat verdragen?

Na de workshop ging Brenda naar Dorothea Thomas en zei: 'Ik heb ontzettend genoten. Het is heerlijk om iemand te ontmoeten die zo goed weet wat ze doet. Toen u aan het praten was, voelde ik dat u niet twijfelt. En volgens mij doen de meesten van ons dat wel, af en toe tenminste.'

'Nou ja, ik ben maar een gewoon oud mens', mevrouw Thomas zei dit op vastberaden toon en haar grote tanden glommen, 'en ik doe gewoon wat ik kan, en meer is het niet, denk ik.'

'Ik heb uw *Graanzaaiquilt* gezien. Vorig jaar in het Art Institute in Chicago.'

'Oh, die! Tjongejonge, die zou ik graag nog eens onder handen nemen. Hij is helemaal verkeerd, in elk geval zijn de laatste twee stukken helemaal verkeerd. Zodra hij verkocht was, kwam ik er achter wat er niet klopte, wat ik eigenlijk had moeten doen. Maar ja, toen was het al te laat. Zo gaan die dingen.'

'Ik vond hem mooi', zei Brenda met haar vreselijke intonatie, haar onechte intonatie.

'Het punt is', ging Dorothea Thomas door, 'dat ik altijd dacht dat verhalen maar één afloop hebben. Maar in het afgelopen jaar bedacht ik dat dat niet klopt. De meeste verhalen hebben namelijk drie of vier aflopen, misschien zelfs wel meer.'

'Ik geloof niet dat ik...'

'Eerst heb je de echte afloop, helder en duidelijk. Je weet wel, zoals de dingen echt gebeuren. Die afloop heb ik steeds in mijn quilts verwerkt. Maar er is ook de afloop waarop iemand hoopt, waarvoor hij duimt. Dat is om zo te zeggen ook echt. En dan heb je nog de afloop waarvoor iemand doodsbenauwd is dat het zo zal lopen. En het ergste is – en dat kennen we allemaal – de manier waarop het had kunnen gaan als we maar...'

'U bedoelt de niet ingeslagen weg?'

'Goeie genade,' riep mevrouw Thomas uit, 'dat is precies wat ik bedoel, wat u net zei. Dat vind ik mooi uitgedrukt. De niet ingeslagen weg.'

'O, dat is geen uitspraak van mij. Ik geloof dat het Robert Frost was die...'

'De niet ingeslagen weg, dat zal ik onthouden. Het in het vervolg in gedachten houden. Al mijn nieuwe quilts, die ik afgelopen najaar en winter heb gemaakt, hebben allemaal twee of drie eindes. Ze worden natuurlijk wel steeds groter, ze zijn nu een soort super kingsize, en ze worden nog steeds groter. Sommige mensen vinden ze minder dan die van vroeger. Te groot om op een bed te leggen bijvoorbeeld. En nogal verwarrend, denk ik. Ze willen liever een plaatjesboek, gewoon één eind, leuk en simpel. De mensen in New York die voor mij de verkoop doen, zeggen dat de nieuwe die ik heb gemaakt niet zo populair zijn. Lastiger te verkopen, begrijp je? Ze zeggen dat het niet echt primitieve kunst meer is, niet zoals eerst. Maar wat kan mij dat nou schelen, op mijn leeftijd ga ik me niet meer druk maken om wat de mensen zeggen, misschien ben ik volgend jaar wel dood, misschien ben ik morgen wel dood.'

'Dat geldt voor ons allemaal.'

'Maar jij bent nog zo jong, je bent nog bijna een meisje, een jong meisje met je hele leven voor je. O jee, wat zou ik er niet voor over hebben…' Ze zweeg, drukte haar handen tegen elkaar en schudde haar hoofd.

Ontroerd beloofde Brenda strenger voor zichzelf te zijn. Maar vriendelijker.

20

DE KUNSTWERELD door Hal Rago

VROUW UIT CHICAGO ZIET
PIONIERSHANDWERK ALS KUNSTVORM

De aantrekkelijke Brenda Bowman is afkomstig uit het midwesten van Amerika, maar voldoet in de verste verte niet aan het stereotiepe beeld van de quiltende boerin uit de maïsstreek. Mevrouw Bowman is een stadsmens in hart en nieren, geboren en getogen in Chicago en een professioneel quilter.

Zelfs de jas die ze gisteren droeg toen ze zich door een Philadelphische sneeuwstorm worstelde, was een fraai voorbeeld van haar werk, een warme, levendige collage van rood en geel.

'Ik ben per ongeluk in het quilten terechtgekomen,' bekende mevrouw Bowman gisteren tijdens een interview. 'Een paar jaar geleden wilde ik een nieuwe sprei kopen voor mijn dochter, en ik was zo verbijsterd over de prijzen dat ik besloot er zelf een voor haar te maken. Ik had nog wat lapjes stof in huis — gelukkig ben ik opgevoed door een zuinige moeder die me leerde naaien — dus knipte ik een paar vierkanten en naaide die aan elkaar en hocus-pocus-pas, daar was mijn eerste quilt. Een paar vriendinnen raadden me aan om me op te geven voor een ontwerpcursus bij het Art Institute, de daaropvolgende winter, en zo is het allemaal begonnen.'

Sindsdien ging het Brenda Bowman voor de wind. In de afgelopen vier jaar heeft ze tientallen quilts gemaakt en verkocht, en deze week is ze in Philadelphia als deelneemster aan de Nationale Handvaardigheidstentoonstelling. Een aantal van haar werken is te zien in de Tentoonstellingshal die gisteravond opening voor een recordaantal bezoekers. Quilters en andere naaldkunstenaars vanuit het hele land zijn voor enkele dagen samengekomen in het Franklin Court Arms Hotel om over hun vak te spreken en elkaars koopwaar te vergelijken.

Op de vraag of zij de meest inspirerende essentie van het midwesten van Amerika kon benoemen, antwoordde mevrouw Bowman kort en bondig: 'Vruchtbaarheid, een traditie van vruchtbaarheid.' De hartelijke, empatische Brenda Bowman, moeder van twee tieners, sprak vervolgens over het verband tussen kunst en handvaardigheid.'Kunst stelt een morele vraag, handvaardigheid beantwoordt die vraag en verschaft in zekere zin de positieve energie die de samenleving van ons vraagt.'

(Morgen spreekt Hal Rago met wandtapijtmaakster Lily Sherman uit Tallahassee, Florida)

'Kop op', zei Barry Ollershaw over de aardappel-preisoep. 'Het is echt een heel vriendelijk artikel.'

'Het is afschuwelijk', zei Brenda, soep lepelend. Ze was uitgehongerd.

'Aantrekkelijk, hartelijk, empatisch. Daar is toch niets mis mee?'

'Ik kan nauwelijks geloven dat ik al die pompeuze dingen heb gezegd over kunst die vragen stelt. En dat gedoe over vruchtbaarheid. Ik weet niet eens wat ik ermee bedoel.'

'Ik kon je helemaal volgen tot aan positieve energie en toen…'

'Het is allemaal lariekoek, zoals Dorothea Thomas waarschijnlijk zou zeggen.'

'Kort maar krachtig gezegd.'

'Ik ben nog vriendelijk voor mezelf. Het is nog veel erger. Het is pretentieuze lariekoek.'

'Volgens mij ben je nu te streng.'

'Wat ook grappig was, ook al bedoelde hij het niet letterlijk, was dat stukje over de wind meehebben. Ik heb namelijk het idee dat ik soms flink tegenwind heb.'

'O ja? Dat verbaast me.'

'Die arme Lily Sherman, wie dat ook mag zijn. Ik neem aan dat zij ook de Emerald Room-behandeling krijgt. Misschien moet ik haar even waarschuwen.'

'Ik denk dat het nu al te laat is.'

'De enige troost is dat ik geen mens in Philadelphia ken. En dat niemand in Chicago dit leest. Achteraf gezien is het ergste dat domme "hocus-pocus-pas" middenin een zin. Heb ik dat echt gezegd? Ik geloof het wel, ik herinner het me vaag. Ik kan beter ergens mijn kop in het zand gaan steken.'

'Je kunt beter je soep opeten. Hoe voel je je nu?'

Brenda, die opgewekt en hongerig aan een met kaarsen verlicht tafeltje in een hoek van The Captain's Buffet zat, had geen boodschap aan de halfhartigheid van het menselijk geweeklaag. Ze vouwde Hal Rago's artikel op en glimlachte naar Barry. 'Ik voel me beter dan me toekomt. Prima, eigenlijk.'

'Wie is Dorothea Thomas?'

Ze vond het aardig dat hij dit vroeg, en dat hij de naam nog wist.

'Dorothea Thomas? Dat is een bekroonde quilter uit Kentucky van bijna tachtig. Ik ontmoette haar vandaag voor het eerst. Door haar heb ik het idee dat het toch niet zo erg is om oud te worden.'

'Ben je daar echt bang voor?' vroeg Barry. (Hij was goed in het stellen van vragen.) Hij pakte de fles wijn en vroeg met zijn ogen of ze een glaasje wilde.

'Dat kan ik beter niet doen.' Brenda schudde nee tegen de wijn. 'Ik denk dat ik wel een beetje bang ben om oud te worden, want ik ga elke ochtend op de grond zitten om oefeningen te doen. Luchtmachtoefeningen. En ik haat ze. Als ik zo aan het buigen en strekken ben, denk ik de hele tijd: al dit gedoe om op mijn zeventigste nog kras te zijn.'

'Dat doe ik ook.'

'Wat?'

'Luchtmachtoefeningen.'

'O.'

Er viel een stilte tussen hen. Zonder waarschuwing. De kelner kwam, ruimde de soepkommen af en bracht dampende borden paella. Brenda zette haar vork in een mossel. Hij proefde naar peterselie en gebakken knoflook.

De stilte weigerde koppig op te trekken. Brenda voelde zich plotseling overdreven groot en onhandig. Waarom zat ze eigenlijk tegenover deze man? Zijn handen, die slanker en behendiger waren dan die van haar, hielden mes en vork vast op een manier die ze als Europees herkende. Waarom zat ze hier aan een intiem dineetje met deze vreemdeling, omgeven door de romantische nonsens (weer een woord van Dorothea) van kaarslicht, een fles wijn, aandachtige bediening en zacht kwelende muziek, waar was ze eigenlijk mee bezig?

Misschien dacht hij wel hetzelfde, waarom had hij zich deze

avond eigenlijk op de hals gehaald? Ze zag hoe hij een garnaal naar de rand van zijn bord achtervolgde. Hij keek geconcentreerd naar een stuk tomaat, en sneed dit vervolgens in tweeën. Een fijngevoelige man met precieze gebaren. Misschien zelfs een beetje overdreven. Ze herinnerde zich dat hij, toen ze elkaar voor het eerst ontmoetten, had gezegd dat hij dol was op quilts. Eigenlijk vreemd om zoiets te zeggen, nu ze er over nadacht. Waarom had hij haar eigenlijk uitgenodigd voor een etentje?

Wat hen daarvoor bijeengebracht had, haar reactie – haar overdreven reactie – op het feit dat ze Verna met een man in bed had gevonden, haar verdwenen jas, de vallende sneeuw, scheen nu onwerkelijk, versleten. Ze waren slechts twee op drift geraakte mensen, meer niet. Barry had een aanwijzing waar haar jas kon zijn; de metallurgist met wie hij de kamer deelde heette Storton McCormick, hij kwam uit New York en was blijkbaar onverwacht teruggeroepen. Maar hij zou de volgende ochtend weer naar Philadelphia terugkeren. Hij zou 's middags namelijk een lezing geven en Barry hoopte hem daarna te kunnen spreken over de vermiste jas.

'Dat zou ik echt heel prettig vinden', zei Brenda. 'Weet je zeker dat het niet te veel moeite is?'

'Helemaal niet', zei Barry en zweeg weer.

Na een minuut schraapte hij zijn keel en ging opnieuw achter de garnaal aan.

Ze had met Lenora Knox en Lenora's kamergenote moeten meegaan met de 'Philadelphia-bij-nacht'-bustocht.

De rijst was koud, opgewarmd in de magnetron. Ze slikte en hoorde zichzelf slikken, wat haar een onbehaaglijk gevoel gaf. ('Een stadsmens in hart en nieren' – de uitspraak rolde als een knikker door haar slokdarm.)

Er stond een vaasje met vochtige rozen op tafel, haar verlamde blik haakte aan één enkel blaadje met pareltjes water. Zou ze op deze leeftijd niet wat zelfverzekerder moeten zijn en in staat om gracieus met stilte om te gaan? Maar dit was niet de stilte die ze gisterochtend met Barry had gedeeld toen ze in haar kamer naar de vallende sneeuw zaten te kijken. Dit was een geforceerde stilte door het gewicht van de omstandigheden (een uitnodiging: Barry die haar aan de telefoon vraagt of ze mee uit eten gaat, een afspraakje, god betere het, wat een ridicuul woord). De sentimentaliteit van kaarslicht en zachte muziek legde haar een last op – en hem ook, veronderstelde ze – door de verwachtingsvolle vraag: Waar leidt dit toe?

De kelner bleef bij hen rondhangen. 'Is alles naar wens?'

'Uitstekend', zeiden ze in koor.

Brenda voelde zich lamgelegd, alsof ze alleen nog maar kon eten, kauwen en slikken. Er waren vast wel sociabele vragen die ze hem kon stellen. Maar wat dan? Hij had het over Japan gehad. Reis je veel? Zijn er goede restaurants in Vancouver? Doe je aan sport? Heb je hobby's? Hoe waren je bijeenkomsten vandaag? (Dat was te huisvrouwerig, dat laatste.)

De wijn was dieprood en zag er zacht uit, waarschijnlijk heel droog. Zijn blik scheen vastgezet op de hoogte van zijn glas.

Wat was er met haar aan de hand? Dacht ze nu echt dat deze vriendelijke, beschaafde man haar mild stemde om haar te kunnen verleiden? Ze had vriendinnen – Betty Corning, Kay Wigg – die voortdurend dachten dat die-en-die achter ze aanzat, ze van top tot teen opnam, ze met hun blik uitkleedde. Dat gebeurde met vrouwen van in de veertig, dit soort zelfmisleiding.

Wat was ze toch een saai mens. Ze stelde zich al voor hoe Barry Ollershaw zich deze avond zou herinneren, dat hij had gehoopt op een vrolijk etentje en in plaats daarvan opgescheept had gezeten met saaiheid en stilte. Misschien had ze nog steeds een kater. Of ze was premenstrueel. Of beide.

Of misschien voelde ze zich schuldig. Zou hij zijn vrouw vertellen dat hij een vrouw mee uit eten had gevraagd? Zou zij het Jack vertellen? De vraag kwam plotseling boven, evenals een krachtig protest: waarom zouden een man en een vrouw, die elkaar toevallig hadden ontmoet, niet samen mogen eten? Dat gebeurde aan de lopende band (maar nooit eerder met haar).

Daar was de kelner weer. 'Wilt u misschien nog een dessert?'

Hij denkt dat we man en vrouw zijn, dacht Brenda.

Barry bestelde Hollandse appeltaart.

'Ik kan geen hap meer eten', zei Brenda met een geknepen stemmetje. (De hartelijke, empatische Brenda Bowman.)

De appeltaart was een armzalig puntje bedekt met een streepje slagroom.

'Weet je zeker dat je niet ook wilt?' vroeg Barry beleefd.

'Zeker weten.'

'Echt?'

'Ja.'

'Brenda.' Hij sprak haar naam uit op een kalme, vermoeide toon. En reikte over de tafel om zijn hand op de hare te leggen. Die van hem beefde lichtjes, de gezwollen ader op de rug van zijn hand ontroerde haar en tot haar eigen opluchting verbrak ze abrupt de stilte.

Ze begon te praten, haastig van het ene onderwerp naar het andere gaand, ze vertelde hem eindelijk over de verhalen van Dorothea Thomas en dat Dorothea had ontdekt dat verhalen meer dan één afloop hebben.

Barry, die nog steeds haar hand vasthield, luisterde, hield zijn hoofd een beetje scheef en zei dat het waar was, dat hij dat ook wel zag, maar was het wel verstandig dat wat simpel en ongekunsteld was extra ingewikkeld te maken?

'Maar heeft ze eigenlijk wel een keuze?' vroeg Brenda, die het gevoel van zijn vrij droge hand op de hare prettig vond. 'Zelfs op haar leeftijd kan ze niet meer doen alsof. Het is net als een primitieve schilder die het perspectief en arcering en dat soort dingen heeft ontdekt.'

'Ze zou haar ogen ervoor kunnen sluiten en haar leven eenvoudig houden.'

'Doen mensen dat? Dat geloof ik niet. Ik denk dat ze dat niet kunnen. Ik kan het in elk geval niet. En geloof me, ik zou het graag willen. Ik was vroeger gelukkiger dan ik nu ben.'

'Natuurlijk kan niemand zijn onschuld terugkrijgen. Als die eenmaal weg is, is hij weg. Maar volgens mij doen de meesten van ons alsof.'

'Jij ook?'

'Natuurlijk.'

'Geef eens een voorbeeld', zei Brenda tevreden.

'Wilt u koffie?' kwam de kelner weer.

'Wil je koffie?' vroeg Barry aan Brenda.

'Ja, graag.'

'Waar waren we gebleven?' Hij wendde zich weer naar haar.

'Doen alsof dingen simpel zijn, terwijl ze dat in werkelijkheid niet zijn.'

'Je wilde een voorbeeld.'

Brenda knikte.

'Dit is niet zo'n opgewekt voorbeeld.'

Ze voelde zich vermetel. 'Vertel maar.'

'Het gaat over kinderen.'

'Kinderen?'

'Je vroeg laatst of ik kinderen had. Weet je nog?'

'En jij zei nee.'

'Maar het is wel zo. Ik… mijn vrouw en ik hebben één kind. Een dochter. Ze is misschien dood. Ze is waarschijnlijk dood. We weten het niet.'

Brenda wist niet zeker of ze het wel goed had gehoord. Maar dat was wel degelijk zo.

'Wat is er gebeurd?' zei ze langzaam.

'Ze ging naar Europa toen ze achttien was, in de zomervakantie. We denken dat ze ging liften, hoewel ze een treinkaart had. Ze begon met een vriendin, maar dat duurde niet lang.'

'En wat gebeurde er toen?' De druk op haar hand nam toe.

'Dat weet niemand. Ze begonnen in Engeland. We denken dat ze een paar weken in Frankrijk was. Iemand heeft haar ontmoet, of iemand die in elk geval op haar leek, bij de Notre Dame in Parijs, en ze had het er over dat ze naar Marokko wilde. Dat is alles. Verder is er geen spoor meer – niets, geen kaartje, helemaal niets.'

'Hoe kan dat nou? Hoe kan iemand zomaar verdwijnen?'

'Het gebeurt. En niet alleen ons. We zetten nog steeds elke veertien dagen een advertentie in de *Herald Tribune* in Parijs, een kom-naar-huis advertentie. Daar zijn er een heleboel van, een hele rubriek. "Kom naar huis, alles is vergeven", dat soort dingen.'

'Dat is afschuwelijk, afschuwelijk.'

'Toen het gebeurde – toen we beseften dat ze verdwenen was – ging ik naar Frankrijk en heb ik een maand lang naar haar gezocht door met de ambassades en de Franse politie te praten. Maar waar moet je beginnen? Het was hopeloos.'

'Wanneer was dat, wanneer is ze verdwenen?'

'Dat is nu vier jaar geleden. Ze was achttien. Ze zou nu bijna tweeëntwintig zijn, als ze nog leeft.'

'In welke tijd van het jaar was je in Frankrijk?' Het scheen belangrijk om dat te weten.

'Met Pasen. Ik vloog naar Parijs op tweede paasdag.'

Ze wilde uitroepen: 'Toen waren Jack en ik ook in Parijs.' In plaats daarvan zei ze: 'O, Barry. Wat spijt me dat. Van je dochter. Helemaal niets weten is vast het ergste.'

'Ik denk dat ik dat bedoelde met doen alsof. Het is dan misschien wel oneerlijk van mij, maar het is eenvoudiger – in elk geval minder pijnlijk – om, als iemand ernaar vraagt, zoals jij deed, gewoon te zeggen dat we geen kinderen hebben. Eenvoudiger dan het uitleggen en bedenken wat er misschien is gebeurd. Het is net alsof mijn vrouw en ik in training zijn om te leren hoe we een kinderloos echtpaar moeten worden. Het is moeilijker voor Ruth dan voor mij. Ze neemt het zichzelf kwalijk. Ze kan er niet tegen. Ze is volledig veranderd.'

'Ik zou doodgaan', zei Brenda, en ze meende het.

'Waarschijnlijk niet.'

'Toch wel.'

De kelner kwam met een tweede kop koffie en een schaaltje chocoladepepermunt. 'Cognac?' vroeg hij.

'Nee, dank u', zei Brenda.

'Niets meer, dank u', zei Barry.

Met een ernstig gezicht keken ze elkaar aan. Toen bracht Barry haar hand naar zijn lippen en kuste hij haar vingertoppen.

21

D E NIEUWE SEKSUELE VRIJHEID HEEFT BRENDA NIET
beroerd, ook al is bijna alles en iedereen om haar heen er
wel door beïnvloed. Zij en Jack kennen verschillende stellen die, na
vele jaren, nieuwe afspraken hebben gemaakt die tegemoetkomen
aan de verlangens en behoeften van beiden. Sue, de vrouw van
Bernie Koltz, gaat af en toe een weekend weg zonder Bernie. 'Sue
is dit weekend de stad uit', zegt Bernie dan tegen Jack en hij laat de
mededeling open en bloot liggen als een bonbon op een schaaltje,
Jack uitdagend hem in te pikken.

'Gaat híj ook wel eens "de stad uit"?' vroeg Brenda een keer aan
Jack. Jack wist het niet zeker, maar vermoedde van wel. Vast wel.
'Dat hoop ik van ganser harte', zei Brenda nadrukkelijk. Ze had Sue
Koltz nooit bijzonder graag gemogen.

Toen Robin en Betty Fairweather een jaar geleden uit elkaar
gingen, vertrok Betty voor een week naar Puerto Rico om haar
wonden te likken en op een avond had ze in haar hotelkamer seks
met een man wiens naam ze nog steeds niet kent. 'Robin heeft zijn
pleziertjes, dus waarom ik dan niet?' Dat zei ze tegen Brenda toen ze
terugkwam, zonder een spoor van schuldgevoel, verdriet, zelfverwijt
of schaamte. 'En deze vent was beter in bed dan zijne koninklijke
hoogheid ooit is geweest.'

De zeventienjarige Lucy, de dochter van Bill en Sally Block,
woont in Wheaton met een man van zesendertig, en Sally is er
onlangs op bezoek geweest om Lucy te helpen met gordijnen naaien
en de badkamer behangen.

Brenda's beste vriendin van vroeger leeft als een dure hoer. Rita
Simard, later Rita Kozack en nog later Rita LaFollet, zat met Brenda
op de middelbare school. Nog voor haar twaalfde had ze de borsten
van een vrouw. Ze woont nu in een van glas glinsterend appartement

aan de North Shore, dat wordt betaald door een aantal zakenlieden van buiten de stad.

Larry Carpenter, die naast haar woont, vertelt op feestjes verhalen waarin fellatio, sodomie en copulatie met ganzen voorkomen. Wanneer Brenda naar hem luistert, herinnert ze zich wat haar moeder een schuine mop voor op feestjes vond: snel zeggen, jeukt jouw neus zoals mijn neus jeukt?

De wereld is veranderd, dat geeft ze toe. Haar eigen zoon van nauwelijks veertien heeft een stapel *Penthouses* onder zijn bed. Een feestje bij mensen in de buurt, waar zij en Jack gelukkig niet naartoe waren gegaan, was blijkbaar ontaard – de berichten waren verward – in iets wat veel weghad van een orgie.

Toen Janey Carpenter vorige zomer lag te zonnebaden in haar tuin, merkte ze tegen Brenda op dat ze zo doodmoe was – een hele nacht doorneuken was toch te veel van het goede.

Calvin White, die op hetzelfde Instituut werkt als Jack, is gaan samenwonen met Brian Petrie, die ook op het Instituut werkt, en Brenda vermoedt dat ze minnaars zijn.

Vorig jaar zaten Jack en Brenda in een nieuw hotel in San Francisco waar ze een massagebed hadden dat op kwartjes liep én waar voor zes en een halve dollar softpornofilms te huur waren én waar op een ochtend een kaartje onder hun deur werd geschoven met 'Dianne, dag en nacht deskundige massage'. 'Dit wordt te dol', was Brenda in woede uitgebarsten. 'Ik heb het gevoel of ik overspoeld word met seks.' Jack had haar met zijn Groucho-grijns aangekeken en gezegd: 'Hoe kan er nou ooit te veel seks zijn?' Maar later zei hij: 'Ik begrijp wel wat je bedoelt.'

Ongedwongenheid, openheid, het omver gooien van normen en waarden. Het had allemaal plaatsgegrepen, en Brenda had het idee dat het van de ene op de andere dag was gebeurd. Huwelijkstrouw was iets van het verleden geworden, en het woord zelf was nu ouderwets en net zo gênant als bepaalde daarmee samengaande woorden als echtgenoot en gezin.

Niet zo lang geleden ontdekte Brenda in het zakje van Jacks overhemd een stukje papier waarop hij had geschreven 'Fidelity 15'. Vijftien wat? vroeg ze zich af. Het woord Fidelity bleef dagen aan haar knagen, en het vreemde cijfer erbij duidde op verschillende mogelijkheden; bij geen daarvan wilde ze stilstaan. Een paar keer dacht ze er over het Jack te vragen, maar ze beheerste zich. De inhoud van zakken was privé. (En het sierde Jack dat hij nooit in haar tas of laden kwam.) Het raadsel werd onverwacht opgelost toen hij haar op een ochtend vertelde dat hij erover dacht een Fidelity Trust-spaarbewijs met vijftien procent rente te kopen in plaats van hun gewone staatsobligaties. Ze had een verbijsterende golf van opluchting door zich heen voelen gaan – verbijsterend omdat ze Jack vertrouwde, altijd had vertrouwd. En hij vertrouwde haar.

Voor ze getrouwd waren spraken Brenda en Jack open over seks. Het was het voorjaar van 1958 en de *Ladies' Home Journal* had onlangs een serie interviews gemaakt over hoe men in Amerika over seks dacht.

Seks voor het huwelijk. Het was hachelijk. Moesten ze het er op wagen? Ja, zei Brenda, ook al was ze beducht, en bevreesd, voor de daad zelf, de zwellende pijn die in haar explodeerde; ze geloofde niet in slechts een eetlepel zaad, het was vast en zeker meer. En ze was bang voor het doodsgelui van de onomkeerbaarheid, want zodra deze daad was volbracht, wat bleef er dan nog over in haar leven? Maar ze werd sterk in de verleiding gebracht, ze wilde weten waar al die ophef over werd gemaakt.

Nee, zei Jack, ze hadden nu al zo lang gewacht, ze konden best nog een paar maanden extra wachten. Het was lastig uit te leggen, moeilijk te verdedigen, maar de oude mythe van respect voor de maagdelijke bruid hield stand tegen alle logica in. *Het meisje dat ik ooit eens trouw / moet zacht en roze zijn als een nieuwe vrouw / Het meisje dat alleen voor mij zal zijn.* Et cetera. Bovendien wist hij wat seks was. Hij had een jaar lang verkering gehad met een mede-studente die Harriet Post heette; Harriet was vermetel en wulps geweest, ze had al een pessarium vanaf haar achttiende. Ze was haastig en hartstochtelijk, volgens Jack, en soms ongeduldig tegen hem. Meer dan eens, vertrouwde hij Brenda toe, had hij zich slechts een instrument gevoeld in haar armen. Ze had hem op de huid gezeten, opgejaagd, 'nu,' had ze geroepen, 'schiet in godsnaam op.'

Toen Jack en Brenda op een klamme avond voor hun huwelijk in de auto van Jacks vader zaten, hadden ze elkaar verteld over hun seksuele ervaringen. Kussen wel, gaf Brenda toe, en een beetje voelen. Maar altijd boven de gordel en door de kleren heen. Behalve die ene keer, met Jimmy Soderstrom in het Forest Preserve. Hij had haar bh losgemaakt en haar tepels gekust, ze had zich belachelijk gevoeld, maar wee van genot.

Jack vertelde Brenda op zijn beurt van zijn relatie met Harriet Post. Hij had het uitgemaakt met haar, afscheid van haar genomen, maar er bleef een soort dankbaarheid. Ze had hem iets over vrouwen geleerd.

Zowel Jack als Brenda waren ervan overtuigd dat een huwelijk meer kans van slagen had wanneer de man daarvoor enige seksuele ervaring had opgedaan. Dit werd bevestigd door een aantal grafieken in een boek dat ze lazen.

Het boek heette *De open deur: een huwelijksgids voor moderne mensen*. Ze kochten het kort voor hun huwelijk, een plechtige aankoop, en lazen het met rode oortjes. Het bevatte hoofdstukken over voorspel, orgasme, naspel, voortijdige ejaculatie, impotentie en frigiditeit. Er stonden dwarsdoorsneden in van een penis met de bijbehorende testikels en van een vagina met de baarmoeder en de eierstokken. Sierlijk gezwollen kanalen waren het, opgesloten in de lagere delen van het menselijk lichaam.

Het mysterie van het leven was dat een tastorgaan van stijf weefsel kon worden ingebracht in een reagerend kanaal. Daarover gingen alle liedjes, gedichten en de grappen van Bob Hope. Een mysterie, een bron van vreugde, die hen over een paar weken deelachtig zou worden.

Het deed verschrikkelijk pijn. Hij voelde zich schuldig dat hij haar pijn deed, maar niet schuldig genoeg om op te houden. 'Bijt maar in mijn schouder', fluisterde hij die nacht in het donker. Ze wilde het niet, ze deinsde terug voor pijn. Ze wilde hem geen pijn doen, ze had het gevoel dat ze tenminste de beleefdheid moest opbrengen om te doen wat hij vroeg. De cirkel van tanden op zijn bovenarm bleef hun hele huwelijksreis zichtbaar.

Ze was met hem getrouwd om zijn gezicht, met die peinzende, bescheiden uitdrukking van bereidwilligheid. Ze had niet vertrouwd op zijn lichaam, vooral de donkerder, verborgen gedeelten waar de huid grof, geplooid en rood was en bedekt met haar. Het duurde even voor ze daaraan gewend was.

Ze had verwacht dat de liefdesdaad begeleid zou worden door de heldere tonen van een altklarinet, maar het enige wat ze hoorde was een onverwacht schraperig geluid in Jacks keel.

Alles was nu bedorven. Konden ze maar terug naar wat ze eerst hadden, die heerlijke, eindeloze uren dat ze elkaar kusten in de auto van Jacks vader, het schone, gretige gevoel van zijn tong die zacht tegen de hare duwde, en zijn dankbare zuchten wanneer ze hem door zijn dikke katoenen broek streelde.

Ze had te veel artikelen gelezen, en vele daarvan deden meer kwaad dan goed. Een man wil het gevoel hebben dat een vrouw zich aan hem overgeeft. Maar hoe moest ze die boodschap van overgave dan gestálte geven? De timing van het orgasme was cruciaal. Bewoog ze haar heupen te veel of niet genoeg? Ze was voortdurend bezig met nadenken, taxeren, plannen, tellen, zich aan het afvragen wat de volgende beweging moest zijn. En de volgende.

De gedachte aan Harriet Post liet haar niet met rust, kwelde haar.

In de motelkamer in Williamsburg waar ze hun huwelijksreis doorbrachten werd ze 's morgens neerslachtig en plakkerig wakker, met haar geborduurde batisten nachtpon in een onterend rolletje aan het voeteneind. De gelei in haar pessarium verspreidde een weeë, ongezonde geur. Haar benen deden pijn. Ze had het idee dat er nog jaren van pijn en branderigheid voor haar in het verschiet lagen.

En daar kwam Jack opnieuw naar haar toe nadat hij gedoucht had, zijn blik heel zacht, zo teder als hij nooit meer zou zijn, en hij bracht haar, opnieuw, het begerige, bevende geschenk van zijn liefde.

Ze waren al drie jaar getrouwd toen ze hem op een avond onverwacht vroeg of hij besneden was. Hij was brullend van het lachen op hun bed gerold. Hij kon niet meer ophouden.

'Nou?' zei ze kil, ietwat gekwetst, 'ben je wel of niet besneden?'

'Weet je dat echt niet?'

'Hoe moet ik dat weten? Waarmee moet ik het vergelijken…?'

'Ja, ja', wist hij tussen zijn snikken door uit te kermen.

'Ja wat?'

'Ja, ik ben besneden. Ja.'

179

Ze moest wel meelachen. Hij was zo dankbaar voor haar onschuld, die inmiddels zover was verminderd dat hij nog nauwelijks zichtbaar was.

Hoewel Brenda niet echt geletterd was, had ze wel taalgevoel. Op een keer las ze: 'Voor sommigen van ons brandt de vlam van de hartstocht feller dan voor anderen.'

Was dat zo voor haar? Nee. De gedachte hakte in haar hart. Maar door zich enorm sterk te concentreren was het haar gelukt zich een soort vlam voor te stellen. Hij schommelde voor haar ogen, een vlam die van onderen blauw en van boven geel was, die steeds helderder werd en oprees uit de tastbare, plechtige roerloosheid van het lichaam.

Ze had Jack verrast met haar pas ontdekte energie. Ze voelde hem verbluft terugwijken.

Dus daar was al die ophef over. Over dit aangename plezier.

Wanneer ze eens in de veertien dagen op zondagavond naar de Lewissen gaan om te bridgen met Hap en Bud, komen zij en Jack thuis en duiken in bed als ervaren artiesten – hij uit dankbaarheid, vermoedt ze, dat hij niet met Hap Lewis getrouwd is, en zij blij dat de donkere, tastende, knokige handen van Bud Lewis haar bespaard blijven. Op die avonden zijn ze heel genereus voor elkaar, verlangend, stoutmoedig en creatief – eigenlijk hebben ze heel veel te danken aan Bud en Hap.

Brenda vraagt zich wel eens af of Jack zich bewust is van dit bijna lachwekkende verband tussen hun zondagse bridgepartijtjes en de hevigheid van hun seksuele liefde. Zijzelf merkte het jaren geleden voor het eerst, en nu wacht ze er op. Vooral de avonden dat zij en Jack winnen met bridge zijn copieus. Ze heeft verscheidene keren op het punt gestaan dit tegen Jack te zeggen, maar ze is bang dat ze, door de aandacht op het fenomeen te vestigen, beroofd worden van wat ze toevallig hebben gekregen of wat ze, in zekere zin, hebben verdiend.

Tijdens de Vietnamoorlog hoorde Brenda toevallig een discussie tussen Jack en zijn vriend Bernie Koltz. Jack merkte op dat aangezien de restricties van de moderne maatschappij in feite de meeste vraagstukken van goed en kwaad hadden weggenomen, de oorlog voor veel Amerikanen de eerste morele keuze betekende waarvoor ze kwamen te staan.

Bernie was het daar niet mee eens. Hoe zit het dan met loyaliteit, vroeg hij. Loyaliteit was een morele kwestie, en loyaliteit in de vorm van huwelijkstrouw was iets waarmee vrijwel elke volwassene werd geconfronteerd. (Deze discussie vond plaats twee of drie jaar voor Bernie's vrouw Sue minnaars kreeg.)

Jack had toegegeven dat Bernie misschien wel gelijk had, maar Brenda vond dat hij aarzelend klonk.

Was Jack haar trouw? Ja, dat wist ze zeker. Ondanks Harriet Post – die naam stond in haar hersens gegrift – voelde ze dat hij van nature monogaam was.

Maar één keer, een jaar of twee, drie geleden, was hij naar Milwaukee geweest om een lezing te geven aan de plaatselijke afdeling van het Great Lakes Instituut. Hij was een week weggeweest en had een kamer in het Milwaukee Hyatt Hotel. Toen hij terugkwam had ze het gevoel dat hij met iets nieuws was begiftigd. Zijn handen en zijn mond, vooral zijn mond, hadden een nieuwe zekerheid verworven. Ze overwoog hem te vragen of er iets was gebeurd in Milwaukee – ze kon er een soort grapje van maken – maar ze deed het niet.

Soms denkt Brenda: ik had een moeder die uit het niets kwam. Ik kwam ook uit het niets. Dat lijkt me wel genoeg geheimzinnigheid.

Maar dat was het niet. Haar kinderen waren gereserveerd en eigenlijk heel raadselachtig. En wat Jack betreft, daar waren nog grotere en diepere mysteries. Er zijn gebieden in zijn leven, beseft ze, die ze nooit zal leren kennen, gebieden zo groot als voetbalvelden.

Zij heeft ook haar geheimen. Op een keer, jaren geleden, toen ze haar slaapkamer aan het verven was, stond ze op een trap en zag ze in het lijstwerk boven de deurpost de woorden 'Jake Parker, bouwer, 1923' gegraveerd staan. Ze overwoog het Jack te vertellen, maar deed het niet. Hij zou het overwaarderen en vrienden mee naar boven nemen om het te laten zien. Ze hield het voor zichzelf: Jake Parker, jong, gespierd en onversaagd.

Het is een onschuldig geheim en zeker geen verraad. Zij en Jack zijn, door toeval, en simpelweg door de lange tijd dat ze samen zijn – twintig jaar is tegenwoordig de moeite waard – stilzwijgend tot bepaalde afspraken gekomen. De afstand tussen hen is tactvol op maat gebracht, bijna tot in perfectie.

Ze zijn toch wel heel fortuinlijk. Alleen een gek zou zo'n zeldzaam geluk verspelen.

22

BRENDA HAD ZICH INGESCHREVEN VOOR DE WORKSHOP Etnisch stikwerk die om negen uur zou beginnen, maar toen het ochtend was besloot ze dat uur te gebruiken om een nieuwe nachtpon te gaan kopen. Ze herinnerde zich dat ze een speciaalzaak in lingerie had gezien in het winkelcentrum. De Onderwinkel. Zij en Lenora Knox waren er laatst langs gelopen en hadden een opmerking gemaakt over de naam. Lenora vertelde Brenda dat er een soortgelijke winkel in Santa Fe was die De Onderste Lijn heette, en Brenda zei dat er een in Chicago was die Het Hemelse Familiejuweel heette.

Het idee om een nieuwe nachtpon te kopen was gisteravond laat bij haar opgekomen nadat ze Barry welterusten had gezegd. Bij de deur van haar kamer hadden ze zich omgedraaid en elkaar onverwacht omhelsd. Ze botsten onhandig tegen elkaar aan en hielden elkaar een lange, roerloze minuut vast, waarbij Brenda's gezicht tegen het schone, strakke boord van Barry's overhemd drukte. Haar armen klemden zich vaster om zijn nek en hielden niet alleen hem, maar ook zijn verloren dochter vast, en de grote leegte die haar afwezigheid had achtergelaten, inclusief het folterende schuldgevoel dat die persoon die hij terloops noemde, zijn vrouw Ruth, aangreep en 'volledig veranderde'. Wat betekende dat trouwens als je 'volledig veranderde'? De gedachte was beangstigend, ondenkbaar. Ze kon het zich niet voorstellen.

Ze had een lang, warm bad genomen en was er ruim een half uur in blijven liggen, haar brein verdoofd door de trage stoom. Toen kwam ze eruit, droogde zich heel zorgvuldig af, onder haar armen, tussen haar tenen, en trok haar rode flanellen nachtpon over haar hoofd. Met de zijkant van haar duim raakte ze de plek op haar wang aan waar Barry's droge boord tegen had gedrukt.

De slaap kwam slechts langzaam. Haar oude nachtpon zou zacht moeten zijn van het dragen, maar was het niet. Hij schuurde bij de polsen en Brenda rukte ongeduldig aan de mouwen. Ze had nooit gehouden van dit soort omaponnen, maar het huis in Elm Park was tochtig in de winter, de verwarmingsketel was ouderwets en de voorzetramen pasten niet goed. Zij en Jack hadden het van tijd tot tijd over extra isolatie op de zolder, maar Jack bleef het uitstellen. Hij maakte er bezwaar tegen dat zijn dollars verdwenen in onzichtbare hoeken van het oude huis en hij verzette zich ook tegen de schending van het huis door lompe, slordige dekens van glaswol of steenwol. (Hij hield ervan zijn hoofd door het zolderluik in de badkamer te steken en naar die ongebruikte, stoffige ruimte te kijken, strak geschoord door lijnen van schemerig licht en schaduw.)

Brenda herinnerde zich dat ze deze nachtpon in de uitverkoop had gekocht. Ze wist nog precies wat ze ervoor had betaald – twaalf dollar. Dat was drie jaar geleden op een openluchtbazaar in La-Grange. Ze hield niet eens van rood, vooral niet deze kleur van rijpe watermeloenen – die haar moeder Goldblattrood noemde.

Haar gezicht, dat rusteloos op het kussen lag, vertrok in een grimas van strakke zelfberisping, waarom droeg ze eigenlijk zo'n jeukerige, verkleurde rode nachtpon? Een ongewone woede porde haar op, die haar verhinderde in slaap te vallen.

Toen het ochtend was stapte ze uit bed, nog steeds moe en nog steeds vittend op zichzelf. 'Wat moet jij nou in zo'n uitrusting, meid?' (Met een van Hap Lewis geleende stem.) 'Mijn god, die kantjes hebben echt hun langste tijd gehad! En het elastiek steekt uit de mouwen, geen wonder dat het jeukt. De hoogste tijd om dit vod weg te smijten, wijffie.'

Ze rukte hem over haar hoofd, maakte er een prop van, gaf die een kwaadaardige mep en smeet hem in de prullenbak.

Verna's rustige, onbeslapen bed scheen onverschillig voor haar woede, en Verna's koffer stond vredig op de grond waar hij al vanaf zaterdag had gestaan. Of was hij omgedraaid? Misschien wel.

Plotseling bedacht Brenda dat er misschien iets ergs was gebeurd met Verna – ze kreeg een vluchtig beeld van een lichaam dat bekneld zat in een luchtkoker. Misschien moest ze Betty Vetter gewoon even melden – nee, dat was belachelijk. Verna, bedacht ze, was vast een vrouw die met weinig bagage kon reizen. Helemaal geen nachtpon, zelfs geen tandenborstel. Verna of Virginia. Fortuinlijke, vrije, rommelloze, transparante, onzichtbare, getalenteerde Verna.

Bij De Onderwinkel was Brenda de eerste klant van die dag. Een opgewekte verkoopster – ongeveer twintig, schatte Brenda haar – met licht uiteenstaande voortanden, liet haar zien waar maat 38 hing, en Brenda nam een armvol kleren mee de paskamer in.

Eerst paste ze een witte, enkellange nachtpon van stevig nylon met een geplooide rand langs de zoom. Nee, wit was goed voor 's zomers met een gebruinde huid, maar niet voor nu. Hij was ook net iets te elizabethaans, wat Brenda deed denken aan *The Duchess of Malfi*.

Vervolgens liet ze een zwarte, zijdeachtige rechte nachtpon over haar hoofd glijden. Hij viel rond haar lichaam met een sissend geruis, en knelde en kleefde vervolgens als het likken van lippen. Een fragiele waaier van kant lag over de boezem, en een dun bandje hield hem omhoog – maar dat sneed in haar sleutelbeen. Leuk, maar pijnlijk om te dragen, en een beetje kort; hij hield onpraktisch op halverwege de kuit – wat ze de ballerinalengte noemden toen ze op de middelbare school zat.

Daarna probeerde ze een crèmekleurig Anne of Green Gables-verzinsel van een materiaal dat op batist leek. Hij viel vanuit een ruim, transparant schouderstuk, maar was niet sletterig. De lange, wijd uitlopende mouwen waren afgezet met ouderwets aandoende kantjes, schattig. Perfect, eigenlijk. Nee, hij was te ruim in de schouders. Geen wonder – ze tuurde naar het label – maat 42. (Goddank had ze geen maat 42.) Ze trok hem voorzichtig en dankbaar weer uit.

Vervolgens een sparrengroen ding samengesteld uit lange, ingewikkeld samengevoegde geren. Hij was gemaakt in Frankrijk en prachtig afgewerkt. Brenda siste door haar tanden en dacht: dit is hem. Hij was prachtig. Ze bekeek zichzelf van de zijkant in de spiegel. Nee. Te strak over de buste.

Een donkerrode satijnen nachtpon met schouderbandjes zag er verraderlijk theatraal uit.

Dat gold ook voor die van oranje chiffon: nog meer *Duchess of Malfi* – een jurk voor iemand die een vloek uitspreekt.

Er was een zijdezacht, spinnenwebachtig nachthemd in karamelkleur, dat redelijk goed paste en haar schouders iets zachts gaf. Maar een bruine nachtpon was een bruine nachtpon. Nee.

Misschien iets met een motief. Maar de wijde, geplooide pon – dit soort nachthemd kon alleen maar een pon genoemd worden – stond haar nog slechter dan degene die ze had weggegooid. (Ze vroeg zich af of het kamermeisje de prullenbak al had geleegd.)

Een smal lavendelkleurig niemendalletje leek meer op een onderjurk dan een nachthemd. En ze moest er voortdurend haar buik in inhouden.

'Wat zocht u eigenlijk?' vroeg de verkoopster, die haar hoofd om de hoek stak.

'Dat weet ik niet precies', zei Brenda. Ze stapte in een gele van geruwd nylon. Hij was vreselijk saai, van de schouder tot de zoom. Afschuwelijk. Ze hoefde alleen nog een kandelaar. Hij had zelfs knopen.

Wat wilde ze eigenlijk?

In de paskamer naast haar paste een vrouw een bh. Aan de grimmige stem hoorde Brenda dat ze een vastberaden klant was. De verkoopster hielp haar met de sluiting. 'Nou,' kwam de stem van de vrouw duidelijk en krachtig over het tussenschot, 'hoe zit hij van achteren?'

'Een beetje strak', kwam het antwoord. (Brenda stelde zich een immense ingesnoerde boezem voor – een solide ineengesmolten front dat naar voren drong alsof het werd gestuurd door een heel eigen zenuwstelsel.)

'Wat ik wil…' dreunde de vrouw, waarna ze zweeg. 'Wat ik wil…'

Brenda luisterde. De verkoopster luisterde. De nachtponnen op hun plastic hangertjes luisterden.

'Wat ik wil is meer scheiding.'

'Ah', kwam onmiddellijk het zachte, meisjesachtige antwoord. 'Als u dát wilt…'

'Dat wil ik.' De stem klonk als een donderslag.

Brenda ging weg zonder iets gekocht te hebben. Ze hield zichzelf voor dat ze niet meer gewend was iets te willen. Het was haar eigen schuld, door gebrek aan oefening was ze eenvoudigweg vergeten hoe het moest, hoe ze haar mond moest opendoen en zeggen: ik wil. Misschien had ze wel nooit geweten hoe ze het moest zeggen. Willen vereiste meer dan krachtige zinsdelen, het vereiste een soort koppig, doelbewust uithoudingsvermogen dat zij miste. Treurig dacht ze aan al die tijd die ze had verdaan aan spilzieke boodschappen. Een geestdriftige speurtocht naar handdoeken voor het toilet, naar het perfecte recept voor spinaziequiche. Deze opdrachten schenen bedacht om haar eigen authenticiteit te peilen, en bijna altijd liep ze weg – net als nu – vederlicht en met lege handen.

Terug op de kamer redde ze de nachtpon uit de prullenbak en hing hem op een hangertje, de schouders glad strijkend en met haar vinger langs de uiteenvallende kantjes glijdend, er een rukje aan gevend dat zowel kon betekenen: 'En wat dan nog?' als 'Dag schatje.'

Ze voelde zich weer gelukkig en klaar voor het leven. Iets fortuinlijks wachtte haar.

Halfelf. Tijd om Barry in de lobby te ontmoeten.

Ze snoof, de kamer stonk naar sigarettenrook. Verna's koffer met ritsen glimlachte naar haar met grijnzende metalen tanden.

23

TUSSEN ELF UUR EN HALFTWAALF GAF BARRY OLLERSHAW IN de Constitution Room een lezing over *Het logen van uranium-erts met behulp van chloor*. Brenda zat op de vierde rij te luisteren en te kijken. Onbekende termen – radionuclide en thorium en radium 226 – gleden langs haar heen, woorden die rechthoekig en solide waren, met stevig vastgeklonken en enigszins bruin geworden letter-grepen als lang in een kluis opgeslagen baren goud. Ze vroeg zich af of hij middenin zijn lezing of bijna aan het einde was, er waren geen herkenbare signalen, geen bakens om haar op de juiste koers te houden.

Toen het applaus kwam verraste haar dat. Het was zo krachtig, zo royaal. Barry, die nu ontspannen was en haar blik opving over de katheder, schoof zijn aantekeningen weer bij elkaar en leunde com-fortabel op zijn ellebogen.

Er kwam een aantal vragen uit de zaal. De mannen (en één vrouw) die de vragen stelden schenen vervuld van een welwillende ernst. 'Hebt u het effect overwogen van…?' 'Zou vervolgonderzoek moeten gaan in de richting van…?' 'Dr. Ollershaw, is het naar uw mening mogelijk dat…?' *Dr.* Ollershaw!

Een oudere man op de voorste rij, mager, met sneeuwwit haar en een haakneus, stond op met behulp van een paar wandelstokken en gaf langdurig commentaar met een melodieuze, bevende, erudiete stem. Zijn opmerkingen werden begroet met bulderend gelach en donderend applaus. Brenda merkte op dat deze bijeenkomst een wereldje op zichzelf was, met zijn eigen grappen en geliefde per-soonlijkheden. Vreemd genoeg deed het haar genoegen dat Barry, wiens bestaan verbonden had geschenen aan het hare – háár redder, háár vertrouweling, háár kameraad van de vierentwintigste verdie-ping – duidelijk deel uitmaakte van deze gespecialiseerde wereld, dat hij werd erkend, men naar hem luisterde en het met hem eens was. Een absurde vlam van trots flakkerde in haar op.

Zijn antwoorden waren respectvol, zorgvuldig geformuleerd. Ze zag dat hij in dat opzicht wel wat op Jack leek.

Vorig jaar had ze Jack een lezing horen geven over patronen van Indiaanse nederzettingen in het midwesten. Hij had een uur lang gesproken, slechts af en toe een blik werpend in zijn aantekeningen. Wanneer en waar had hij precies deze ongedwongen schat aan gegevens verworven? Ze had niet beseft dat hij zoveel wist over nederzettingenpatronen. 'Dat heb je me nooit allemaal verteld over familieverbanden en tribale samenlevingen', beschuldigde ze hem naderhand.

Hij had zich zwakjes verweerd, iets van haar verbaasde uitdrukking weerkaatsend. 'Zo interessant is het niet.'

De waarheid was dat ze nooit echt Jacks beroep had begrepen, nooit echt had kunnen doorgronden hoe een historicus zijn dagen zoekbracht. Jacks werkkamer op het Instituut was een keurig, met kurk afgewerkt hok en zijn stoel was een piepend draaimodel. Daar zat hij, dag aan dag, lezend, papieren omdraaiend en aantekeningen makend; en daarvoor werd hij beloond met een salaris, plus medische voorzieningen en een waardevast pensioen.

Hoe werden al die uren gevuld? Dat had ze zich vaak proberen voor te stellen. Ze moesten iets bevatten, een bepaald niveau van dagelijkse werkelijkheid. Maar wat dan? Toen Rob en Laurie nog klein waren belde ze nu en dan in lunchtijd – toen nam hij zijn eigen brood nog mee, ze waren net verhuisd naar Elm Park en hadden elke cent nodig voor de afbetaling van de hypotheek. 'Wat heb je vanmorgen gedaan?' vroeg ze dan en stelde zich voor dat hij ontspannen achter zijn bureau zat, zijn boterhammen uitpakte, zijn appel glimmend poetste op zijn broekspijp en naar de bladeren van zijn ene philodendron staarde.

Zijn antwoorden waren vaag, soms zelfs ontwijkend. 'Van alles en nog wat' of 'een paar nieuwe gegevens invoegen' of 'een paar referenties nalopen'. Haar eigen taken waren in die tijd eentonig maar strikt omschreven, om twaalf uur 's middags had ze een was gedaan, een badkamer gedweild, de flesvoeding klaargemaakt, een taart gebakken en de woonkamer gestofzuigd. In haar ogen was Jack bijna romantisch passief.

Later besefte ze dat dit kwam door de aard van zijn werk. Historici losten geen bestaande problemen op. Ze bedachten zelf de problemen door ze als schitterende juwelen uit de vastgelegde geschiedenis te plukken, waarna ze er jarenlang mee speelden.

Jack had nu drie jaar aan zijn boek over het begrip handel en bezit bij Indianen gewerkt. Van tijd tot tijd heeft ze hem geholpen met typen en het uitzoeken van aantekeningen, en ze heeft een globale indruk van waar het boek over moet gaan. Wat ze niet tegen Jack heeft kunnen zeggen is dat ze het project verbijsterend nutteloos vindt.

Ze kan natuurlijk ongelijk hebben. Het kan zijn dat tientallen geleerden in zijn vakgebied nu net zaten te wachten op een dergelijke veelomvattende studie. Misschien was het boek inderdaad wel voorbeschikt om een ernstig hiaat op te vullen. Misschien zou het wel een nieuw licht werpen op oude, ingewikkelde en onbeantwoorde vragen.

Ze betwijfelde het echter.

Er was een tijd geweest dat ze Jack er misschien wel vragen over had gesteld, maar nu, na drie jaar, leek het daarvoor te laat – vooral omdat ze vermoedde dat hij een aantal van haar twijfels deelde.

Drie jaar, en hij zat nog steeds middenin hoofdstuk zes. Het afgelopen jaar had hij er nauwelijks aan gewerkt, er waren andere projecten, zei hij, die zijn aandacht opeisten. Dr. Middleton, die nu in de zestig was en nog maar enkele korte jaren verwijderd van zijn pensioen, schoof meer en meer administratief werk naar hem toe. Jacks synopsis en aantekeningen voor het boek zaten in zijn oude tas of lagen verspreid over zijn bureau. Het was lastig om thuis te werken, zei hij. Laurie kwam telkens binnenstuiven. Rob had de radio zo hard aanstaan dat het in het hele huis te horen was. En in het weekend ging de telefoon voortdurend. Het was koud in de studeerkamer beneden, hij had het over de aanschaf van een elektrisch kacheltje en hij was zelfs al op een zaterdagochtend een aantal modellen gaan bekijken bij Wards. Brenda stelde voor dat hij zijn bureau in een hoek van hun slaapkamer zou zetten waar het warmer was en het licht beter. Toen ze dit voorstelde kreeg ze even een blos van schuldgevoel omdat zij de logeerkamer had ingenomen – veruit de lichtste kamer van het huis – voor haar quilten. Aan de andere kant vereiste naaiwerk goed licht, liefst daglicht, en zij gebruikte de kamer veel vaker dan hij ooit zou doen. Bovendien was zij veel serieuzer met haar werk bezig dan Jack.

Dit laatste – dat ze zo serieus werkte – vond ze verbazingwekkend, want in het begin was Jack de meest serieuze van de twee geweest, degene wiens werk voorging. In die tijd had ze de kinderen stilgehouden zodat hij kon lezen, ze had ze in hun sneeuwpakken geritst en op zaterdagen meegenomen op lange wandelingen in Scoville Common zodat Jack aan zijn lezingen kon werken. Haar man was historicus, vroeger hield ze van de klank van dat woord. Hij had voor deze ongewone bezigheid een beschermende cocon van rust nodig, en die kon ze hem geven, met vreugde.

En nu wilde ze hem iets meer geven. Ze wilde – en ze had het geprobeerd, maar de moed ontbrak haar – hem bevrijden, hem uit de narigheid halen. Ze wilde tegen hem zeggen dat hij gewoon met dit boek kon ophouden als hij echt het idee had dat het tijdverspilling was.

Ze had er over nagedacht hoe ze het onderwerp zou kunnen aansnijden. Een zondagochtend zou het beste zijn, wanneer ze nog in bed lagen. Hun zondagen waren, als een overblijfsel uit hun studententijd, rustig en ontspannen. Vaak werden ze wakker en vrijden ze terwijl het zonlicht naar binnen stroomde tegen de witte muren en weerkaatste op de blauw-met-groene quilt, en de zachte zijkanten van Jacks gezicht en de boog van zijn gesloten oogleden raakte.

'Hoor eens, Jack', was ze van plan te zeggen. 'Het feit dat je drie jaar aan dit project bezig bent geweest betekent nog niet dat je er tot het bittere einde mee moet doorgaan.'

Of 'Hoor eens, Jack, er is niemand die er om staat te springen dat je dit boek afmaakt. Waarom hou je er niet mee op en ga je iets doen waar je een beetje in gelooft?'

'Hoor eens, Jack,' kon ze zeggen, met een lachje zodat hij niet zou denken dat ze geen vertrouwen in hem had, 'luister eens, schat, het is duidelijk dat hier je hart niet ligt.'

Maar als ze dit zei, was het probleem dat ze niet wist waar zijn hart dan wel lag. Misschien was er niets, helemaal niets. En ze was bang om dat wat misschien wel een uitgestrekte leegte was aan het licht te brengen.

24

DE VORIGE AVOND, TIJDENS HET ETENTJE, HAD BRENDA Barry Ollershaw gevraagd wat metallurgische ingenieurs precies doen.

'Waarom kom je morgenochtend niet naar een bijeenkomst', had hij voorgesteld. Hij zou zelf een lezing geven, zei hij, over uraniumerts. 'Het is verschrikkelijk saai,' waarschuwde hij, 'maar dan krijg je misschien een idee van waar het over gaat.'

En vandaag zat hij tegenover Brenda in de koffieshop van het hotel, beet in een club sandwich en zei: 'Ik had je gewaarschuwd, hè?'

Brenda gaf toe dat ze er geen woord van had begrepen. 'Maar toen ik naar al die andere mensen keek, waren ze helemaal... nou ja... lyrisch.'

Hij kauwde vrolijk door. 'Het ging inderdaad beter dan ik had gedacht.'

'Je geniet gewoon van je succes', zei Brenda beschuldigend.

'We hebben allemaal op zijn tijd een schouderklopje nodig.'

Brenda was het daarmee eens, maar zei: 'Ik vraag me af waarom. Waarom we beloond moeten worden, bedoel ik. Je zou toch denken dat we daar een keer overheen groeien. Tenminste, dat hoop ik dan maar.'

'Dat zou je wel zeggen', zei Barry. 'Vooral wanneer je hebt gezien hoe gekunsteld het beloningssysteem meestal werkt, hoe onecht het meeste eerbetoon in werkelijk is. Hoe ze inhaken op je zwakheden en...' Hij zweeg en haalde zijn schouders op.

'Ik zie vreselijk op tegen de bekendmaking van de quiltprijzen vanmiddag', zei Brenda. 'Ik vind het ook wel spannend, maar ik zie er nog meer tegenop. Het slaat toch nergens op? Het is in zekere zin zelfs vernederend om daar doorheen te moeten.'

'Zou je even hard aan je quilts gewerkt hebben als er geen wedstrijd was geweest?'

Brenda dacht even na en zei toen: 'Misschien wel. Ja, ik denk het wel.'

'Dan ben jij een van de weinige gelukkigen.'

'Zou jij dezelfde lezing geschreven hebben als je niet was uitgenodigd om die vanochtend voor al die mensen voor te dragen?'

'Waarschijnlijk niet. Tenminste, ik ben altijd wel met iets bezig, maar als je het moet presenteren heeft dat iets opwindends. Dat heeft vast met ijdelheid te maken.'

'In wezen zijn we allemaal oppervlakkig', zei Brenda. 'Dat zegt een vriendin van mij, Hap Lewis, altijd.'

'Je man Jack is waarschijnlijk ook altijd met dit soort dingen bezig?' Hij sprak Jacks naam langzaam uit, alsof het een moeilijk woord in een vreemde taal was, en liet hem behoedzaam opengaan als een opvouwbare drinkbeker.

'Wat voor soort dingen?'

'Lezingen schrijven voor conferenties en zo.'

'Jack? Ja, inderdaad. Ik moest vanmorgen nog denken aan een lezing over Indiaanse nederzettingen die ik vorig jaar van hem heb gehoord. Het was gek, maar al die tijd dat hij daar op het podium stond te praten, had ik het gevoel dat hij iemand was die ik nauwelijks kende. Daar stond een man van middelbare leeftijd, een autoriteit. Zijn stem, zijn gebaren, zijn gezicht dat vanachter de microfoon de zaal inkeek, alles, het leek allemaal zo anders.'

'Waarschijnlijk was het voor hem ook anders dan anders. Dat jij in het publiek zat, bedoel ik.'

'Dat denk ik niet', zei Brenda. 'Volgens mij glipte hij gewoon weg. Naar zijn andere ik als het ware. Zijn werk-ik, zijn geschiedeniskant.'

'Voor mij was het in elk geval anders,' zei Barry, 'toen ik van mijn aantekeningen opkeek en jou daar zag zitten. In die groene blouse. Een vrouw in een groene blouse. Ik voelde me vijfentwintig in plaats van vijftig.'

'Echt waar?' zei Brenda, dwaas gevleid.

'Ik wil vanmiddag graag een cadeautje voor je kopen.'

'Een cadeautje!' Ze legde haar sandwich neer en staarde hem aan.

'Waarom niet?'

'Ik vind het niet goed dat je iets voor me koopt. Waarom zou je trouwens? Omdat ik naar je lezing ben gegaan? Ik wilde zelf graag naar je lezing.'

'Heb je vanmorgen die oudere man gezien op de eerste rij?'

'Met wit haar en twee wandelstokken?'

'Dat is professor Denton. Van Cornell. Hij is nu met emeritaat. Hij kwam vanmorgen naar me toe en gaf me een enveloppe met een honorarium. Het was totaal onverwacht en heel erg royaal.'

'Gekregen geld', glimlacht Brenda over haar koffie heen. 'Een deel van het beloningssysteem waar we het net over hadden.'

'En wat ik er nu mee wil gaan doen – val me nou niet in de rede – is jou meenemen om een jas voor je te kopen.'

'Een jas?'

'Ja.'

'Barry, maak je je nu nog steeds zorgen over mijn jas?'

'Ja, dat klopt.'

'Maar die komt wel weer boven water. Ik weet het zeker. Je zei toch dat hoe-heet-hij-ook-alweer, de man met wie je de kamer deelt, hier vanmiddag komt om...'

'Storton McCormick. Die komt niet. Dat hoorde ik net van professor Denton. Hij heeft laten weten dat hij vanmiddag niet kan spreken. En hij is niet meer in de kamer geweest. Tenminste niet dat ik weet.'

'Maar hij moet toch een keer boven water komen. Hij heeft zich toch niet officieel uit laten schrijven?'

'Nee, maar niemand heeft hem gezien.'

'Het is nog maar dinsdag...'

'En ondertussen zit jij hier in dit hotel vast zonder jas.'

'Maar alles wat ik nodig heb is er: de tentoonstellingsruimte, alle bijeenkomsten, alles.'

'Je hebt nog niets van Philadelphia gezien. Het is een bijzondere stad, met allemaal...'

'Philadelphia kan ik een andere keer nog wel eens bekijken.'

'En hoe denk je dan zonder jas terug te gaan naar Chicago? Als hij er donderdag nog niet is, Brenda, wat doe je dan? Doe je dan het douchegordijn om? Het is koud buiten. Het is januari.'

'Lúister nou eens even.'

'Wat?'

'Ten eerste ben ík mijn jas kwijtgeraakt en niet jij.'

'Maar het gaat er om dat…'

'Het gaat er om dat ik me er niet druk om maak, dus waarom zou jij dat dan doen? Donderdag is nog een eind weg en…'

'Het gaat eigenlijk helemaal niet om die jas. Ik wil je gewoon een cadeau geven.'

'En de rozen dan, je hebt al…'

'Een echt cadeau.'

'Maar waarom zou je in godsnaam…?'

'Omdat je naar mijn lezing kwam in je groene zijden blouse…'

'Polyester.' Ze zei dit streng, een kwestie van de zaken op orde houden.

'En gisteravond naar mijn gezeur hebt geluisterd, en mijn hand vasthield…'

'Ik ben veertig', zei Brenda.

'Je bent ook mooi…'

'En getrouwd.'

'En getrouwd.' Hij zette zijn vingers tegen elkaar. 'Dat is de moeilijkheid natuurlijk.'

Ze probeerde te lachen. 'Wat bedoel je met moeilijkheid?'

'Het is tegen de wet om cadeaus te kopen voor getrouwde vrouwen, neem ik aan.'

'Dat is het helemaal niet. En dat weet je best. Alleen, het zou me een gevoel van…' Ze aarzelde. 'Ik zou me nogal…'

'Verplicht voelen', vulde hij aan.

'Ja, precies. Verplicht.'

'Zelfs wanneer ik je verzeker – ik kan natuurlijk niet op mijn knieën vallen hier in de koffieshop zonder een schandaal te veroorzaken – maar zelfs als ik je uit het diepst van mijn hart verzeker dat er geen enkele verplichting zit aan mijn wens om…'

'Dat weet ik. Dat weet ik echt. Maar ik zou me toch ongemakkelijk voelen. Ik kan het nauwelijks uitleggen, maar het zou me niet lekker zitten als je mij zo'n cadeau geeft. Trouwens, dat weet je nog niet, maar als we klaar zijn met eten, ga ik met je in de slag over wie de rekening betaalt.'

'Ik geniet hiervan.'

'Van ruziën met mij?' lachte ze. 'Over het kopen van een jas?'

'Van hier zitten. En een club sandwich eten. Tegenover een aardige vrouw zitten.'

'Ik geniet er ook van', zei ze, tot haar eigen verbazing. 'Dat meen ik.'

'Brenda Bowman. Quilter. Een stadsmens in hart en nieren. Je ontroert me.'

'Echt waar?' Ze keek, zijn ogen zagen er inderdaad wat wazig uit. Impulsief raakte ze zijn mouw aan.

'Ik hou van sentimentele scènes', bekende hij. 'Ik heb zelfs gehuild bij *Mary Poppins*.'

Jack ook, wilde ze hem toevertrouwen, maar ze deed het niet. In plaats daarvan zei ze: 'Mag ik je een vraag stellen?'

'Wat je maar wilt. Zolang het maar niet over metallurgie gaat.'

'Over iets wat je gisteravond zei. Over je vrouw.'

'Ruth.'

'Over dat ze...' Brenda zocht naar de juiste woorden. 'Ik geloof dat je zei dat ze volledig veranderd was.'

'Ja.' Hij liet Brenda's hand los.

'Hoe bedoelde je dat? Hoe veranderd? Op welke manier?'

'Op alle manieren waarop je kunt veranderen. Ze is zichzelf niet meer. Als je wist hoe ze daarvoor was...'

'Hoe was ze dan?'

'Levendig. Actief. Ze deed onderzoek aan de universiteit, ze is botanist. Tenminste, dat was ze. Ze speelde tennis als een professional.' Hij spreidde zijn handen uit. 'En nu doet ze niets.'

'Helemaal niets?'

'Ze zit natuurlijk vrijwel constant onder de verdovende middelen. Maar dan nog...'

'O, Barry...'

'En natuurlijk,' zijn stem veranderde van toon, 'natuurlijk houden we niet meer van elkaar.'

Dit verraste Brenda niet, ze had dit om de een of andere reden verwacht. 'Helemaal niet meer?'

Hij benadrukte elke lettergreep. 'Helemaal niet meer.'

'Zelfs niet...'

'Niet geestelijk, niet psychisch, niet lichamelijk. Dat gebeurt soms, hebben ze ons verteld. Wanneer een kind sterft, dan geven de ouders, of een van tweeën in elk geval, de ander de schuld.'

'En wat doe je nu?'

Voor het eerst klonk zijn stem nors. 'Wat bedoel je met wat doe je nu?'

'Ik bedoel, hoe ga je er mee om?'

'Als je bedoelt wat ik met mijn tijd doe, ik werk hard. Ik werk door in het weekend, ik werk 's avonds. Ik werk vrij veel als adviseur, en daarvoor moet ik reizen. Ik heb drie of vier onderzoeksprojecten lopen. Ik zwem, zeil een beetje en we hebben aardig wat oude vrienden…'

'Maar hoe zit het met…' Ze aarzelde, onzeker over wat ze wilde vragen.

'Als je me vraagt of ik trouw ben – en volgens mij vraag je dat – is het antwoord nee. Maar ik was trouw – laat me doorgaan, ik wil dit tegen je zeggen – ik was de eerste anderhalf jaar trouw. En dat is behoorlijk lang, dat moet je met me eens zijn.'

'Ja, dat ben ik met je eens.' Brenda knikte snel, ineenkrimpend door de meegaande klank van haar stem.

'Ze is twee keer opgenomen geweest', vervolgde hij. 'Ze kan niet alleen gelaten worden. Op dit moment logeert haar zuster bij ons. Daarom kon ik naar deze bijeenkomst. Daarom kan ik hier zitten en jou stierlijk vervelen met mijn trieste verhaal.'

Na een korte stilte zei Brenda: 'Wat ga je vanmiddag doen?'

'Ik wilde met jou gaan winkelen. Maar dat… gaat waarschijnlijk niet door.'

'Waarom ga je niet met mij mee naar de prijsuitreiking. Die is om drie uur in de tentoonstellingshal. Er zijn honderden quilts. En allerlei andere dingen. Je vindt het vast prachtig.'

'Denk je, Brenda? Ja, vast wel.'

25

'**B**RENDA BOWMAN, IK HEB ECHT OVERAL NAAR JE LOPEN zoeken.'

Het was Susan Hammerman die zich met haar armen zwaaiend een weg door de menigte baande. Op haar voorhoofd glom een dun, glinsterend, vrolijk laagje transpiratie. 'Eindelijk heb ik je gevonden.'

'Susan, dit is Barry Ollershaw. Susan Hammerman. Susan komt ook uit Chicago. Ze is een weefster.'

'Hallo, Barry. Je zei toch Barry? Ben je ook een quilter?'

'Nou, nee, ik...'

'O, sorry, ik zag je naamkaartje niet. Dus... jij bent een van díe mensen.'

'Ik ben bang van wel.'

'Maar goed, Brenda, ik wilde je alleen even feliciteren. Toen ik je naam daar boven zag met een eervolle vermelding, toen barstte ik bijna van...'

'Dank je.'

'We kunnen vandaag echt trots zijn op Chicago.'

'We zijn er nog maar net. Heeft...'

'Lottie heeft ook een eervolle vermelding, in macramé, en waarschijnlijk heb je mijn naam ook al gezien...'

'Nee. Vertel eens?'

'Tweede prijs. Ik was bijna door het dolle heen. En twee jaar achter elkaar, wat wil je nog meer.'

'Gefeliciteerd', zei Barry.

'Dat is schitterend, Susan.'

'Ik voel me fantastisch. Daar gaat Lottie. Die moet ik even vangen nu ik haar zie. Leuk je ontmoet te hebben, Barry. Tot ziens, Brenda. Is het niet waanzinnig?'

'Brenda Bowman, eindelijk gevonden.'

'Barry, dit is Betty Vetter, die heeft alles georganiseerd. Betty, dit is Barry Ollershaw.'

'Aha! Een van de beruchte...'

'Helaas wel.'

'Brenda, weet jij waar Verna is? Ik heb haar overal gezocht. Ik heb haar zelfs al laten omroepen.'

'Ik heb haar niet gezien. In feite...'

'Ze heeft de eerste prijs gewonnen en is er niet eens om die in ontvangst te nemen.'

'Heb je gevraagd of...'

'Ik wilde nog een keer proberen haar op te roepen via de luidspreker, maar het is hier zo'n herrie dat dat denk ik niet veel uithaalt.'

'Ik wilde jou juist naar Verna vragen, Betty, omdat het geval wil dat...'

'Hoor eens, wil je zo lief zijn om me uit de brand te helpen? Wanneer ze haar naam noemen en ze niet komt opdagen, wil jij dan naar voren komen en de prijs voor haar in ontvangst nemen? Gewoon even een paar woorden zeggen, je weet wel. Ik weet dat het veelgevraagd is...'

'Ik?'

'Jij bent haar kamergenote. Dat is wel toepasselijk, als je begrijpt wat ik bedoel.'

'Maar ik ken haar helemaal...'

'Je bent een schat. Echt, je bent een schat. Ik zie je straks nog, oké?'

'Brenda, waar heb jij in godsnaam al die tijd gezeten?'

'Lenora! Mag ik je even voorstellen aan Barry Ollershaw? Barry, dit is Lenora Knox, een collega-quilter.'

'Hoe gaat het, Lenora?'

'Eerlijk gezegd heb ik een barstende hoofdpijn. Al die herrie. Wat doe jij eigenlijk?'

'Ik hoor bij de metallurgen – die andere club – helaas.'

'O. Ik heb mijn bril niet op anders had ik het naamkaartje kunnen lezen. Ik was vanochtend op zoek naar je, Brenda. Ik had gedacht dat we misschien samen konden lunchen vandaag, maar...'

'Kun je morgen?'

'Ik weet het niet. Morgen geef ik mijn workshop. Over de genrequilt. Het gaat over animisme. Dat wil zeggen dat…'

'O. Dat klinkt interessant.'

'Dat vergat ik bijna. Gefeliciteerd met je eervolle vermelding.'

'Dank je. Ik was echt verrast.'

'Waarschijnlijk heb je de geruchten al gehoord die over de jury de ronde doen?'

'Nee, wat voor geruchten?'

'Over Morton Holman. Iemand wees erop – maar toen was het al te laat – dat hij tegenstrijdige belangen heeft. Dat gaan ze uitzoeken. Voor volgend jaar.'

'Ja ja.'

'En over Dorothea Thomas. Ze is fantastisch, gewoonweg fantastisch, als vakmens is ze echt uniek, maar zodra het gaat over het echte jureren…'

'Ja?'

'Ze is gewoon… nou ja… je weet wel. Zoals iemand al zei, we hebben vers bloed nodig. En een betere regionale vertegenwoordiging…'

'Dat denk ik ook', zei Brenda.

'Hé, daar hebben we mevrouw B. in hoogst eigen persoon. Hoe gaat het vandaag met mevrouw B.?'

'Barry, dit is Hal Rago. Hal, dit is Barry Ollershaw.'

'Fijn om je te ontmoeten, Barry, heel fijn.'

'Leuk om jou te ontmoeten, Hal. Ik heb gisteren je stuk in de krant gelezen over Brenda.'

'Fantastisch, fantastisch. Vandaag kun je nog meer over haar lezen.'

'O, nee', zei Brenda.

'Jazeker, ik kreeg gisteravond de lijst met winnaars en er komt een aardig stuk in de middagkrant, een soort focussen op de hele club winnaars. Zeg, ken jij toevallig die Verna of Virginia? Die wilde ik uitnodigen voor een vloeibaar etentje, haar er voor morgen even uitlichten.'

'Daar kan ik je helaas niet mee helpen, Hal.'

'Niemand schijnt te weten waar dat mens zit. Waarschijnlijk een van jullie bedeesde, verlegen typetjes. Jammer voor haar. Als ze erachter komt dat ze gratis publiciteit is misgelopen.'

'Ja', zei Brenda.

'Hé, kijk eens, daar zit iemand met een krant.'

'Van vandaag?'

'Ik denk het wel.'

'Laten we het maar vragen…'

'Mag ik heel even kijken?'

'Op welke pagina staat het?'

'Kijk eens aan! Een stuk over kunst op de voorpagina.'

'De wonderen zijn de wereld nog niet uit.'

'Het werd tijd.'

'Jezus.'

'Moet je die foto's zien.'

'Niet slecht.'

'Waar moet je zo hard om lachen?' vroeg Brenda aan Barry.

Hij sloeg dubbel van het lachen. 'Ik kom niet meer bij. Ik kom echt niet meer bij.'

'Laat me nog eens kijken. Ik begrijp niet wat daar nou zo grappig aan is.'

'De kop', zei hij naar adem snakkend. 'Nee, niet die, de onderkop.'

'Dat is gewoon een kop, meer niet.'

'"Tweede komst krijgt eervolle vermelding".'

'Nou en?'

'Vind je dat dan niet grappig?'

'Nou,' zei Brenda, 'niet echt.'

'Het is schitterend. Het is kostelijk.'

'Ik begrijp niet…'

'En het leukste is,' hij veegde de tranen uit zijn ogen, 'het leukste is dat het waarschijnlijk helemaal niet grappig bedoeld was.'

'Hmmm.'

'Prachtig, prachtig.' Hij begon opnieuw, zich staande houdend aan een paal. 'Prachtig.'

'Hmmm', zei Brenda opnieuw, naar hem glimlachend en zich wee voelend van blijdschap.

26

O M ZEVEN UUR BELDE BRENDA VANUIT BARRY'S KAMER
naar huis in Elm Park en praatte met haar kinderen. Laurie
nam op.

'Het is mama', gilde ze. 'Ze belt interlokaal. Hé, Rob, pak de
telefoon boven, het is mama.'

'Hoe gaat het, schatje?' Brenda hield de hoorn in beide handen en
zag haar twaalfjarige dochter Laurie in soft-focus met haar ronde
gezicht glanzend, rozerood van de eigen warmte, en haar zachte
mond open en verlangend – hartbrekend verlangend.

'Raad eens, mam, ik heb een Caesarsalade gemaakt. En Bernie –
die is hier blijven eten – zei dat het de beste was die hij ooit had gehad.'

'Is Bernie blijven eten? Wat leuk. Wanneer was dat?'

'Hoi, mam.' Het was Rob op het tweede toestel. Hij klonk
slaperig, verdoofd, bedaard. 'Hoe gaat het in Philly?'

'Het is hier echt…'

'Heb je het gehoord van de sneeuwstorm?'

'Bedoel je…'

'Het heeft in alle kranten gestaan en het was op de tv…'

'We hadden gisteravond achtentwintig centimeter, mam.'

'Vijfentwintig centimeter.'

'Achtentwintig stond er in de *Trib*. Je had het moeten zien. Het
was een echte sneeuwstorm. En geen school vandaag, die waren
allemaal dicht, en die hele grote boom op Scoville…'

'En niemand ging naar zijn werk', zei Laurie. 'Bijna niemand…'

'Alles was dicht, alle winkels en zo. Zelfs de benzinepompen…'

'Niemand kon zijn auto uit de garage krijgen, je kon de deur van
de garage niet eens opendoen, zoveel sneeuw lag er.'

'Hoe is Philadelphia?' vroeg Rob met zijn volwassen stem. 'Is het
een leuke stad?'

'Nou, het is…'

'Hoe ging het vliegen? Was je luchtziek?'

'Je weet dat ik nooit…'

'De sneeuwschuivers zijn nog niet eens op Franklin geweest. Ze hebben Holmes en Mann gedaan, maar Franklin nog niet. Dat komt omdat…'

'Het komt tot boven mijn hoofd', snerpte Laurie.

'Hoe kan het nou tot boven je hoofd komen,' zei Rob, 'als er maar vijfentwintig centimeter ligt?'

'Tussen de Carpenters en ons huis, bedoel ik. Daar ligt een hele hoge hoop, ik wou dat je het kon zien. Je had ons vandaag van het dak van de garage moeten zien springen, de hele buurt…'

'Het is een record. Dit is de grootste hoeveelheid sneeuw die er sinds 1942 is gevallen. Niet in totaal, maar de meeste centimeters in de kortste tijd.'

'Hoe is het met papa? Is hij…?'

'Vanavond zeggen ze op de radio, op alle zenders, of de scholen morgen nog dicht blijven. Dat hebben ze nog niet besloten.'

'De lagere scholen zijn dicht,' zei Laurie, 'maar de middelbare scholen niet.'

'Waar heb je dat gehoord? Niet op de radio.'

'Iemand heeft het verteld.'

'Ja, dat zal wel.'

'Redden jullie het verder wel?' vroeg Brenda.

'Ja, gisteravond hebben we hamburgers gegeten. Die had papa ergens gehaald. Hij kwam laat thuis door al die sneeuw. De Eisenhower was zelfs dicht. Het was voor het eerst in de geschiedenis dat die was afgesloten, zo erg was de sneeuw.'

'Ze lieten een man op tv zien die een hartaanval had gekregen toen hij zijn auto aan het uitgraven was.'

'Maar het komt weer goed met hem, hij ligt nu in het ziekenhuis.'

'Wie? Wie had er een hartaanval?'

'Die man op de tv. Niet iemand die wij kennen.'

'Hoe gaat het met opa en oma? Zijn jullie daar zondag geweest?'

'Ja.'

'Het gaat goed met ze.'

'Waar is papa? Kan ik even met hem praten?'

'Ik denk dat hij nog op zijn werk is.'

'Ja, dat klopt.'

'Ik dacht dat je zei dat alles dicht was vandaag, alle kantoren.'

'Wat?'

'Door de sneeuw. Je zei dat alles dicht was en niemand ging werken.'

'Ja, maar volgens mij is pa wel gaan werken. Hij is ergens naartoe gegaan.'

'Hoe is Philadelphia, ma? Heb je de Liberty Bell al gezien?'

'Nee, maar ik heb een eervolle vermelding gekregen. Voor *De tweede komst*.'

'Hé, dat is gaaf.'

'Is dat die met dat bloemending erop?'

'Nee, dat is een van de andere.'

'Gaaf.'

'Ik ga nu ophangen, jongens. Donderdag ben ik er weer. Zeker weten dat alles goed gaat?'

'Zei je donderdag?'

'Papa weet het wel. Het hangt op het prikbord. Het vluchtnummer en zo.'

'We gaan morgen een sneeuwblazer proberen te lenen. Bij de Pattersons, weet je wel? Die naast de McArthurs wonen. Die hebben een sneeuwblazer.'

'Hoor eens, jongens, geef papa een kus van me, oké?'

'Wat?'

'Ze zei dat we papa een kus van haar moeten geven.'

'Oh, kus, dat dacht ik al.'

'Oké, dat zullen we doen.'

'Niet vergeten, hoor.'

'Wat niet vergeten? Oh ja, oké.'

'Dag schatjes. Tot donderdag.'

'Dag mam.'

'Ik mis jullie allebei.'

'Wij missen jou ook, mam.'

'Tot gauw.'

27

O, ZE HIELD VAN ZE, ZE HIELD VAN ZE. ZE HIELD EVEN haar hand op de hoorn, onwillig de liefdevolle verbinding tussen haarzelf en haar beide kinderen te verbreken.

'En?' zei Barry van de andere kant van de kamer waar hij gin in glazen schonk. 'Is alles in orde?'

'Alles is in orde', zei Brenda, en ze draaide zich, een beetje draaierig, om en nam het glas aan dat hij haar aanreikte. 'Het maakt je alleen wel iets bescheidener als je beseft dat je kinderen het uitstekend zonder je redden.'

'Maakt het je minder belangrijk?' Hij ging op het bed zitten en nam een slokje van zijn borrel.

'Nee.' Ze zat tegenover hem. 'Nee, het is eerder een beetje verbazingwekkend.'

Wat haar verbaasde was dat ze in die vier dagen dat ze weg was totaal vergeten was hoe ze waren. Hoe zelfzuchtig Rob en Laurie allebei waren. Maar wel zuiver en transcendentaal zelfzuchtig. Hun zelfbelang gloeide als een of ander primitief element, helder en feller dan radium. En hun intense band met het heden – met de banaliteit van weerrecords en het drama van hun stormachtige dag – raakte haar diep. Deze ongecompliceerdheid, dit openstaan voor sensatie – ze droegen het als een sieraad. De besmetting met verveling zou nog komen, ongetwijfeld, ongetwijfeld – maar nu nog niet.

Oh, ze hield van ze. En nog maar enkele dagen geleden vond ze ze niet om van te houden en liefdeloos. Hoe kwam dat toch? vroeg ze aan Barry.

Hij was in een filosofische bui. 'Ik denk dat liefde in golven komt. Net als geluidsgolven en lichtgolven en alle andere dingen in de natuur. Dan heet, dan koud. Dan weer aan, dan weer uit.'

'Dat zou eigenlijk niet moeten', zei Brenda, vastberaden rechtschapen. 'Hoe zit het dan met de standvastige liefde? Je weet wel,' ze liet een kort lachje horen, 'de eeuwig brandende vlam?'

'Bedoel je dat waar we allemaal op uit zijn? En waarvan we denken dat we er recht op hebben?'

'Misschien willen we het niet echt de hele tijd.'

'Misschien niet. Volgens mij is het een illusie om te denken dat we zo standvastig van iemand kunnen houden. Misschien zouden we er wel aan dood gaan, als er zo van ons gehouden werd. Zoiets als beschoten worden met een stralingswapen.'

Brenda zette haar glas op het nachtkastje. 'Dat is misschien wel zo, maar ik vind het een afschuwelijke gedachte.'

'Ik ook. Maar als je het in de praktijk nagaat, kan ik niemand bedenken die een ander onafgebroken, onbeperkt en uit alle macht dag in dag uit heeft liefgehad. Misschien in de literatuur en in popsongs...'

'Mijn moeder misschien. Ik was natuurlijk ook de enige die ze had. Maar afgezien van haar...'

'Afgezien van haar?'

'Ik neem aan dat de liefde het af en toe laat afweten.'

'In elk geval verslapt het af en toe', zei Barry. Hij nam zijn laatste slok gin.

'Ja, dat is een beter woord. Een verslapping van de liefde.'

'En jij en...' Hij vermeed het woord, maakte in plaats daarvan een cirkelvormige beweging met zijn lege glas, 'jij en...?'

'Jack', zei ze, hem te hulp schietend en zijn vraag zakelijk vastleggend.

'Inderdaad, jij en Jack.' Zijn toon was behoorlijk cynisch, maar ook ietwat verlegen. 'Ik neem aan dat voor jou de vlam altijd rustig heeft doorgebrand. Geen verslappingen of zoiets.'

'Ik weet het niet', zei ze heel voorzichtig. Haar hand, die vlak en ontvankelijk op het bed lag, spreidde zich breed uit. 'Volgens mij hebben we behoorlijk...'

'Geluk gehad?'

'Ja, eigenlijk wel.'

Hij vroeg haar of ze nog gin wilde. Ze schudde haar hoofd.

'Gelukkige Brenda', zei hij en liet het woord tussen hen in de lucht hangen.

Het was ook bijna de waarheid, die bestendigheid van de vlam.

Maar niet helemaal. Vier jaar geleden was Brenda op een morgen ontwaakt in haar blauw-met-witte slaapkamer en had ze naar haar slapende echtgenoot gekeken. Jacks gezicht in ruste was toen uitdrukkingsloos, gesloten en niet vertrouwd; ze zei tegen zichzelf, of eigenlijk tegen de muren: 'Ik hou niet meer van hem.'

Een paar minuten later werd hij wakker, zette de wekker af en reikte naar haar door het waas van zorgelijkheid dat in haar opkwam. Ze volbrachten de bewegingen der liefde, en Brenda registreerde met een afschuwelijke kilte: nu gaat hij dit doen, nu gaat hij dat doen. Toen hij daarna ging douchen bleef zij in bed liggen en dacht: nu wast hij zijn nek en nu staat hij op één been zijn tenen in te zepen. Nu stapt hij eruit en werpt hij stiekem trotse blikken in de spiegel, klopt hij op zijn buik, houdt hij zijn hoofd schrander scheef en mompelt hij in zichzelf.

Hij kwam vochtig en verzorgd de slaapkamer in en zag dat ze nog in bed lag. Met onvergeeflijke nonchalance vroeg hij: 'Sta je niet op vanmorgen?'

Het was weg. De liefde was verdwenen. Het leven was vergald. Maandenlang wist ze niet wat ze moest doen. Er was ook niets wat ze kon doen. Gevangen als ze zat in haar zonnige reputatie, moest ze doorgaan alsof er niets was gebeurd. Ze kon alleen maar doen alsof.

Jack scheen zich echter niet volledig in de luren te laten leggen door deze schijn. Ze merkte af en toe dat hij bevreemd en onderzoekend naar haar keek. Een stuiver voor je gedachten, zei hij veel te vaak. Hij nam haar zonder enige reden midden in de week mee uit eten naar Jacques' restaurant. Hij drong er op aan dat ze een avondcursus zou doen. Hij nam haar mee naar een reprise van *Laura* in het Arts Theatre, waar ze de zachte druk van zijn hand op haar dij moest verdragen. Hij had zelfs, zo ontdekte ze veel later, een uitgebreid vertrouwelijk gesprek met Brian Petrie op zijn werk over eventuele therapeutische hulp voor haar. (Brian, die zelf door de molen was gegaan, raadde het af.)

's Avonds, wanneer ze alleen waren, probeerde hij haar aan het praten te krijgen over haar moeder, die in de herfst was gestorven.

Natuurlijk! Natuurlijk. Typisch iets voor hem om te denken dat dat het probleem was: de schok van haar moeders plotselinge overlijden en haar woede op de arts die dit had kunnen voorkomen. Haar teruggetrokken toestand, haar afstomping, haar dagelijks vloeiende tranen en dwangmatige boodschappen doen – voor dit alles legde hij de schuld bij de dood van haar onberispelijke moeder. Wanneer hij haar gevoelens probeerde te peilen, was zijn blik zo bedroefd en gekwetst dat ze het liefst de kamer was uitgerend.

Gedurende die winter sliep Brenda als een houtblok naast deze oppervlakkige, arrogante vreemdeling en liet ze hem in de waan dat er niets aan de hand was. Zijn geduld, zijn bezorgdheid en zijn strelende handen – vooral zijn strelende handen – maakten haar gek, maar ze liet hem evengoed in die waan.

Wanneer hij naar zijn werk was zat zij in de keuken en probeerde ze te bedenken waarom ze haar leven had toevertrouwd aan dit nietszeggende menselijke wezen. Ze liet haar negentienjarige ik herleven en verwonderde zich over de tijdelijke aandoening die ze had verward met liefde. Op een ochtend zat ze twee uur lang roerloos aan de keukentafel en uit haar mond klonk een vreemd, vaag jammerend geluid dat niet voor tranen wilde zwichten.

In het voorjaar gingen ze naar Frankrijk. Hij verraste haar met de vliegtickets, die hij op een avond samen met een reisbeschrijving meebracht. Was het voor een bijeenkomst, of voor zijn onderzoek? Nee, zei hij, het was een vakantie, alleen voor hen tweeën. Het hart zonk haar in de schoenen bij de gedachte – alleen zij tweeën. Ze walgde van zichzelf in die rol van neurotische, treurende vrouw, en verfoeide hem dat hij die rol had bedacht, dat hij een invalide van haar maakte wier gedachten moesten worden afgeleid van haar gestorven moeder door haar mee te nemen op een dure vakantie naar Frankrijk.

De eerste week verliep slecht. Het voortdurende bezoeken van bezienswaardigheden putte haar uit. De dag in Versailles leeft in haar herinnering voort als een woord- en reukloze beproeving, ze hadden uren bedrukt rondgelopen door saaie kamers, de Spiegelzaal was een wazig beeld van bezoedelde vlakken, die warrige beelden van teleurstelling weerkaatsten.

Jacks pogingen om haar te interesseren voor gobelins – hij zorgde ervoor dat ze op een dag gingen dat de rondleiding in het Frans en niet in het Engels was – vond ze geënsceneerd, opofferig en pathetisch, en ze verfoeide haar dankbaarheid die ze hem met mondjesmaat gaf voor zijn kleine attenties. Tijdens hun maaltijden in de Parijse bistrots verstrengelde ze haar vingers plichtsgetrouw met de zijne en minachtte ze hem om de bereidwilligheid waarmee hij dit gebaar beantwoordde.

Toen huurden ze een auto en reden ze naar Bretagne, een onherbergzaam oord, op het platteland nat en riekend en stijf en stoffig in de stadjes. Door de voorruit van hun kleine witte Peugeot zagen ze hoe de wolken zich boven hen opstapelden langs oprijzende hellingen – roetbruine wolken die krulden aan de randen als op schalen van lucht opgediende soufflés. Het was prachtig, ze dwong zich dit toe te geven. De zon die op de leien daken scheen, leek een oudere, wijzere verwant van de Amerikaanse zon. Op het platteland viel zijn bleke licht door het groene kantwerk van takken op de kleine akkers met mosterdplanten en klaver, en de schaduwen deden denken aan het blauwe, ingewikkelde patroon van de goudkleurige, emaillen vaas die thuis in hun slaapkamer stond, een geschenk van dr. Middleton en zijn vrouw; toen Brenda dit tegen Jack zei knikte hij, alsof hij op datzelfde ogenblik op dezelfde gedachte was gekomen.

De donzen dekbedden in de kille hotels roken naar schimmel; de bedden waren klam en hadden een kuil in het midden, zodat ze zich elk aan hun eigen kant moesten vastklampen, verdeeld als ze waren door Jacks eerbied voor haar vreselijke verdriet en haar onvermogen hem te bekennen dat ze niet meer van hem hield.

Het eten was uitstekend. Brenda, die nog nooit niertjes had gegeten, was verrast over de delicate smaak van in cognac geflambeerde kalfsniertjes, geserveerd met mosterdsaus; ze bestelde het drie dagen achtereen en Jack zat tegenover haar en bezag deze uitspatting hoopvol.

Toen ze op een dag op een smalle, met dichte groene hagen omzoomde weg reden, wees hun Michelingids hen naar een gewelfd plattelandskerkje opgetrokken uit mosgroene steen. Het had heel kleine, hooggeplaatste ronde ramen en een dikke eiken deur die een vochtige, donkere grot onthulde. Maar toen ze een muntstuk van één franc in een metalen doosje hadden gedaan, sprong er plotseling een elektrisch licht aan, dat drie voorbijtikkende minuten lang een oud beschilderd paneel boven het altaar zichtbaar maakte: een tafereel van dorpelingen in middeleeuwse kledij, hun lichaam gezond en vol van dankbaarheid. Deze mensen droegen manden met fruit en groenten een kerk binnen, en verbazingwekkend genoeg was het déze kerk – de kerk waarin ze stonden, maar dan toen hij nog nieuw was. Het dak was een geschilderd vlak van schoon, geel stro, de muren waren opgetrokken van pasgehouwen, witachtige steen, de lucht was fris en wakker en de licht opgehoogde grond rond de kerk zag er pas aangelegd uit en had een surrealistische glans.

Toen het elektrische licht uitklikte, stonden ze weer in het donker, maar nu pulseerde de duisternis met kleuren. Brenda kon het gewelfde dak van de kerk zien met de sierlijke houten balken, de met roet beslagen stenen van de oude muren en, naast haar, het ingelijste wit van Jacks gezicht. Ze durfde het aan haar armen om hem heen te slaan en, alsof ze toestemming hadden gekregen, begonnen beiden te huilen en Brenda had het gevoel dat ze op dat ogenblik één mens, één lichaam waren.

Haar lange nachtmerrie, het verlies van de liefde, was op een onverklaarbare manier verdwenen. De liefde was hersteld, om welke reden dan ook. Jack dacht wellicht dat het rouwproces op een natuurlijke manier ten einde was gekomen – en misschien was dat ook wel zo, want Brenda was nimmer in staat de ingewikkelde draden van die winter van wanhoop volledig te ontwarren. Wanneer ze erop terugkeek, leek het haar een tijd van ziekte, ze was overvallen door een buitenissige beproeving en wist voortaan dat het opnieuw kon gebeuren.

Ze overwoog Barry deelgenoot te maken van deze onthulling. Het zou in zekere zin het evenwicht tussen zijn onfortuinlijke en haar gelukkige leven helpen herstellen.

Ze besloot het niet te doen, al was het alleen maar omdat het een verraad scheen datgene hardop uit te spreken wat in stilte was opgelost. 'Ja, we hebben behoorlijk geluk gehad', wist ze tegen Barry Ollershaw uit te brengen, naar de vouw in zijn broek starend, gebiologeerd door de glimmende neuzen van zijn zwarte veterschoenen.

'Tja,' zei hij, ietwat kortaf, 'dan heb je bijzonder gebolt.'

Om aardig te zijn voegde ze eraan toe: 'Er zijn natuurlijk wel ups en downs geweest.'

'Natuurlijk.' Hij raakte haar haar aan.

Er was een korte stilte en toen vroeg ze: 'Hoe laat gaat je vliegtuig donderdag?'

'Je bedoelt woensdag. Morgen.'

'Woensdag? Je bent hier toch nog tot donderdag? Of niet?'

'Ik ga van hier door naar Montreal. Ik dacht dat ik dat tegen je gezegd had, Brenda. Ik weet het zeker. Morgenmiddag, om een uur of twee.'

Ze leunde verbluft achterover. 'Dat heb je me inderdaad verteld, maar – ik ging er gewoon van uit – ik bedoel, het banket voor de metallurgen is toch morgenavond? En ik ging er gewoon vanuit…'

Barry praatte, liep door de kamer, schonk zich nog een borrel in en zei iets over vergaderingen en een contract met de overheid, mensen in Ottawa die hij nog moest opzoeken en een inderhaast en met veel moeite gemaakte afspraak.

Ze schudde ongelovig haar hoofd. 'Ik ben alleen maar verbaasd', zei ze. 'Ik beschouwde het gewoon als iets vanzelfsprekends.'

28

ZE BESLOTEN EEN EIND TE GAAN WANDELEN OMDAT HET een zachte avond was geworden. Barry droeg zijn sportieve tweedjasje met daaronder een coltrui en hij leende Brenda zijn gevoerde overjas die haar, afgezien van de iets te lange mouwen, redelijk paste. Verbaasd zei ze: 'Hij past', en draaide rond voor de spiegel.

'Ik neem aan…' hij zweeg even om indruk te maken, 'ik neem aan dat… hoe heet hij ook weer…'

'Jack', ze glimlachte breed.

'Ik neem aan dat Jáck een beer van een vent is.'

'Ja', zei ze, hoewel Jack nauwelijks meer dan een meter tachtig was. 'Echt een reus.' Ze gaf het aan met haar armen.

'Een elandstier uit de voorsteden van Chicago. Wat een bof!' En ze lachten beiden.

We lachen om Jack, dacht Brenda, getroffen door de onrechtvaardigheid hiervan. Jack, die afwezig en onschuldig was en geen hoon had verdiend – die arme Jack, omgevormd tot een bovenmaatse pummel. Hoe konden ze hem dit aandoen? Waarom deed zíj dit?

Ze liepen gearmd en ernstig door de verlichte straten van de stad, in de pas en starend naar de etalages met parfums, sieraden, boeken, verse vruchten, flessen wijn, dameskleding, schoenen en meubelen.

Ze hielden stil bij een van de etalages om een opstelling van woonkamermeubilair te bekijken met onder meer een dure geruite bank, een bijzettafeltje met een glazen blad en een keurig messing onderstel, een lamp van aardewerk met een grote, geplooide kap en een imitatievuur dat vlamde in een imitatiehaard. 'Leuk', zei Barry. 'Zullen we het kopen?'

'Ja', zei Brenda. 'Maar kunnen we het wel betalen?'

'We kopen het op afbetaling, schat.'

'Maar dat hebben we nooit eerder gedaan.'

'Dan moeten we toch nodig met onze tijd meegaan, vind je niet?'

'In dat geval...' zei Brenda.

In een flauw verlichte zaak die The Cheesecake Café heette, gingen ze aan een tafeltje bij het raam zitten en bestelden ze koffie met slagroom en gemalen gember. 'Leuk hier', zei Brenda, rondkijkend in het duister naar de schone, koele marmeren tafeltjes en metalen stoeltjes. Het café was voornamelijk gevuld met jonge stellen met kalme, ovale gezichten, in harmonie met het weerkaatste schijnsel van kleine stormlantaarns. Aan het tafeltje naast hen zaten twee jonge mannen te schaken, en Brenda ving een fragment op van hun conversatie, dat luidde: 'Het lijkt misschien wreed maar...'

Barry leunde naar haar over en stelde een vraag, maar zijn woorden werden overstemd door het onverwachte geluid van een sirene buiten op straat.

'Wat zei je?' zei ze, en tilde haar koffiekopje op. Een brandweerauto kwam langsrammelen, Brenda zag de lange, rode glans van de zijkanten langs het caféraam flitsen.

'Het is vast een grote brand', zei ze in de plotseling lawaaierige sfeer. Mensen schoven hun stoel naar achteren, stonden van hun tafeltje op en dromden samen bij het raam. Van buiten van het trottoir kwam het geluid van mensen die riepen en over de stoep renden. De caissière voorin het café, een knappe jonge vrouw in een lange rok, ging even naar buiten en kwam vervolgens weer binnen met haar armen om zich heengeslagen tegen de kou. 'Het is bij het Franklin Court Hotel', kondigde ze aan met een heldere, vérdragende stem die zowel geschokt als opgelucht klonk.

Brenda hapte naar adem en pakte haar jas.

'Kom op', zei Barry.

'Ja.' Ze deed de grote knopen vast.

Het was maar drie huizenblokken verder en ze renden het grootste gedeelte, onderweg massa's mensen ontwijkend. De wijde, zware overjas zwiepte tegen Brenda's laarzen, wat haar uitputte.

'Pas op voor de gladde stukken', riep Barry.

'We zijn er bijna. Het is toch om de volgende hoek?'

'Ik geloof het wel. Daar is de meubelwinkel waar we hebben staan kijken.'

'Ik ruik geen rook, jij?'

'Daar is het.'

'Moet je zien wat een mensen.'

'Goeie genade.'

'Ongelofelijk.'

Op het trottoir en de straat voor het Franklin Hotel stond het stampvol mensen.

Maar wat zagen ze er rustig uit, dacht Brenda, honderden mensen die ballonnen van ijzige lucht uitademden, rustig met elkaar stonden te praten en met hun koude voeten op de grond stampten. Een cordon van agenten hield het gebied voor de hoofdingang vrij.

'Waarschijnlijk vals alarm', zei iemand tegen Brenda en Barry.

'Misschien wel een brandweeroefening, ook al zou je toch denken...'

'Je weet nooit. Misschien is het een bommelding. Er wonen veel Ieren in Philadelphia.'

'Ze hebben in elk geval iedereen eruit gekregen, tenminste dat denken ze. Die eer komt ze toe.'

'Iemand die een geintje uithaalt, waarschijnlijk te veel gedronken en niet meer weten wat hij doet.'

'Conferenties...'

'Ik weet zeker dat ik brand rook. Jij rook toch ook brand? Je zei...'

'We moesten de trap nemen, jezus nog aan toe. We mochten verdomme niet eens met de lift. Vijftien verdiepingen, helemaal lopen...'

'De kabels van liften...'

'Dat klopt. Daar heb ik iets over gelezen in...'

'Het is misschien wel brandstichting. Net als in Las Vegas.'

'Ja, maar waar is er dan rook? Zie jij ergens vlammen? Volgens mij is het vals alarm, daar durf ik om te wedden.'

'Ik hoorde die agent daar net zeggen dat het een brandje in een prullenbak is. Op een van de bovenste verdiepingen.'

'Op de achtentwintigste verdieping, hoorde ik. Heb jij dat ook gehoord?'

'Heb ik je wel eens verteld van die keer dat ik op padvinderskamp was en onze tent in brand vloog?'

'Was jij bij de padvinderij? Dat kan ik me nauwelijks voorstellen.'

'Een van de leiders kroop bij ons naar binnen om een sigaret te roken en liet het grondzeil in brand vliegen. Maar we hebben hem nooit verraden, we waren gek op die vent. Zo'n jaar geleden kwam ik hem weer tegen. Hij is nu een reizende rechter in de staat New York. Nog steeds een jofele vent. En ik zag dat hij nog steeds Winston rookt.'

'Weet je het zeker? Alleen maar een brandje in een prullenbak?'

'Een beetje een anticlimax. Waarom blijkt er elke keer dat er iets spannends gebeurt, alleen maar een prullenbak in brand te staan? Figuurlijk gesproken dan.'

'Jezus, dus jij denkt dat ze ons allemaal naar buiten hebben gejaagd voor een…?'

'Wees maar dankbaar…'

'Is het uit? Echt uit?'

'Dat moet haast wel. De brandweer komt naar buiten. Kijk daar, achter die agent.'

'Tjongejonge, die zullen wel knap pissig zijn, met drie brandweerauto's uitgerukt alleen omdat een of andere stommerik de prullenbak in brand heeft gestoken.'

'Om al die mensen naar buiten te krijgen…'

'Gelukkig dat het niet middenin de nacht was. Wat een paniek als we middenin de nacht naar buiten hadden gemoeten.'

'Weet je nog die brand toen op Long Island…'

'Dat was een echte brand.'

'Toen moesten de mensen springen…'

'Een prullenbak. Jezus Christus.'

'Dat was het, mensen.'

'Hé, daar mogen ze weer naar binnen.'

'Schiet op, ik bevries bijna.'

'Hier, neem deze jas maar, waarom zei je dat niet eerder, verdikkeme. Je bent net van die akelige verkoudheid af…'

'Het gaat prima. Jij maakt je altijd veel te gauw zorgen.'

'Dat is mijn goed recht.'

'Rustig aan, mensen, rustig aan.'

'Moet je kijken naar die rij bij de lift.'

'Daar komen we nooit in. Dat wordt wel middernacht.'

'Wil je dan met de trap?'

'Vijftien verdiepingen. Dat meen je toch niet?'

'Dat zou je vast goed doen... dan raak je wat vet kwijt...'

'Nee, hartelijk dank, dat hoef ik niet.'

'Zul je de kinderen horen als we ze vertellen dat we vijftien verdiepingen naar boven gelopen hebben.'

'Wil je gaan lopen?' vroeg Brenda aan Barry.

'Vierentwintig verdiepingen? Laten we dat maar doen, op een andere manier komen we toch niet boven.'

Het trappenhuis was vol mensen, klimmend en puffend, leunend op de trapleuning, obsceniteiten kermend, moed insprekend. De muren van gasbeton weergalmden van het lawaai. Brenda moest denken aan een paar spontane feestjes in Elm Park waar ze bij was geweest – al die vrolijkheid, al die feestelijke blijmoedigheid en inspanning.

Zij en Barry rustten uit op de elfde verdieping, zittend op de zijkant van de traptreden terwijl mensen zich langs hen drongen. Ze rustten opnieuw op de twintigste verdieping. 'Morgen kan ik niet meer lopen', zei Brenda en wreef over haar kuiten.

Lachend steunden ze op elkaar. Ze lachten nog steeds toen ze de deur van Brenda's kamer opendeden en een man en een vrouw nog in hun jas hand in hand bij het raam zagen staan. De man zag er dreigend en gealarmeerd uit, maar maakte een breed gebaar naar hen als een joviale gastheer. De vrouw lachte verwelkomend. Ze had een levendig gezicht, een rode mond en slordig, lang blond haar. 'Ziezo,' riep ze uit, 'eindelijk ontmoeten we elkaar dan.'

Waar heb ik dat gezicht eerder gezien? vroeg Brenda zich af. Maar nee, het lachende gezicht was dat van een vreemde. De jas daarentegen was bekend.

'Hoe gaat het', zei de vrouw, met uitgestoken hand op haar afkomend. 'Ik ben Verna.'

Het enige wat Brenda op dat moment wist uit te brengen was: 'Volgens mij hebt u mijn jas aan.'

29

S TORTON MCCORMICK IS EEN MAN MET KEURIGE OOSTKUST-
manieren en een goedzittend pak dat zo donker is dat het zwart
lijkt. Hij heeft een volle stem, als een radio-omroeper: 'Barry Ollershaw, die naam ken ik natuurlijk. U komt uit Canada, hè? En
mevrouw Bowman, aangenaam kennis met u te maken, gaat u toch
vooral allebei zitten.'

Verna is een en al verontschuldiging. Ze neemt Brenda apart en
zegt: 'Je denkt vast dat ik een dief ben, omdat ik er zo met je jas
vandoor ging. Maar hij hing gewoon in Storts kamer, en we hadden
een fantastische nacht gehad, een verrukkelijke nacht, en 's morgens
zei Stort tegen me, kom op, dan gaan we naar buiten in de sneeuw
rollen. Niet letterlijk, natuurlijk. Nou! En toen kreeg hij
maandagochtend een telefoontje van zijn werk – een of ander nood-
geval – dus toen zei hij, ga mee naar New York. Dus ik zei, waarom
niet? Ik heb mijn hele leven nee tegen dingen gezegd. Een katholieke
jeugd in Baltimore, bij de nonnen. We zijn met de trein gegaan.
Schitterend. Echt fantastisch. Ik kan nauwelijks geloven dat ik deze
man nog maar – hoe lang is het? – drie dagen ken, nou ja, vier als je
vandaag meetelt. We hebben elkaar ontmoet in de lift. Heel oubollig, maar…'

'Ik heb je onderscheiding', zegt Brenda tegen haar. 'Je hebt de
eerste prijs gewonnen, wist je dat?'

Verna slaakt een kreet, wervelt rond als een zigeunerin en ritst
vervolgens haar blauw-met-rode tas open en haalt er een fles whisky
uit. 'Ik ga altijd op reis met iets om een feestje te bouwen. Ik wil
nooit meer een feestje mislopen, nooit meer. Ik heb er al veel te veel
gemist.'

Ze zoeken vier glazen bij elkaar. 'Op alle quilters', zegt Storton
McCormick.

'Op de Internationale Bond van hoe-ze-ook-mogen-heten', zegt Verna, klinkend met Brenda.

'Op ons', zegt Brenda.

'Op ons', zegt Barry, opstaand. 'Op vannacht.'

Het grootste deel van de nacht brachten ze wakend en pratend in Barry's kamer door. (Na één rondje whisky met water hadden ze gezamenlijk besloten dat Verna en Storton die nacht zouden blijven waar ze waren.)

Zouden ze in één bed slapen? Ze bespraken het eerst luchtig, daarna ernstig en vervolgens weer luchtig. Ze bestelden sandwiches en koffie en kleedden zich uit.

'Moet je die belachelijke nachtpon zien…' zei Brenda en trok een gek gezicht.

'Wat dacht je hiervan?' Barry rukte aan zijn pyjama. Beige met bruine biesjes. 'Jezus!'

'Volgens mij denkt Verna dat wij…'

'Zeker weten.'

'Het probleem is dat ik het niet kan loslaten', zei Brenda. 'Ik bedoel niet alleen mijn trouwbelofte, maar mijn hele leven.'

Barry nam nog een sandwich en zei op ernstige toon: 'Je bedoelt dat de filosofie van leven bij de dag niets voor jou is.'

'Het is zo clichématig. Iemand gaat een week weg en wat gebeurt er? Het is zo voorspelbaar. En ik vind het onzin dat je iets moet doen, alleen omdat het kan.'

Barry glimlachte en vroeg of ze zich altijd verzette tegen alles wat mogelijk was.

'Meestal niet.' Ze had haar pantoffels uitgedaan en lag op haar rug op het bed. 'Maar toen Verna dat zei over geen enkel feestje willen mislopen…'

'Ja?'

'Toen ik haar dat hoorde zeggen, besefte ik dat ik al besloten had – ik weet niet meer wanneer, maar heel lang geleden – dat ik er inderdaad een paar zou mislopen. Dat ik bereid was er een paar mis te lopen.'

'Dat klinkt nogal stoïcijns', zei Barry na een tijdje. Hij lag ook op zijn rug, maar op het andere bed. 'Het klinkt ook een beetje berustend.'

'Ik ben blij dat je in elk geval niet puriteins zei.'

'Nee, nee. Zo zou ik het niet noemen.'

'Het maakt het natuurlijk ook gemakkelijker dat ik vanmorgen ongesteld ben geworden.'

Hij was in een praatstemming. Het was twee uur, de kamer was in het donker gehuld en hij was een en al openhartigheid. Eigenlijk, vertelde hij Brenda, was hij helemaal niet goed in overspel plegen. Het ging hem niet gemakkelijk af, het kostte tijd. Eerst had hij een korte affaire met een secretaresse van zijn werk. Daarna met een gescheiden vriendin. Daarna met een vrouw die veel jonger was. Hij ontmoette haar toen hij aan het golfen was. Hij veracht zichzelf in de rol van veroveraar – degene die moet opbellen, leuke afspraakjes moet maken, cadeautjes moet meenemen. De afgelopen paar jaar heeft hij dingen meegemaakt van een puberale onbeholpenheid, absurd geklungel. Volgens hem is hij, wat men tegenwoordig noemt, slecht in bed. Waarschijnlijk is hij te lang getrouwd geweest met één vrouw.

'Ik weet het', zei Brenda, zonder het echt te weten, maar denkend aan het privé-karakter van seks.

Nog iets anders, ging Barry verder, was de ontdekking dat er maar een beperkt aantal manieren is waarop mensenlichamen samen kunnen komen. En dat eenzaamheid slechts tot op zekere hoogte kan worden uitgebannen door een uurtje extase in een tweepersoonsbed.

Brenda besloot Barry toch te vertellen over het jaar dat ze niet meer van Jack hield, en over hun tocht naar Bretagne. Hij luisterde zwijgend en zei toen op peinzende toon: 'Ik denk dat het een van die katalyserende momenten was. Volkomen irrationeel, maar moeilijk te ontkennen.'

'Heb jij dat ooit meegemaakt?' Brenda draaide haar gezicht naar hem toe. 'Dat de wereld plotseling geordend en om door een ringetje te halen is.'

'Een transcendentaal moment? Ja, ik geloof het wel, maar niet vaak.'

'Ik denk ook niet dat het vaak gebeurt. Tenminste niet bij twee mensen tegelijk.'

'Nee', stemde hij in. 'Dat komt nauwelijks voor.'

Ze spraken uitvoerig over Barry's vrouw Ruth, zou ze weer herstellen? En zo niet, wat zou er dan van hun huwelijk terechtkomen? 'We hebben elkaar te veel verwijten gemaakt', zei hij tegen Brenda. 'We zijn net een stel invaliden. Maar op een of andere vreemde manier zijn we nog steeds afhankelijk van elkaar. Dat is nog het allerkrankzinnigste.'

'Met alleen dat kun je niet leven. Dat is niet genoeg', zei Brenda.

Maar tot haar verrassing protesteerde hij hiertegen: 'Zo erg is het nu ook weer niet. Ik heb waarschijnlijk overdreven. Er zijn ook goede dagen. Dan ontbijten we samen en wanneer het helder weer is hebben we een prachtig uitzicht over de baai. Alleen...'

'Alleen wat?'

'Alleen, we waren tweeëntwintig toen we trouwden. Dat hebben we elkaar gegeven. Ons hele leven. Een lichaam dat nog jong was. Dat kun je geen tweede keer doen.'

'Nee,' zei Brenda, 'dat kan niet.'

'Ben je moe?' vroeg hij na een lange stilte.

'Ja.' En vervolgens: 'Kun je slapen?'

'Ik denk het niet.' Opnieuw een stilte. 'Misschien kan ik wel slapen als ik je even kan vasthouden. Tenminste,' zijn toon was luchtig, 'tenminste als je daardoor formeel niet ontrouw wordt.'

Troost, zo gemakkelijk om dat te schenken. (Het zou een daad van ontrouw geweest zijn om geen troost te schenken – dat hield ze zichzelf later altijd voor.) Ze ging van het ene naar het andere bed en kroop naast hem. Zijn armen, die het overvloedige rode flanel omvatten, voelden gespierd en warm, deze warmte had iets vertrouwds, zelfs de geur van zijn lichaam had iets vertrouwds. Zijn benen lagen tegen de hare en het wat hardere vlees van zijn penis bewoog even tegen haar dij. Ze voelde zich lichtgevend, transparant worden.

De slaap overviel hen beiden vrijwel meteen, maar toen Brenda bijna sliep had ze heel even een visioen van de kleuren en hartstochten van de wereld, steile straten die uit oude steden voerden, de onverstoorbare baan van planeten. De ouderdom kwam vanzelf, maar, zo hoopte ze, zonder spijt.

Ze werden slechts een keer wakker, toen ze elkaar in hun slaap losleten en in een andere houding gingen liggen. Zijn lippen streken langs haar oor en zeiden iets wat klonk als: 'Ik hou van je.'

'Ik hou ook van jou', mompelde Brenda terug, en vanuit de spiraalvormige schelp van de slaap leek haar wat ze zeiden in elk geval deels waar.

30

TOEN JACK EN BRENDA VORIG JAAR NAAR SAN FRANCISCO gingen voor de bijeenkomst van het Nationale Historische Genootschap, moest hun vliegtuig een paar minuten boven de baai blijven cirkelen en maakte vervolgens een korte afdaling door de fonkelende lucht naar de zinderende landingsbaan. Het was een routinelanding, zo glad als glas na de eerste lichte schok, maar om de een of andere reden begonnen de passagiers spontaan te klappen zodra de wielen de grond raakten.

Brenda keek Jack aan: vanwaar dit applaus? Hij maakte een gebaar met zijn hand – een gebaar dat zei: Wie weet? Wie kan dit soort dingen verklaren?

Misschien had één enkele passagier, die zich behaaglijk voelde na een goede lunch, in zijn handen geklapt en daarmee een kettingreactie veroorzaakt, de anderen hadden simpelweg meegedaan uit gehoorzaamheid en vriendelijkheid. En waarom ook niet? Ze waren immers dankbaar dat ze nu in het heldere Californische daglicht waren? De gelipstickte stewardessen, glimlachend in het gangpad, schenen plotseling een gave Gods, even waardevol als voorzienigheid, als een goede gezondheid. Waarom zouden ze dan niet, in die uitbarsting van genegenheid die aan het einde van een reis een band schept tussen de reizigers, dank zeggen voor de vaste grond?

Brenda's landing op O'Hare donderdagavond was daarentegen bruusk en zonder ceremonieel. Het vliegtuig was nog niet eens volledig tot stilstand gekomen of de zakenlieden draaiden zich in hun stoelen en pakten hun aktentassen van de grond. De geur van leer en vochtige regenjassen werd doordringend. Thuis. Veiligheid. De veiligheidsriemen losgemaakt. Brenda trok haar jas aan. Een deel van het donkere, geïndustrialiseerde silhouet van Chicago was door het raampje zichtbaar, olieachtig en compact en doorsneden door zoeklichten. Voorbij de glimmende landingsbaan, nog geen twee-honderd meter verder, ging een ander toestel de lucht in, en Brenda had de indruk dat de fonkelende staartlichten prat gingen op een exotischer bestemming, Marrakesj, Bombay, God mag weten waar-heen.

Ze was thuis. Ze knoopte haar jas dicht en deed de ceintuur vast. Hij moest naar de stomerij, behalve het vlekje op de kraag zat er ook een zwarte veeg op de zoom. Misschien had Verna echt in de sneeuw gerold.

Jack zou haar komen afhalen. Hij zou alleen komen, zonder de kinderen, zoals zij hem ook altijd alleen afhaalde na een korte reis. Deze gewoonte van hen was als veel van hun gewoonten, zo stevig verankerd dat hij geen analyse of zelfs maar een gedachte waard was. Hij moest ontstaan zijn omdat ze een hereniging zonder trammelant wilden, zodat ze onderweg naar huis tijd hadden om weer houvast te vinden.

Jack zou een paar leuke anekdotes hebben om haar te vertellen. 'Eerst het goede nieuws', zou hij zeggen. Een scheiding gaf hem blijkbaar het gevoel dat hij weer de amusante en vermakelijke vreemdeling moest zijn.

Die vreemdheid zou tot in Elm Park duren. Ondanks de ver-keersdrukte was de weg altijd korter dan ze dacht. Zodra ze dichter bij huis kwamen, werden de straten en huizen steeds vertrouwder, tot ze er ten slotte waren en afsloegen van de Euclides naar de Horace Mann, die rechtstreeks naar Franklin Boulevard leidde. Ze zouden voor hun huis stilhouden en achter alle ramen licht zien branden. Rob en Laurie waren slordig met het uitdoen van het licht, en Jack, die ook slordig was, zou niettemin zachtjes kreunen en zeggen: 'Jezus, het lijkt wel een kerstboom.'

Ze stelde zich voor dat ze de voordeur opendeed: eerst de ves-tibule, dan de in de was gezette eiken betimmering van de gang en dan het zachte, witte licht dat door de oude koperen plafonnière filterde. In de keuken zou de vloer kleverig zijn, maar iemand zou een poging gedaan hebben hem te dweilen. Ze zou vrijwel meteen weer gewend zijn aan de vage etensluchtjes en de kruimels rond het broodrooster.

Laurie's zachte lichaam zou haar overstelpen met liefde, grijpend, klemmend, klevend. Rob zou zich afzijdig houden, de mouwen van zijn trui opgeduwd, kraakhelder en een kam die uit zijn achterzak stak. Het eerste uur zou hij haar behoedzaam bekijken en zich daarna ontspannen.

Ze zouden met zijn vieren pepermuntthee drinken. De doos met theezakjes op de plank, en ook de mokken, zouden haar voorkomen als voorwerpen met een heel eigen bestaan, tegelijkertijd onbekend en vertrouwd. De post zou op tafel gelegd worden: merendeels rekeningen, misschien een brief van Patsy Kleinhart, die ongetrouwd was gebleven en nu les gaf op Hawaii. Misschien was er een uitnodiging voor een cocktailparty vlak na de kerst of voor het jaarlijkse bal voor oud-studenten van DePaul, waar ze nooit naartoe gingen ook al namen ze het zich telkens voor.

Jack zou zijn laatste amusante anekdote vertellen en een blik in de krant werpen. Misschien keken ze naar het nieuws als ze eraan dachten. En dan gingen ze naar bed. 'Nou,' zou Jack zeggen, met zijn armen om haar heen, 'vertel me er maar alles van.'

Ze zouden misschien wel meer dan een uur liggen praten. Ze zou hem vertellen over Verna of Virginia, die in april naar Chicago zou komen voor een solotentoonstelling in de Calico Gallery op Dearborn. Ze zou hem vertellen dat ze gevraagd was als jurylid bij de Novelty Quilts Division voor de tentoonstelling van volgend jaar. Volgend jaar is de tentoonstelling in Charleston, Zuid-Carolina, het hotel is al geboekt, een vrouw uit New Mexico die ze heeft leren kennen is in het bestuur gekozen. Jack zal in al deze dingen geïnteresseerd zijn – ook al weet Brenda wat hij werkelijk bedoelt wanneer hij tegen haar zegt: 'Vertel me er maar alles van.' Hij is net als zijn vader die elke zondagochtend, wanneer ze komen ontbijten, zegt: 'Zo, jongens, is er nog nieuws?'

Is er nog nieuws, vraagt grootvader Bowman, alsof hij smacht naar nieuwtjes, terwijl hij in feite alleen maar wil horen dat er geen nieuws is, dat hen geen rampen overkomen zijn in de zes dagen dat hij hen niet heeft gezien. Hij wil horen over de dingen die voortgaan en al beproefd zijn, en zijn zoon Jack weet precies wat wel en wat niet verteld kan worden. Zijn vader wil geen onthullingen, hij wil niet dat ze hem het achterste van hun tong laten zien.

'Ik heb je gemist', zal Brenda in het donker tegen Jack zeggen, omdat ze weet dat hij dit wil horen en ook omdat ze weet dat het waar is. 'Ik heb je verschrikkelijk gemist', zal hij zeggen, en haar dan vragen of ze de slaapkamerdeur wel op slot gedaan heeft. Ja, zal ze zeggen, haar lichaam voorbereidend op tederheid.

Op dat uur voelt ze soms haar jongere ik terugkomen, de Brenda van vroeger – sereen, onverstoorbaar, onkritisch, onaangetast door duisternis of dood of complexe woede – een ik dat merkwaardig en kinderlijk dapper is. Deze zegening is meestal van korte duur, maar opwekkend. Brenda, die ouder, minder gelukkig, maar onoverwinnelijk gezond van geest is, begroet haar vroegere bondgenote en valt even met haar samen. En dan, in de paar minuten voor de echte slaap komt, laat ze los en drijft ze alleen weg.

gebrek aan gegevens groeit de belangstelling voor haar persoon en werk uit tot een ware gekte. Er wordt een groots opgezet Swann-symposium georganiseerd. De onverklaarbare verdwijning van de weinige aantekeningen en gedichten vlak voor het symposium maakt het mysterie nog groter.

Het Swann-symposium is een lichte satire op het academische literaire wereldje waarin Shields zo goed thuis is.

Carol Shields bij Uitgeverij De Geus

De stenen dagboeken

Wie was Madelief Goedewil? Wie *De stenen dagboeken* heeft gelezen, zal het gevoel hebben deze heel gewone vrouw uit de Canadese provincie te hebben gekend als een dierbare vriendin.

'…In rijk, gul proza met treurige en humoristische passages schreef Shields met haar gerijpte observatietalent een pracht van een familiegeschiedenis, één om helemaal in op te gaan…' *NRC Handelsblad*

De republiek der Liefde

Fay weet alles van zeemeerminnen. Tom presenteert 's nachts een radioprogramma. Fay heeft een paar maal samengewoond, maar durft zich niet blijvend te binden. Tom stort zich enthousiast in het ene huwelijk na het andere. Na zijn derde scheiding valt hij in een vacuüm en hij zoekt zijn heil in het alleenstaandencircuit.

'…Een roman die zo fascinerend is dat je je ermee terug wilt trekken op een lekker zachte bank onder een goede leeslamp, totdat je hem uit hebt…' *The Sunday Times*

Het Swann-symposium

Van de primitieve dichteres Mary Swann is ooit in een piepkleine oplage één bundel verschenen. Vijftien jaar later komt een exemplaar bij toeval in handen van een literair wetenschapper. Over de eenvoudige boerin/dichteres is alleen bekend dat ze na haar bezoek aan de uitgever door haar man aan mootjes is gehakt. Juist door het

In twee aparte en toch onafscheidelijke romans die als een vorm van hoor en wederhoor op elkaar inwerken, vertelt Carol Shields de verhalen van Jack en Brenda Bowman.

Het toeval wil dat ze voor het eerst in hun huwelijksleven een weekend niet bij elkaar zijn.

Jack probeert thuis allerlei huiselijke crises het hoofd te bieden. Hij begint aan zichzelf en aan zijn reputatie als historicus te twijfelen.

Van Carol Shields (Canada 1938) verschenen eerder bij De Geus *De republiek der Liefde, De stenen dagboeken, Het Swann-symposium* en *larry's Party.*

Shields werd in 1994 genomineerd voor de *Booker Prize.* De Amerikaanse critici verkozen *De stenen dagboeken* tot de beste roman van 1994 in de VS. *De republiek der liefde* verschijnt in mei 1997 als honderdste Geuzenpocket.

CAROL SHIELDS

Het toeval

Het verhaal van de man

Uit het Engels vertaald door Marianne Gossije

UITGEVERIJ DE GEUS – EPO

Tweede druk

Deze vertaling is mede mogelijk gemaakt dankzij een bijdrage uit het gezamenlijke subsidieprogramma van de Canada Council en het Department of Foreign
Affairs and International Trade Canada

Happenstance, The Husband's Story verscheen eerder onder de titel *Happenstance*
bij McGraw-Hill Ryerson, Canada 1980; *Happenstance, The Wife's Story* ver-
scheen eerder onder de titel *A Fairly Conventional Woman* bij Macmillan of
Canada, Canada 1982. Deze uitgave verscheen eerder bij Fourth Estate Limited,
Groot-Brittannië 1991
© oorspronkelijke tekst Carol Shields, 1980, 1982
© Nederlandse vertaling Marianne Gossije en Uitgeverij De Geus bv,
Breda 1997
© paperbackeditie Uitgeverij De Geus, Breda, 1997
Omslagontwerp Robert Nix
Omslagillustratie David Sequiros, © Picture Box
Foto auteur Marc Cels
Lithografie TwinType, Breda
Drukkerij Haasbeek bv, Alphen a/d Rijn

ISBN 90 5226 415 5
NUGI 301
ISBN België 90 6445 026 9

Uitgever in België EPO, Lange Pastoorstraat 25-27, 2600 Berchem.

Voor Anne

I

IN HET RESTAURANT WILDE JACK BERNIE VERTELLEN OVER Harriet Post, een meisje op wie hij ooit verliefd was geweest. Hij wilde zijn hoofd op tafel leggen en luid zijn woede uitkermen. In plaats daarvan zette hij zijn vork in een vierkantje ravioli en zei op kalme toon: 'Geschiedenis bestaat uit eindpunten.'

Bernie luisterde niet echt; hij was afwezig vandaag, zijn blik leeg en vaag, hij plukte aan een droog stuk brood en keek uit het raam naar de straat waar een kille regen viel. Al bijna een jaar lang was het onderwerp tijdens hun vrijdagse lunch het definiëren van geschiedenis; wat was het eigenlijk? Wat was de zin ervan? Jack bedacht dat Bernie misschien wel genoeg had van geschiedenis. Genoeg is genoeg, zoals zijn vrouw Brenda zou zeggen.

'Geschiedenis is eschatologisch', zei Jack. Hij prikte diep in zijn slaatje van sla, ui, bleekselderij en radijs. 'Geschiedenis is geen verhaal dat zich simpelweg ontvouwt. En het is ook niet het verhaal zelf. Het is het einde van het verhaal.'

'Uh-hu.' Bernies blik dwaalde opnieuw naar het gordijnloze raamvlak, dubbel ondoorzichtig door het neerstromende regenwater en door de vette kooklaag aan de binnenkant. 'En wanneer', vroeg hij, kauwend op een bal brood, 'ben je tot die slotsom gekomen?'

'Gisteren. Gisteravond. Rond middernacht. Toen zag ik het ineens, de uiteindelijke betekenis van geschiedenis. Ik ben er eindelijk achter waar het allemaal om draait. Het einde.'

'Het einde?'

'Ja, het einde.'

'Als een donderslag bij heldere hemel?' zei Bernie.

'Zo zou je het kunnen zeggen. Je kunt het ook een empirische impuls noemen.'

Bernie meesmuilde openlijk.

'Ga je gang', zei Jack. 'Lach jij maar. Ik meen het echt, voor de verandering.'

'Voor de verandering.'

'Geschiedenis is slechts de menselijke erkenning van eindpunten. Geschiedenis – luister goed, Bernie – geschiedenis is het plaatsen van een vingerafdruk op een glazen wand zodat je de wand kunt zien. De afronding van een tijdperk, die dat tijdperk afbakent en gestalte geeft.'

'Ik heb het gevoel dat je dit hebt ingestudeerd. Vanochtend onder het scheren, zo lijkt het wel.'

'Ik heb een simpele vraag voor je, Bernie. Wat herinneren we ons van de geschiedenis? Nee, het gaat niet om *ons* – wat herinnert de man in de straat zich van het verleden?'

'Ik *ben* een man in de straat. Zeg jij het maar.'

'We herinneren ons de verdragen, maar niet de oorlogen. Heb ik gelijk of niet? Dat moet je toch toegeven. We herinneren ons de onthoofdingen, maar niet de opstanden. We kiezen instinctmatig de laatste cataclysmische handeling en slaan die op. Je zou kunnen zeggen,' hij pauzeerde even, 'dat het einde van elk verhaal besloten ligt in het begin ervan.'

'Volgens mij is dat al eerder gezegd. Zei Eliot niet…?'

'Maar de afloop *is* het verhaal. Niet alleen de signatuur. Neem nou de Franse Revolutie…'

'Die hebben we al gehad. Heel wat keren.' Bernie leunde achterover, een beetje suf na het kalfsvlees met pasta. 'De Franse Revolutie hadden we vorige week nog. En ook de week daarvoor. Herinner je je dat college over de Franse Revolutie nog dat je me twee weken geleden gaf? Over de geweldige libertijnse injectie recht in het futloze oude achterwerk van Europa?'

'Het klopt niet.' Jack schoof zijn bord weg, geluidloos boerend; een darmkramp trok door zijn binnenste. In twintig jaar was het eten bij Roberto's slechter, niet beter geworden – het was een wonder dat de zaak nog bestond – en de oude buurt rond het Instituut, met zijn afbraakstraten, dichtgespijkerde witteboordenwasserijen en opdringende pornoshops, veranderde van een aanvaardbaar licht verval, dat in de jaren zestig de overhand had, in iets bedreigenders. Nu loerde hier geweld, zelfs overdag, en ook ziekte – iemand had hem het afgelopen weekend tijdens een feestje verteld dat je hepatitis kon

krijgen door van een gebarsten bord te eten, en god mag weten wat nog meer. Bovendien was Jack langzamerhand beducht geworden voor de zetmeelrijke eentonigheid van Italiaans voedsel, voor alles wat het had, de vochtige weke uniformiteit van de substantie en de nonchalante, nattige presentatie ervan – alleen al als hij het zag en rook voelde hij zijn maag opspelen en samentrekken. Was er werkelijk een tijd geweest, zo vroeg hij zich af – en natuurlijk was die er geweest – dat Italiaans eten, zelfs de nepversie in Chicago, een sleutel tot het mondaine leven had geleken? Het mondaine leven, ha! Toen alleen al de namen – cannelloni, gnocchi, lasagne – overvloeiden van copieuze, wellustige erotiek? Je hoefde alleen maar je vork in de wachtende, smeltende mozzarella te prikken en het was al zover, ah!

In 1958 had Jack Bowman zijn eerste pizza gegeten bij Roberto's, waarschijnlijk aan deze zelfde tafel. Met champignons en groene paprika. Bernie Koltz was er toen ook, ze aten voor het eerst van hun leven pizza, geen van beiden begreep hoe het gebeurd was. Jack was tweeëntwintig en stond op het punt met Brenda Pulaski te trouwen. De pizza – hij heette *pizza pie* op het menu – kwam op een rond stuk week karton, een glanzend rood wiel met afwisselend gouden en groene spaken. Werden ze geacht hem met een vork te eten? Geen van beiden wist het. Ze hadden dit probleem schijnfilosofisch afgewogen, tot een kluchtige moed bezit van hen nam en ze hem als een sandwich vastpakten met hun jonge, keurige, niet-bevende burgermansvingers. De smaak viel tegen, ketchup op pasteikorst, taai en ongaar, hoewel geen van beiden er indertijd een aanmerking op maakte.

Zeer waarschijnlijk, zo dacht Jack, had Bernie ook meer dan genoeg van Roberto's. Hij moest rekening houden met zijn maagzweer; Bernie bestelde tegenwoordig automatisch het lichtste gerecht van de menukaart en deed in elk geval een aarzelende poging om minder wijn te drinken. Jack was al enige tijd van plan om brutaalweg aan te kondigen dat ze beiden inmiddels wel meer konden neertellen voor de lunch dan 6,25 dollar; Bernie had nu een vaste aanstelling (hoewel Jack door Bernie's stilzwijgen op dit punt aannam dat zijn promotie tot gewoon hoogleraar nog niet aanstaande was, in elk geval niet dit jaar); Jack was voorbestemd om curator van de afdeling Onderzoek te worden op het Instituut – hij kon nu elk moment voorgedragen worden. Ze verdienden beter dan

deze kleffe maaltijden en die beroerde New York State-wijn, geserveerd in een plakkerige glazen karaf met bobbelige zijkanten; ze zouden aardiger voor zichzelf moeten zijn, een treetje hoger klimmen – nostalgie was ook niet alles – en een plek zoeken waar de tafelkleden werden gewassen en waar de obers minder weghadden van huurmoordenaars. Er zat kleurstof, kankerverwekkend waarschijnlijk, in de spaghettisaus – dat leidde Jack af uit de onuitwisbare roze kringen in het gladde, maanronde oppervlak van Roberto's borden. Op vrijdagen krioelde het er van de breedbillige secretaresses en zorgelijke, introspectieve studentenstelletjes; het bedroefde Jack dat deze stelletjes zonder slag of stoot de verlichte muurschildering van de Po-vlakte op de achterwand aanvaardden. Het werd tijd voor iets anders, had Jack op het punt gestaan tegen hem te zeggen. Maar hij had het niet gedaan.

Er was telkens iets dat hem tegenhield. Bernie zou misschien tegenstribbelen, hij kon lastig zijn, hij was altijd al wat prikkelbaar geweest, en vlak onder zijn bleke, neutrale, abstracte sproeterigheid lag een onvoorspelbaar populisme. *Dus jij voelt je te goed voor een ouderwetse proletarische tent,* zou Bernie wellicht denken (maar nooit zeggen). *Dus nu jij en Brenda en de kinderen jullie eenmaal ingegraven hebben daar in Elm Park, hunker je naar iets wat meer lijkt op de golfclub, hè?* Bernie's buien van onredelijke mopperigheid sudderden en sputterden al jaren voort en waren begonnen, zo bedacht Jack, in de tijd dat Bernie's vrouw Sue besloot weer medicijnen te gaan studeren. Maar de laatste tijd waren deze buien veelvuldiger geworden – Jack was niet de enige die dit had opgemerkt. Bernie ging inmiddels prat op zijn pessimisme. Brenda vond dat hij zich vreemd gedroeg toen ze hem laat die zomer zag; iets in zijn woorden of zijn gedrag, ze kon er niet echt een vinger achter krijgen, maar er zat iets scheef. Er was geen aanwijsbare reden voor, maar het kon heel goed een van de vier of vijf spoken zijn die op de achtergrond in Bernie's leven schemerden – zijn vastgelopen carrière, zijn vrouw Sue, zijn geestelijk gehandicapte dochter in het Charleston Hospital. (Jack, die zelf ook een aantal van die zwalkende fantomen had – en wie had die niet? – begreep dit wel.)

Wat de oorzaak ook was van Bernie's malaise, het ondermijnde langzamerhand de vertrouwde sfeer van hun vrijdagse bijeenkomsten, de lunches – en Jack vond het pijnlijk om dit onder ogen te zien

– verloren hun vroegere intensiteit. Soms, na het samenvatten van een cruciaal punt, had hij het ziekmakende, verwarrende gevoel dat ditzelfde onderwerp al was behandeld in 1975 of 1968 of zelfs al in 1959. Middenin een zin hield zijn mond op met bewegen, strak verstijfd en zelfbewust, vastgelopen in een meervoudige geheugen-groef, weerbarstig geworden door overdadig gebruik. Of erger nog, hij hoorde zijn stem aanzwellen door een overrijpe, kunstmatige passie die wellicht paste bij iemand van tweeëntwintig, maar op drieënveertigjarige leeftijd getuigde van een gebrek aan matiging en wellevendheid en de puntigheid van een Samuel Johnson waar hij vagelijk naar streefde. En had zijn oude vertrouwde analytische vermogen vroeger niet veel meer klassieke helderheid, met meer greep op de dingen en een grotere vruchtbaarheid? Het jaar dat hij en Bernie het begrip entropie hadden bediscussieerd waren ze erin geslaagd het op een fraaie manier te ontleden, zonder al deze retoriek en loze beweringen; het onderwerp had zich voor hun ogen ont-vouwen met een ongedwongen, bijna Griekse gratie, langzaam en systematisch, als een bloem; hij had genóten van entropie. En ook Bernie had van entropie genoten, erin duikend met de enthousiaste bravoure van een turner of een goochelaar, virtuoos van onderwerp naar onderwerp springend. Democratie was ook een succes geweest – ze hadden een jaar gesproken over democratie, van juni tot juni, in 1965? – evenals de dood van God, die traag op gang gekomen was, maar uiteindelijk leidde tot een paar bijna glasheldere momenten – ze hadden zich er in elk geval dapper op gestort, niet gehinderd door de kille, inmiddels gangbare hersenschimmen van zogenaamde ex-perts als Tillich en Barth. Maar de Watergate-affaire en de daarmee gepaard gaande morele compromissen in Amerika had hen slechts zes maanden beziggehouden, en nu ze het over geschiedenis hadden – Jack herinnerde zich dat het onderwerp een suggestie van Bernie was, niet van hem – schenen ze verdwaald, zich behelpend met veelbetreden paden, oude argumenten, lusteloos en nu en dan onzuiver. Soms had Jack het gevoel dat ze simpelweg citeerden, en bovendien niet bijster nauwkeurig, uit een eerstejaars studieboek als *Inleiding in de beginselen der filosofie*. De vrijdagse lunches waren onmiskenbaar beland in een onzekere periode, een kritieke periode, en Jack maakte zich vooral zorgen over het feit dat een huidige verandering van ontmoetingsplaats simpelweg het einde zou bete-

kenen – en daaraan wilde hij niet denken.

'Kijk,' zei hij tegen Bernie, terwijl hij zijn stem gloedvoller liet klinken en ineenkromp door de schrille tenorstem die hij aansloeg, 'in het verleden beschouwden historici geschiedenis als een continuüm. En wij waren niet in staat datgene te zien wat toch zonneklaar was.'

'Wij?' Bernie stak zijn kin in de lucht, de klank van verweer klonk.

'Een universeel wij. Wij allemaal, niet alleen de historici. We zijn gedoemd het begin over het hoofd te zien. Het begin wordt gewoon niet opgemerkt omdat we gevangen zitten in ons beeld van de status quo. We nemen zelfs niet de moeite om de vage bewegingen ervan te onderkennen...'

'Je wilt toch niet beweren,' zei Bernie, die even zijn oude vrijdagse toon van gemaakte minachting liet opvlammen, 'dat niemand de bestorming van de Bastille onderkende?'

'Ik wil alleen maar zeggen dat ze niet wisten wat het betekende.' Jack zweeg even, zijn benen onder de tafel kruisend. 'Pas toen er een paar koppen over de grond rolden zag men waar het allemaal toe leidde. En dat,' hij doorsneed de lucht met een vaardig handgebaar dat hij had geleerd door zijn langdurige samenwerking met dr. Middleton, 'dat was geschiedenis.'

'Hmmmm.'

'Maar misschien is de Franse Revolutie niet zo'n goed voorbeeld. Te episodisch. Neem nou de stoommachine...'

'Alweer?'

'Toen de stoommachine voor het eerst werd gedemonstreerd, stond er niemand op om luidkeels te verkondigen dat de industriële revolutie was begonnen...'

'Alsjeblieft, Jack. Vandaag alsjeblieft geen verhandeling over de industriële revolutie.'

'Wat zit je dwars, Bernie?'

'We waren het er toch over eens dat we de industriële revolutie geen revolutie zouden noemen?'

'Is dat zo?' vroeg Jack.

'Dat hadden we afgesproken, als je het je nog herinnert, we vonden het te poëtisch. Te gekunsteld, te veel de geur van ingeblikte geschiedenis. En bovendien is het een slecht voorbeeld. Het is te

weinig afgebakend. Geef me nu eindelijk eens iets met grenzen.'

'Goed', zei Jack. 'Goed. Dat zal ik doen. Herinner je je nog dat ik zei dat ik dit gisteravond allemaal had bedacht, dat geschiedenis bestaat uit eindpunten?'

'Wat is er gisteravond dan gebeurd?' vroeg Bernie.

'Dan moet ik eerst even iets anders vertellen. Herinner je je nog een zekere Harriet Post?'

'Harriet. Ik heb je in geen jaren over Harriet gehoord.'

'Dus je herinnert je Harriet Post nog wel?'

'Natuurlijk herinner ik me Harriet Post. Hoe zou ik Harriet Post kunnen vergeten?' Een versoepeling verzachtte de zijkanten van Bernie's gezicht, zijn eerste glimlach van die dag.

'Het is al eenentwintig jaar geleden', zei Jack. 'Ik dacht dat je Harriet vergeten zou zijn.'

'Wat is er dan met haar? Ze zit toch ergens in New York?'

'In Rochester.'

'De Universiteit van?'

'Dat denk ik niet. Ik weet het niet.'

'Nou,' Bernie wachtte, gaf blijk van ongeduld, 'wat wilde je zeggen?'

'Ze heeft een boek geschreven.'

'Een boek? Wel allejezus. Die Harriet. Dat zal wel stampvol seks staan. Ik weet nog dat ze het smalste kontje had dat ik ooit bij een vrouw heb gezien. Ik vraag me af of de tijd een beetje genadig is geweest voor het achterste van die arme Harriet...'

'Het is geen roman. En het is ook nog niet verschenen. Het staat aangekondigd. In het laatste nummer van de *Journal*. Dat lag gisteren in de bus.'

'*The Historical Journal?*'

'Achterin. In de rubriek te verschijnen boeken.'

'Kijk eens aan', zei Bernie met groeiende, bijna onderhuidse opwinding. 'Harriet had ook hele vreemde tieten. Heel vreemd. Kogellagers die naar binnen slingerden. Ze deed toch ook geschiedenis?'

'Daar kom ik zo op. De titel van het boek – van Harriets boek – luister goed – is *Indiaanse handelsgebruiken voor de kolonisatie.*'

'Jezus!' Bernie schoot overeind en hapte naar adem. 'Ongelofelijk.'

Er viel een korte stilte waarin Jack met zijn vingers op het gevlekte tafelkleed trommelde en naar Bernie's gezicht keek. Buiten toeterde een auto. In Roberto's keuken viel wat bestek op de grond. Bernie veegde snel met een korst brood door zijn bord.

'Christus', kreunde hij zachtjes, terwijl zijn mond verslapte tot een zachte framboos van hulpeloosheid. 'Christus.' Hij had een bleek, geestig, driehoekig gezicht; zijn ogen hadden een kreukelige precisie en zijn mond was lomp op een soms aandoenlijke manier; vrouwen vonden hem aantrekkelijk, misschien vanwege een innerlijke onbeholpenheid, het psychische equivalent van vooruitstekende tanden of o-benen. Hij dreigde voortdurend te verzinken in een moeras van verlegenheid. 'Alle kleine mannen hebben dat,' zei Brenda eens tegen Jack, 'vooral kleine mannen met rood haar.'

'Weet je,' zei Bernie uiteindelijk, met enige moeite de woorden over zijn lippen krijgend, 'het zou kunnen,' hij zweeg opnieuw, 'dat Harriet een heel andere invalshoek heeft gekozen dan jij.'

'Maar twee boeken in één jaar, Bernie? Met hetzelfde globale...' Jack zweeg; een zucht doorsneed zijn adem.

'Je weet het maar nooit vandaag de dag, alles is zo veel specialistischer dan vroeger...'

'Ik was van plan contact met haar op te nemen.' Jack keek Bernie strak aan. 'Haar gewoon opbellen in Rochester. Onverwacht.'

'Waarom ook niet?'

'Nee.' Hij schudde zijn hoofd. 'Nou ja, misschien ook wel. Maar ik denk het niet.'

'Het klerewijf. Eerlijk gezegd heb ik nooit begrepen wat je in Harriet Post zag. In die kleine blikken tieten...'

'Zeshonderd bladzijden, stond er in de aankondiging. Met kaarten, grafieken en zeldzame houtsneden. Zeldzame, *nooit eerder gepubliceerde* houtsneden.'

Jack pakte de karaf en vulde Bernie's glas bij, zelfs bij Roberto's gaf wijn schenken hem altijd een tinkeling van macht en genot.

'Wanneer verschijnt het?' vroeg Bernie. Hij was nu alert, gespannen.

'Er stond alleen maar "zomeruitgave".'

'Nou dan, verdorie, het is nog maar januari. Kun je niet, als je er flink vaart achter zet...'

'Dat lukt nooit. Ik bedoel, ik hoef mezelf niet voor de gek te

houden, het heeft me jaren gekost om zover te komen. Het duurt nog minstens acht maanden voor ik toe ben aan de drukproeven. Dat wil zeggen, als het meezit. En je kunt er donder op zeggen dat ik niet kom met zeldzame houtsneden...'

'Maar het is mogelijk.' Bernie's ogen glansden amberkleurig onder zijn donzige rossige halo. 'Je moet toegeven dat het binnen de mogelijkheden ligt.'

'En zelfs als het me zou lukken...'

'We noemden haar altijd Sekskit', herinnerde Bernie zich. (Jack begreep dat deze afleidingsmanoeuvre vriendelijk bedoeld was.) 'Naar Eartha Kitt, denk ik. Maar eerlijk gezegd, Jack,' zijn ogen vernauwden zich, 'vond ik haar nooit zo sexy als haar reputatie deed geloven.'

'En toch was ze dat.'

'Was dat nog voor Brenda?'

'Vlak ervoor.'

'Het komt nu allemaal weer terug', zei Bernie.

'Als een nachtmerrie. Maar toch was het dat eigenlijk niet. Een nachtmerrie, bedoel ik.'

Bernie knikte en beet op zijn lip, zijn soepele maar brede vingers kneedden de steel van zijn glas en zijn blik verzachtte merkbaar. 'Over geschiedenis gesproken...' gaf hij Jack een geheugensteuntje.

'Ja,' zei Jack, zijn rug rechtend, 'terug naar de geschiedenis. Waar was ik gebleven? Toen ik die aankondiging van Harriets boek zag, besefte ik het plotseling.'

'Wat?'

'Dat het hier eindigt. Het hele gedoe met Harriet Post. Zij was mijn eerste – hoe zeg je dat – wip. En dit is het einde.'

'Het einde? Dat begrijp ik niet.'

'Het einde ervan is dat Harriet mij twintig jaar later met een boek verslaat.'

'Ik begrijp het nog steeds niet helemaal...'

'Het is een eindpunt. Een fraai fatalistisch besluit. Gelicht uit de matrix – als je het zo wilt noemen – van wat we nu kunnen zien als het begin en het middelste deel.'

'Ik vrees dat ik het oorzakelijke verband niet zie tussen een vroegere studentenwip en de publicatie van een boek over Indiaanse handelsgebruiken twintig jaar...'

'Aha! Maar wie zei er dan iets over oorzaak en gevolg?'

'Als er geen rechtstreeks verband is, Jack, waar slaat het dan op?'

'Er bestaan nog andere verbanden', hoorde hij zijn stem bedaard resoneren, 'behalve oorzaak en gevolg.'

'Mijn god, je gaat toch niet op de mystieke en religieuze toer, hè, Jack?'

'Kijk. Het is eigenlijk heel eenvoudig. Ik heb jarenlang zitten zwoegen op dat Indianengedoe. En al die tijd heeft zij hetzelfde gedaan. Noem je dat dan toeval? Of noem je het historisch noodlot?'

'Noodlot! Zal ik je eens wat zeggen, Jack? Ik had nooit gedacht dat woord nog eens uit jouw mond te horen.'

'… en nu het zichtbare resultaat. Het einde. Geschiedenis.'

Bernie sloeg zijn wijn achterover en likte de rand van het glas af met de punt van zijn tong. 'Is dit theoretisch gezien niet een beetje surrealistisch? Ik bedoel, er is geen echt begin en einde. Wiskundig gesproken.'

'Misschien.' Jack keek naar de motregen op het raam.

'Maar het is wel pech.'

'Eén ding weet ik zeker: je moet geen ruzie maken met de geschiedenis. Van de geschiedenis kun je het niet winnen.'

'Geloof je dat echt?' zei Bernie, zijn hoofd schuin en zijn handen gespreid in een scheve Y. 'Of heb je dat zojuist bedacht?'

'Ik weet het niet. Ik denk wel dat ik dat geloof.'

'Weet je wat ik er van vind?' zei Bernie. 'Ik vind jouw theorie een hoop gelul.' Maar hij sprak langzaam, met mededogen, en liet zijn vuist zo hard op de tafel neerkomen dat de borden opsprongen.

2

J ACK WAS ERVAN OVERTUIGD DAT MENSEN ZICH HUN LEVEN
lang voorbereiden op het beantwoorden van bepaalde vragen die
hen nooit gesteld worden. Ze verlangen hartstochtelijk naar deze
vragen, omdat ze niet willen dat hun zorgvuldige voorbereiding
teloorgaat. Ze hoopten niet op een beoordeling of verlossing, maar
op de ervaring dat ze een ander mens deelgenoot kunnen maken van
dat geheime en bedachtzame deel van de geest dat voortging in het
halfduister. De wens om gekend te worden. En waar ze het meeste
naar verlangen is het moment dat een vreemdeling op een cocktailparty (of een vrouw in de lift of de man achter de tapkast) zich tot
hen wendt en vraagt: ben je een gelukkig mens?

Gelukkig? Geluk? Geluk is relatief, was Jack geneigd te zeggen
(met een inschikkelijk schouderophalen), binnen dat kader van
relativiteit is hij een gelukkig, of in elk geval fortuinlijk, man. Door
puur toeval was hij iemand geworden zonder ernstige kwetsuren of
een onuitsprekelijk verlies. Het bewijs daarvoor? Hij had een kast
vol bewijzen. Hij was gezond en solvabel – in het jaar 1978 was
solvabiliteit niet te versmaden. Hij was getrouwd met Brenda; hoeveel huwelijken waren zo lang intact gebleven als dat van hen? Hij
hoefde maar om zich heen te kijken om te zien hoe zelden dat het
geval was. Zijn kinderen waren redelijk normaal. *Redelijk:* in elk
geval waren ze tot nu toe gespaard gebleven voor drugs, winkeldief-
stal, spijbelen en de overige puberplagen waarover hij dagelijks in de
krant las. Hij hield van zijn vader en moeder, die maar een paar
kilometer van hem af woonden, en zij hielden ook van hem, hoewel
Jack wist dat hun liefde, als elke ouderliefde, bestond uit een aantal
duisterder gevoelens. Hij had één goede vriend, Bernie Koltz. Zijn
leven had een bepaalde regelmaat en kende vreugde. Hij bezat een
eigen huis in Elm Park, dat inmiddels geschat werd op het astro-

nomische bedrag van tachtigduizend dollar, en hij was stafmede-
werker van het Great Lakes Research Institute, afdeling Chicago.
Wat werk betreft waren er ongetwijfeld mensen die het slechter
hadden, duizenden zelfs. Een van zijn buren, Bud Lewis, werkte als
verkoper van chemische producten en kreeg elke maand een waar-
deringscijfer van zijn firma. Soms was hij nummer één, maar soms
ook zevenentwintig. En dan zijn eigen vader: die had veertig jaar
lang dagelijks op schoenen met rubberzolen brieven staan sorteren in
houten vakjes; zijn pensionering op zijn zestigste was een verlossing
geweest. En zo nu en dan, wanneer Jack van of naar het Instituut
reed, zag hij een werkploeg de straat opbreken; ze werkten de hele
winter door, deze kleine, gebruinde en breedgeschouderde mannen
met hun helmen en gewatteerde jassen, hun handen rood van de
wind en hun voeten zwaar en monsterachtig in werklaarzen – waar
kwamen die laarzen eigenlijk vandaan, vroeg hij zich af? Jack had het
idee dat het lichaam van deze mannen miserabel en naamloos onder
hun stijve, met modder aangekoekte werkkleren zat. Maar natuurlijk waren ze niet naamloos; dit was Amerika, elk van hen had een
persoonsbewijs bij zich, dat moest volgens de wet. Waarom kon hij
zich dan de straten en kamers niet voorstellen waar deze mannen aan
het einde van hun werkdag naar teruggingen? (Hij berispte zichzelf
om zijn gemis aan kennis.) Hij vroeg zich af of er dan eten op hen
wachtte, en wat voor soort eten. Zou er comfortabel en vertrouwd
meubilair staan? Zou er muziek zijn? Een ongedwongen spreektrant
die begroetingen en bekentenissen mogelijk maakte? En kinderen?
Natuurlijk – dat soort dingen moest wel bestaan. Het was slechts een
of ander gebrek in zijn eigen waarneming waardoor hij het niet wist.
Er waren vast ook vrouwen (wat voor slag vrouwen?) die de lichamen van deze mannen naar vergetelheid en extase streelden voor ze
aan de nieuwe dag begonnen – zes uur 's ochtends, duisternis.
Telkens opnieuw, christenezielen. Er zou een revolutie uitbreken
– daar was Jack van overtuigd – als ook maar één van deze geharde,
ruwe werklieden ontdekte hoe hij, Jack Bowman, zijn dagen door-
bracht. De zachtheid, de veiligheid, het comfort, het was ongelofelijk, hun ogen zouden uitpuilen, ze zouden hem in stukken hakken
met hun pikhouwelen en spaden, de Franse Revolutie van voren af
aan, en hij zou het ze niet kwalijk nemen. Soms, wanneer hij naar
zijn werk reed en een glimp van deze mannen opving, hoorde hij

zichzelf mompelen in het warme interieur van de auto: goddank, goddank. Het was vast een of andere grap.

Hier in zijn kleine hoekkamer, met ingelijste prenten en diploma's en een foto van Brenda en de kinderen aan de gladde wanden, mocht hij hele ochtenden doorbrengen met het grasduinen door series voetnoten of het vergelijken van de laatstverschenen tijdschriften, zo het eerste gebod van het Instituut vervullend, dat luidde: Gij zult niet produceren, maar bijblijven op uw vakgebied. Deze plek was niet minder dan een heiligdom. Zodra je door de spiegelende deuren naar beneden ging, kwam je in een andere wereld; zelfs dr. Middleton, met zijn dichtgezaaide, welig tierende hoffelijkheid, gaf dat toe. Hier had men een beloning uitgeloofd voor loomheid, in de veronderstelling dat vrije tijd, in plaats van iets schandelijks, een eerste voorwaarde was voor onderzoek. Hier was geen sprake van vijfjarenplannen, en er werden geen vragen gesteld. Nu en dan een kalm symposium, waarbij het publiek werd uitgenodigd, het publiek – ook zo'n grap. Maandelijkse vergaderingen in de bestuurskamer waar een paar zakelijke punten werden afgehandeld. Jack kon er niet bij dat hij dit allemaal had – deze privacy, deze privileges, geen prikklok, geen roosters die hij moest invullen – op een of andere manier was hij, door een speling van het lot, in een baan terechtgekomen die vrijwel naadloos aansloot bij zijn temperament, laat anderen maar schrapen en scharrelen en het aangezicht van de wereld veranderen – het enige wat van hem werd verwacht, was dat hij de loop der gebeurtenissen vastlegde en in kaart bracht.

Niet dat het zo'n luxeleven was. Hij had van meet af aan geweten dat hij nooit rijk zou worden, zelfs niet vermogend. De gestroomlijnde sportwagens waarvan hij had gedroomd – een bepaalde donkerrode Ferrari kwam hem voor ogen – zou nimmer werkelijkheid worden. Zelfs het suède jasje van zestig dollar dat hij onlangs had gekocht was een uitspatting geweest. Er was nu een bovengrens aan de salarissen van niet-gepromoveerden. Niet-gepromoveerden kwamen zelfs niet langer in aanmerking voor een vaste aanstelling. Wanneer Jack naar Detroit of Milwaukee of Cleveland moest voor het Instituut om een congres bij te wonen of een voordracht te houden, moest hij toeristenklasse reizen en later de bijeengeniete bonnen van zijn maaltijden en taxiritten afgeven aan Moira Burke. (Een comité van geldschieters, merendeels vleesverwerkers uit Chi-

cago, controleerde tweemaal per jaar de uitgaven van het Instituut.) Hij deelde een secretaresse, die nu in Colorado op vakantie was, met twee andere stafleden, Calvin White van geologie en Brian Petrie van culturele antropologie. Zijn kamer was klein en bescheiden, eigenlijk een hokje te midden van een reeks hokjes: standaard vloerbedekking van een onbestemd grijs en een metalen bureau (alleen dr. Middleton had een gedistingeerd bureau – mahonie, antiek en immens). De verlichting in het Instituut was verblindend: een alomtegenwoordig wit dat geen bron scheen te hebben. Jacks bureaustoel was ook standaard, maar redelijk comfortabel; soms, wanneer hij op vrijdagmiddag terugkwam van Roberto's, was hij zelfs in slaap gevallen in die stoel. Er was slechts één raam, zonder gordijnen, maar met een keurige jaloezie; het bood uitzicht op Keeley Avenue, een brede, lelijke straat met veel verkeer.

Dr. Middletons kamer, met ervoor een receptieruimte voor Moira Burke, was groter dan die van Jack en Calvin White en Brian Petrie, groter en beter gelegen, aan de uiterste noordzijde van het gebouw met uitzicht op een klein, vuilgroen park. Als je je hals rekte, kon je aan de horizon een reep van het Michiganmeer zien schemeren. De grijze vloerbedekking hield op bij dr. Middletons drempel en ging daar over in een breedgebaand parket met een kostbaar, druk Indiaans tapijt in rode en blauwe tinten. Jack staarde naar dit tapijt, de hygiënisch gezuiverde lucht inademend, en wachtte tot dr. Middleton terugkwam van zijn lunch.

'Hij kan zo terugkomen', zei Moira Burke tegen hem. 'Ga zitten en wacht even.'

Hij keek haar geconcentreerd aan, nog ietwat wiebelig van de wijn. Ze lachte vrolijk terug en hij herinnerde zich dat maandag haar laatste dag was; zij en haar man gingen stil leven in Arizona. 'De laatste ruk', zei Jack tegen haar op conversatietoon. 'Hoe voelt dat nou?'

'Maar zozo', antwoordde ze. Ze poetste dr. Middletons eiken boekenplanken met een in olie gedrenkte doek. Jack keek haar vragend aan. Moira had een goed figuur, een stevig achterste. Dik, donker haar. Eigenlijk was ze een redelijk knappe vrouw. Voor haar leeftijd. Vijfenvijftig? Over twaalf jaar zou hijzelf vijfenvijftig zijn.

'Een beetje blij en een beetje bedroefd', zei Moira. 'Ik zal nog

heimwee hebben naar deze…' ze zweeg even en gebaarde koddig met haar doek, 'deze tent.'

'Maar ook een beetje blij?'

'O, zeker. Bradley is toe aan verandering. Ik denk dat we allemaal toe zijn aan verandering. Ik ben hier al zo lang dat ik het gevoel heb dat ik een deel van het meubilair ben.'

Was dit een hint? Brian Petrie en de anderen zeiden dat Moira lichtgeraakt kon zijn. 'Ik weet zeker dat niemand jou hier ziet als een deel van het meubilair', zei hij tegen haar.

'Hmmm.' Ze zette een boek recht en keek op haar horloge. 'Ik begrijp niet waar hij blijft. Hij is meestal tegen tweeën terug. Hij is vast opgehouden. Die beroerde regen ook.'

'Nou, daar hoef je je in Phoenix in elk geval geen zorgen over te maken.'

'Tucson.'

'Dat is waar ook. Dat was ik het vergeten.'

'Dat bedoel ik nou.' Ze draaide zich om en keek hem aan. 'Dat ik een deel van het meubilair hier geworden ben.'

Jack hield geschrokken zijn mond. Wat had hij voor verkeerds gezegd?

'Moira, het spijt me. Ik herinner me nu weer dat het Tucson was.'

Moira's blik werd wazig, en ze schudde heftig haar hoofd. De gouden kettingen rond haar hals schitterden. 'Gewoon de zenuwen', zei ze verontschuldigend tegen Jack en slaagde erin te glimlachen. 'Ik moest Mel inwerken. Dat heeft me behoorlijk aangepakt.'

Jack knikte. Moira's baan werd overgenomen door een jonge man met goudblond haar tot op zijn schouders. Dr. Middleton had zijn aanstelling aangekondigd in de laatste stafvergadering. Secretarissen kwamen weer terug, had hij hen verteld, een voorbeeld van hoe de geschiedenis zich herhaalt, terug naar de achttiende eeuw.

'Ik was de laatste tijd nogal gespannen. Het huis verkopen en zo, je kent dat wel.'

'Natuurlijk.' Hij wist niet dat Moira een eigen huis had.

'Gewoon dat rare zenuwgestel van me.' Ze bette haar ogen.

'Kan ik iets voor je halen, Moira? Een kop koffie uit de machine?'

'Nee, dank je. Dank je.' Ze keek op haar horloge. 'Ik weet zeker dat hij er zo is. Hij kan elk moment terug zijn.'

'Ik kan ook wachten tot maandagmorgen. Ik heb maandagmor-

gen om halfelf een afspraak met hem. Over het nieuwe hoofdstuk waar ik aan bezig ben.'

'Ik kan hem een boodschap doorgeven wanneer hij terugkomt. Was het dringend?'

Jack had het laatste nummer van de *Journal* meegenomen. Hij wilde dr. Middleton attenderen op de aankondiging van Harriet Posts boek op de achterflap. Hebt u dit gezien, had hij willen vragen, wachtend op dr. Middletons kalme, wijze, alles anders makende antwoord, verlangend hem deze catastrofe ter zijde te zien schuiven, hem te vertellen hoe onbeduidend deze Harriet Post ongetwijfeld was. Een huisvrouwenproefschrift – hij had dr. Middleton dit woord letterlijk horen gebruiken. Maar dr. Middleton was nog steeds aan het lunchen, het kon nog wel twee uur duren. De vrijdagen waren vanouds relaxed.

'Nou?' zei Moira.

'Het kan nog wel even wachten.'

'Trouwens, je vrouw belde vanochtend.'

'Brenda?'

'Ik heb een memo op je bureau gelegd. Ik denk dat je het over het hoofd hebt gezien.'

'Ik was gaan lunchen. Ik ben net terug.'

'Dat is ook zo, je gaat altijd op vrijdag, hè? Je vrouw wilde je er alleen maar aan herinneren dat je een paar kaartjes moet ophalen. Ze zei dat je wel wist waar het over ging.'

'De kaartjes, ja, oké, bedankt, Moira.'

'Prettig weekend.'

'Jij ook. En dat meen ik echt.'

3

Kaartjes: ondanks Brenda's geheugensteuntje was Jack vergeten de kaartjes voor vrijdagavond op te halen. Ze zaten aan de avondmaaltijd in de eetkamer, heilbotfilets met courgettes en champignons, toen hij er weer aan dacht.

'Ik ben er toch te moe voor', zei Brenda. Ze moest een dezer dagen ongesteld worden, en bovendien zou ze de volgende ochtend naar Philadelphia gaan; ze was de hele dag bezig geweest met pakken. 'Ik vind het best om een keer over te slaan.'

'Zeker weten?' vroeg Jack haar, terwijl hij sla opschepte. 'Vanavond is de laatste voorstelling.'

'Zeker weten.'

Goddank, dacht Jack. Hij en Brenda gingen plichtsgetrouw naar elke voorstelling van het Elm Park Little Theatre, maar hij was niet in de stemming voor *Hamlet*. Vanavond niet. De stoelen waren keihard – het Little Theatre had de oude gymzaal van de Roosevelt School overgenomen – en iemand had Jack verteld dat Larry Carpenter een waardeloze Hamlet was: hij overdreef, vergaloppeerde zich, nam het hele toneel in, precies wat te verwachten was.

'En als meneer Carpenter nou vraagt hoe je de voorstelling vond?' vroeg zijn dochter Laurie hem. Ze was net twaalf geworden en had het talent van een twaalfjarige om toekomstige problemen te voorzien.

'Die vent is toch al een waardeloze idioot', meldde Rob.

'Hoe bedoel je?' Jack keek zijn zoon doordringend aan, registreerde zijn slonzige puberale houding en de intense theatraliteit waarmee hij zijn lange donkere haar naar achteren wierp. Jack dacht: ooit hield ik van deze knul.

'Die vent is een zak', zei Rob gemelijk, naar zijn vork starend.

En wie denk je dan wel dat jij bent, wilde Jack schreeuwen. Hij

had zelf ook niet veel op met Larry Carpenter, maar hij haatte de oppervlakkige oordelen waarmee zijn zoon hen bestookte. En hij kon zich moeiteloos voorstellen dat hij er in de ogen van deze jongen niet veel beter afkwam dan Larry Carpenter – mijn ouweheer is een stomme zak, een eersteklas lul.

'Ik vind hem wel aardig', zei Laurie bekommerd.

'Hij vindt zichzelf heel wat. Zo'n patserige krantenjongen. En maar rondscheuren in die Porsche van hem. Zoals hij met gierende remmen de oprit opkomt.'

Aha, jaloezie, Jack had het kunnen weten, Larry Carpenter in het huis naast hen met zijn gloednieuwe Porsche en hij met zijn drie jaar oude Aspen. Pure jaloezie. Of probeerde Rob, op een nogal onhandige manier, beschermend te zijn? Waarschijnlijk niet.

'Wat zeg je nou als hij iets over de voorstelling vraagt?' vroeg Laurie opnieuw.

'Dan verzinnen we wel iets', zei Brenda. Haar blik was rustig en helder – morgen heeft ze dit allemaal ver achter zich gelaten. Brenda boft.

'Die waardeloze vis is droog', zei Rob. 'Waarom moeten we de hele tijd vis eten?'

'Die van mij is niet droog', zei Laurie.

'Neem maar wat tartaarsaus.' Brenda gaf hem een schaaltje aan. 'Er zit schimmel op.'

'Dat is peterselie', zei Brenda. Wat een kalmte, hoe deed ze dat toch? Zag ze dan niet dat de veertienjarige Rob zich onuitstaanbaar gedroeg? Het is maar tijdelijk, zei Brenda. Hij groeit er wel overheen. Maar wanneer dan?

Het probleem was dat zijn kinderen niet beseften hoe fortuinlijk ze waren. Ze waren sterk en gezond, dachten ze er ooit aan om hun gezondheid en intelligentie te vergelijken met die van Bernie's dochter Sarah, een plant in de plantenbak van het Charleston Hospital? Zijn kinderen kregen drie stevige maaltijden per dag, ze hadden ruimdenkende, liefhebbende ouders en een echt dak boven hun hoofd. Hij en Brenda waren daarentegen opgegroeid in een flat in de stad, Brenda en haar moeder – toen heette ze nog Brenda Pulaski – in een driekamerflat boven een stomerij in Cicero, en Jacks familie in de zes kamers van een appartement van drie verdiepingen in Austin, tegenover Columbus Park. Het huis in Elm

Park was het eerste echte huis dat Jack bewoonde.

De dag dat ze waren verhuisd – Rob was nog maar een baby die zomer – had Jack, de verhuizers ontwijkend, door de lege kamers gelopen, en voelde hij zich uitgeput maar triomfantelijk. 'Een domein, een domein', fluisterde hij tegen zichzelf, genietend van de klank van het woord; mijn raamkozijn, mijn voordeur. Hekken, hagen, luiken, poorten, balustrades, klimplanten – alles getuigde van een kijk op privacy waarin Brenda noch Jack waren getraind. Er was ook verleidelijk dicht struikgewas en een kalm, knus, gefilterd licht dat zich over de bedauwde gazons en goed onderhouden bloembedden bewoog. De zware General Motor-wagens die op zondagmorgen uit de opritten van Elm Park kwamen, op weg naar de kerkdienst van elf uur, overtuigden hem dat het post-Vietnamese Amerika geestelijk nog niet failliet was. Er bestond een Amerika dat ongeacht de gangbare opvattingen volhardde; ernstige, bedaard sprekende, contemplatieve mannen en vrouwen kweten zich van hun plichten en leidden hun kinderen langs vruchtbare wegen. (Een gezin bij hen in de buurt was geabonneerd op het literaire tijdschrift *Encounter*, het was ooit per abuis bij de Bowmans bezorgd.)

Het eerste wat hij na de verhuizing deed, was de bloemborder in de achtertuin netjes afsteken. 'Als kleinburgerlijk betekent dat mensen hun tulpen water geven,' had hij tegen Bernie Koltz gezegd, 'dan is kleinburgerlijk misschien zo gek nog niet.' Bernie was niet onder de indruk van deze opmerking, en terecht, dacht Jack indertijd, aangezien hij deze uitspraak, of iets wat er op leek, had opgepikt uit een recent artikel in het tijdschrift *Atlantic* – af en toe steigerde hij van zijn eigen onechtheid, die hem met ontzetting vervulde. Jezus christus!

'In dit huis wil ik de rest van mijn leven wonen', had Brenda de zomer dat ze verhuisden gezegd, haar blote armen spreidend als om de gelakte plinten en de ijzeren radiatoren te omhelzen. Acht kamers helemaal voor hen alleen – zijn vader had hem voor gek versleten dat hij op zijn leeftijd al een hypotheek nam – op North Franklin nummer 576, een bakstenen huis van twee verdiepingen; de kleur van ingelegde rode bieten, zo had Brenda het omschreven.

Toen ze naar Elm Park verhuisden had Bernie Jack gewaarschuwd dat ze misschien wel Republikeinse buren zouden krijgen, maar Jack was onmiddellijk aan de buurt verknocht geraakt. Van alle

voorsteden van Chicago was dit de oudste (en de minst kleinsteedse, zei dr. Middletons vrouw oordeelkundig knikkend tegen Brenda toen ze het huis kochten). Zelfs de straatnamen hadden een soort idealistische glans. North Franklin kruiste Emerson en Horace Mann. Bud en Hap Lewis woonden achter hen aan de Oliver Wendell Holmes. Brenda deed haar boodschappen bij de A & P aan James Madison. Jack reed 's ochtends over de Shakespeare Boulevard naar zijn werk en keerde terug via de Eisenhower-snelweg, zodat zijn werkdag zat ingeklemd tussen het poëtische en het pragmatische, zoals hij een aantal keren had laten vallen op feestjes – een opmerking waarom hij zichzelf later verfoeide en die hij besloten had nooit meer te herhalen.

Maar waardeerden zijn kinderen, en vooral Rob, de goede scholen, de propere, door groen omzoomde straten, de speelplaatsen met toezicht, de in aanzien staande Händel Society en de redelijk talentvolle amateurtheatergroep die nu *Hamlet* opvoerde met Larry Carpenter in de hoofdrol? Nee.

'Ik vind mevrouw Carpenter aardiger dan meneer Carpenter', zei Laurie, haar mond propvol courgette.

'Zij is alleen maar een dom blondje', zei Rob.

'Dat weet ik nog zo net niet', kwam Brenda mild tussenbeide.

'Heeft niemand dan iets interessants te melden?' probeerde Jack nog.

'De Carpenters hebben wel leuke honden', zei Laurie. 'Vooral Cronkite.'

'Cronkite heeft vlooien, dat stomme mormel. Ze hebben allebei vlooien.'

'Alle honden hebben vlooien', zei Brenda onbewogen, terwijl ze opstond en de borden opstapelde. Een lok bruin haar viel voor haar ene oog.

Jack volgde haar naar de keuken. Hij sloeg zijn armen van achteraf om haar heen, liet zijn handen onder haar trui glijden en registreerde warmte.

'Het is maar voor een week', zei Brenda, zich lachend omdraaiend.

'Ik weet het. Ik weet het.'

Later, in de huiskamer, keken ze naar een oude film met Barbra Streisand. Rob hing obsceen onderuitgezakt in een stoel maar zweeg,

en Laurie gaapte in haar kamerjas. Het bleek een onverwacht vredige avond. Een paar keer stond Jack op het punt Brenda te vertellen over het boek van Harriet Post, maar hij hield zich in omdat hij deze zeldzame rust niet wilde verstoren. Ze aten appels en crackers met kaas, en tegen middernacht lagen ze allemaal in bed.

4

ZATERDAGMORGEN VROEG VLOOG BRENDA NAAR PHILA-delphia voor de Nationale Tentoonstelling van Handvaardigheid. Voor zaterdagavond had ze nog een ovenschotel voor hen gemaakt, gegratineerde Spaanse rijst.

'Daarna moeten jullie het zelf maar uitzoeken', zei ze tegen Jack op het vliegveld. Ze zei het bruusk, maar met de vriendelijke stembuiging die typerend voor haar was. Ze droeg een nieuwe rode regenjas met een uitritsbare voering, een strakaangetrokken riem en stiksels aan de buitenkant, en haar korte bruine haar, iets lichter van tint dan gewoonlijk, was net gewassen en geföhnd zodat het wapperde als de uitstaande vacht van een klein dier. Ze was uitgelaten en druk, Jack kreeg het gevoel dat ze van top tot teen verzenuwd was: ze ratelde maar door.

'Ik bel dinsdagavond op, Jack, om te horen of alles goed gaat. Hoor eens, je hebt toch wel de naam van het hotel, hè? De Franklin Arms. Het hangt ook op het prikbord in de keuken.'

'Oké.'

'Verdorie, verdorie, verdorie,' jammerde ze, bijna, zo dacht Jack, alsof het een liedje was, 'waar heb ik die instapkaart nou? Ik had hem daarnet nog in mijn hand en nu – daar is hij, ik heb hem. Laurie kan wel een keer pannenkoeken bakken, dat vindt ze vast leuk en dan heeft ze ook wat te doen. En dan is er altijd nog Colonel Sanders als je het echt niet meer weet en het is ook helemaal niet erg als Rob een beetje meehelpt. En wie weet vragen de Lewisen jullie wel een keer te eten, hoewel, dat is maar de vraag want ze hebben het allebei zo druk op het moment. En jij hebt vanavond dat feestje bij de Carpenters. *Als* je tenminste gaat. Maar goed, je kunt me altijd vinden, Jack, per slot van rekening ligt Philadelphia niet aan het andere eind van de wereld. Als er iets ergs gebeurt, ik bedoel, afkloppen natuurlijk, maar

als er iets… In elk geval,' ze haalde diep adem en zond hem even een stralend glimlachje, 'in elk geval kun je flink opschieten met schrijven nu ik je niet in de weg zit.'

Deze laatste opmerking, monter en vol zelfspot, klonk voor Jack als een zoenoffer. 'Maak je maar geen zorgen over het boek', zei hij tegen haar, boos over de norse, wrevelige toon die hij aansloeg.

'Ik maak me geen zorgen over het boek', zei ze. 'Jij maakt je druk over het boek.'

'Ik ben ook degene die het boek schrijft.'

'Ik zeg alleen maar dat de wereld niet vergaat als je dat boek niet schrijft.'

Was dit een gebrek aan vertrouwen, vroeg hij zich af. Of haar zesde zintuig? Hij had haar toch moeten vertellen over die aankondiging in de *Journal*. 'Ik had je gisteren al willen zeggen…'

'Was dat mijn vlucht die werd omgeroepen, Jack? Hoorde jij wat dat meisje door de luidspreker zei? Ik versta nooit wat ze door die luidsprekers zeggen, het loopt zo door elkaar. Dit is weer eens heel iets anders, hè, dat jij me nu wegbrengt in plaats van andersom. Volgens mij was hem dat wel, Jack. Ze zei toch vlucht 452? Zo klonk het wel. Nou, goed dan. Tot donderdag. Zeven uur. Oké?'

De kus die ze hem gaf was nerveus, met strakke lippen, afwezig. Ze waren gewend aan korte scheidingen aangezien Jack vaak de stad uit moest voor zijn werk op het Instituut. 'Succes', riep hij haar na, beseffend dat hij tekortschoot in oprechte hartelijkheid en dat hij haar eigenlijk een uitbundig afscheid verschuldigd was. Hij had bloemen moeten meebrengen, waarom niet? Of deed je dat alleen bij een bootreis? Hij keek rond, nergens een bloem te bekennen.

Arme Brenda, hij besefte plotseling dat ze bijna nooit in haar veertigjarig leven alleen had gereisd. Even daarvoor, toen haar werd gevraagd waar ze wilde zitten, had ze met ernstige nadruk gezegd: 'Niet roken, alstublieft', en de baliemedewerker, die naging welke plaatsen er nog vrij waren, had tegen haar gezegd dat er in het niet-rokengedeelte helaas alleen nog middenstoelen beschikbaar waren. Brenda had met haar kin omhoog opgewekt en vriendelijk geantwoord: 'O, dat is prima, zolang het maar aan een raampje is.'

'Nee, Brenda', was Jack tussenbeide gekomen. 'Hij bedoelt dat er geen raamplaatsen meer zijn.'

'Nou ja,' zei ze met een inschikkelijk schouderophalen, 'om het even wat.'

Ze had de gewoonte om met haar stem als het ware haar schouders op te halen, een soort Slavische verbuiging van de klinkers waardoor haar vrienden de indruk hadden dat ze een bijzonder redelijke vrouw was. Als ze wilde kon ze diezelfde wijdopen vriendelijkheid van haar stem achterwege laten en vervangen door een geagiteerde, snelle, op de essentie gerichte meelevendheid – Jack had haar wel eens midden in een zin van klank horen wisselen.

Vandaag voelde hij een scheut van tederheid door zich heen gaan toen Brenda haar leren handtas voorzichtig op de röntgenband legde en vervolgens omzichtig en aarzelend door de metaaldetector stapte. Toen ze daar in het poortje stond, als ingelijst, had ze zich langzaam omgedraaid en onzeker gezwaaid, alsof ze plotseling dacht aan gevaar en scheiding. Jack had nogal onbeheerst teruggezwaaid en zonder te begrijpen waarom, haar met zijn vuisten boven zijn hoofd een boksersgroet gebracht.

Als antwoord hief ze haar armen in een weids gebaar van hulpeloosheid. Ze lachte. Waar lachte ze om, vroeg hij zich af, om het bespottelijke idee dat ze een bom aan boord zou smokkelen, of een revolver of een buisje heroïne? Is het niet absurd, zo scheen ze zich vanuit het poortje af te vragen, is het niet krankzinnig dat ik hier sta in een nepdeur – het lijkt wel een toneeldecor, zo onecht – en doorzeefd word met stralen, ik, Brenda Bowman.

Vertrek- en aankomsthallen deprimeerden Jack; de verwarrende mengeling van het betekenisvolle en het triviale riep een dof gevoel van verraad bij hem op; waarom moesten momenten van archetypische plechtigheid ondermijnd worden door de miezerige commerciële chaos van belastingvrije winkels en automatische scanners? Afscheid nemen moest eigenlijk een immens mythisch gebeuren zijn. Reizen – hij dacht aan La Salles laatste reis over de Mississippi – moesten overweldigen door een zich wijd openende stilte, niet door dit luidruchtige, overdreven, gretige heen en weer gaan van menselijke lichamen. Geen bloemen, geen fanfarekorpsen, geen wapperende vlaggen, zelfs geen noemenswaardige omhelzing. Hij verfoeide vooral het vliegveld O'Hare, waar de overheid een hopeloze strijd leverde om schoon en bij de tijd te blijven; wie werd hier nu voor de gek gehouden? Al boende je de vloer vijftig keer per

dag, dan nog kreeg je in geen honderd jaar het hele gebouw vrij van kauwgum. De onverwoestbare vinyl vloeren waren gepokt en gemazeld door sigarettenpeuken, iemand had een scheermes in een van de Mies van der Rohe-stoelen gezet, iemand anders – idioten, vandalen – had de tak van een kunstpalm omgebogen zodat deze nu grotesk aan een ijzerdraad hing. Een lichte walm van hamburgervet kwam in vlagen door de vertrekhal, en een lusteloze, treurige carnavalsverlopenheid kreukelde de oogleden van het meisje dat leurde met vliegverzekeringen: *drie dollar voor het kostbare lichaam van je vrouw en jij, Jack Bowman, kunt een rijk man worden.* O, ja?

Zoals altijd wist hij weerstand te bieden aan de vliegverzekering; bijgelovigheid maakte hem onwillig, en bovendien had hij een heilig vertrouwen in Brenda's onverwoestbaarheid. ('Ik haal de honderd wel', had ze meer dan eens gezegd, en ze zei het niet als grap, maar met een indrukwekkende, overtuigende zekerheid.) Jack dacht aan haar handtas, doorboord door röntgenstralen en ergens op een verafgelegen scherm verschijnend als een onschuldige, openlijke verzameling munten en lippenstiften, een nagelvijl, een schrift met een spiraalband, een pen; ze zaten er allemaal in, de gelukbrengende, vertrouwde amuletten die haar ongedeerd hielden. Voor zijn geestesoog zag hij haar lichaam wijd uitgespreid liggen onder de blik van het mechanische oog: schedel, wervelkolom, armen, benen, een duidelijk geraamte van botten met als extra's een trouwring, een haarspeld en een verdwaalde veiligheidsspeld – nou goed, dan geen veiligheidsspeld.

Het lichaam van zijn vrouw, Brenda's lichaam; de gedachte eraan drong zich onweerstaanbaar op toen hij naar huis reed in het rustige zaterdagverkeer: haar vertrouwdheid, haar specifieke harsachtige geur en een fragiele, bezige gespierdheid gaven haar zowel iets bedrijvigs als gereserveerds, waardoor je voorstellingsvermogen de contouren van haar lichaam moeilijk kon vasthouden. (Paradoxaal genoeg stond Harriet Posts lichaam, met de enigszins ruwe huid en slappe gewrichten, hem in het geheugen gegrift.) Nam hij Brenda's lichaam werkelijk waar, zo vroeg hij zich af, na al die jaren, of was zijn waarneming van haar inmiddels gereduceerd tot aanraking en gevoel, abstractie en herinnering? Hij had haar lichaam op duizenden manieren aangeraakt. In feite twintig jaar van heel duidelijke aanrakingen. Maar deze ochtend, dacht Jack, leek het wel of Brenda,

toen ze even bleef staan onder de boog van de metaaldetector en driftig werd bestookt met stralen, tijdelijk haar lichaam kwijtraakte, alsof er een essentieel levenssap weglekte waardoor ze platter werd en er even uitzag als de vrouw van iemand anders die een rode jas droeg en zwaaide naar haar anonieme klungel van een echtgenoot die in een dwaas en zinloos gebaar zijn vuisten samenbalde in een overwinningsgroet; ja, een man die er op zijn drieënveertigste nog redelijk jong uitzag (hoewel lichtelijk, heimelijk kalend) en wiens schrandere, kalme gezicht hem karakteriseerde als iemand die onmiskenbaar tot de vage, niet nader omschreven beroepsgroepen hoorde; een man met een bezadigde blik, ja, een man met trage reacties. Hij had zijn handen langs zijn zij laten vallen en kreeg terwijl hij dit deed een helder beeld van zichzelf: een dwaasogende zaterdagochtendman, echtgenoot en vader, betrouwbaar en eerzaam, ietwat gezet in een bruine trenchcoat, een man die door niets werd gekenmerkt behalve door de onzichtbare band die hem verbond met de vrouw die hij zojuist naar het vliegveld had gebracht en uitgezwaaid, de vrouw in de rode regenjas. De man van de vrouw in de rode regenjas.

Hij greep het stuurwiel stevig vast en stelde zich met een nauwgezette en bewuste wilsinspanning – hij ging prat op zijn levendige en geheime fantasieën – de zachte binnenkant van Brenda's dijen voor. (Hij begon altijd bij de dijen.) Blauwig wit, zacht maar met een specifieke sponzige veerkracht. Zijn duimen draaiden rond, streelden opwaarts in de bedachte lichaamsholten, glijdend naar de strakke stukjes huid over zachtheid, een meegevende en weerstand biedende zachtheid. Wacht even, even wachten nu, daar kwam het. Haar lichaam kreeg weer vorm, herstelde zich ledemaat voor ledemaat, een glanzende huid, een stevige samengroeiing, duidelijk de eerste verschijningsvorm van – ja, wat precies – verse sla, ijsbergsla? Zoiets.

Een rood licht. Hij remde furieus. Er spatte regen op de voorruit en een wind zo ruw als een grofgeribd wasbord bonsde tegen de zijkant van de auto. Volgend jaar, tierde hij tegen zichzelf, wanneer het boek af is – als het boek afkomt – ruil ik dit kreng in. Dan neem ik er een met pit, een die wegsprint als het licht op groen gaat. Zoef.

5

H ET WAS NU IETS MEER DAN VIER JAAR GELEDEN DAT
Brenda was begonnen met het maken van quilts; wat vloog
de tijd toch. Jack was vergeten waarom ze ermee begon – nog zo'n
voorbeeld van een vaag begin – maar het was vast doordat ze uit
verveling of rusteloosheid of misschien vanuit een heftige, deels
conformistische, deels woedende reactie op de talloze vrouwenbla-
den die ze indertijd las ('Leg je eigen ziel in je huis', 'Hoe je een saai
hoekje weer gezellig maakt') dat ze besloot een quilt te maken voor
Laurie, die toen acht was.

Het patroon van de samengevoegde blokken was behoedzaam,
primitief, bijna kinderlijk; Jack herinnerde zich nog dat Brenda hem
op een avond met een vluchtige glimlach bij de hand pakte en
meenam naar boven om te laten zien waar ze aan had gewerkt.
Hij was bereid genereus te zijn. (In die tijd had hij een heilig
vertrouwen in zijn eigen grootmoedigheid, ongetwijfeld een schuldbewust afdankertje van de niet-aflatende stortvloed van ruimhartig-
heid die hij ontving van dr. Middleton, een vertrouwen dat hem nu
enigszins onnozel, zelfs ongepast voorkwam, maar dat indertijd
menslievend en productief leek.) In elk geval had Brenda's quilt
hem verrast. Ze had het rood en oranje en paars zodanig in evenwicht gebracht dat de kleuren een dansende, bijna elektriserende
levendigheid uitstraalden, en in Laurie's donkere, op het noordoosten gelegen slaapkamertje, volgestouwd met eenvoudig houten
meubilair – bureautje, ladenkast en boekenkast – sprong de quilt
eruit met zijn nadrukkelijke, aandacht opeisende aanwezigheid.
'Heel mooi', zei hij tegen haar. 'Fantastisch, eigenlijk.'

'Brenda,' zeiden haar vriendinnen toen ze hem zagen, 'je hebt je
hobby gevonden.'

'Brenda is een kunstenaar', zei Hap Lewis indertijd tegen Jack,

terwijl ze een bridgeslag voor zijn neus neersmeet. 'Niet zo'n hand-werktrut zoals de rest van ons, maar een kunstenaar, godverdomme!'

Vanaf het begin had hij haar aangemoedigd. De kinderen gingen al jaren naar school en begonnen hun eigen leven te leiden, dat hoopte hij tenminste; zelf had hij het aardig druk met zijn werk op het Instituut. Hij had een aantal artikelen geschreven over de ex-pedities van La Salle en onderzoek gedaan naar Indiaanse neder-zettingen, en hij had zich voorgehouden dat de tijd eindelijk rijp was om aan zijn boek te beginnen, het was nu of nooit. Hij had zich indertijd niet bewust zorgen gemaakt over Brenda, maar hij had wel een paar kleine, zorgwekkende signalen bemerkt: de dood van haar moeder had haar behoorlijk aangegrepen. En na haar vijfendertigste verjaardag was ze dwangmatiger geworden, zelfs ietwat veeleisend, hoewel ze in bed met de dag minder vurig werd, minder zelfver-zekerd. Wanneer ze voor de tv zat duwde ze voortdurend aan haar nagelriemen, en ze besteedde buitensporig veel tijd aan boodschap-pen doen; in die periode las Jack soms haar boodschappenlijstjes die in de keuken hingen opgeprikt – schoenveters opmeten, jas terug-brengen, tandpasta, postkantoor. Op een afschuwelijke en gedenk-waardige zaterdagochtend, vier jaar geleden, was ze naar Stevens in de stad gegaan en had ze zes gastendoekjes gekocht voor de bad-kamer beneden en bij thuiskomst ontdekte ze dat ze de verkeerde kleur blauw waren, te paarsig, te donker. In antwoord hierop had ze gehuild, woest en machteloos en eindeloos lang. Jack was bij haar gaan liggen op het gestreepte dekbed in hun slaapkamer, haar in zijn armen houdend, in haar haren de litanie van troostrijke woorden mompelend die hij vroeger zo vaak tegen Rob en Laurie had gezegd: kom, kom, het is goed, stil nou maar.

Het schokkende feit dat Brenda onvervalste energie verspilde aan dit soort onbelangrijke dingen vervulde hem met schuldgevoel; had hij haar dit aangedaan? De overgang – wanneer begon die eigenlijk? Hopelijk duurde dat nog een paar jaar, hij moest er toch niet aan denken dat die verschrikkelijke, onbekende baarmoederstoornissen zijn arme Brenda zouden opblazen als een ballon en een matrone met hangborsten en harde kaaklijn van haar zouden maken door verderfelijke, schadelijke hormonen in die tere, ontvankelijke ader-tjes aan de binnenkant van haar meisjesachtige knieën te pompen, knieën die hij had gekust, o, alsjeblieft nog niet. (Ze kwam de

huilbui weer te boven, ze gingen uitgebreid samen in bad met de deur op slot en daarna namen ze de kinderen mee om hamburgers te eten bij McDonald's, die ze nuttigden in een toestand van duizeligmakende uitputting.)

Eigenlijk was Jack blij geweest toen Brenda serieus quilts begon te maken, vooral wanneer hij dacht aan de alternatieven. Ze had het er een tijdlang over gehad dat ze weer als secretaresse wilde gaan werken, en ze was zelfs achter zijn oude Remington in de studeerkamer gaan zitten en had er een week of twee op geploeterd. Maar uiteindelijk besloot ze het niet te doen, ze was te ver achterop geraakt, ze zou moeten leren omgaan met een elektrische typemachine en daar kwam nog bij dat het allemaal vreselijk saai was. En ze kreeg er rugpijn van.

Gelukkig maar, dacht Jack; hij was geen snob, zei hij, en hij waardeerde net als ieder ander het werk van een goede secretaresse, maar het idee dat Brenda weer zou teruggaan naar de baan waarmee ze was opgehouden toen Rob werd geboren vond hij angstaanjagend en een verkwisting. Elke vorm van kringloop verontrustte hem, dat had hij van zijn vader, de overtuiging dat je nooit op je schreden terugkeert, nooit een boek herleest, nooit hetzelfde zomerhuisje twee jaar achtereen huurt, nooit ook maar een stuk van dezelfde weg terugrijdt wanneer er een alternatieve route is. Daarvoor was het leven te kort, zei zijn vader altijd, en nu zei Brenda op haar vijfendertigste hetzelfde: het leven was te kort om voortdurend over een typemachine gebogen te zitten, vooral omdat quilts maken veel dankbaarder werk was.

Jack was het daarmee eens. Er was iets wat hij wel aangenaam vond aan quilts, aan die combinatie van bruikbaarheid en visueel genoegen – daar hield hij wel van. Hij kon zelfs half en half begrijpen dat het Brenda voldoening schonk om honderden verschillende lapjes samen te voegen volgens een vooraf bepaald patroon; wat dat betreft, zei hij tegen Brenda, verschilde het niet zoveel van zijn eigen onderzoek naar Indiaanse handelsgebruiken. (Ze had gelachen om zijn vergelijking – wat was hij soms toch een ezel!) Quilten was in zijn ogen substantiëler, robuuster dan het borduurwerk dat zijn moeder vroeger deed, al die stoelkleedjes, die vogels van kruissteekjes in kleine lijstjes; het was meer dan alleen een kwestie van mode of schaalgrootte – het ging om een heel andere houding. Quilts maken

had een ingebouwde gulheid: ze werden gemaakt om aan bruiden te geven, om kinderen onder te stoppen, om rond de benen van ouderen en invaliden te slaan. En als kunstvorm was het minder vooropgezet, minder abstract, minder artistiekerig dan het batikken, het emailleren van koper en het abstracte beeldhouwen dat verscheidene van Brenda's vriendinnen deden. De geweven wandkleden van Hap Lewis met hun lussen en slingers van wol deden Jack denken aan onsmakelijke lichaamsprocessen. Quilts maken had daarentegen een traditie die hij als historicus kon waarderen, de Nieuwe Wereld in al zijn doortastendheid en het samenbrengen van bruikbaarheid en schoonheid, in overeenstemming met het verleden maar ook in harmonie met de kringloopgedachte van de jaren zeventig, *et cetera, et cetera,* een vorm van kunstnijverheid, zo had hij eens tegen Bernie gezegd, met een grote historische weerklank. (Middeleeuwse ridders droegen gewatteerd materiaal onder hun harnas voor de warmte en tegen het schuren van het metaal. Koningin Mary van Schotland maakte quilts om de tijd door te komen.)

Voor de kerst kocht Jack voor Brenda een vrij duur geïllustreerd historisch overzicht genaamd *Quiltmaking in America.* En hij was degene geweest die haar had gewezen op een cursus quilts ontwerpen bij het Art Institute, en die haar had aangespoord zich in te schrijven. Ze had geaarzeld, ze had een hekel aan 's avonds rijden, vooral naar de stad, en bovendien was het op haar bridge-avond. 'Wat heb je te verliezen?' zei Jack – waarna hij er onbezonnen aan toevoegde: 'Wie weet maak je er nog wel eens je beroep van.'

Uiteindelijk was ze toch gegaan. Twee vriendinnen schreven zich tegelijk met haar in, maar alleen Brenda hield vol tot het voorjaar. Een jaar later won haar ontwerp *Sparrenbos* de eerste prijs bij de Kunstnijverheidstentoonstelling in Chicago en werd verkocht voor zeshonderd dollar.

Zeshonderd dollar! Jack was verbijsterd – hoewel hij zijn verbazing wist te verbergen voor Brenda – dat iemand zoveel geld wilde neertellen voor een quilt; het was ongelofelijk, zei hij tijdens de lunch tegen Bernie Koltz, zeshonderd dollar voor een *quilt.* En nog verbazingwekkender was het dat het echtpaar dat de quilt had gekocht, een redelijk bekende nachtclubcabaretier en zijn vrouw die zangeres was, niet van plan waren hem op hun bed te leggen, maar aan de wand te hangen van hun huis in Oldtown. 'Wanneer ik

naar die quilt kijk,' vertelde de cabaretier Jack onder een drankje bij de opening van de kunstnijverheidstentoonstelling, 'heb ik het gevoel of ik binnenga in een kubus van absoluut zuiver groen.'

De nonchalance waarmee Brenda afstand had gedaan van *Sparrenbos* ('Vaarwel, makker', zei ze toen ze hem in vloeipapier pakte en in een doos van Del Monte-ananassen deed) dwong Jack zijn idee van haar te herzien als een sentimentele verzamelaar van bagatellen: Brenda met haar trouwfoto's, haar plakboeken van de baby's, haar dozen met oude geboortekaartjes en theaterprogramma's – waar was dat plotseling allemaal gebleven, vroeg Jack zich af, waar was de Brenda van vroeger? Ze ging niet gebukt onder het indrukwekkende succes van de tentoonstelling, integendeel, het had een tinkeling van gloednieuwe vrolijkheid bij haar losgemaakt, die haar dagelijkse beslommeringen, haar komen en gaan omgaf met een elfachtige vermetelheid; ze had het getuigschrift van haar eerste prijs (met haar naam, Brenda Bowman, gekalligrafeerd in een cirkel van gestileerde eikenbladeren) in een bureaula gegooid, waar het onder een wirwar van oude brieven verdween. Ze begon aan een nieuwe quilt en werkte er een uur of drie, vier per dag aan; en in plaats van 's nachts moe te zijn, werd ze plotseling frivool en bereidwillig in bed, gniffelend oneerbiedig, zelfs tijdens het orgasme. Ze scheen begiftigd met een nieuwe, ondefinieerbare kennis, in de afgelopen drie jaar hadden ze tien of twaalf nachten beleefd van een extravagante seksuele avontuurlijkheid. Er was iets gebeurd, iets onuitsprekelijks. Vroeger was het anders, vroeger verlangde ze naar zachte woordjes, liefkozingen, subtiliteit en al het geduld dat Jack kon opbrengen. Nu schaterde, schokte en kreunde ze en daarna liet ze, in een post-coïtale omhelzing, dezelfde soort omhelzing die ze vroeger zo lang mogelijk wilde laten duren, regelmatig merken dat het genoeg was en hij van zijn taak was ontheven door lichtjes tweemaal op Jacks schouder te tikken. Dat simpele klopje had iets heel vrolijks. Eerst was hij verbaasd geweest, later geamuseerd. Tik, tik, nu wachtte hij er al op. Ze maakte zich niet langer zorgen over de kinderen, over Robs asociale gedrag (alle kinderen zijn van nature egocentrisch) en Laurie's problemen met haar gewicht (alle kinderen zijn of te dik of te dun). Wanneer ze 's morgens eieren bakte neuriede ze *Greensleeves* of *Waarheen, Waarvoor.*

Ten slotte, toen ze zo'n zestal quilts af had, besloot ze van de

vierde slaapkamer haar werkkamer te maken. Deze lag op het zuiden en het licht zou precies goed zijn. 'Bovendien,' zei ze tegen Jack, 'geen mens heeft nog een logeerkamer.'

'Echt waar?' vroeg hij weifelend, maar tegelijkertijd bereid haar op haar woord te geloven; ze was altijd al geneigd tot stelligheid. En ze hield hem graag resoluut, maar nonchalant op de hoogte van haar maatschappelijk inzicht. Niemand, zei ze tegen hem, behalve misschien Bernie Koltz, draagt nog een windjack van popeline, niemand geeft meer van die etentjes voor acht mensen op zaterdagavond, niemand gaat vandaag de dag nog naar Bermuda door de politieke rotzooi daar, geen mens die in de stad woont heeft nog twee auto's omdat de wereld al bijna zonder olie zit, niemand, met uitzondering van Janey Carpenter van hiernaast, koopt nog elk voorjaar een nieuwe golfrok, een golfrok!

Jack scheen Brenda's talent, die speciale vaardigheid om op haar gevoel het moderne leven te ontraadselen, te ontberen, zijn conclusies rijpten langzamer en Brenda's uitspraken werden weliswaar gebracht met een welluidende vriendelijkheid, maar er klonk ook een lichte bevoogding in door. En de suggestie dat hij, Jack Bowman, op sociaal gebied ietwat achterlijk was, een warrige academicus voor wie zij niettemin bereid was de verantwoordelijkheid op zich te nemen. Meestal had ze gelijk – dat moest hij toegeven – en het was natuurlijk absurd om een logeerkamer aan te houden wanneer Brenda die ruimte nodig had. Per slot van rekening had hij een studeerkamer waar hij zijn lezingen en onderzoeksmateriaal bewaarde en waar hij geacht werd zijn boek over Indiaanse handelsgebruiken bij te schaven.

Haar nieuwe werkkamer – hij was dankbaar dat ze weigerde het een werkplaats, of erger nog, een atelier te noemen – was hectisch, open en vrolijk. (Brenda is zo'n 'open' mens, zei Hap Lewis altijd.) Haar werkraam vulde één hele muur met stralende, kortstondige kleuren, en in een zeer fraaie, met was geboende grenenhouten kast (van zijn moeder) bewaarde ze haar naaigerei, haar patronen en ontwerpen, haar scharen en spoelen; voor het zonnige, gordijnloze raam op het zuiden, met uitzicht op de cederhouten waranda van de Carpenters, hing een zich snel vermenigvuldigende, ongelofelijk vruchtbare tradescantia. Meters bedrukte stof – ze zei dat ze de wereld van de gelen verkende – kolkte uit manden en laden. Wan-

neer haar vriendinnen 's middags op de koffie kwamen, nam ze ze mee naar deze kamer, die, volgens Jack bijna van de ene dag op de andere, het stralende middelpunt was geworden van een huis dat nu angstig leeg en vreemd vormelijk aanvoelde.

Soms, wanneer Jack om zes uur thuiskwam van zijn werk, trof hij hen daar nog aan, Andrea Lord of Leah Wallberg of Hap Lewis – Hap Lewis met haar uitstaande rode haardos en haar talent voor onweerlegbare uitspraken – koffie drinkend uit Brenda's aardewerk mokken en tot in detail de politiek besprekend van de nijverheids-wereld: voordrachten bij verenigingen, het gezamenlijk gebruik van pottenbakkersovens, de esthetica van het uitstallen, het oprukken van de technologie, de onderverdeling van weefpatronen of de rampzaligheid van arbitrage. Ze zaten altijd op de grond, deze vrouwen, allemaal achterin de dertig of begin veertig, met opge-trokken knieën en merendeels nog soepele enkels, hun koffie drin-kend met opgewonden slokjes en in de lucht prikkend met hun filtersigaretten. Hun stemmen welfden zich tot sopraanhoogte, de mysteries onderzoekend van de dingen die zij met hun handen maakten.

Dingen. Daarmee kon Jack zich nooit verzoenen, het feit dat al hun zorgvuldig in banen geleide sensitiviteit werd gebruikt voor het maken van dingen, zagen ze dat dan niet? Hadden Brenda en haar vriendinnen in hun onstuimige stormloop op weefgetouwen en zeefdrukramen (en in Andrea Lords geval op een spinnewiel) het feit uit het oog verloren dat al hun energie uiteindelijk slechts leidde tot dingen?

Want op zijn heldere dagen, zijn verstandige dagen zoals hij ze noemde, wanneer de Aspen geboend en gepoetst, zijn overjas vlek-vrij, de koffie 's morgens heet, zwart en overvloedig was en inge-schonken door Brenda, die er zorgzaam en lief uitzag in haar dicht-geknoopte ochtendjas, had Jack het idee dat deze verheerlijking van dingen haaks stond op de worsteling van het mensdom om vooruit te komen. Af en toe dacht hij aan een bepaalde aardewerken kom, die al die jaren dat hij op het Instituut werkte daar tentoongesteld stond. Hij was vele keren gelijmd en ernstig verkleurd en de mensen van de afdeling keramiek schatten dat hij meer dan driehonderd jaar dagelijks gebruikt was. Deze kom, waarvan men dacht dat hij uit Frankrijk kwam, was van een opmerkelijke verfijning – vergeleken

met het primitieve karakter van het boerenaardewerk uit die tijd – en was ongetwijfeld bewaard gebleven omdat hij behandeld was met de zorg waarmee men gewoonlijk een heilig voorwerp omgeeft. Misschien was het ook wel een heilig voorwerp geweest, aangezien heiligheid, zoals dr. Middleton de stafleden regelmatig voorhield, vaak verbonden wordt met objecten die het duidelijkst samenhangen met menselijke behoeften. Die armzalige, domme bruine kom had alles gedaan wat van hem werd gevraagd, en dat elke dag weer. Hij had zijn betekenis verdiend en Jack aanvaardde moeiteloos de waarde die hij moest hebben gehad in een pre-industriële samenleving; als hij in die tijd geleefd had was hij met genoegen op zijn knieën gegaan wanneer hem de kom werd aangereikt, had hij hem met vreugde en eerbied naar zijn lippen gebracht. Maar waren we – en in zijn brein ging een wenkbrauw vragend omhoog – waren we dat stadium niet al lang voorbij? Hoe zat het met de geest die school achter de kom? Hoe zat het met het platonische idee van waarheid achter alle objecten? Het belangrijkste was toch het verfijnen en ontwikkelen van ideeën, en niet het vullen van de wereld met steeds meer voorwerpen?

Hij had graag over deze ogenschijnlijke tegenstrijdigheid met Brenda willen praten, en hij had zich zelfs al voorgesteld wanneer dit gesprek zou kunnen plaatsvinden: op een zondagmorgen, wanneer ze laat wakker werden door de aanzwellende muziek van de wekkerradio – hij hield van de bemoedigende klank van krachtig kerkgezang, onbeholpen de ether ingezonden door een rommelig, ongeschoold gemengd koor; door het raam op het oosten zou de zon gekantelde parallellogrammen van licht op het bed werpen, en Brenda, loom tussen de blauwbedrukte lakens, slaperig en nog niet bij stem op één elleboog leunend, zou aandachtig naar zijn argumenten luisteren, langzaam en nadenkend knikkend. Zachte lijntjes zouden rond haar ogen en haar mond verschijnen. 'Ik begrijp wat je bedoelt, Jack. Ja, daar heb je gelijk in.'

Maar de tijd dat hij een dergelijk gesprek kon beginnen was voorbij. Om de een of andere reden – misschien zijn trage reageren of gewoon verstrooidheid – had hij verzuimd zijn kans te grijpen toen dit vraagstuk nog relevant was en een belofte inhield. Die ene kleine stilte van hem was het begin geweest van een hele reeks stiltes; al met al aanvaardbare stiltes: onderwerpen die te netelig waren om

aan te roeren (zoals het nieuws over het boek van Harriet Post) of te onbeduidend om er aandacht aan te schenken. Brenda's meest recente quilt, waarvan ze hoopte dat hij een prijs zou winnen in Philadelphia, heette *De tweede komst*. Had die titel iets symbolisch, vroeg Jack zich af, iets seksueels? Hij had het niet gevraagd. Een milde besnoeiing van de waarheid, of in elk geval van de confrontatie, had hen beiden buiten de gevarenzone geplaatst: ze hoorden tot de gelukkig gehuwden, tot de redelijk tevreden en geestelijk gezonde mensen.

En dan nog iets: hij was niet helemaal zeker van zijn filosofische onderbouwing van een dispuut over materialisme; hij zou er over moeten nadenken, een aantal details verder uitwerken, erover praten met Bernie en een paar citaten zoeken van bijvoorbeeld Tolstoi, of misschien van Thoreau. Bovendien wist hij ook niet zeker of hij wel een leefstijl gebaseerd op abstractie kon verdedigen zonder als een onvolwassen hypocriet over te komen, hij had nota bene deze maand nog een suède jasje van zestig dollar gekocht en hij was degene die hunkerde naar een Italiaanse sportwagen. Ja, ja, jouw soort kennen we, een echte man van de geest. Ha!

Het was zelfs van tijd tot tijd bij hem opgekomen dat Brenda, en niet hij, misschien wel degene was die op het juiste spoor zat, wellicht was ze per ongeluk voor hem uit gestrompeld en had ze gevonden wat echt van belang was in deze wereld – dingen, dingen. Historisch belang en alle daarmee gepaard gaande opwinding lag misschien helemaal niet in amorfe denksystemen, maar in het concrete, het meetbare, het duidelijk zichtbare. Wellicht leidden potten en quilts uiteindelijk wel tot de definitieve kennis, wat dat dan ook mocht inhouden.

Dit betwijfelde hij echter.

Maar Brenda's voldoening kwam voort uit het soort argeloze inzicht waarvoor je geen valstrikken spande, en bovendien was haar geloof hierin op een nuchtere manier rotsvast en niet aan het wankelen te brengen door een oppervlakkig intellectueel scepticisme op een willekeurige zondagmorgen. Vooral niet, zo bekende hij zichzelf, vooral niet als het van hem kwam.

6

BIJ WIJZE VAN LUNCH AT HIJ EEN BANAAN TERWIJL HIJ IN de keuken stond en uit het raam keek. Een grijze troosteloze lucht drong door de bomen met de compactheid van dichtgeweven satijn. Het was hoofdpijnweer, manisch-depressief weer, maar het regende in elk geval niet meer. De beide esdoorns in de achtertuin en de Japanse kers, heftig en ellendig bladerloos, zwiepten heen en weer in een voortgaande spiraal van windvlagen. De voorzetramen rammelden en jammerden in hun oude houten sponningen en lieten langs de randen een scherpe, dunne kou binnen.

Jack vond een nog niet aangebroken doosje Zwitserse kaas in de koelkast, hij maakte het langzaam open en brak een stuk kaas af. Het dak van de garage was in slechte staat, zelfs vanuit het keukenraam kon hij zien waar de dakspanen eraf waren gewaaid. Hij had hoogtevrees en zag heimelijk op tegen het tweemaal per jaar terugkerende gemanoeuvreer met de voorzetramen, maar het dak van de garage was vrij laag en niet al te steil, hij kon het zelf wel eens proberen te repareren in het voorjaar als hij tijd had. Per slot van rekening had Bud Lewis een nieuw dak op zijn garage gezet. In feite had hij het hele huis van een nieuw dak voorzien – en dat in één week, van waar hij stond kon Jack de keurige grijze dakrand van de Lewissen zien.

Een groot deel van de oude donkere huizen in Elm Park met hun lompe veranda en gapende vestibule was geduldig in ere hersteld zoals Hap Lewis en haar man Bud hadden gedaan, de degelijke messing randen rond de ramen weer in het zicht gebracht, lagen verf van sponningen en leuningen gekrabd, een oude open haard gered die achter een hardboard wandje was verstopt. Sommigen waren de andere kant op gegaan, zoals Larry en Janey Carpenter, die het huis hadden ontmanteld, hier en daar kieskeurig een stenen muur blootleggend, de eetkamer geverfd in zacht wit, een dakraam in de bad-

kamer en de oude badkuip geaccentueerd met auberginekleurig emaille; de sombere, onpraktische gedeelten van het huis werden opgevuld met roomkleurige suède sofa's, salontafels met rookglas, kussens van grofgeweven stof, primitieve Inuit-beelden en stevige potvarens tot ze glommen en glitterden van ingehouden energie en hartelijkheid.

Jack was niet zo handig als Bud Lewis – hij hoefde zichzelf niet voor de gek te houden – maar misschien was het wel lekker, er op los hameren daar bovenop de garage. Vroeg in het voorjaar misschien. Op een zaterdag. Hij verlangde plotseling naar het voorjaar: hij zag zichzelf al in een luchtig jasje op zijn knieën op het dak, terwijl het zonlicht in bleke waaiers door de takken viel en zijn rug en schouders warmde, vogels zouden in de opengaande lucht zingen, het gras zou na de winter weer schoon aangeharkt liggen, Brenda zou er zijn, een katoenen sjaal om haar hoofd, de hoeken van het terras schoonvegend, en de kinderen sprongen over het bloemperk – nee, dat was belachelijk, ze waren al bijna volwassen. Rob was veertien en Laurie twaalf; ze hadden al in geen jaren meer over het bloemperk gesprongen.

Hij kauwde zijn kaas en bedacht hoe vernietigend het wellicht kon zijn om uit een raam te staan staren; het was iets waar je je tegen teweer moest stellen. Het verstoorde het fijngetande mechaniek dat de tijd aanduidde en verantwoordde. Je verloor het contact met de werkelijkheid, je kon gehypnotiseerd raken door hoogspanningsdraden en de bijna onzichtbare manier waarop ze elkaar telkens weer kruisten, je kon gek worden door het tellen van dakspanen. Als je niet oppaste begon je na een tijd heen en weer te wiegen, heen en weer met de beweging van de bomen, en dan was het gebeurd met je. Ongetwijfeld waren er heel wat mensen, vast duizenden, naar de knoppen gegaan omdat ze gewoon uit een keukenraam stonden te kijken. Net als hij nu. Verveling had een verleidelijke kant, een charme die weerstaan moest worden.

Het was stil in huis, verbijsterend stil. Laurie was de deur uitgegaan voor haar zaterdagmiddagklus, het uitlaten van de honden van de buren. Een treurig beeld van zijn dochter Laurie vormde zich langzaam in Jacks gedachten, ze had iets van zijn zwakte geërfd, van zijn afhankelijkheid van de welwillendheid van anderen; dat was jammer, echt jammer. Voor een dollar liet het arme kind gewillig,

43

opgewekt, dwaas de hele middag die twee mormels uit terwijl Larry en Janey Carpenter (de prins en de prinses, zo noemde hij ze in gedachten) binnenskamers genot zochten, ongetwijfeld rollebollend op een van hun witte schapenvachten, het nu eens zus en dan weer zo proberend, of volledig ondersteboven. En het arme kind maar rondjes lopen door de ijzige straten met Cronkite, de spaniël en Brinkley, de airedale; ze liep kilometers voor ze weer terugkwam. Pure uitbuiterij, noemde Brenda het, het was een schandaal, maar het hield Laurie bezig en ze scheen er gelukkig van te worden. Ze zag uit naar de zaterdag, ze zou het ook doen zonder die dollar, vertelde ze Jack eens, ze vond het echt heel leuk.

Rob was naar de atletiekwedstrijd op school. 'Met wie ga je erheen?' had Jack hem zo terloops mogelijk gevraagd, maar Rob, vooroverbuigend om zijn jas dicht te ritsen, had iets onverstaanbaars gemompeld. 'Tot kijk', zei hij, naar de achterdeur gaand.

'Ik hoop dat ze ingemaakt worden', had Jack luid geroepen op een geforceerde kameraadschappelijke toon.

'Hè?'

'Het andere team. Ik hoop dat ze ingemaakt worden.' Hoopte hij dat echt?

'Ja, goed...' De deur sloeg dicht.

Rust, stilte. Als Brenda er was zou er koffie op het fornuis staan. In plaats daarvan vond hij achterin de koelkast, achter de kwark, een blikje bier dat op zijn kant lag. Het was nog maar één uur op de keukenklok. Hij zou tot zes uur aan het boek kunnen werken. Eigenlijk, bedacht hij, zou hij de telefoon van de haak moeten leggen, dan had hij vijf volle uren, een hele middag om hard te werken, zonder onderbrekingen en verplichtingen. Helemaal niets. Aan de andere kant, Brenda of de kinderen konden bellen, er kon iets gebeuren, iets ergs – hij moest de telefoon er maar op laten liggen.

Hij keek opnieuw op de klok en floot schel, bijna woedend. Vijf volle uren, dat kwam maar zelden voor, hij bofte. Buiten voor het raam zat een kleurloos vogeltje van een ondefinieerbaar soort bovenop de telefoonpaal. Wanneer het wegvliegt, beloofde Jack zichzelf, ga ik aan het werk.

Een minuut lang zat de vogel doodstil, toen draaide het zijn golfbalronde kopje plotseling naar rechts, rekte zich abrupt en

herschikte zijn vleugels. Het rilde ziekelijk en gluurde recht naar beneden zodat het Jack toescheen of het zo door het keukenraam keek. Misschien heeft hij wel honger, dacht Jack, zijn moeder indachtig, die al haar leven lang dagelijks een boterham voor de vogels buiten legde. Hij deed een stap in de richting van de broodtrommel, maar op datzelfde moment vloog de vogel van de paal af en fladderde, tegen een windvlaag in, met een sierlijke boog naar de garage van de Carpenters.

'Pech, vogeltje', mopperde hij hardop, zich vagelijk verraden voelend. 'Voor jou geen middageten, jochie.'

Er waren vijf minuten voorbij – maar vijf? Een lichte zucht ontsnapte aan zijn lippen, en aangezien hij bijna nooit zuchtte, voelde hij even een scheut van schrik, zuchten kon, net als gapen en krabben en zeuren, een gewoonte worden, daar moest hij voor oppassen. Nog vier uur en vijfenvijftig minuten. De tijdsspanne strekte zich voor hem uit als een breed water, hij hoefde slechts een vluchtige blik op het oppervlak te werpen en hij voelde terstond een vertrouwde pijn opkomen, een scherpe, bijtende pijnscheut die bij zijn borst binnenkwam en onverwacht snel doorschoot naar zijn hoofd, zijn armen en zelfs zijn vingertoppen. Achter de pijn herkende hij een onderliggende paniek, waaraan hij zich overgaf, een ondiepe leegte die tergend zoog en ondraaglijk scheen. Er was in elk geval op dat ogenblik geen ontsnappen aan, hij kon wel huilen. Met geen mogelijkheid kon hij de realiteit aanvechten die hem wachtte: een hele voorbijtikkende middag levend begraven in de donkere, eenzame studeerkamer met dat godvergeten boek.

7

OP ZIJN BUREAU HAD JACK EEN OUDE OPWINDBARE WEK-
ker staan, meer om hem gezelschap te houden dan voor iets
anders, het tikken was als een verwijt, maar het doorbrak in elk geval
de stilte. Zoals altijd voor hij aan het werk ging, wond hij hem strak
op en zette hem neer, hem de functie gevend van een eiland of een
soort territoriumvlag te midden van hopen aantekeningen, schuin-
gezakte stapels papier, afgekloven potloden, rijen paperclips, rond-
zwervende enveloppen, systeemkaartjes en klokhuizen die zo uitge-
droogd waren dat ze zich onherkenbaar mengden met de droge
werveling van papieren.

Uit zijn tas haalde hij een aaneengeniete kopie van het manuscript
van hoofdstuk zes. 'Symboliek en onoorbaarheid – het begrip bezit'.
Dr. Middleton was met name benieuwd hoe het met dit hoofdstuk
stond, en Jack had beloofd, of zo goed als beloofd, om het
maandagmorgen mee te nemen. Toen hij vluchtig naar de titel
keek, die hem nu op het randje van gekunsteld voorkwam, hoorde
hij zichzelf voor de tweede keer die dag zuchten.

De inleidende paragraaf – die hij zwijgend herlas, ritmisch knikkend bij elke komma – was niet slecht, sprankelend kon je hem niet
noemen, maar hij gaf de essentie weer van het verband tussen bezit
en status, en daar ging het uiteindelijk toch om? Het was tenslotte
wetenschap en geen Walt Disney. Hou steeds je lezerspubliek voor
ogen, hield dr. Middleton hem voortdurend voor.

Maar die tweede paragraaf. O god, nee! Hij zocht in een la naar
een pen, aan de tweede paragraaf moest nog gewerkt worden, flink
gewerkt. Op de een of andere manier was hij van het onderwerp
afgedwaald en terechtgekomen in het gedeelte over onderlinge betrekkingen en rituelen dat pas in hoofdstuk negen aan bod kwam.

Hij moest weer terug naar die verdomde synopsis, die hier ergens

onder al die papieren zwierf. Jezus, waar had hij gezeten met zijn hoofd? Hij was compleet afgedwaald, onvergeeflijk, maar zo werkte de geest nu eenmaal van tijd tot tijd, en dat was een van de problemen van de wetenschap: die vervlakte en begrensde de spontane invallen. Moest hij het laten staan of doorstrepen? Als hij het liet staan moest hij dat tot in detail verantwoorden, en de gedachte alleen al aan een dergelijke uitgebreide voetnoot was zwaar deprimerend, het moest eruit.

Uit een la pakte hij een nieuw vel papier en draaide het voorzichtig, gelijkmatig in de typemachine. Kantlijnen instellen. Paginanummer. Inspringen. En nu...

De wekker tikte. Er verstreken tien minuten. Jack tikte de volgende zin: 'Het begrip handel was bij de Indianen veel verder ontwikkeld dan voordien werd aangenomen, waarvoor ten minste drie redenen zijn aan te geven.'

Het was stil in de kamer. Door de muren heen hoorde hij het meedogenloze, trieste knagen van de wind. Brenda was nu al in Philadelphia. Vreemd dat hij nooit in Philadelphia was geweest, hij was overal geweest, maar nooit daar. Ze zou zich vast al hebben ingeschreven bij het hotel en het tentoonstellingsgebouw. Waarschijnlijk had ze zo'n plastic naamkaartje gekregen om op te spelden – Brenda Bowman: Kunstnijverheidsgilde Chicago. Ze zou ergens staan, een beetje aan de kant, maar toch nog te midden van de groeiende stroom afgevaardigden die elkaar groetten, elkaar taxeerden, lachten en oppervlakkig maar opgewekt contacten legden – 'Nou ja, ik ken hem niet persoonlijk, maar zijn werk ken ik heel goed.' Of: 'Jij komt toch uit de windstad Chicago, zei je? Ik heb een broer die daar in de elektronica werkt.'

Moeizaam herschreef hij paragraaf twee: de zinsbouw was niet sterk, maar de essentie stond erin, nu moest hij alleen niet vergeten in de definitieve versie in een voetnoot te refereren aan de Irokezen. Hij zou de precieze referentie moeten opzoeken, maar hij wist zeker dat hij hem ergens had op een systeemkaartje. Het was trouwens nergens op zijn bureau te vinden, hij moest het nu maar laten zitten en er later nog eens naar zoeken.

Af en toe vroeg hij zich af of het schrijven beter zou gaan in een prettiger omgeving, dat moest toch een voordeel zijn. Het leek wel of de poreuze muren een dodelijke willoosheid uitwasemden. De stu-

deerkamer had de kille, verkrampte sfeer van tegenvallende prestaties, en in plaats van ingebouwde boekenkasten, die de kamer iets
warms en bewoonds gegeven zouden hebben, hadden hij en Brenda
zich tevredengesteld met een paar provisorische, ongelakte boekenkasten uit hun studentenkamer. De dossierkast van geverfd metaal
was alleen maar een nuttig en ongevaarlijk ding.

Jacks bureau was nog hetzelfde verwijtende, massieve eiken kantoorbureau uit zijn jeugd; zijn vader had het voor vijf dollar gekocht
in een tweedehandswinkel in Austin toen Jack twaalf werd en het
was op een of andere manier te solide om weg te gooien. ('Alleen het
hout is al twee keer zoveel waard als wat mijn vader er voor heeft
betaald', zei hij tegen Brenda.) Jack had de wanden in hetzelfde
appelgroen willen verven als de woonkamer, en Brenda wilde een
zonnig geel. Ze waren uitgekomen op een groot blik halfmatte latex
uit de aanbieding, die spoedig verkleurde tot een streperig gebroken
wit. Het was toch al een naargeestige kamer: de ramen waren klein
en deprimerend en hardnekkig serieus, en de kleine, verroeste radiator voelde nooit meer dan lauwwarm aan. In deze tijd van het
jaar, in januari, was de kamer koud en klam.

Hij hield van hun huis, vooral in de zomer, maar het had geen
distinctie; het was een van de dingen waar Jack vage spijtgevoelens
over had, dat hij en Brenda dat niet voor elkaar gekregen hadden.
Afgezien van Brenda's werkkamer, een verandering uit een veel
latere periode, had het huis nooit volledig beantwoord aan zijn
beloften. Wat er aan ontbrak waren de levendigheid en doelgerichtheid die het wezen van distinctie vormen. Zou het kunnen zijn, zo
vroeg Jack zich soms af, dat Brenda en hij geen eigen stijl hadden?
Anderen scheen dit gemakkelijker af te gaan. De Carpenters met
hun cederhouten vloer en aardewerk bloempotten. Zelfs het huis
van de Lewissen aan de overkant had iets stijlvols. Het ergerde Jack
een beetje dat Bud Lewis door zijn treurige veelzijdigheid, zijn
bekwame timmerwerk en zijn hoveniersgaven, het smalle oude huis
dat hij en Hap aan Holmes Avenue hadden gekocht een zekere
bezieling had gegeven. Bud Lewis moest *iets* hebben, een verborgen
vonk van verbeeldingskracht, die hijzelf ontbeerde. Op het Instituut
had hij ooit toevallig een aanbevelingsbrief onder ogen gekregen,
gericht aan dr. Middleton, waarin hij, Jack Bowman werd beschreven als een 'hardwerkende, maar nogal kleurloze jongeman'. Kleur-

loos, de wond was maanden blijven doorzeuren, de onrechtvaardigheid ervan griefde hem diep. Zag Brenda, zo vroeg hij zich af, deze verschrikkelijke kleurloosheid ook? (Later zakte de pijn weg en werd een herinnering, een afgesloten en opgeborgen portie pijn.)

'Eigenlijk zouden we helemaal opnieuw moeten beginnen en het hele huis opknappen', zei Brenda van tijd tot tijd, als ze keek naar het beige jutebehang in de gang en naar de lichtgroene woonkamer met de donkergroene grofgeweven gordijnen en donkerbruine corduroy bank (als je twijfelt, kies dan donkerbruin, had iemand hen geadviseerd). Maar tot nog toe waren ze daar niet aan toegekomen. Ze hadden het druk met andere dingen. Of het werd te duur. Het was het beste, zeiden ze, om te wachten tot Rob en Laurie wat ouder waren.

Jack voelde dat er misschien nog een andere reden was: de stilzwijgende wens het nog steeds halsstarrig zuivere wezen van het huis niet al te zeer te verstoren. Het leek wel of Brenda en hij, met hun neutrale kleuren en transparante gordijnen, het huis bijna onbewust zo weinig mogelijk kwaad wilden doen. 'Het probleem met jou is', zei Brenda eens, aangespoord door een plotselinge ingeving, 'dat de historicus in jou zich verzet tegen aantasting.' In het begin van hun huwelijk had ze regelmatig zijn beroep als historicus te berde gebracht, het doelbewust en trots in de conversatie werpend zoals je doet met de naam van een geliefde.

Er zat een kern van waarheid in, het was waar dat hij ervoor terugdeinsde dat wat ooit, in een andere tijd, had bestaan als een idee, te vangen in de alledaagsheid van schilderen en behangen. Dit huis – dat zag hij duidelijk voor zijn geestesoog – had er ooit kortstondig gestaan als een skelet van vers hout, en daarvoor had het zich tweedimensionaal uitgestrekt over een groot vel papier. Maar eerst was het iemands idee geweest, een anoniem en reeds lang gestorven iemand, maar niettemin iemand aan wie zij hun woning dankten. Ze hadden een nieuw huis moeten kopen, dacht hij soms, en hun eigen geschiedenis moeten schrijven. Nu kon hij nooit helemaal het ongemakkelijke gevoel van zich afzetten dat ze slechts pachters waren, vooral wanneer hij in deze kille, deprimerende studeerkamer zat.

Brenda floreerde in haar zonnige werkkamer boven, zíj klaagde nooit dat ze zich eenzaam en van de rest afgesloten voelde, ze scheen

niets liever te willen dan zich urenlang opsluiten met haar quilts – de laatste weken voor de tentoonstelling had ze er soms wel vijf of zes uur aan een stuk door aan gewerkt. *De tweede komst* telde duizenden steekjes. Natuurlijk deed zij een ander soort werk, minder veeleisend in bepaalde opzichten, minder intensief, maar evengoed zou het geen kwaad kunnen de studeerkamer op te knappen, er een groter raam in te zetten net als de Carpenters hadden gedaan, de ruimte wat openheid te geven, het sombere houtwerk verven, in elk geval iets laten doen aan de verwarming.

Harriet Post. Hij vroeg zich af in wat voor soort kamer zij zat toen ze aan haar boek begon. Waren al die kaarten en zeldzame houtsneden geordend in een keurige werkkamer op de universiteit? Of aan haar keukentafel? Hij kon zich Harriet nauwelijks voorstellen aan een keukentafel. Of misschien in een studeerkamer in de kelder met knoestige schrootjes en een elektrisch kacheltje dat raasde in een hoek? Hij wist niets van haar leven nadat ze uit Chicago was vertrokken, alleen dat ze in Rochester woonde; hij had haar adres jaar na jaar gezien in de lijst van oud-studenten, Rochester, New York, dezelfde straat, hetzelfde nummer. En hij wist ook maar weinig over Rochester, alleen dat het bekend stond als een lelijke plaats en dat de winters er streng waren, maar misschien woonde Harriet wel in een beter gedeelte van de stad, elke stad had minstens één fatsoenlijke buurt. Waarschijnlijk was ze getrouwd. (Hij dacht aan de veerkrachtigheid van haar vreemd gevormde borsten, de kleine blauwige tepels met de kleur van wasbare inkt.) Het zou typerend zijn voor Harriet om haar meisjesnaam te houden. Misschien had ze net als Brenda de logeerkamer ingericht als werkkamer, planten voor de ramen gehangen en *Greensleeves* geneuried terwijl ze zich verdiepte in haar aantekeningen. Mijn god, de middag ging ongemerkt voorbij, hij moest doorwerken.

Alinea drie. Hij las hem langzaam, nauwelijks gelovend dat hij echt deze woorden had geschreven. Hoe was het mogelijk dat hij deze versnipperde reeks sentimentaliteiten had geschreven over de zuiverheid van de Indiaanse geest ('Handel benaderde de beleefdheid van geschenken geven') aan het papier toevertrouwend wat dr. Middleton – langs zijn kin strijkend en zijn lippen likkend – een romantische uitspatting zou noemen? Het moest geschrapt. Pats. Wam. Eruit.

Maar hij aarzelde, las het nog eens over, kon hij zich wel permitteren het te schrappen? Hij had elk woord nodig, hoofdstuk zes was nogal kort, zelfs korter dan hoofdstuk vijf.

Zich concentrerend, zijn schouders naar achteren, zijn blik gefocused, las hij het nogmaals. Christenezielen! En toen, omdat hij ernaar verlangde de stilstaande lucht in de kamer te doorboren, probeerde hij het hardop te lezen. Zijn stem stokte, dan een onderdrukt schril geluid, hij hoorde duidelijk de ernstige toon van een padvinder. Jezus.

Hij schraapte zijn keel, liet zijn stoel achterover hellen, en las het opnieuw – dit keer veel luider – met een toneelstem, naar zijn keel grijpend, de klinkers eruit persend, zich van zin naar zin werpend, en van gestolde woede naar snikkende zoetheid. Hij had acteur moeten worden, dacht hij, weer opfleurend, hij zou auditie doen bij het Elm Park Little Theatre, daar moest hij een dezer dagen maar eens met Larry Carpenter over praten. Als zo'n opgeblazen zak als Larry Carpenter een acteur kon zijn – hij was natuurlijk totaal geflopt met dat Hamlet-gedoe – waarom zou hij, Jack Bowman, dan niet het toneel op kunnen?

Nee. Nee, nee en nog eens nee. Er was geen twijfel mogelijk, de paragraaf moest volledig herzien worden. Hij greep de pen en voelde een rigide koelte om zich heen golven. Het hele stuk moest geschrapt, er stonden tranen in zijn ogen. 'Ik geloof er niet meer in', dacht hij, zuchtend.

En dit keer omvatte zijn zucht het bureau vol papieren, de koude ruimte en het leeg geworden huis.

'Ik ben iemand die er niet meer in gelooft.'

Hij zei het hardop, beseffend dat hij zich liet gaan in de goedkoopste vorm van aanstellerij, maar tegelijkertijd zag hij in dat hij de volle waarheid sprak. Zijn voorgaande en, vooral de laatste tijd, frequente middernachtelijke ontmoetingen met de schrale, liefdeloze schoot der waarheid waren niets vergeleken bij het gewicht van deze uitspraak. Hij was machteloos, uit eigen verkiezing. Door het vermijden was hij op een dood spoor gekomen, er wachtte hem een gigantische intellectuele blunder. Hij herhaalde het: 'Ik ben iemand die er niet meer in gelooft.' Terwijl hij sprak luisterde hij naar de vreemd opgaande klank van zijn stem, de toon was somber maar onmiskenbaar gepast, en in de hardop uitgesproken woorden klonk

een zekere resoluutheid door. Goed, dat was in elk geval vastgesteld, het verlies van zijn geloof. Officieel.

Toen hoorde hij in de verte de deurbel gaan. Er werd maar twee keer gebeld, maar lang genoeg om hem, blij met het respijt, de kamer uit te laten struikelen om open te gaan doen.

'B ERNIE!'
      'Hallo.'

'Wat doe jij in deze contreien? En dat op zaterdag?'

'Ik kwam gewoon even langs. Heb je het druk?'

'Nee. Helemaal niet. Nou ja, ik zat aan het boek te werken, maar ik wilde toch net pauzeren. Kom binnen, kom binnen.'

'Weet je zeker dat ik je niet…'

'Nee, echt niet, serieus. Kom gauw binnen, weg uit die kou.' Jack hield de deur open, verward door zijn eigen hartelijkheid.

'Jezus, het is ijzig.' Bernie rilde in zijn dunne donkerblauwe windjack. Blootshoofds en met rode oren – Jack had hem horen opscheppen dat hij niet eens een muts bezat – stapte hij de gang in en zette een koffer op de grond.

'Het is nu echt winter', zei Bernie met holle, overdreven, felle vrolijkheid. Goddank, goddank voor Bernie, de middag was gered, híj was gered.

Bernies ronde neus glom rood van de kou. 'Als de winter komt,' zei hij, zijn handen wrijvend, 'dan komt hij ook duchtig.'

'En jij bent altijd degene', zei Jack uitdagend en vrolijk maar ook verbaasd – ze spraken nooit over het weer – 'die bij hoog en bij laag beweert dat die verhalen over de windstad Chicago overdreven zijn.'

'Waarom blijven we eigenlijk in deze stad wonen, midden in al dat zand en gruis?' Bernie haalde een Kleenex te voorschijn en snoot luid zijn neus. 'Zeg eens, is er in het heelal nog een materiaal dat net zo hard en compact en meedogenloos is als het zand uit Chicago? Mijn god, zal ik je eens wat zeggen, ik heb gruis in mijn bloed, gruis in mijn gewrichten en gruis in mijn kruis, als het zo doorgaat heb ik over een paar jaar gruis in dat plekje achterin de hersenen, hoe heet het ook alweer – de zetel van het autonome zenuwstelsel?'

'De medulla.'

'De medulla! Hoe heb je dat onthouden, Jack?'

'God mag het weten.'

'Dat kleine zwarte ding in de vorm van een sigaar. Ik herinner het me weer. Eerste jaar psychologie. Daarom ben ik ook gekomen. Ik heb weer zo'n last van mijn medulla.'

'Wat jij nodig hebt is een biertje. Wat dacht je daarvan? Als je een lauw biertje tenminste niet erg vindt. Ik wilde er net zelf een pakken.'

Bernie stond zwijgend en bewegingloos in de gang.

'Nou, wat zeg je ervan?' drong Jack aan. 'Het is zaterdagmiddag. Je hebt toch wel even tijd?'

'Ik heb de tijd', zei Bernie, tot leven komend en langzaam zijn jack losritsend. 'Tijd is, eerlijk gezegd, het enige wat ik heb. Ik heb zelfs de tijd, als je dat interesseert, om een voordracht te geven over het wezen van tijd, *kairos* en *chronos*, onvoorbereid, zelfs zonder aantekeningen. Ik zou er dagen over kunnen spreken. Zoals over de menselijke notie van tijd, de dimensies van tijd, de verantwoordelijkheid van tijd, de soevereiniteit van tijd, de inbreuk van het gruis uit Chicago op de gelaagdheid van tijd…'

'Ook tijd om even te gaan zitten?'

'Maar heb jij wel tijd? Je ziet er zo wazig en uit je voegen uit. Je bent druk aan het schrijven. Dus je hebt nog niet de handdoek in de ring gegooid. En ik zou je niet graag storen als je…'

'Sinds wanneer heb jij ineens eerbied gekregen voor…'

'Sinds vanochtend. Toen Sue – je weet wel, mijn vrouw Sue – toen Sue mij meedeelde dat ik geen rekening hield met de gevoelens van anderen. En God weet dat ik nog geprobeerd heb haar duidelijk te maken dat het het gruis in mijn medulla was, maar…'

'Waar ben je trouwens op weg naartoe?'

'Ik?'

'Met die koffer?'

'Dat is, zoals het heet, een lang verhaal. Een tamelijk lang verhaal. Met vele en veelvoudige betekenislagen.'

'Je bent dronken', zei Jack taxerend een stap terugdoend.

'Dat zie je totaal verkeerd.'

'Je zou vandaag toch met Sue naar Fox Lake gaan?'

'Ze moest werken. Ze werd vanmorgen gebeld door het ziekenhuis, of ze kon komen om de een of ander te vervangen.'

'Alweer? Dat gebeurde de keer daarvoor toch ook?'

'En ook de keer daarvoor. En zo komen we weer op het onderwerp tijd. Weet je nog in welk jaar we een tijd in de gevangenis zaten? Wanneer was het ook weer? In 1969?'

'Misschien ben je dan niet dronken, maar er klopt iets niet.'

'Dat zijn waarschijnlijk de tranquillizers. Die halen de vertrouwde sardonische kantjes eraf. Die geven me die prettige, laconieke, kalme manier van doen.'

'Slik jij tranquillizers? Hoe bedoel je, tranquillizers?'

'Sue neemt ze mee uit het ziekenhuis. Krijgertjes. Elk beroep heeft zijn extra's, en die van haar zijn die blauw-met-gele pilletjes. Ze houden het libido ook een beetje koest. Sublimatie, weet je wel. Dat is het helemaal tegenwoordig. Sublimatie is subliem – het is hetzelfde woord, weet je.'

'Ik ga koffie voor je maken.'

'Je gaat me ontnuchteren. Ah, de goede gastheer. Maar je hebt het bij het verkeerde eind. Ik ben zelfs geen greintje high.'

'Wacht maar even. Ik ben zo terug. Heb je bezwaar tegen oploskoffie? Ik maak voor ons allebei een kopje.'

'Is Brenda vertrokken?' vroeg Bernie somber, terwijl hij zich liet zakken op de bruine bank en opstandig aan zijn wenkbrauwen plukte.

'Ik heb haar vanochtend op het vliegtuig gezet.'

'Jíj hebt háár op het vliegtuig gezet? Bepaalde mensen zouden een vleugje seksisme bespeuren in de manier waarop je dat zegt.'

'O ja?'

'Daar zitten we dan', Bernie zweeg even. 'Jij en ik.'

'Doe alsof je thuis bent', riep Jack vanuit de keuken, terwijl hij water in de ketel liet lopen.

'En de kinderen?' riep Bernie, zachter nu.

'De hele middag weg. Rob is naar de atletiekwedstrijd en Laurie laat de honden van de buren uit. Het is hier net een kerkhof. Ik ben echt blij dat je er bent.'

'Goed', zei Bernie op een vlakke toon die Jack verbaasde en alarmeerde. 'Dat is goed.'

Het water kwam langzaam aan de kook. In de woonkamer was het stil. Jack pakte een paar mokken – Brenda had zo'n twintig koffiemokken, de meeste in aardkleuren met een ruwe ongegla-

zuurde rand waarvan zijn tong terugkrulde. Hij mat de Nescafé af en roerde er water door. Melk? Hij kende Bernie al zijn hele leven maar hij wist niet meer hoe hij zijn koffie dronk. Trouwens, er was geen melk. En momenteel had hij meer behoefte aan zwarte koffie.

Hij nam in elke hand een mok, morste wat op het tapijt in de gang en kwam terug in de woonkamer.

Bernie was languit op de bank gaan liggen. Zijn modderige Adidas-schoenen stonden ernaast. Zijn ogen waren gesloten.

'Slaap je?' vroeg Jack aarzelend.

'Nee.' Zijn stem klonk hard en gevaarlijk.

'Hier, wil je koffie? Ik heb een kop voor je gemaakt.'

'Nee.' Bernie wendde zijn gezicht af. 'Bedankt.'

'Wat wil je dan? Een boterham met salami misschien? Heb je al wat gegeten?'

'Sue is bij me weggegaan. Voorgoed. Vanochtend.'

'Sue? Ik geloof mijn...'

'Voorgoed.'

'Ik haal een borrel voor je, Bernie.'

'Nee. Christus-nog-aan-toe, nee.'

Voorzichtig en bezorgd vroeg Jack: 'Wat wil je dan?'

'Eigenlijk,' zei Bernie met zijn gezicht in de zachte bruine kussens gedrukt, 'eigenlijk wil ik huilen.'

Wat hij ook deed, tot Jacks afschuw en ongeloof.

9

ET JACKS ARM ROND ZIJN SCHOUDERS VIEL BERNIE TEN
M slotte in slaap en Jack ging naar boven om een deken voor
hem te halen; de woonkamer met zijn nieuwe voorzetramen was een
paar graden warmer dan de studeerkamer, maar het scheen niet meer
dan fatsoenlijk om Bernies slapende lichaam te bedekken. Hij was
voldoende gekleed in zijn spijkerbroek en sweater (van donkerbruine acryl, wijd geworden bij de boorden en dun bij de ellebogen)
maar de houding waarin hij lag – zijn benen tegen elkaar aan en
lichtjes gebogen in de knieën, een arm onbeholpen (verdrietig, dacht
Jack) over zijn schouder – gaf de indruk van hulpeloze naaktheid.
Aan de achterkant, waar Bernies sweater uit zijn broek was geraakt,
was een talkkleurig maansikkeltje van haarloze huid zichtbaar. Toen
Jack de deken zorgvuldig over het slapende lichaam legde, voelde hij
een schok van liefde. Deze man, deze Bernie Koltz, was zijn oudste
vriend. In feite bijna zijn enige vriend.

Slechts één vriend? Dit wees ongetwijfeld op een zeker onvermogen, veronderstelde Jack, zijn erkenning dat hij het zo ver had
geschopt in het leven, drieënveertig en maar één vriend gemaakt.

Voor Brenda lag het anders, het had altijd anders gelegen voor
Brenda. Om te beginnen liet ze haar vriendinnen nooit vallen, Jack
had het altijd verbazingwekkend gevonden hoe ze haar hordes
vriendinnen mee wist te nemen door de verschillende stadia van
haar leven. Het verbaasde hem dat ze na al die jaren nog steeds
contact had met haar jeugdvriendinnen uit de oude Cicero-buurt,
met Betty Schumacher en Willa Reilly en Patsy Kleinhart en zelfs
Rita Simard. En minstens tweemaal per jaar ging ze uit eten in de
Fountain Room bij Field's met haar vriendinnen van Katherine
Gibbs, waar ze de tweejarige opleiding Secretarieel Management
had gedaan, zoals het toen nog heette. Bovendien zag ze regelmatig

de drie meisjes – die inmiddels in de veertig waren en kinderen hadden – van de typekamer van het Great Lakes Institute; Jack had deze vrouwen vroeger ook gekend, maar voor hem was hun beeld vrijwel volledig vervaagd – hij hoorde hun namen, Rosemary, Glenda, Gussie, en hun gezichten lichtten even op uit een witte nevel en verdwenen onmiddellijk weer. Brenda kreeg vrij vaak telefoontjes van stellen die zij beiden hadden gekend toen ze nog in het Huis voor Gehuwde Studenten woonden; meestal vroegen deze nostalgische stellen, die de stad aandeden, naar Brenda en niet naar Jack. Niet dat het hem iets kon schelen, Brenda had het geduld voor vriendschappen, dat moest hij toegeven, zij herinnerde zich de namen, zij hield contact, zij had de drang – of was dat slechts verbeelding? – om anderen een duidelijk tastbaar gevoel van intimiteit te geven. Die-en-die, zei ze altijd, was een van haar intiemste vriendinnen.

Intiem. Een verontrustend woord, het stelde Jack voor een raadsel en maakte hem soms onrustig – miste hij misschien een bepaald zintuig? Of was het een kwestie van woordkeus? Misschien, zo redeneerde hij, was Brenda's definitie van het woord intiem anders dan de zijne, onschuldiger, of niet helemaal begrepen. Betekende intiem dan, zoals Brenda scheen te denken, het onthouden van verjaardagen, de namen van andermans kinderen op een rij hebben en telkens weer die netelige troostende woorden mompelen, *Ik weet hoe je je voelt, het zal allemaal wel meevallen, morgen kijk je er heel anders tegenaan.* Soms dacht hij wel eens dat Brenda's vriendinnen met hun ontboezemingen en adviezen alleen maar gezellig zaten te kletsen. Het begrip intimiteit had iets egoïstisch, nu hij er over nadacht, de breed uitgesponnen vertrouwelijkheid, klam en veeleisend, het onbezonnen, moedwillige zich laten gaan. Laat mijn verdriet het jouwe zijn. Laat mijn angst jou vanavond bedrukken, makker, neem mijn zwakte en geef me jouw kracht ervoor terug.

En geheimzinnigheid, altijd die geheimzinnigheid, het abrupte, theatrale, bijna letterlijke dichtschuiven van een gordijn. Wanneer Brenda met een van haar 'intieme' vriendinnen aan de telefoon zat – vooral met de schetterende, woestharige Hap Lewis – deed ze onveranderlijk haar hand rond de hoorn en sprak ze met zachte, begerige, gesmoorde stem. Gefluister, drogredenen, ernstige suggesties, veelzeggende pauzes. Jack was een paar keer toevallig een kamer

binnengestapt die vol zat met Brenda's vriendinnen en de conversatie, die geanimeerd was voor hij binnenkwam, maakte langzaam plaats voor een heimelijk, afgemeten en gênant stilzwijgen.

'Waar hebben jullie het toch over?' had hij haar gevraagd.

'Over alles', had ze geantwoord. En toen ze de uitdrukking op zijn gezicht zag, lachte ze listig en voegde eraan toe: 'Nou ja, over bijna alles.'

'Zoals wat dan?'

'Dat is moeilijk uit te leggen.'

'Waarom?'

Ze keek hem aan. 'Nou, ten eerste spreken we geen onderwerp af zoals jij en Bernie.'

Haar toon was redelijk maar nadrukkelijk. Haar ogen keken recht in de zijne. Hij wist natuurlijk, en had het altijd geweten, dat ze geen vertrouwen stelde in zijn vriendschap met Bernie. 'Is Bernie echt een góede vriend?' had ze hem kort geleden nog gevraagd.

'Natuurlijk is hij een goede vriend. Jezus nog aan toe.'

'Hoe kan dat dan als jullie nooit echt met elkaar praten?'

'We praten wel. Je weet toch dat we met elkaar praten.'

'Maar jullie... jullie halen nooit herinneringen op.'

'Dat misschien niet, maar we praten wel.'

'Praten jullie wel eens over Sue, bijvoorbeeld? Over haar, hoe noem je dat... haar avontuurtjes?'

'Haar affaires bedoel je?'

'Ja.'

'Soms. Terloops.'

'Terloops! En natuurlijk heeft hij het nooit over Sarah.'

'Mijn god, Brenda, het is voor allebei nogal een pijnlijk onderwerp. Je kunt het Bernie toch niet kwalijk nemen dat hij daar niet...'

'Je wordt geacht je verdriet te delen.'

Jack staarde haar aan. 'Is dat niet een beetje hypocriet?'

'Vind je?'

'Nou ja, wij hebben twee normale, gezonde, intelligente kinderen en...'

Brenda bleef onaangedaan. 'Sarah is zijn kind. Hoe dan ook. En jij bent dan zogenaamd zijn vriend, Jack, en hij heeft het nooit met jou over haar.'

'Ik zei dat hij niet rechtstreeks over haar praat, maar soms vertelt

hij dat ze naar Charleston zijn geweest om haar te bezoeken…'

'Het is echt ongelofelijk.' Brenda schudde haar hoofd. 'Ongelofelijk! En dat is dan je beste vriend!'

Jack had geprobeerd het uit te leggen, maar dat was niet eenvoudig. Hij was opgegroeid in hetzelfde huizenblok als Bernie Koltz. Ooit, ongelofelijk lang geleden, hadden hun ouders samen gekaart. Jack en Bernie waren beiden naar de Austin High School gegaan, ze waren geen van tweeën sportief en geen gezelschapsmens, en na het eindexamen gingen ze elke dag met de 'El-trein' naar de Illinois Extension School bij de Navy Pier en later naar de DePaul Universiteit waar Bernie uiteindelijk zijn doctoraat haalde en waar hij nu doceerde aan de wiskundefaculteit. (Hij was nooit het onrustige, scherpe besef kwijtgeraakt dat dit een soort wonder was.) Bernie was getuige geweest bij Jacks huwelijk – waarbij hij zijn taak bijzonder ernstig nam – en een paar jaar later, toen Bernie Sue ontmoette, had hij hetzelfde voor hem gedaan.

Een tijd lang kwamen ze vrij vaak bij elkaar over de vloer om te eten, maar Brenda en Sue hadden elkaar nooit echt gemogen, ook niet in het begin. 'Ik weet gewoon dat ze me een imbeciel vindt', klaagde Brenda. 'Ze vraagt me de hele tijd hoe ik denk over ontwapening en zo.'

'Je projecteert', zei Jack.

'Ze vindt me te dom', zei Brenda.

'Je bent niet dom,' zei Jack, 'je bent overgevoelig.'

'Het spijt me, Jack', zei Brenda. 'Het spijt me echt.'

De etentjes gingen nog drie of vier jaar door en werden daarna langzamerhand minder frequent. Sue ging medicijnen studeren en wierp zich tegelijkertijd op de fijne keuken. Een aantal keren binnen één jaar zette ze hen vreemde, kleine, bottige vogels voor: fazant, parelhoen en kwartel, geflambeerd in verschillende soorten brandy. Op een keer, tijdens een van deze dineetjes, ontdekte Brenda een wensbotje zo groot als haar duimnagel, ze stopte het heimelijk in haar zak en liet het Jack zien toen ze thuis waren. 'Dit is krankzinnig,' fluisterde ze, 'hier moet een eind aan komen.'

Jack zag wel in dat het hopeloos was, maar hij was niettemin teleurgesteld. Hij had zelf geen broers en zusters en het had hem een eigenaardige bons van vreugde gegeven wanneer hij Rob en Laurie, die toen nog klein waren, hoorde praten over op bezoek gaan bij

oom Bernie en tante Sue. Hoewel de kinderen Bernie nog slechts af en toe zagen, noemden ze hem nog steeds oom Bernie, tante Sue hadden ze laten schieten – Sue werd nerveus van kinderen, zo vroeg ze jaren geleden aan Laurie van twee: 'Hoe was je dag vandaag?' Nadat Sarah was geboren besloten Sue en Bernie verder af te zien van een gezin. (Sarah, nu vijf, was nooit tot bewustzijn gekomen. Ze was beter af in Charleston, zei Sue, waar ze wisten hoe ze haar moesten verzorgen, het leven was hard, Sarah zou waarschijnlijk niet lang leven, zei Sue, deze gevallen hadden een bepaald verloop.) Sue en Bernie bleven wonen in hun flat bij Lincoln Park, een flat met driedubbele sloten op de deuren en die rook naar katten en gebakken knoflook, en Sue nam haar medicijnenstudie weer op. Tot Brenda's opluchting hielden toen de uitnodigingen abrupt en volledig op. Bernie en Sue hadden een andere groep vrienden – Jack kende ze nauwelijks, maar het waren slanke, energieke mensen, volledig opgaand in onuitspreekbare specialismen, onderafdelingen van psychiatrie, demografie of Oost-Europese talen. Afgezien van de vrijdagse lunches en een of twee avonden per jaar, waren hij en Bernie elk huns weegs gegaan. Maar desondanks was Jack Bernie altijd blijven zien als zijn beste vriend.

Een hechte vriendschap. Elk jaar met kerst gaf hij Bernie een fles roggewhisky en gaf Bernie hem een fles Schotse whisky, het was een traditie en naast de vrijdagse lunches bij Roberto's hun enige traditie, het gevolg van een nog slechts vaag herinnerde privé-grap. De jaarlijkse whiskyruil zorgde steevast voor een van Brenda's zeldzame, met veel handgebaren gepaard gaande, aanvallen van atavisme, vol Slavische zinswendingen en geweeklaag. 'En dat noem je een cadeau. Tussen vrienden! Een bruine fles voor hem en een bruine fles voor jou, dat is een cadeau? Dat is hartelijkheid? Jack, ik sta versteld van je, ik sta echt versteld van je.'

Misschien was het inderdaad waar dat mannen zelden goede vrienden maakten na hun twintigste, Jack had onlangs nog iets dergelijks gelezen. Was het in een van Brenda's tijdschriften? Of een artikel in *Time*? Misschien wel in een *Reader's Digest* – dat bladerde hij soms door wanneer hij bij zijn ouders langs ging. Mannen faalden in vriendschappen, volgens het artikel. De drang tot wedijveren en veroveren of zoiets was daar de oorzaak van. Het blokkeerde de spontane gevoelens die de vriendschap tussen vrou-

wen vergemakkelijkten. (Hij had gezien hoe Brenda privé-gesprekken voerde met haar vriendinnen, zelfs aan de telefoon boog ze zich, meelevend en knikkend, in iets wat leek op een afgesloten, onschendbare diepzeeduiker.) Mannen, zo scheen het, moesten het doen met de onzekere kameraadschap op het werk of met oude, onvolmaakte, in hun jeugd gevormde vriendschappen, onbeholpen vriendschappen die voortdurend nieuw leven ingeblazen moesten worden – het bezoeken van oude stamkroegen, of een beroep doen op drinkmaten en losbandige avonturen van vroeger oproepen, opblijven tot twee of drie of vier uur in de ochtend en proberen je te herinneren wat er was geworden van die hoe-heet-hij-ook-alweer die hen te grazen had genomen in een steeg op een Halloweennacht in 1944 en hen een ongenadig pak op hun sodemieter had gegeven; Jacks vriendschap met Bernie was de enige die dit niveau oversteeg.

Brenda scheen het idee te hebben dat intieme vriendschap iets van doen had met het blootleggen van de ziel, op een of andere manier had ze nooit begrepen dat er iets anders meespeelde in zijn vriendschap met Bernie. En omdat hij deze ene en unieke vriendschap had, besefte hij dat hij gelukkiger was dan velen die hij kende. Zoals zijn vader bijvoorbeeld, de meeste vrienden van zijn vader waren overleden – niet dat hij er zoveel had gehad – en voor zover Jack wist had hij al in geen jaren nieuwe vrienden gemaakt. Zijn vader las nu paperbacks en keek televisie en wachtte tot Jack op bezoek kwam. Wanneer Jacks moeder boodschappen ging doen, volgde hij haar slaafs en droeg hij de tassen, dat deed hij vroeger nooit, het gaf hem iets te doen, zei hij. Zo was het ook met andere mannen die Jack kende. Calvin White van het Instituut was een man van oppervlakkige emoties met de meegaandheid van de eenling, in het weekend werkte hij altijd aan zijn modelspoorbaan. Zelfs dr. Middleton scheen geen echte vrienden te hebben. Jack had hem vaak horen spreken over bepaalde ambtgenoten, collega's en medewerkers, en hoewel hij heel hartelijk over hen sprak, kon Jack zich niet herinneren dat hij ooit een van hen had bestempeld als een vriend.

Hij had in elk geval Bernie – en hoeveel vrienden heeft een mens nodig? Daar waren de Lewissen natuurlijk, Hap en Bud. Hij en Brenda kenden ze inmiddels al meer dan tien jaar, en de laatste zes jaar bridgeden ze twee keer per maand, ontspannen zondagavonden

in de woonkamer van de Lewissen, jaren vijftig avonden, vond Jack: een kaarttafel en stoelen, een fles Spaanse wijn, een schaaltje cashewnoten. En toch vond hij het moeilijk hen als vrienden te zien. Hap Lewis had behaarde benen, smeet ruw met de kaarten en had de neiging overal onstuimig haar mening over te geven – van levendigheid had ze haar hobby gemaakt – en Jack kwam van deze avonden altijd wee van medelijden met Bud terug, die, zo stelde hij zich voor, nadat de kaarten waren opgeborgen en de kaarttafel was opgevouwen, verplicht was de trap op te gaan en de schallende, gebarende, vloekende Hap in zijn armen te nemen. (Hoewel Brenda Jack toevertrouwde dat Bud en Hap in feite een goede seksuele relatie hadden en dat Hap in wezen heel kwetsbaar was. 'Echt waar?' had Jack gezegd, met tegenzin bedenkend hoe deze informatie was overgebracht en tegen welke prijs.)

Wat Bud Lewis betreft, hij was een magere man met een donker, wolfachtig gezicht en een paar jaar ouder dan Jack. Hij werkte op de verkoopafdeling van een chemisch bedrijf. Zijn haar was dik en geknipt in een pony als van een arrogante Romein en zijn gelaat was uitdrukkingsloos als van een atleet. Hij bewoog traag, afwezig, met een compact geduld. Als bekwaam bridger maakte hij zijn slagen met een dreigende, laconieke draai van de laatste kaart. Hij kweekte onder glas tomaten op uit zaad en op zaterdagochtend stelde hij bedaard de motor af van zijn Pontiac uit 1976. Hij was trainer bij het voetbalteam van zijn zoon – Jack was voetbal altijd een buitenlandse sport blijven vinden – en hij speelde zelf niet onverdienstelijk. Wanneer hij sprak was dat in een vlak correct Engels doortrokken van midwesterse halve tonen, maar ook van behendige zinswendingen die volgens Jack het resultaat waren van zijn vroege onderdompeling in de Chicago Lab School. Hap en Bud. Hun beste vrienden. Tenminste, zo beschreef Brenda ze.

Jack had zo zijn twijfels. Hoe kon dat kloppen wanneer na al die jaren de bridge-avonden nog steeds begonnen met ruim een kwartier van moeizaam ijsbreken? Daar zat Brenda, stijfjes in het midden van de Amerikaanse plattelandsbank van de Lewissen met haar handen bezorgd ineengeknepen, terwijl Hap door de kamer heen en weer vloog op zoek naar haar sigaretten, en Jack en Bud Lewis tegenover elkaar aan de salontafel zaten en zeiden: Hoe was je week? Niet slecht. Hoe gaat het op het werk? Zo'n beetje hetzelfde als anders,

hoe is het bij jou? Nog steeds die problemen met additieven, voortdurend een lobbygroep achter ons aan, heeft met politiek te maken volgens ons. Over politiek gesproken, wat vind jij ervan dat Carter de dollar sterker wil maken? Dat is maar goed ook, anders stort de hele boel in, of er nou wel of niet een zogenaamde verdedigingslinie is. Het enige wat ons uiteindelijk kan redden zijn onze eigen prestaties, volgens mij.

Eindelijk, eindelijk kwam Bud met een blik van koele geestdrift in zijn ogen aandragen met het bridgetafeltje en klapte hij de poten uit. Klaar? Hij legde de kaarten op tafel. Vervolgens ontspande Brenda zich, trok Jack zijn stoel bij, stak Hap een sigaret op en zei Bud, zijn kaarten in een halve cirkel uitwaaierend: 'Daar gaan we dan.'

De avonden eindigden altijd prettiger dan ze begonnen en soms geloofde Jack Brenda bijna wanneer ze de Lewissen hun beste vrienden noemde. Bud was lang niet kwaad, dacht hij bij zichzelf aan het eind van een robber, hij verkneukelde zich tenminste niet over zijn slems en hij verveelde hen ook niet krankzinnig met verhalen over intriges op zijn werk. In feite had hij het zelden over zijn werk, ook al gaf hij af en toe een hint over wat er gaande was in die vreemde verkoopwereld; zo had hij Jack een week geleden nog toevertrouwd dat, omdat de zaken op dat moment wat slap waren, hij zich voornamelijk had beziggehouden met spontaan bellen. Spontaan bellen? Bud legde uit dat spontaan bellen betekent dat je een nieuw contact maakt en onaangekondigd belt naar een potentiële klant. Jack had geknikt, *Ja, natuurlijk*, maar in zijn verbeelding hoorde hij botte weigeringen en deuren dichtslaan. Jezus christus, wat had hij toch geluk gehad. Met zijn kleine comfortabele werkkamer op het Instituut. Dr. Middleton, ongedwongenheid, hoffelijkheid, open roosters, zeeën van tijd, thee geserveerd in porseleinen kopjes bij stafvergaderingen. Thee! Terwijl Bud Lewis zijn spontane telefoontjes pleegde, de arme sukkel.

En wie kon hij nog meer een vriend noemen? Dat waren er niet veel. Brian Petrie op het Instituut, Brian met zijn belachelijke uitstraling van bekwaamheid? Brian had Jack ooit toevertrouwd dat hij elke dag tien minuten onder een hoogtezon zat, dat was al jaren geleden maar Jack herinnerde het zich nog en deze kleine ijdele bekentenis van Brian had elke mogelijke vriendschap tot mislukken

gedoemd. Wie nog meer? Larry Carpenter? Na twee jaar kende hij hem nog nauwelijks en hij vermoedde bovendien dat Larry voor hem dezelfde meewarigheid voelde die hijzelf had voor Bud Lewis. In Larry's ogen was híj de afgestompte ploeteraar, degene die onbeduidende en onbegrijpelijke dagelijkse handelingen verrichtte. Plotseling kwam de gedachte bij hem op dat iedereen misschien wel een Bud Lewis was in andermans ogen, gedoogd en onderzocht op 'goede kanten'. Nee, hij zou nooit een vriend van Larry kunnen zijn. Hij kon in elk geval nooit op dezelfde manier met Larry praten als met Bernie op vrijdagmiddag bij Roberto's.

De vrijdagse lunches: ze waren nu natuurlijk minder sprankelend. En soms zag Jack zichzelf en Bernie zoals ze werkelijk waren, absurd en een beetje meelijwekkend in hun gevecht om de Waarheid met een hoofdletter, een stelletje onzekere, derderangs pseudo-intellectuelen uit het midwesten, hun tong losgemaakt door goedkope wijn en clichématig nihilisme, die een spel speelden met meer dan een tikje aanstellerij. Heel wat meer.

Maar anderzijds hadden de echt geslaagde vrijdagen hem een aantal van de gelukkigste momenten van zijn leven geschonken. Er waren vrijdagen geweest dat hij zich dwars door een hagelbui de hoek om had geworsteld naar Roberto's. Hij had uitnodigingen van dr. Middleton afgeslagen voor een lunch in de Gentleman's Cycle Room. Bij Roberto's had hij een slechte bediening en koud eten verduurd en zijn jas was er al twee keer gestolen. Maar het schonk hem vreugde, een zoete, geruststellende vreugde.

Zelfs de regelmaat van de ontmoetingen bood beschutting. Eenmaal per week. Het zorgde voor een overzichtelijk tijdschema, waaraan je je moeiteloos kon houden omdat het de charme van continuïteit had zonder de zwaarte van een afspraak. Op goede dagen, op fortuinlijke dagen, verhoogde hun beurtzang, net als seks, het gevoel dat hij leefde, dat hij, wellicht, een serieus man, zelfs een goed mens was. Dan voelde hij een vreemde tinteling in de rug van zijn handen en een druk in zijn borstkas van iets dat werd bevredigd en beantwoord. Niet dat die bevrediging echt seksueel was: het was iets anders, maar wel verwant aan de extase die hij voelde wanneer hij met Brenda in bed lag en haar in zijn armen hield of zijn gezicht tussen haar schaduwrijke dijen duwde; dan werd zijn lichaam overspoeld door het soort vreugde dat lekt langs de randen van muziek of

van sommige landschappen, het uitzonderlijke en onverwoordbare gevoel van thuiskomen.

Op vrijdagen, wanneer hij met Bernie sprak, waren er momenten geweest dat hij een vergelijkbaar gevoel van thuiskomen had, momenten waarop hij en Bernie op precies hetzelfde ogenblik de identieke, fragiele, ontluikende reikwijdte van een idee hadden gezien. Dergelijke momenten waren natuurlijk zeldzaam. Ze kwamen altijd als een verrassing. Je moest eerst door uren van vruchteloos rondtasten heen en er was een bepaalde hoeveelheid geluk voor nodig. Maar wanneer het gebeurde, voelde Jack zich meegevoerd naar een heldere, koele ruimte van puur geluk, miste zijn hart een slag en verstilde zijn lichaam. Deze ervaring – hij vroeg zich af of Bernie haar ook kende, ze hadden er nooit over gesproken – had hij nooit geprobeerd iemand te beschrijven. Waarom zou ze beschreven moeten worden? Het was voldoende dat tijdens die zeldzame momenten de rest van zijn leven de moeite waard leek. En aanvaardbaar.

En hoewel Jack de gedachte nooit onder woorden had gebracht, had hij altijd geweten dat die andere soort vriendschap er ook was. Brenda's soort vriendschap, verzorging, vertrouwen, steun en troost. Dat was er altijd geweest, het besef dat Bernie deze zou verschaffen als hij hulp nodig had. Bernie zou hem bijstaan. Daar had hij nooit aan getwijfeld. Toen hij vanmiddag opgesloten zat in de studeerkamer met zijn verloren vertrouwen, was toen het beeld van Bernie die hem troostte, in elk geval de mogelijkheid ervan, niet even door zijn gedachten gegaan, met de voorzichtige belofte van een soort bevrijding? Het was er, wachtend tot het nodig was. En gisteren bij Roberto's had hij er bijna een beroep op gedaan. Harriet Post die uit het verleden oprees met haar verdomde boek, het redeloze gevoel van verraad, hij had willen huilen en op tafel slaan en schreeuwen om redding. Maar hij had zich ingehouden. Hij nam anderen niet snel in vertrouwen, vanwege, zo veronderstelde hij, een zelfzuchtig verlangen zijn onvolkomenheden voor zichzelf te houden. Hij betwijfelde ernstig of het wel zo verstandig was anderen min of meer deelgenoot te maken van je gevoelens. En toch was het soms moeilijk om het in je eentje vol te houden.

Maar hij had zich ingehouden, en daar was hij nu blij om. Het was hem gelukt om alles in bedwang te houden, kalm te blijven en

het nieuws over Harriet in hun formele betoog op te nemen. Het zou verkeerd zijn te vaak te veel te vragen van zijn vriendschap met Bernie, dat zette onvermijdelijk iets op het spel, het zou altijd ten koste van iets gaan. Trouwens, het was al genoeg dat hij wist dat de mogelijkheid tot hulp bestond.

Wat hij nooit in zijn wildste fantasieën had kunnen bevroeden – waarom was hij eigenlijk iemand met zo weinig fantasie? – wat hij nooit had kunnen bevroeden was dat Bernie een beroep op hem zou doen. Christus-nog-aan-toe!

Het werd al donker. Een lichtcirkel van de straatlantaarn viel in de kamer, een vaag blauwwit stipjespatroon door de gordijnen. Jacks handen beefden toen hij naar de lichtschakelaar tastte, de aanblik van Bernie's tranenvloed had hem geschokt en verblijd.

Het was bijna zes uur. Avond. Tijd om Brenda's ovenschotel in de oven te zetten.

10

'P APA?'

'Laurie! Mijn god, je liet me schrikken. Ik hoorde je niet binnenkomen.'

'Ik ben door de voordeur gekomen.'

'Ik heb je niet gehoord.'

'Wat doe je, pa?' zei ze, hem dwars door de keuken aanstarend. Haar gezicht gloeide van de kou, rood als een tomaat, en haar donkere krullen stonden recht overeind.

Hij hield zijn handen op. 'Wat denk je dat ik doe? Ik maak sla.'

'O.' Ze deed een stap terug.

Hij kwetste haar altijd, sprak haar altijd nodeloos scherp toe. 'Laurie', zei hij. Hij haalde even adem. 'Als je nou je jas uitdoet, kun je me een handje helpen.'

'Oké', zei ze met minder benepen stem, onmiddellijk opklarend. Jack besefte dat ze te gemakkelijk te sussen was, te gemakkelijk herwonnen. Toen hij zag hoe ze haar lange das afdeed, voelde hij zijn hart samenknijpen van liefde. Haar onvermoeibare vriendelijkheid had iets zachts, iets zwichtends.

'Weet jij misschien', zei hij, 'waar je moeder de slaolie en zo bewaart?'

Laurie's ronde gezicht met de grote, zeer donkerbruine ogen straalde hem vol vertrouwen toe. Het gezicht had iets van Brenda, de glanzende wangen die duidden op een vriendelijk karakter, en dezelfde ruime onschuld tussen de ogen. 'Tuurlijk', zei ze, nu bijna monter, uit haar ski-jack glijdend dat ze over de rugleuning van een stoel gooide.

'Hang je jas op,' zei Jack automatisch, maar hij deed zijn best zijn stem niet te verheffen, 'trouwens, weet je wel dat het al na zessen is? Ik dacht dat je voor donker thuis moest zijn.'

'Ik was gewoon hiernaast. Dat kleine stukje door de heg loop ik echt geen gevaar.'

'Hmmm.' Hij zette het mes in een krakend verse krop sla.

'Papa?'

'Wat is er?'

'Pap. Oom Bernie ligt op de bank te slapen. In de kamer.'

'Dat weet ik.'

'Waarom?' Ze stond op een krukje, zoekend in de kast. Zorgelijk keek Jack naar de plompe rondheid van haar lichaam, de zachte zwaarte van prepuberale dijen en romp, babyvet, noemde Brenda het.

'Waarom wat?' vroeg Jack.

'Waarom ligt hij daar? Op de bank?'

Haar kalme, welluidende toon beviel hem om de een of andere reden. Hij hield van de verbazingwekkend bedrijvige manier waarop haar handen over de planken gingen, en haar nuchterheid had iets aangenaams, alsof Bernie's ongewone aanwezigheid op de bank in de woonkamer niet meer was dan een interessant raadsel dat ze graag opgelost zou zien. Ze treuzelde, haar gezicht afwachtend.

Buiten was de lucht zwart en vol wind, Jack hoorde kale takken kraken tegen de afvoerpijp aan de achterkant van het huis. De keuken was warm en droog, een kubus van licht in de donkere straat, en over de veilig verlichte tafel zag hij dat Laurie zich omdraaide en een ei brak in een glazen kommetje.

'Wat doe je nu?' vroeg hij haar.

'Dat is voor de slasaus.'

'Een ei?'

'Caesarsalade', zei ze. Daarna, smekend: 'Is dat goed?'

'Ja', zei hij. 'Uitstekend. Je weet dat ik van Caesarsalade hou.'

'Oom Bernie…'

'Oom Bernie blijft hier vannacht slapen', zei Jack tegen haar, een vleugje enthousiasme in zijn stem leggend.

'O.' Ze keek hem blij aan en haar schouders trokken samen van plezier. 'Blijft hij hier slapen? Vannacht? Op de bank?'

'Ik weet nog niet of hij op de bank slaapt', zei Jack. 'Zover heb ik nog niet vooruit gedacht.'

'Hij mag best mijn kamer hebben', zei Laurie. 'Als hij dat wil.'

'Oké. Misschien wel. Laten we hem zelf maar vragen waar hij wil slapen als hij wakker is.'

'Want ik kan wel in mama's werkkamer slapen. Op het opklap-bed.'

'Goed. We zien wel.'

'Of weet je wat, papa?' zei ze opgewonden. 'Mama is toch weg, dan kan hij op haar helft van het bed slapen.'

Ze sprak haastig, verrukt over haar eigen idee. Ze was opgehouden de olie en citroensap door elkaar te roeren en zwaaide de vork door de lucht, bedwelmd door haar eigen gezonde verstand.

'Dat lijkt me geen goed idee, Laurie.'

'O.' Ze begon weer in de slasaus te roeren, langzamer nu, het onverwachte 'nee' in zich opnemend. 'Oké', zei ze ten slotte.

Toen sloeg de achterdeur met een klap dicht, waarmee een vlaag ijskoude lucht binnenkwam. Rob was thuis. Van zijn wit met blauwe satijnen jack straalde een wolk kou af. Hij was het afgelopen jaar vijf centimeter gegroeid en de keuken scheen gevuld met zijn armen en benen. 'Ik heb honger', zei hij, achterdochtig de keuken rondkijkend.

'Hoe was de atletiekwedstrijd?' vroeg Jack met gemaakte harte-lijkheid, en terwijl hij sprak voelde hij de blijkbaar niet te beant-woorden vraag in de lucht oplossen.

'Ging wel. Wat eten we?'

'Spaanse rijstschotel', zei Laurie. 'Wie heeft gewonnen. Heeft Elm Park gewonnen?'

'Hoe laat eten we trouwens?'

'Zo meteen', zei Jack kortaf.

Rob deed de oven open en tilde het deksel van de pyrexpan. Hij bromde, trok een lang gezicht en snoof luidruchtig van afkeer. 'Eten we deze rotzooi?' zei hij.

Jack voelde de keuken deinen. Een fractie van een seconde – langer kon het niet geweest zijn – wist hij zeker dat hij Rob zou vermoorden. Zijn rechterhand schoot omhoog en met afgrijzen zag hij dat die nog steeds het groentemes vasthield. Dus zo gebeurde het, moord in de keuken, bloed op de vloer, een vallend lichaam, blinde, redeloze, hevige woede.

Door het woord rotzooi? Dat was het niet, de kinderen gebruik-ten dat woord doorlopend, hij gebruikte het zelf ook, op de tv was rotzooi, Nixon was rotzooi, de kranten stonden vol rotzooi. Het ging niet alleen over vandaag, de explosie van vandaag kwam maanden te

laat. Maar vandaag had het hem ten slotte aangegrepen en had hij Robs gezicht kapot willen beuken, zijn vuist tegen Robs neus willen dreunen, hij wilde zijn tanden uit zijn kop slaan. Hij dwong zichzelf diep adem te halen, waarna hij trillend zijn arm omlaag bracht, het mes zorgvuldig op het aanrecht leggend, recht naast de rand van de snijplank. De keuken scheen helverlicht, in vuur en vlam te staan. Hij staarde zijn zoon aan.

Rob staarde terug, een beetje angstig nu. Hij was bijna even lang als Jack, maar ruim tien kilo lichter. 'Ik hou niet van Spaanse rijst', zei hij zwakjes.

'Dan eet je verdomme maar niks', zei Jack, krachtig uitademend. Pummel. Arrogante pummel. Barbaar. Binnenstampend alsof het huis van hem was. Hij voelde hoe zijn hart het bloed rondpompte, er waren in deze wereld kinderen die van honger stierven.

Een halve minuut of langer sprak niemand. Rob stond als aan de grond genageld, zijn gezicht, met het grove acnemasker, plotseling vormeloos, onzeker, en Jack voelde lijfelijk zijn zoons ogenblikkelijke wroeging. Hij voelde ook zijn eigen onvermogen om de zaak te laten rusten, wat hem angstig maakte.

'Wie denk je verdorie wel dat je bent, om op die manier binnen te komen en dan te eisen…'

'Oké, oké', zei Rob, achteruit gaand.

'Er is ook salade,' zei Laurie schor en huilerig vanuit haar hoekje, 'Caesarsalade.'

'Hij krijgt geen eten vanavond', zei Jack stug, pakte het mes weer op en hakte nog een stuk van de sla.

'Ik zei toch al oké', gaf Rob als weerwerk, waarna hij de keuken uitstormde, de trap op.

Stilte. De keuken was verstild. Jack staarde ongelovig zijn dochter aan, die was opgehouden met roeren, haar mond opengezakt, haar handen bewegingloos in haar schoot. Wat was er in godsnaam gebeurd, vroeg hij zich af. Die luchtbel van vrolijkheid die hen beiden even daarvoor, nog geen minuut geleden, had omgeven – waar was die gebleven? Hij overzag de stille keuken: wat was er verdomme eigenlijk gebeurd?

De oven stond op tweehonderdveertig graden en de geur van Spaanse rijst vulde de ruimte. Hij herinnerde zich, met iets van woede, dat hij niet hield van Spaanse rijst. Het was een van die

goedkope maaltijden die Brenda in het begin van hun huwelijk altijd maakte, hamburger stroganoff, pasta met tonijn, hartige taart met cornedbeef. Brenda was een goede kok, zelfs meer dan dat, dus waarom liet ze dan, als ze een keer niet meeat, van die schotels met flets, smakeloos, ongenietbaar eten voor ze achter? Was het een soort straf, een manier om hen eraan te herinneren hoe verschrikkelijk haar afwezigheid was?

Boven hoorde hij Rob rondstampen en met deuren slaan. Laurie snotterde in haar hoekje.

'Het geeft niet, meisje', zei Jack, haar op haar zachte ronde schouder kloppend. 'Des te meer is er voor ons, zoals je grootvader zou zeggen.'

Toen maakte hij kordaat een gin met tonic voor zichzelf. In de kast in de eetkamer vond hij het hoge matte glas waar hij graag uit dronk. Hij brak ijsblokjes uit een bakje en schonk zich een flinke dubbele gin in. Buiten gierde en raasde de wind. Meestal kon hij rond deze tijd van de dag de maan zien opkomen boven het dak van de garage. Daar was hij al, achter een donkergevlekte wolkenbank, een verstrooid, impressionistisch licht. Misschien ging het wel sneeuwen, dacht hij terloops.

Hij liep met zijn glas naar de woonkamer en toen hij halverwege was hoorde hij het zachte suizende geluid van iemand die snurkt.

Hij was vergeten dat Bernie er was.

II

T OEVALLIG HIELD BERNIE WEL VAN SPAANSE RIJST. HIJ HAD
het in geen jaren gegeten, zei hij, niet meer sinds hij en Sue pas
getrouwd waren. 'Ik ben blij dat je me wakker gemaakt hebt', zei hij
tegen Jack. Zijn ogen stonden dof en waren waterig rood omrand,
maar zijn stem klonk redelijk vast. Tegen Laurie zei hij, met vastberaden, plichtmatige vleierij: 'Zal ik jou eens wat vertellen, dit is de
lekkerste salade die ik sinds tijden heb gegeten.'

Laurie had de tafel gedekt in de keuken. 'Hier is het gezelliger',
legde ze uit. Ze trok de rode katoenen gordijnen voor het raam
boven het aanrecht dicht, zodat de ruimte liefdevol verzegeld en
zachter scheen. Ze legde drie geweven placemats op de keukentafel,
waarna ze papieren servetten in waaiers vouwde en die tussen de
tanden van de vorken stak. Ze pakte een pot met een Kaaps viooltje
van de vensterbank en zette die midden op tafel.

'Hé,' zei Bernie tegen haar, 'ik wist niet dat het een feestje zou
worden.'

Met ceremoniële ernst zette ze Bernie aan het ene einde van de
tafel, Jack aan het andere en zichzelf in het midden en ze liet zich in
haar stoel ploffen met de luidruchtige zucht van een gastvrouw.
'Ziezo', pufte ze, de tafel overziend, haar gezicht open en verwach-
tingsvol, haar donkere krullen glanzend.

Rob bleef boven in zijn kamer, ze hoorden de radio luid aan staan.
De Rolling Stones. Een krachtig ritme. Jack schraapte zijn keel – hij
voelde zich genoodzaakt uitleg te geven. 'Rob krijgt vanavond geen
eten', maar Bernie knikte slechts en reikte over de tafel naar het zout.

Op datzelfde moment voelde Jack een dof gevoel van onbehaag-
lijkheid over zich heen glijden, hij voelde hoe zijn huid en buitenste
spieren kil en traag letterlijk verstrakten. Het deed hem denken aan
een bezoek aan de tandarts, die hem verdoofde, waarna hij langzaam

73

maar zeker de controle over zijn gezicht verloor. Zijn handen grepen, onhandig als boksershandschoenen, de vork en zijn plotseling bol geworden knieën stootten tegen de tafelpoot. Een kalm ongeloof kwam over hem – deze verwarrende intimiteit had hem overvallen, hoe was hij zo plotseling terechtgekomen in deze starre ontreddering, deze onsamenhangende onwerkelijkheid?

Zijn relatie met Bernie, met haar duidelijke grenzen, vaste regels en ordelijke, voortsukkelende zelfbeheersing – was dat plotseling allemaal tenietgedaan? Het was zaterdagavond, hij had de aanblik van Bernie's tranen moeten verdragen, hij had een arm rond zijn schokkende schouders geslagen en nu was hij veroordeeld, zo scheen het, tot volslagen verbijstering. Tegenover hem zat zijn beste vriend, maar het was onmogelijk hem recht aan te kijken. Moest hij misschien, zo vroeg hij zich schichtig af, proberen het oude gevoel van evenwicht te herstellen door de draad weer op te pakken van de discussie van gisteren, doorgaan op het idee dat geschiedenis een kwestie van eindpunten is? Nee, hij vond het plotseling een kinderachtig idee. Het was te duidelijk een afleidingsmanoeuvre. Het zou ook hardvochtig zijn. Waarom zou een man, die door zijn vrouw in de steek gelaten is, willen stilstaan bij een kille abstractie als geschiedenis? Hij kon beter zijn mond houden en dooreten.

Hij kauwde door, overmand door zijn eigen onbehouwen stilzwijgen. Hij wist dat hij altijd te kampen had gehad met een gebrek aan durf om nieuwe situaties onder ogen te zien, en nu vervloekte hij Brenda, bijna zonder het te beseffen, dat ze hem uitgerekend vandaag alleen gelaten had. Dat ze hem had achtergelaten met Bernie's tranen en met hun twee raadselachtige, lastige kinderen en deze schotel met plakkerige, roze rijst. Wat hem zo geërgerd had, realiseerde hij zich nu, was de zelfverzekerdheid, de hebberigheid waarmee Rob het huis was binnengevallen en voedsel, warmte en kleding opeiste als iets wat hem rechtens toekwam.

Bernie's aanwezigheid – zijn resolute inbeslagname van de keukenstoel en het rigoureuze gebruik van zijn vork – prikkelde Jack. En datzelfde gold voor de koffer die nog steeds in een hoek van de gang stond. Wat was er toch met hem aan de hand? Was hij zo harteloos? En bespeurde Bernie wellicht een subtiel tekort aan gastvrijheid, en worstelde hij zich daarom door een tweede bord rijst, terwijl hij een glas bier achteroversloeg in een poging tot uitgelatenheid?

Dit soort stilte kon rampzalig zijn en hij was Laurie dankbaar, die hen onder het eten het recept voor de Caesarsalade vertelde. Olie, citroensap, peterselie en knoflook. Ze leefde zich helemaal in in haar nieuwverworven rol en at uitzonderlijk netjes, terwijl ze meesterlijk en vrolijk de conversatie op gang hield. Bernie knipperde met zijn ogen, at, glimlachte en luisterde als verdoofd.

'Neem nog een beetje rijst, papa', drong Laurie aan. Hoewel ze een perfect gezond gebit had, had ze zich het afgelopen jaar een nieuwe manier van lachen aangeleerd, een vreemde, gesloten lach met een bête lieflijkheid.

'Wil niemand nog een beetje?' vroeg ze en Jack hoorde de teleurstelling in haar stem.

'En jij zelf dan?' vroeg Bernie. 'De kok moet ook zijn deel krijgen.'

'Ik zit vol. Ik had al zoveel hapjes gegeten bij de Carpenters.'

'Ik dacht dat je de honden zou uitlaten?' zei Jack.

'Dat heb ik ook gedaan. Maar Brinkley volgt niet meer. Mevrouw Carpenter zegt dat ze met hem naar een gehoorzaamheidscursus gaan, en weet je wat meneer Carpenter zei?'

'Wat dan?'

'Hij zei: "Aan me nooit niet." Ik dacht dat mensen dat alleen in de film zeiden.'

'Uhuh.'

'Hij is in een slechte bui. Mevrouw Carpenter zei dat ik het blik hondenvoer mocht openmaken als ik terugkwam, maar hij zei toen dat ik beter gelijk naar huis kon gaan. En toen zei mevrouw Carpenter dat ik mocht blijven om haar te helpen met de toastjes. En weet je wat nog meer? Ze zei dat ik haar Janey mocht noemen. Omdat we niet zoveel jaar schelen, zei ze.'

'Zo zo.' Jack nam een slokje van zijn bier.

Aan Bernie legde ze uit: 'Ze hebben een groot feest vanavond. Heel groot. Met garnalen en zo. En kreeftensalade, en weet je met wat? Met pecannoten. En van die pasteidingetjes met omgekrulde randen en kip erin. Ik heb haar geholpen er de kip in te doen.'

'En mocht je ook proeven?'

'Proeven!' Laurie wreef enthousiast over haar buik en liet haar ogen rollen. 'Ik heb er kilo's van gegeten. Kilo's. En zij, mevrouw Carpenter, Janey, vroeg de hele tijd of ik voor haar wilde proeven.

Want ze wilde weten of er genoeg zout in de dipsaus zat of te veel kerrie in dat kipspul waar ik het over had en nog meer dingen. Ze had een gave dipsaus gemaakt van zure room met geraspte koolrabi. Ze zei dat ze de keer daarvoor alles van de catering hadden, maar die kwamen altijd met hetzelfde en dat was ook nog klef. Weet je dat nog, papa? Of het eten klef was bij hun vorige feest? Jij was daar ook.'

'Eigenlijk,' Jack zweeg even, in de hoop dat hij iets kon verzinnen wat haar aan het lachen zou maken, iets dat kon dienen als tegenwicht voor de nare scène met Rob voor het eten, 'eigenlijk herinner ik me van het vorige feest alleen maar dat de mensen klef waren.'

Laurie lachte niet, ze keek verwonderd. 'De mensen?'

'Het is maar een grapje.'

'Wat bedoel je met dat ze klef waren?'

'Niets. Ik bedoelde er niets mee. Eerlijk gezegd, liefje, weet ik echt niet meer hoe het eten was. Noch de mensen.'

Het vorige feest van de Carpenters, en Jack bedacht met een lichte opwelling van agressie dat dat nog maar zes weken geleden was, had nauwelijks meer achtergelaten dan een vage indruk. Om de een of andere reden was hij die avond gespannen geweest, hij had naar een film gewild, een flutfilm in pastelkleuren en met tapdansers, waar hij bij kon wegdromen terwijl hij Brenda's hand vasthield, maar in plaats daarvan hadden ze zich gekleed en waren ze naar het feest gegaan, waar hij in te korte tijd te veel whisky had gedronken, en om het nog erger te maken hadden hij en Brenda er geen enkele bekende getroffen. Larry en Janey Carpenter waren nog geen twee jaar geleden in Elm Park komen wonen. Ze hadden er een paar vrienden gemaakt, de Lewissen, de Wallbergs en de Bowmans. Ze hadden zich aangesloten bij het Little Theatre en bij de tennisclub, maar de meeste van hun vrienden woonden in de stad. Jack herinnerde zich dat er op het feest nogal wat journalisten en mensen uit het theater waren (Larry schreef over theater en soms over wijn voor *Chicago Today*); er waren minstens twee psychiaters en een aantal elegant geklede mensen die iets te maken hadden met het inzamelen van geld voor een balletgroep. Niemand zat. Jack, die de hele middag bezig was geweest met het opruimen van de kelder, was moe, maar het was niet het soort feestje waarbij hij zich in een gemakkelijke stoel kon laten zakken zonder dat het opviel. Na een tijdje ontdekte

hij een deurpost in de eetkamer om tegenaan te leunen, en hij herinnerde zich vaag een lang gesprek met een jong, zwaar opgemaakt meisje in een donkergroen corduroy broekpak dat hem vertelde dat ze puinruimer was bij een uraniumfabriek. Puinruimer? Het klonk bizar, hij had willen vragen wat dat precies betekende met betrekking tot de uraniumindustrie, maar hij deed het niet. Indertijd dacht hij dat ze hem voor de gek probeerde te houden en nu, zes weken later, was hij daarvan overtuigd. Hij had zich middelbaar en saai gevoeld. Zijn knieholten deden pijn. Hij herinnerde zich nog dat hij terloops tegen haar had gezegd dat hij momenteel bezig was aan een boek, waarop zij met een spottende zuidelijke tongval zei: 'Dat zijn ze toch allemaal?' Wat zei ze daar? Hij deed zijn mond al open om haar te vragen wat ze bedoelde, maar ze was weggelopen naar de bar. Er was heel veel eten, maar het leek uren te duren voor het eindelijk kwam. En ten slotte, veel later, was er een kop koffie en een schaal met soesjes; hij herinnerde zich met name de chocolade-eclairs omdat hij in een hoek had staan praten met een politiek commentator van *Chicago Today* – een oudere man met een grof, knobbelig profiel en met de reputatie dat hij ooit een havikachtige mening over Vietnam had – die een eclair in zijn mond propte en vervolgens zorgvuldig, uiterst nauwkeurig zijn vingers stuk voor stuk had afgelikt, eerst de pink, daarna de ringvinger tot hij ten slotte arriveerde bij zijn duim, die hij smakkend ronddraaide tussen zijn dikke roze lippen. Jack keek gefascineerd naar hem. Hij moest eigenlijk de artikelen van deze man weer eens lezen, bedacht hij, om te zien of hij een mildere kijk had gekregen op het communisme. Zo'n verzachting zou iets positiefs hebben. Hij stond op het punt hem toe te vertrouwen dat hij ook een soort schrijver was, druk bezig aan een boek over Indiaanse handelsgebruiken, maar hij hield zich in, voor één avond was het wel genoeg geweest. Van de rest van de avond herinnerde hij zich niets.

Behalve één ding. Hij herinnerde zich, in een haarscherp, reproduceerbaar, filmachtig beeld, het moment dat hij en Brenda enigszins laat aankwamen bij de voordeur van de Carpenters. (Hij had zijn nieuwe jasje aangetrokken, maar op het laatste moment besloten iets anders aan te doen.) Janey Carpenter had, gekleed in een kuitlange, kleurige jurk, de deur opengezwaaid en hen beiden verbaasd door zich helemaal naar de vloer te laten zakken in een

vreemde, lichtelijk aangeschoten revérence. Ze had zeer bleek blond haar, langer dan de meeste vrouwen het dat jaar droegen, met name vrouwen achterin de dertig.

'Kom binnen, buurtjes', riep ze boven het rumoer uit. 'Gegroet.'

Jack had haar altijd wat afstandelijk gevonden en deze hartelijke begroeting verbaasde hem. Larry dook op uit het niets, ondersteunde Janey met één hand en nam de leiding over. Hij droeg een donkerbruine Noorse trui met afhangende schouders en suède stukken op de ellebogen. Zijn zachtglanzende zandkleurige haar zat keurig als een pruik. 'Jack! Brenda!!' Hij sprak hun namen uit met de vurigheid van een uitroep maar zonder het bijbehorende volume. 'Ik zal jullie even voorstellen.' Larry's stem was strelend elegant, maar had een bibberig gebrek aan vastheid, als yoghurt in een kartonnen pak. 'Dit', zei Larry, met zijn hand op Jacks schouder, 'is onze buurman Jack Bowman, een expert op het gebied van de Indianen rond de Grote Meren. En dít is Brenda,' hij glimlachte, zweeg even en sloeg een arm rond haar middel, 'die op eigen kracht quilts ontwerpt.'

Brenda gaf geen krimp en op dat moment dacht Jack dat ze het misschien niet gehoord had, ze was daarna haar eigen gang gegaan en ontmoette iemand die ze interessant vond om mee te praten, een man die de wereld rondreisde om stranden te fotograferen voor een reisbureau. Later had Jack een glimp van haar gezien bij het buffet, hij had het woord Madagascar opgevangen, maar pas toen ze weer thuis waren kon hij met haar praten.

Het was halfdrie 's nachts. Ze had zich ruggelings op bed laten vallen, nog in haar jurk, gillend van het lachen. 'Ik ontwerp op eigen kracht quilts! O, Jack, ik dacht dat ik er in zou blijven. Had jij geen zin om het uit te brullen? Ik moest er de hele avond aan denken, jij niet? Elke keer als ik Larry voorbij zag komen in die wollen trui van hem stikte ik bijna van het lachen.'

Ze hadden elkaar vastgehouden en het bed schudde door hun ritmische lachen. Ze bleven heen en weer rollen en toen Jack haar jurk losritste voelde hij zich bijna gek van dankbaarheid: ze had gezien hoe grappig het allemaal was geweest. (Ze lachte niet altijd om dezelfde dingen als hij, nog geen week geleden, vroeg op een ochtend, zat hij op de rand van het bed om een paar nieuwe sokken aan te trekken toen hij merkte dat hij tegelijkertijd een erectie kreeg.

Impulsief had hij de sticker van de sokken gehaald, een rond goud-kleurig met zwart stickertje waarop stond 'Nieuw. Extra lang.' Hij keek naar beneden, het was echt een heel fatsoenlijke erectie, en hij had het etiket op de gezwollen eikel geplakt. Toen had hij, met een handdoek om, Brenda verrast in de badkamer en terwijl hij de handdoek wegtrok had hij met zijn heupen geschud en geroepen: 'Taraa.' Hij was er van overtuigd geweest dat ze zou lachen, maar in plaats daarvan staarde ze hem welwillend aan vanachter haar was-handje en zei: 'O, Jack, nee toch?')

Maar ze had wel gelachen om de manier waarop Larry Carpenter haar had voorgesteld – een quiltontwerpster op eigen kracht – en daarom hield hij van haar. Daarom aanbad hij haar. Ondanks het late uur en de hoeveelheid whisky die hij had gedronken, vreeën ze langzaam en sensueel, aandachtiger dan gewoonlijk. Dank je, dank je, dank je, had hij gedacht, zijn mond stevig op haar borst druk-kend, terwijl de herinnering aan die belachelijke Larry Carpenter hun omhelzingen bleef doorbreken als een welkome opborreling van dwaasheid.

De grap was nog dagen doorgegaan. 'Hier heb je een ei op eigen kracht', zei Brenda, toen ze hem de volgende ochtend zijn ontbijt gaf. 'Daar ben ik weer,' riep Jack, toen hij vroeg terugkwam van zijn werk, 'je echtgenoot op eigen kracht.'

Larry Carpenter, met zijn Engelse regenjas en zijn wonderlijk gevormde haardos, was in hun ogen een soort absurde, dribbelende sprinkhaan geworden, een man van niks, die elke vorm van spot verdiende die ze maar konden bedenken. 's Morgens keken ze vanuit het raam hoe hij in zijn gele Porsche stapte en achteruit de oprit uitreed. 'Een sportwagen op eigen kracht', zei Brenda, een gek gezicht trekkend.

Na een week was de grap versleten en waren alle komische mogelijkheden ervan uitgeput. Op een of andere manier leek het gemeen om er nog langer mee door te gaan. Toen Larry de daarop-volgende zondagmiddag belde om ze voor een borrel uit te nodigen, stond Jack er op dat ze bij hen zouden komen. Larry zwichtte snel, bijna dankbaar. 'We komen meteen', had hij gezegd.

Ze zaten in de woonkamer in het laatste namiddaglicht. Jack maakte cocktails en Brenda liet kaas en crackers rondgaan. Larry was ontspannen en beschreef honend maar goedgemutst hoe het in

Chicago met het theater gesteld was en dat het lokale amateurtoneel een wedergeboorte beleefde. Hij was ontroerd geweest, zo vertelde hij hen, dat hij de rol van Hamlet had gekregen, terwijl hij nog maar anderhalf jaar deel uitmaakte van de groep. Die zo onverwachte bescheidenheid misstond hem niet. 'Het heeft bijna iets heroïsch', zei hij, 'dat een amateurgezelschap *Hamlet* in productie neemt. Ze weten van tevoren bijna zeker dat ze zullen falen, maar toch ploeteren ze door. Misschien is het juist het amateurisme dat ons uiteindelijk redt, dat voorkomt dat we afgaan door een te hoge dunk van onszelf.'

Janey had instemmend geknikt, ze was die avond bijzonder bekoorlijk geweest, herinnerde Jack zich.

En nu gaven ze alweer een feest. 'Heel informeel', had Janey tegen hen gezegd toen ze belde. 'Meer een soort open huis. De hele cast van *Hamlet* is er en nog een paar anderen die jullie vast aardig vinden.'

'Daar gaan we weer', zuchtte Brenda, met haar vuist tegen haar slaap bonkend, maar toen herinnerde ze zich, nu weer opgewekt, dat ze die avond in Philadelphia zou zijn.

Jack, die dacht aan het meisje in het corduroypak en de middernachtelijke beneveling door de alcohol, had besloten niet te gaan. Hij zou die avond lekker rustig thuisblijven, ze zouden hem niet eens missen tussen al die mensen.

Maar nu was het zaterdagavond. Zijn zoon zat boven te mokken. Zijn dochter kwetterde en neuriede en waste af en maakte hem bijna gek met haar bodemloze voorraad welwillendheid. Bernie Koltz zat somber als een uitgebluste monnik aan de keukentafel lucht in zijn wangen te blazen en naar de gordijnen te staren.

'Bernie,' zei Jack ten slotte, 'weet je wat jij nodig hebt?'

'Wat dan?'

'Je moet een paar nieuwe mensen ontmoeten. Een paar borrels drinken. Misschien wel drie.'

'Dat kan ik missen als kiespijn.'

'Waarom niet? We hoeven maar een half uurtje te blijven. Het is een feestje waar je zo kunt binnenlopen, meer niet.'

'Ik weet niet', zei Bernie.

Plotseling besefte Jack dat hij er niet aan moest denken de hele avond thuis te zitten. 'Bernie,' zei hij, 'je kunt beter wel gaan. Dat

meen ik. Blijven rondhangen in zo'n toestand is idioot. Dat is wel het onverstandigste wat je kunt doen op zo'n moment. Daar kun je heel depressief van worden. Weet je nog, hoe heet hij ook alweer, die vent die bij ons heeft gewerkt? Je moet je zinnen verzetten.'

'Ik heb een boek bij me.'

'Luister eens,' zei Jack tegen hem, 'ik leen je wel een schoon hemd. Ik bel de Carpenters even op om te zeggen dat ik een vriend meeneem. Ze zijn best aardig en de hapjes zijn lekker. Wie weet amuseer je je zelfs. Het is zaterdagavond en je moet er even uit, je moet het een paar uur vergeten, even genieten van het leven, waar dient het anders voor? Verdomme, Bernie, zo kunnen we niet blijven zitten. Kom op.'

En tegen zichzelf zei hij: een fatsoenlijke vent zou hier weerstand aan bieden, een fatsoenlijke vent zou vanavond thuisblijven. Die zou een boterham en een glas melk naar boven brengen en het weer goedmaken met zijn zoon, die overgevoelig is, die er toen hij klein was ook al niet tegen kon om een standje te krijgen, die lijdt, die honger heeft. Een fatsoenlijke vent zou thuisblijven en scrabbelen met zijn dochter, haar aan het lachen maken, haar bedanken voor het afwassen, haar verhaaltjes vertellen, haar vertellen dat hij zich herinnert hoe hij was op haar leeftijd. Een fatsoenlijke vent – waar was die eigenlijk? – zou al zijn aandacht en vriendschap geven aan zijn beste vriend, zijn vriend die vandaag een ramp is overkomen, die zich eenzaam en verloren voelt en bang is en zelfs huilt. Een fatsoenlijke vent zou armenvol droge houtblokken halen uit de kelder, de open haard aanmaken in de woonkamer, de kinderen roepen om bij het ceremoniële afstrijken van de eerste lucifer te zijn – vroeger vonden ze dat prachtig. Een fatsoenlijke vent ging niet in op uitnodigingen van mensen van wie hij min of meer een afkeer had, die had wel iets beters te doen dan zijn tijd verspillen met onbelangrijke bezoekjes. 's Mensen tijd op aarde is beperkt, die moet zorgvuldig en bedachtzaam worden doorgebracht. Het manuscript lag te wachten op zijn onverdroten aandacht, van deze dag kon nog steeds profijt getrokken worden, als hij wilde, kon hij er nog iets van redden.

'Nou ja,' zei Bernie, 'misschien heb je wel gelijk…'

'Prachtig.' Jack liep naar de telefoon. 'Ik bel ze meteen even.'

B ERNIE VROEG: 'WAT VOOR IEMAND IS DIE LARRY CARPEN-
ter eigenlijk?'

Wat voor iemand was het? Jack aarzelde toen hij dacht aan Larry's niet onknappe, intelligente gezicht en slanke lichaam van achterin de dertig. Hij mocht Larry wel wanneer ze elkaar spraken op een feestje in Elm Park of over de heg in de achtertuin. Bij die gelegenheden, als ze alleen met elkaar spraken, vond hij Larry innemend en zelfs ruimdenkend. Maar andere keren, wanneer hij toevallig aan Larry dacht, toverde zijn geest beelden van wantrouwen te voorschijn, Larry had een lege ruimte van *ennui* om zich heen, een onverschillig afweren van vragen, in werkelijkheid vond Jack Larry Carpenter een beetje een druiloor, eigenlijk wel een lul. Zelfs Brenda vond dat. Waar kwam die ogenschijnlijke tegenstelling vandaan?

Misschien wel doordat de Carpenters hun kinderloos bestaan wisten om te zetten in een intellectuele spitsvondigheid. Jack vond Janey nukkig en gereserveerd met haar bleke haar en scherp getekende *Vogue*-mond, maar soms toonde ze een vluchtige bevalligheid. Larry behandelde haar met tederheid, alsof ze een kind was. Van Larry kreeg je moeilijk hoogte en Jack bekeek hem hoofdzakelijk met een vaag soort behoedzaamheid.

Hij deed Bernie het verhaal van zijn eerste ontmoeting met Larry, die plaatsvond in het weekend dat de Carpenters er kwamen wonen. Het was laat in het najaar, eind november, op een zaterdagmiddag. Jack stond in zijn achtertuin met zijn handen stevig in de kontzakken van zijn broek, diep de zwartige geur inademend van verrotte bladeren en houtrook.

De stem van een jonge man, opgewekt en met het onmiskenbare accent van de oostkust, kwam over de heg – Larry Carpenter in hoogsteigen persoon, de beroemde Larry Carpenter. Jack had de

afgelopen twee jaar af en toe zijn column in *Chicago Today* gelezen en regelmatig, gaf hij toe, met plezier, dit was iemand die koste wat kost de lachers op zijn hand wilde hebben.

Hé, had Larry die eerste dag over het grasveld heen naar Jack geroepen, hé, buurman, als je dit oerwoud ooit eens wilt uitroeien, dan doe ik voor de helft mee in de sloopkosten.

Jack was onmiddellijk in het defensief gegaan, hij hield van de uitbundige rij naamloze, vormeloze struiken die zijn tuin begrensde en beschutte, en hij was van plan ze voorgoed te laten staan, anderzijds vond hij het niet meer dan fatsoenlijk om naar hem toe te gaan en zich voor te stellen.

Dus jij bent historicus, had Larry Carpenter uitgeroepen met een licht, muzikaal stemgeluid, zo, zo, misschien kun jij me dan iets vertellen over de geschiedenis van deze op instorten staande bouwval die mijn vrouw en ik net hebben gekocht. Goeie God, had Larry gezegd, we zijn knettergek dat we hieraan begonnen zijn, het duurt een eeuwigheid voor we de boel alleen al opgeruimd hebben.

Behoedzaam, en beseffend dat hij Larry's beminnelijke klanken beantwoordde met gemaakte hartelijkheid, vertelde Jack deze jongensachtige nieuwkomer in de grijze mohair trui – Larry was gedeeltelijk aan het oog onttrokken door bladerloze takken – over de oude juffrouw Anderson, de vorige eigenaar, over de vele jaren die ze in het oude huis had gewoond, ze was eerlijk gezegd bijna een legende: over haar twee katten, Aristoteles en Plato, dat haar ogen al jaren slecht waren, dat ze elk jaar weer probeerde schoolkinderen te vinden om de tuin bij te houden en de ramen te zemen, maar dat die haar telkens in de steek lieten, dat ze moest zien rond te komen van een leraarspensioentje uit de tijd dat een pensioen een habbekrats was. Ze kocht maar één keer per week vlees, had ze Brenda verteld, eigenlijk was ze een fantastisch mens, zei Jack tegen Larry Carpenter. Dat zei híj, die juffrouw Anderson nota bene had verfoeid en de plooien en seksloze lange lijnen van haar gezicht afschuwelijk en afschrikwekkend vond, hij die terugdeinsde voor het astmatische gezeur waarmee ze degenen overviel die – zoals hijzelf – bij haar aan de deur kwamen namens de Erfgoedcommissie. Oude Cactuskut, noemden ze haar in de buurt, en nu, jezus-nog-aan-toe, stond hij daar in zijn achtertuin, op zijn eigen graszoden, zijn eigen terrein, leunend op een gebogen esdoorntak, ongewild een smake-

loos verzinsel op te hangen, een melodrama over dat schitterende oude besje, deze waarachtig stoïcijnse vrouw en de excentriekste figuur van de buurt, deze heldin eigenlijk – de lieve schat, God zegene haar.

Larry Carpenter luisterde, knikte en krabde voorzichtig aan de aanzet van zijn keurige beige haar, hij had Jack met een scherpe blik ongelovig aangekeken, rond zijn lippen speelde een lachje, ook al zei hij alleen maar, ja, nou, wat die wildernis betrof, als je ooit besluit...

Later zocht Jack boven een hemd voor Bernie. 'Ik denk dat dit je wel past', zei hij.

Ze kleedden zich samen om. Jack zag dat Bernie een oranje onderbroek droeg. Ze hadden zich minstens vijfentwintig jaar al niet meer samen verkleed, niet meer sinds de zomerse dagen van weleer in het kleedhok van het Forest Park-zwembad.

'Of je moet liever dit blauwe hemd willen. Mij maakt het niet uit.'

'Om het even', zei Bernie kortaf.

'Nou, dit past in elk geval.'

'Dank je.'

'Je wilt toch geen das, hè?'

'Een hemd is genoeg', klonk Bernie's stem vastberaden.

'Oké.' Jack knoopte zijn manchetten dicht en bekeek zichzelf in de spiegel.

'Wat is dat?' vroeg Bernie. 'Op dat hangertje? Naast het blauwe hemd.'

'Dat? Een jasje.'

'Dat heb ik je nog nooit zien dragen.'

'Ik heb het eigenlijk nog niet echt gedragen, het is nieuw. Maar...'

'Het ziet er uit als suède.'

'Ik weet niet waarom ik het gekocht heb', hoorde Jack zichzelf zeggen. 'In een opwelling of zo.'

'Nou, als jij het vanavond niet draagt, dan kan ik het misschien aan. Voor over het hemd.'

'Tja...'

'Of jij moet het aan willen. Mij kan het echt niet schelen.'

'Tja...'

'Ik wil je echt niet...'

'Tuurlijk. Ga je gang. Dan draagt iemand het tenminste.'

'Wat enig dat jullie er zijn.'

De Carpenters schenen oprecht blij dat Jack Bernie had meegenomen, en waarom ook niet? dacht Jack. Bernie Koltz was uiterst presentabel omdat hij de lichamelijke compactheid bezat van de ware, op scherp staande intellectueel. Zijn gezicht was nu, op middelbare leeftijd, in de mode geraakt: een nieuwsgierige, ironische snoet, knap in zijn groteskheid, met roodomrande bedachtzame ogen die levendigheid en baldadigheid uitstraalden. Die avond zag hij er bijzonder modieus en vlot uit.

'Kom verder, kom verder,' zei Larry, 'dan stel ik jullie aan de rest voor.'

Hij voerde hen mee door de woonkamer en de studeerkamer naar de eetkamer. Tegen de mensen die met een glas in hun hand in toevallig gevormde groepjes stonden zei hij: 'Ik wil jullie graag voorstellen aan Jack Bowman, onze plaatselijke expert in Indianen van de Grote Meren. Handelsgebruiken, kralen en dekens. En dit, dit is Bernie Koltz – zeg ik dat goed zo? Mooi. Hij doceert aan de DePaul Universiteit. Wiskunde was het toch, Bernie? Weet je dat ik wiskunde deed met lucifershoutjes tot en met het vierde jaar economie? Ik haal die lucifers nog steeds te voorschijn voor mijn belastingaangifte, vraag maar aan Janey. Maar wacht even, ik heb jullie nog niet eens iets te drinken aangeboden. Vanavond drinken we wijn, ik weet niet of Janey dat aan de telefoon heeft gezegd. We hebben ook sterker spul, als je dat liever hebt, whisky, wodka en een fantastische rum, wat je wil. Maar misschien willen jullie wel een glaasje van het spul dat Janey en ik vorige zomer uit Beaune hebben meegebracht. Je moet in elk geval even proeven, na alle ellende en toestanden die het heeft gekost om het het land in te krijgen. Om nog maar te zwijgen van een zekere mate van crimineel handelen. Het is geen beroemde wijn – we hadden wat tegenslag, maar deze fles is toevallig een schoonheid, tenminste mijn verhemelte zegt van wel, proef maar. Trouwens, hebben jullie Hy Saltzer ooit ontmoet? Hij zit in de bouw, kom maar mee dan stel ik jullie aan hem voor.'

'Het is een schatje, Jack', fluisterde Janey Carpenter in de keuken.

Jack was daar naartoe gegaan op zoek naar ijs voor zijn whisky en zag dat Janey net een bakplaat met kaassoufflés uit de oven haalde. Ze zag er blozend en aantrekkelijk uit, hij had haar nog nooit zo knap gezien. Een zonderlinge geur van kaneel steeg op uit de buurt van haar hals.

'Hij heeft mooie ogen', zei ze tegen Jack. 'Ze vielen me onmiddellijk op.'

'Zijn ogen?'

'En dat schitterende suède jasje. Die zachtbruine kleur. Een soort van gedempt. Prachtig.'

'Uhuh.'

'Is hij, eh, getrouwd?'

Jack pakte wat ijsblokjes en knikte vaag. 'Gescheiden.'

'Aha.' Ze haalde even haar schouders op tegen Jack, wat betekende: jammer, maar het is niet anders vandaag de dag.

'Zijn vrouw Sue is arts,' legde Jack uit, nippend van zijn whisky, 'psychiatrische geneeskunde.'

'Zijn ze al lang gescheiden?'

De vraag, of misschien de manier waarop ze het vroeg, klonk ongepast nieuwsgierig, Jack dekte zich in. 'Het is nog niet zo lang geleden', zei hij tegen haar.

'Dat dacht ik wel', knikte ze veelbetekenend. 'Iets in zijn ogen. Daar kun je het meestal aan zien. Hier, neem een kaassoufflé.'

'Graag. Dank je.'

'Hoe dan ook,' ze wachtte even voor ze doorliep naar de eetkamer, 'ik vind hem een schat. Echt een schat.'

Dit feestje was inderdaad anders dan het vorige. Jack zag hier en daar buren, gezichten die hij herkende. Sommigen kende hij zelfs goed. Irving en Leah Wallberg, Robin Fairweather met zijn nieuwe vrouw – jezus, ze was niet ouder dan vijfentwintig. De Sandersons, Bill Block. En Hap Lewis, die hem naar Brenda vroeg. 'Heeft ze alle drie de quilts meegenomen, Jack? Of maar twee?'

'Alle drie. Tenminste, ik dacht dat ze dat zei. De doos was in elk geval flink zwaar. Die is meegegaan als luchtvracht.'

'Brenda heeft ze me gisteren laten zien. Alle drie. Maar mijn absolute favoriet is *De tweede komst*. Die kleuren! En zoals ze de rand

heeft afgewerkt! Heb je ooit eerder zo'n soort waaiereffect gezien in de rand van een quilt? In dat soort dingen blinkt Brenda echt uit. Jezus, ik bedoel, dat folkloristische gedoe heeft ze volledig onder de knie, en verder bruist het van een soort Van Gogh-vitaliteit, en tegelijkertijd is het zo verdomd ingehouden. Een soort kalmte die heel typerend is voor haar, als een handelsmerk. Toch wel uniek. Volgens mij heet dat beheerste energie. Dat gevoel van, je weet wel wat ik bedoel, losbandigheid, maar een ironische losbandigheid. De vormen hebben iets seksueels, maar er is ook orde. Zoals je ook een bepaalde wetmatigheid in het universum ziet, als je begrijpt wat ik bedoel, een onderliggende structuur. Dat heb ik ook tegen Brenda gezegd. Orde in de chaos. Maar vooral kracht, een enorme hoeveelheid bewuste kracht, begrijp je wat ik bedoel, Jack? Ik kan dit soort dingen nooit goed onder woorden brengen, het is allemaal zo verrekte abstract, maar zo voelde ik het, echt waar.'

Jack luisterde. Hij knikte en nipte. 'Ja', zei hij. 'Dat vind ik ook.'

'Ik werk bij een mijnbouwbedrijf hier in Chicago', zei een vrouw in een fluwelen jurk met de kleur van blauwe pruimen tegen Jack. Ze stond bij de open haard en rookte een sigaartje. Mijn god, dacht hij, die weer.

'O ja?' zei Jack. 'Dat klinkt interessant.'

'Uranium. Het is een klotebaan, eerlijk gezegd. Ik krijg de hele dag niets anders dan rotzooi over me heen.'

'Dat geldt toch voor iedereen?' Wat bedoelde hij daarmee?

'Het is een soort peurwerk. Een puinruimer, noemen ze me. Ha.'

'Waarom doe je het dan?'

'Ik moet toch iets doen. Jezus. Ik heb een kind dat ik moet onderhouden. Een jongetje. Elf jaar. Ik ben een alleenstaande moeder.'

'Ik heb een dochter van elf', zei Jack, en terwijl hij dit zei schoot het hem te binnen dat Laurie net twaalf was geworden.

'Echt waar? Wat deed jij ook alweer?'

'Ik schrijf een boek. Over Indiaanse handelsgebruiken.'

'Mijn god, dat klinkt fantastisch, dat meen ik. Vertel er eens iets over?'

'Hebben jij en Brenda het stuk gezien?' vroeg Leah Wallberg hem.

Van al Brenda's vriendinnen vond hij Leah het aardigst. Ze had een breed rood gezicht dat glom als een appel en een plomp lichaam vol zachte glooiingen. Wanneer ze sprak had ze de gewoonte te gesticuleren met kleine, mooie gebaren, de gebaren van een veel jongere en slankere vrouw, verfijnd en nauwkeurig, alsof ze woorden schreef op een vel lucht. Ze was ontwerper van beroep en zij had dan ook het decor ontworpen voor de *Hamlet*-productie van het Little Theatre.

'Nee,' zei Jack tegen haar, 'we hebben het helaas gemist. Brenda moest de afgelopen week heel hard werken om op tijd klaar te zijn voor de tentoonstelling. Ze heeft doorgewerkt tot het laatste moment. En bovendien ben ik vergeten om de kaartjes op tijd op te halen...'

'Je hoeft je echt niet te verontschuldigen, Jack. Je hebt niets gemist. Helemaal niets.'

'We hebben gehoord dat er wat zwakke momenten in zaten.'

'Dat is nog heel vriendelijk gezegd. Heel vriendelijk! Het was,' haar polsen maakten dubbele hoepels in de lucht, 'het was een regelrechte ramp. Maar zeg alsjeblieft tegen niemand dat ik dat heb gezegd. Vooral je-weet-wel-wie.'

'Een regelrechte ramp?' vroeg Jack. 'Wat bedoel je?'

'Nou, je weet dat je *Hamlet* nooit helemaal kunt verknallen. Er blijft altijd wel iets van overeind. Peggy Giles was een heel aardige Ophelia, zeker als je nagaat dat ze nog maar negentien is. Robin was ook goed, maar dat is hij altijd. Maar, ahum, Hamlet...'

'Maar hoe heeft hij die rol dan gekregen?'

'Tja, weet je,' ze haalde charmant haar schouders op, 'dat weet ik niet precies. We hebben hem eigenlijk gewoon zijn zin gegeven. Hij wilde het zo ontzettend graag.'

'Hij heeft jullie gehypnotiseerd.'

'Zoiets. Maar Jack, het is ons verdiende loon. Volgens mij dachten we, hij is toneelcriticus, dus hij is vast een fantastische Hamlet. Ik geloof niet dat er nog anderen auditie hebben gedaan toen ze wisten dat hij de rol wilde. Maar als je er goed over nadenkt is het natuurlijk waanzin. Het is hetzelfde als beweren dat jij een Indiaan bent omdat je alles over ze weet.'

'Maar dat doe ik niet...'

'Nog een geluk dat er maar vier voorstellingen waren. Want hij werd met elke voorstelling slechter. Luider, theatraler. Het was bijna gevaarlijk om op de voorste rij te zitten, zei Irv, je liep het risico om die zwiepende cape van hem in je gezicht te krijgen. Mijn god! En volgens mij besefte hij zelf niet eens hoe slecht hij was. Dat is nog het grappigste. Maar goed, zo erg is het natuurlijk allemaal niet. Hij had in elk geval de moed om het te proberen. Dat moet je hem nageven, vind ik. Er is heel wat moed voor nodig om er achter te komen dat je iets niet kunt, vind je ook niet, Jack?'

'Daar ben ik het helemaal mee eens.'

De tafel van in glas gevat rozenhout van de Carpenters stond vol schalen met eten. Jack nam een plakje gerookte forel en knipoogde naar Bernie aan de andere kant van de kamer. Bernie hief een glas wijn naar zijn lippen en scheen zeer aandachtig te luisteren naar een fel gebarende jongeman in een paars hemd en met een donker baardje die hem uithoorde met de zuigende meedogenloosheid van een speculant. Hij had een vochtige mond en lachte als een acteur. Bernie concentreerde zich zo hevig dat hij niet zag dat Jack naar hem knipoogde. En waarom knipoogde hij trouwens? Hij knipoogde nooit. Dat was zijn stijl niet, dat paste niet in zijn canon.

Hij had behoefte aan een borrel, besloot hij.

In de keuken waren de Carpenters aan het ruziën. Jack zag ze tegenover elkaar staan met een blad vuile glazen tussen hen in.

'Je kunt die verdomde redactie nog bellen en het laten schrappen', zei Janey ingehouden tegen Larry.

'Dat kan ik niet doen', zei Larry. 'En zelfs al wilde ik het, dan is het nu toch al te laat.'

'Het is niet te laat. Ik weet toevallig dat het nog niet te laat is. Weet je nog die keer dat ze jouw stuk eruit gooiden en dat Russische balletding erin zetten? Dat was op het allerlaatste moment.'

'Janey, hoor nou eens. Ten eerste is het te laat en ten tweede is het niet professioneel.'

'Niet professioneel! Laat me niet lachen. Jij bent toch de toneel-criticus. Jij wordt geacht de opdrachten te geven.'

'Het kan niet, en zo simpel is het.'

Jack stond schutterig bij de deur. Ze draaiden zich om en zagen

hem, en voor het eerst sinds Jack hem kende scheen Larry in verlegenheid gebracht.

Janey schoot naar voren en greep Jacks arm. Ze ademde snel en had een rood hoofd van de wijn. 'Jack, wat vind jij er nou van? Larry, vraag Jack nou eens wat hij er van denkt.'

'Ik kom straks wel terug', zei Jack. 'Ik kwam alleen maar wat ijsblokjes halen.'

Janey wilde zijn arm niet loslaten. 'Moet je horen, Jack, Gordon Tripp, ken je Gordon Tripp, die filmcriticus van *Chicago Today*, nou, die schrijft een stuk over Larry's optreden als Hamlet. Het komt morgen in de krant.'

'Laat maar zitten, Janey', zei Larry.

'Vind jij dat nou eerlijk?' vroeg Janey aan Jack. 'Je weet dat ze nooit amateurvoorstellingen bespreken. Nooit. En nu wel, alleen omdat Larry toevallig zelf…'

'Volgens mij interesseert het Jack niet echt of *Hamlet* al dan niet besproken wordt in de krant.' Larry zei dit op een redelijke, goed-gehumeurde toon, maar Jack zag dat zijn handen beefden.

'Je had het kunnen laten schrappen', zei Janey, nu luider. Haar ogen hadden de mica glans van echte tranen. 'Je kunt gewoon die klotetelefoon oppakken en ze op de redactie melden dat je het niet goed vindt. Dat je het er uit wilt. Je hoeft dat soort rotzooi van Gordon Tripp niet te pikken. Jij gaat voor. Je kunt hem gewoon zeggen dat hij het in zijn reet kan steken. Bovendien is hij geen toneelcriticus. Wie denkt hij wel dat hij is?'

'Ik kan met geen mogelijkheid een recensie tegenhouden, Janey, vergeet het dus maar.' Larry trok de enorme deur van de koelkast open. 'En nu jij, Jack,' zijn stem klonk gedragen, ook al stonden zijn ogen vreemd daas en ongefocused, 'je had het over ijs. Eens kijken of ik iets voor je kan doen.'

Jack liep met zijn glas naar de woonkamer. Overal in de kamer brandden lampen met zacht licht, wat een aristocratische, witsatij-nen sfeer creëerde. Hij zat op de armleuning van een fluwelen stoel en praatte met een vrouw in een paisley blouse. Hij had nooit begrepen wat er nu zo mooi was aan paisley. Maar ze was een aardige vrouw, met een saaie zilveren ketting om haar hals, en ze vertelde Jack dat, hoewel ze artikelen over mode schreef, ze ooit nog eens een boek wilde schrijven.

'Echt waar?' En Jack vertelde haar iets over zijn eigen boek. Geschiedenis boeide haar enorm, zei ze, de Indianen van het zuidwesten waren zo'n beetje stukgeschreven, maar ze vond dat de Indianen van het Merengebied veronachtzaamd waren, vooral hun houding ten opzichte van bezit en handel. Jack nipte van zijn borrel, opgemonterd door haar opmerkingen. Ze was werkelijk een intelligente vrouw. Na een tijdje deed ze Jack een lang relaas over haar afstudeerscriptie over John Donne, die op het laatste moment werd afgewezen omdat ze haar professor aan de Universiteit van South Carolina bepaalde bizarre seksuele gunsten weigerde. Jack knikte meelevend; hij geloofde geen woord van wat ze zei. Jezus, jezus, jezus, jezus, jezus.

'Wat is er, Jack?' vroeg Janey hem glimlachend. Ze was weer in een goed humeur.

'Ik kan Bernie niet vinden. Misschien is hij wel naar huis gegaan. Ik heb al overal gekeken. Ik zie dat het al aardig laat is.'

'Hij slaapt', zei Janey, haar mond teder halfopen.

'Hoe bedoel je?'

'Ik was daarnet even boven', zei Janey, 'om mijn neus te poederen. En toen ik in de logeerkamer keek, lag hij daar te slapen als een baby.'

'Bewusteloos?'

'Als een baby.' Ze glimlachte wonderschoon.

'Mijn god, hoe krijg ik hem dan thuis?'

Larry voegde zich bij hen. Hij was behoorlijk aangeschoten maar vriendelijk. (Larry Carpenter is een charmeur, had de vrouw in paisley Jack verteld.) Hij gaf Janey's schouder een liefdevol kneepje en zei tegen Jack: 'Waarom laat je hem niet hier tot morgenochtend? Volgens mij mankeert hij niets. Een half uur geleden ben ik even bij hem gaan kijken, en toen ademde hij nog als een stoomketel.'

'Het zou een rotstreek zijn om hem nu wakker te maken', mompelde Janey.

'Mijn god', zei Jack hoofdschuddend.

Larry spreidde zijn handen, jongensachtig grinnikend. 'Ik meen het echt. Laat hem maar hier. We vinden een logé prima, hè Janey?'

'Uitstekend. We hebben die kamer net laten behangen en we vinden het heerlijk om…'

'Weet je het zeker?' Hoewel hij niet begreep waarom, wilde hij

niets liever dan hen een plezier doen.

'Geen enkel probleem, Jack, geen enkel probleem.'

Het was vier uur 's morgens toen Jack naar huis ging, zich door een gat in de heg worstelend waarbij een broekspijp bleef haken en hij shit, shit, shit mompelde. In het oosten had het licht van de stad de hemel veranderd in een bleke koepel van aluminium. De lucht kraakte van de vorst. Hij merkte dat de achterdeur niet op slot zat, hij had tegen de kinderen moeten zeggen de deuren af te sluiten, ze hadden niet zo onverstandig moeten zijn ze open te laten.

Binnen was het rustig en donker. Op de trap stonden schoenen, een krachtig teken van bewoning. Hij moest even kijken bij Rob en Laurie, hun slaapkamerdeur opendoen, kijken of alles in orde was, maar hij lag al in bed voor hij hieraan dacht. Hij was halfdronken en gleed snel weg naar bewusteloosheid, maar hij merkte de ongewone koelte van de lakens op: Brenda was in Philadelphia, wat zou ze op datzelfde moment doen? Hij stelde zich voor dat ze in een smal bed lag, bedolven onder een berg quilts, *De tweede komst* opgevouwen bovenop.

De kamer week gevaarlijk terug. Uitgeput probeerde hij zich te oriënteren: Bernie Koltz lag voor pampus bij de buren, en Bernie's vrouw Sue lag hijgend in de armen van haar minnaar – ergens in deze stad werd haar gehijg omsloten en beantwoord. Harriet Post sliep zelfvoldaan al de hele nacht in een halfduistere slaapkamer in Rochester, haar manuscript geordend en geniet keurig in een kartonnen doos. Zijn eigen kinderen sliepen ook, kinderen kunnen altijd slapen, het was een van de compensaties voor het jong zijn: het vermogen verdriet in één nacht te transformeren tot abstracte geschiedenis.

Jack kreeg nu ook slaap, hij strekte zich uit en gaf zich eraan over. Woorden en handelingen druppelden geluidloos in zijn vervagende bewustzijn, dromen kwamen op, ineengevlochten vormen, geprojecteerd op de binnenkant van zijn oogleden. Hij zweefde in de sneeuw, werd lichter en lichter, maar er was iets dat herinnerd wilde worden, iets ongewoons en treurigs – wat was het ook alweer? Toen wist hij het weer: zijn verloren geloof. Vandaag, achter zijn bureau, had hij ontdekt dat hij iemand zonder inhoud was. De herinnering sloot de dag af. Zij had een bepaalde eenvoud, als de gelijkmatigheid van kerkmuziek. Amen.

De kamer werd donkerder, maar hij hield nog even de gedachte vast van zijn afwezige geloof, haar veilig bewarend in de vervagende transparante kom, enerzijds verwarmd door de smart die zij opriep, anderzijds getroost door de bescheidenheid ervan.

13

ZONDAGMORGEN ONTWAAKTE JACK EN BEMERKTE DAT DE leegte die zijn geschokte geloof had achtergelaten op onverklaarbare wijze groter was geworden, zij had zich onrustbarend ver in alle richtingen uitgebreid en was een levend ding geworden, schoppend en grommend, bezield als een zwoegende rij congadansers, waar nu niet alleen hij zelf bij was, maar ook anderen. Misschien was het de leegte van het queensize bed, hij was niet gewend bij het ontwaken Brenda's kant van het bed zo onverbiddelijk onbeslapen te zien. De quilt op het bed, met zijn blauwe en groene overlappende halmen van kleur, vormde een vreedzaam contrast met zijn warme, gekreukelde lakens, en die gladde vreedzaamheid riep een vraag op: waarom? Waarom hadden Sue en Bernie na twaalf jaar een eind gemaakt aan hun huwelijk? Waren zij ook hun geloof kwijtgeraakt? Geloof waarin dan? Jack wist het niet. Waarom creëerden mensen toch voortdurend diepe poelen van eenzaamheid en lijden voor zichzelf en voor anderen? Nee, lijden was een te zwaar woord, het had een te literaire, te protestantse klank. Hoe was hij terechtgekomen in deze onbeweeglijkheid, dit zelfgeschapen isolement, zo afgegrendeld?

Jack kwam moeizaam uit bed, de gedachte aan lijden van zich afzettend. Hij had behoefte aan een sterke bak koffie.

Zijn lijden verdween even snel als het kwam, als bij een teen die je stootte, daarna was er altijd opluchting en vergetelheid, daar kon hij van op aan.

Het geloof dat Jack was kwijtgeraakt was geen religieus geloof. Hij was nooit een kerkganger geweest, net zo min als zijn ouders. 'Alleen zondaars moeten naar de kerk', zei zijn vader altijd met een schalks gesnuif, wanneer hij 's zondagsmorgens koffie dronk. Jacks moeder had er af en toe over gepiekerd en op haar bescheiden,

verkouden klinkende manier gezegd: 'Ik weet het niet, we moeten eigenlijk toch gaan, in elk geval met Pasen.' Maar ze deden het nooit.

Desondanks was Jack opgegroeid in de overtuiging dat de zondag een dag van nauwkeurig vastgelegde rituelen was. De tijd verstreek anders die dag: er werd langzamer gesproken, de krant werd ernstig gelezen, de stoelen waren anders, de temperatuur in de woonkamer, het uitzicht uit de flat, de kwaliteit van het zonlicht dat door het wolkendek scheen. Bepaalde dingen stonden vast, Jacks moeder, die regelmaat koesterde, zorgde daarvoor. Zelfs nu nog, op haar zeventigste, werd ze onrustig als de speciale regels voor die dag op een of andere manier werden doorbroken of verstoord. Haar lang geleden gedane uitspraak als reactie op het bombardement van Pearl Harbour was een gevleugeld woord geworden in de familie: 'Maar het is zondag', had ze geprotesteerd.

Op zondag stond ze om zeven uur op, dronk een kopje oploskoffie en begon dan aan de schoonmaak van de flat. Woensdag was haar gewone schoonmaakdag, maar op zondag 'maakte ze de boel aan kant'. Ze begon met het uitkloppen van de loper in de gang, waarna ze verderging met de woonkamer, de kleine, zelden gebruikte eetkamer met zijn ondertoon van donkere gelakte meubelen en daarna de keuken. Vervolgens begon ze aan de drie slaapkamers, eerst de logeerkamer, Jacks vroegere slaapkamer, en dan het donkerroze slaapkamertje waar zij nu sliep. Omdat Jacks vader graag uitsliep op zondag – uitslapen was tot negen uur – deed ze zijn kamer als laatste, bij vlagen neuriënd onder het werk, soms een beetje in zichzelf pratend. Ze dweilde alle vloeren vochtig, stofte de tafels af en reikte onder de lampenkappen om de gloeilampen af te stoffen – ze had ergens gelezen dat er heel veel elektriciteit verloren ging door stoffige gloeilampen. 's Winters vulde ze de schalen met water bovenop de radiatoren. Ze gaf de tradescantia of wandelende jood water, die op een laag tafeltje bij het raam aan de voorkant stond, en vervolgens deed ze de achterdeur open en legde ze een boterham op de brandtrap voor de vogels. Wat voor vogels waren dat? had Jack haar een keer gevraagd. Verbaasd had ze haar hoofd geschud, ze wist het niet, ze had de namen van de vogels nooit geleerd, en afgezien van roodborstjes en blauwe gaaien, zagen ze er voor haar allemaal eender uit. Jack en Brenda hadden haar Beldings *Amerikaanse gids van stadsvogels* voor haar verjaardag gegeven en ze was er onmiddel-

lijk in gaan kijken, een uur lang had ze door de meer dan twee-
honderd pagina's zitten bladeren en daarna het boek weer dicht-
gedaan, zachtjes snuivend van plezier en met een glimlach van
welbehagen. Maar ze had het nooit meer opengeslagen, ook al
bewaarde ze het op een opvallende plaats op een plank onder het
tijdschriftenrek. Op een dag, zo zei ze tegen Jack, wanneer ze meer
tijd had, zou ze het zorgvuldig bestuderen.

Nadat ze het brood voor de vogels buiten had gelegd, haalde ze
een doos zoete broodjes uit de vriezer, maakte die open en legde ze
netjes op een zwart geworden bakplaat, die ze onderin de oven
schoof. (Voordat de gewrichten van haar vingers waren aangetast
door artritis, maakte ze voor de zondagochtend haar eigen bananenbrood en kaneelbroodjes, nu stelden ze zich tevreden met Peppe-
ridge Farm of Sara Lee.) Ze zette een grote glazen pot filterkoffie en
vervolgens dekte ze de tafel in de keuken met plastic placemats,
borden en messen. Tegen die tijd was Jacks vader aangekleed en
geschoren en zaten ze samen in de keuken, met kleine teugjes hun
koffie drinkend terwijl ze keken naar de klok boven de Frigidaire en
wachtten tot Jack en Brenda en de kinderen kwamen.

Ze kwamen gewoonlijk even na tienen.

Toen Brenda's moeder Elsa nog leefde, namen ze die vaak mee.
Jacks ouders hielden van Elsa, en doordat Elsa niet getrouwd was en
nooit getrouwd was geweest hielden ze des te meer van haar. 'Die
arme vrouw,' zei Jacks moeder altijd, 'het is niet gemakkelijk voor
een vrouw, zo'n leven.' Elsa's niet getrouwd zijn – men wist het maar
sprak er nooit over – gaf haar enigszins mythische proporties, en ze
was toch al een grote vrouw geweest, in de letterlijke betekenis, zowel
lang als dik, met een eveneens buitenmaatse zwierigheid; in een
andere tijd zou ze pauwenveren in haar haar gedragen hebben. Haar
borsten – ze noemde ze boezems, met de nadruk op het meervoud
als een soort grap – waren groot en zwaarbeladen met namaak-
juwelen, ze was dol op goudkleurige kettingen en had een aantal
fraaie turkooizen hangers. De jurken die ze droeg waren van nylon
jersey. 'Ik hou van een vrolijk patroon,' zei ze altijd, 'zodat je het vuil
er niet op ziet.' Deze jurken, maat achtenveertig, zwaaiden rond haar
compacte massa met een levendig, koket ritme, warm, sensueel en
poederachtig. Ze hield van reukwater, allerlei soorten reukwater.
Haar ogen waren rond en helder en ze had een blozend gezicht, vol

en rond als een pioen. Ze lachte voortdurend.

'Die Elsa is me wat,' zei Jacks vader altijd hoofdschuddend, 'een wagonlading van gelach.' Jacks moeder zei vaak dat Elsa een doordouwer, een geweldenaar was en dat het gewoon een vreugde was om naar haar te zitten luisteren. Elsa's stem was uitzonderlijk krachtig voor een vrouw, tegelijk was hij bijzonder diep met een licht Pools accent, dun als bladgoud, waardoor hij niet mannelijk klonk. Ze kibbelde vooral graag over politiek met Jacks vader, over de politiek van vroeger, van de jaren dertig en veertig, met haar vlakke hand op de rand van de tafel slaand terwijl ze sprak. Roosevelt was godverdomme een heilige geweest, verkondigde ze, een van Gods eigen engelen. Een smeerlap, sloeg Jacks vader terug, en een vloek voor het land, verdomme. 'Dat meen je niet', mepte ze verder. 'Hij was immers een miljonair, dus hij hoefde zijn zakken niet te beboteren zoals die schooier van een Daley.' (Ze had een talent voor het door elkaar roeren van gezegden, en Brenda had dat van haar geërfd.) 'Zal ik je eens wat zeggen,' zei Jacks vader tegen haar, 'het zijn juist die rijke oplichters als Roosevelt waar je voor moet oppassen, die willen altijd het geld van anderen uitgeven.' 'Hij was onze redding,' snoof Elsa, 'die arme kerel met die lelijke Eleanor van hem.' Toen lachte ze, haar kunstgebit iriserend in het zonlicht – ze lachte om duidelijk te maken dat ze het niet kwaad meende.

Jacks moeder pakte de overgebleven stukken bananenbrood altijd in vetvrij papier zodat ze dat kon meenemen naar haar armzalige flatje in Cicero – 'dan heb je straks nog wat' – waarna Elsa, een opzienbarend extraverte vrouw – dat was vast haar ondergang geweest, zei Jacks vader eens met een knipoog – hen allemaal omhelsde en kuste, zelfs Jacks vader, die ze vol op zijn mond zoende – een vochtige klapzoen – terwijl ze al die tijd op luide toon verklaringen aflegde. 'Dit is heel wat beter dan in die oude kerk zitten luisteren naar de priester, hè, en eens lekker lachen, flink lachen dat houdt je gezond.' Soms zei ze, met toegeknepen, glimmende ogen: 'Mijn god, wat zou ik zonder julzie moeten beginnen?' (Ze zei altijd julzie; het was haar enige taalfout, hield haar dochter Brenda vol.)

Ze stierf vier jaar geleden in september, op haar zesenvijftigste, door complicaties tijdens een routine-operatie aan de galblaas. Er was een rouwdienst in een grijsbetonnen katholieke kerk in Cicero op een maandagochtend. Toen ze daarna op de trappen van de kerk

stonden, had Jack naar zijn vader gekeken en gezien dat hij huilde, iets wat hij nooit eerder had gezien. Zijn gezicht was rood en verwrongen, zijn neus bol en glimmend. Hij had zijn ogen afgeveegd met een zakdoek en met verstikte stem gemompeld: 'Ik kan alleen maar zeggen dat het een fantastische meid was.' Er stonden veel mensen op de koude trappen die zijn woorden hoorden. Elsa had dertig jaar lang herensokken en -ondergoed verkocht bij Wards en een groot aantal bevriende collega's was naar de requiemmis gekomen. Een van hen, een meisje van net in de twintig, kwam naar Jacks vader toe, ze sloeg haar armen om zijn hals, snikkend van verdriet, wat hem dwong tot een uitspraak die hij zelf een smerige leugen vond: 'Nou, nou, ze is beter af waar ze nu is, het is maar beter zo, dat weet je toch wel, hè?'

Nadat Elsa was gestorven verviel Jacks moeder in een korte depressie en vlamde haar artritis op, zodat ze nauwelijks kon slapen. Een tijd lang zag ze vrouwen in bussen en winkels die leken op Elsa. Dat was normaal, zei Brenda, die worstelde met haar eigen verdriet, dat gebeurde vaak wanneer iemand plotseling was gestorven.

'Zal ik je nog eens wat vertellen,' vervolgde Jacks moeder met rode ogen, 'elke keer als ik bananenbrood maak begin ik te brullen.'

'Je hebt ons tenminste nog', zei Jack tegen haar, 'en de kinderen.'

Maar het afgelopen jaar was Rob steeds vaker thuis gebleven op zondagochtend. Hij wilde graag uitslapen, zei hij. Als hij al meeging, was het met tegenzin.

En dus was Jack verbaasd dat hij de zondagmorgen na het feestje bij de Carpenters gewassen en aangekleed klaarstond om mee te gaan. Hij stond bij de achterdeur, ritste zijn jack dicht en stampte in zijn laarzen. Hij had het niet meer over de ruzie van de vorige avond, en Jack ook niet. Al die herrie om de Spaanse rijst leek nu volkomen absurd, beschamend en triviaal, zoals de zinloze uitbarstingen tussen hele jonge kinderen, iets wat je maar beter kon vergeten, vooral op een zo schitterende ochtend als deze.

Het had die nacht gesneeuwd, de eerste echte sneeuw van dat jaar, een zacht, dun, waterig laagje Chicago-sneeuw, nauwelijks genoeg om het stekelige gras in de achtertuin te bedekken en een flatteuze witte rand op het dak van de garage achter te laten, maar Jack zag met genoegen dat de warboel van de schuttingen achter was verminderd en vereenvoudigd door deze keurige bedekking. Het nieu-

we cederhouten dak van de Carpenters was teruggebracht tot een gewoon oppervlak en boven het dak van zijn eigen garage zag Jack de scherpe Victoriaanse hoeken van het huis van de Lewissen en hoe de natte sneeuw vastkleefde aan de schuine dakkapellen en bovenop de schoorsteen lag. De louvreluiken van de slaapkamers boven waren gesloten, ze sliepen waarschijnlijk nog. Arme Bud, zei Jack tegen zichzelf, de hele week onaangekondigde verkooppraatjes houden. Maar zijn medeleven was vluchtig, oppervlakkig, los van elk werkelijk gevoel. Per slot van rekening scheen de zon. De sneeuw van die ochtend scheen een geschenk, omdat hij zo vroeg in het nieuwe jaar was gekomen, met een geheim vermogen om vergiffenis te schenken terwijl hij sliep. 'Dik en knerpend en vlak', zong hij voor Rob en Laurie toen hij de auto de garage uitreed.

'Ha', zei Rob, maar op vriendelijke toon.

Vanaf de achterbank liet Laurie plotseling een kreet horen. 'Pappa!'

Jack ging op de rem staan. 'Jezus. Wat is er?'

'Oom Bernie', riep ze. 'Je bent oom Bernie vergeten.'

De motor sloeg af, Jack startte opnieuw en probeerde geduldig te blijven, hij deed rustig aan, herinnerde zich dat hij de choke moest gebruiken en sprak zachtjes het contactsleuteltje toe, waarna hij kalm zei: 'Oom Bernie is nog bij de Carpenters.'

'Wat?' riep Laurie uit, zich over de rugleuningen buigend en hem op zijn schouder meppend. 'Gaat het feest bij de Carpenters nog steeds door? Nu? Terwijl het al licht is?'

De auto trilde en gleed vervolgens in de versnelling. 'Hij is daar blijven slapen', zei Jack, terwijl hij vaart maakte, voorzichtig de bocht nam en James Madison Street afreed.

Zelfs Rob keek hiervan op. 'Hè? Ik dacht dat hij ze helemaal niet kende.'

'Klopt. Klopt', zei Jack, zijn toon lichtelijk filosofisch, maar zelfs in zijn eigen oren onecht. De banden zoefden over de natte straat, de sneeuw begon al te smelten.

'Waarom bleef hij daar eigenlijk slapen?'

'Nou ja,' Jack zweeg even, 'omdat ze daar zoveel logeerbedden hebben, daarom, denk ik.'

'Maar als hij dan wakker wordt, weet hij niet waar wij naartoe gegaan zijn', zei Laurie. 'Dan weet hij niet waar we zijn.'

'Ik heb een briefje voor hem achtergelaten. Ik heb de achterdeur opengelaten en een briefje neergelegd met waar we zijn. Oké?'

'Ik denk het wel', zei Laurie.

'Raar', zei Rob. 'Raar.'

'Hij had mijn bed mogen hebben', zei Laurie.

'Hij had op de bank kunnen slapen', zei Rob.

'Ik heb mijn bed aangeboden', zei Laurie. 'Weet je nog? Dat heb ik gisteren aangeboden.'

'Dat weet ik, liefje. En toeter nou niet zo in mijn oor. Pappa heeft hoofdpijn.'

'Ha', zei Rob zachtjes.

'Wat zei je daar?' Jack kwam bij een stopbord en trapte op de rem, maar de auto slipte in de natte sneeuw en gleed bijna een meter de kruising op voor hij tot stilstand kwam.

'Wat zei je daar?'

'Niets.'

'Niets?'

'Nee, niets.'

Ze kwamen om halfelf aan, later dan anders.

14

'Z o,' zei Jacks vader, die het zich gemakkelijk maakte in zijn leunstoel en zijn eerste sigaret van die dag opstak, 'is er nog nieuws?'

Hij was een lange, schraal gebouwde, nerveuze man met opstaande pluimpjes dun wit haar en grote, gladde roze oren. Hij zat met zijn rug naar het raam en Jack had het idee dat zijn oren licht gaven. Nu hij met pensioen was en niet langer op het postkantoor werkte, droeg hij thuis oude nette witte overhemden met de mouwen opgerold en het boord losgeknoopt. Hij had een dunne knobbelige nek, roodachtig van kleur en enigszins opgezwollen, en kleine helderblauwe ogen die knipperden achter glinsterende glazen; hij had zijn eerste sigaret die ochtend uitgesteld tot kwart voor twaalf en – dit vond Jack nog veel ongewoner – zijn eerste vraag uitgesteld tot dit moment.

'Is er nog nieuws?'

Jack hield van zijn vader en moeder en wist hoezeer zij zich op hem verlieten om hen het nieuws te brengen, wat dat ook mocht zijn – het nieuws dat niet 's morgens met de *Trib* kwam of via het tv-scherm, het echte nieuws. Zijn moeder was nu de ontbijtbordjes aan het afwassen in de keuken en luisterde naar Laurie. Hij hoorde Laurie de broodjes kerriekip beschrijven die ze gisteren had helpen maken bij de Carpenters, en zijn moeder zei: 'Ja, ja', op een trage, contemplatieve, spiraalachtige manier die duidde op haar milde verwondering en volslagen afwijzing van dergelijke dingen.

'Eigenlijk is er geen nieuws', zei Jack. Even overwoog hij zijn vader te vertellen over het feest van gisteravond, maar hij besloot het niet te doen. Hij vertelde zijn vader maar zelden over de feestjes waar hij en Brenda naartoe gingen, zijn ouders gingen niet naar feestjes, ze vonden feestjes iets voor de verjaardagen van kleine kinderen. Hij

zou hem kunnen vertellen dat Bernie en Sue uit elkaar waren en dat Bernie voorlopig bij hem woonde. Zijn ouders kenden Bernie goed na al die jaren en voordat Bernie's ouders, Beanie en Sally, zich hadden teruggetrokken in hun stacaravan in Clearwater (Bernie noemde het Blearwater) hadden ze ook hen gekend. Sue kenden ze vagelijk. Jacks vader vond dat Sue 'eenkennig' was en zijn moeder vond dat ze een beetje 'airs had'. Niettemin wist Jack dat het nieuws over een scheiding hen nodeloos zou verontrusten. Hij kon het beter een andere keer vertellen. Wat was er nog meer te vertellen? Het verlies van zijn geloof? Onmogelijk. Zijn onbehagen had inmiddels een koel aanlokkelijk laagje gevormd, vreemd genoeg wilde hij het beschermen, wilde hij het niet teruggebracht zien tot een januari-depressie of de penopauze. En hij vond het van wezenlijk belang zijn ouders nimmer ongerust te maken.

'Dus Brenda is goed vertrokken?' ging zijn vader behulpzaam verder.

'Geen enkel probleem.'

'Philadelphia. Waarom houden ze zoiets eigenlijk in Philadelphia? De stad van broederliefde.'

'Geen idee.'

'Neem nou Chicago. Dat ligt toch heel wat centraler, als je begrijpt wat ik bedoel.'

'Dat denk ik wel.'

'Chicago is een goede stad voor bijeenkomsten, een uitstekende stad. Dat was altijd al zo. Het American Legion, de Shriners, de Lions en ga maar door.'

'Hmmm.'

'Nu ik het daar over heb, ik zei nog tegen Ma, ik ben blij dat Brenda niet in dat hotel logeert waar ze die hoe heet het ook alweer hadden, een paar jaar geleden. Die legionairsziekte.'

'Ik dacht dat ze bewezen hadden dat...'

'Wat betaalt ze nou voor een hotelkamer in Philadelphia? Per nacht dan?'

'Ik weet het niet, Pa, zo'n dertig, vijfendertig dollar denk ik.'

'Tjonge jonge.'

Jack wist dat zijn ouders het onbegrijpelijk vonden dat Brenda een week lang naar een kunstnijverheidstentoonstelling ging. Een kunstnijverheidstentoonstelling! Ze waren nog nooit in Philadel-

phia geweest, ze waren nooit oostelijker geweest dan Colombus, Ohio, waar de zuster van zijn moeder vroeger woonde. Ze hadden ook nog nooit een nacht apart geslapen behalve de keren dat een van tweeën naar het ziekenhuis moest, die keer dat Jacks vader een blindedarmoperatie had en de keer dat zijn moeder getest werd op artritis. Jack vermoedde dat ze overdreven ideeën hadden over het belang en het prestige van reizen per vliegtuig en dat ze de rituelen er omheen raadselachtig vonden.

Een week geleden, toen ze aan de zondagse ontbijttafel zaten, had zijn moeder Brenda plechtig een vierkante witte envelop gegeven. Daarin zat een *bon voyage*-kaart met blauwe lijsters vliegend door een tintelende lucht, en in de kaart zat een dubbelgevouwen biljet van tien dollar. Op de kaart stond in het vreemde wiebelige handschrift van zijn vader geschreven: 'Liefs en kusjes van Ma en Pa Bowman.'

'Dat hadden jullie niet moeten doen', had Brenda gezegd, terwijl haar ogen plotseling vol tranen stonden. 'Dat hadden ze niet moeten doen', zei ze weer tegen Jack op weg naar huis, maar haar toon was anders, vreemd defensief, vond Jack, en om een of andere reden zelfs een beetje kwaad.

Nu zei Jacks vader iets anders, met een knipoog zei hij: 'Het kost je vast geen moeite om het een weekje alleen te rooien. Dat meidje daar, die Laurie, wordt al aardig groot.'

'Het was eigenlijk mijn idee, Pa, dat Brenda naar die tentoonstelling zou gaan. Ze dacht niet dat ze zomaar een hele week weg kon, maar toen ze de uitnodiging kreeg zei ik tegen haar, waarom niet, je leeft maar een keer.'

'Hoor eens', zei zijn vader terwijl hij zich vooroverboog en zijn stem liet dalen. 'Wat is er vanmorgen met Rob aan de hand?'

'Rob?' Jack wierp even een blik in de eetkamer waar Rob aan tafel de zondagkrant zat te lezen. 'Rob?'

'Is hij ziek of zo?'

'Volgens mij niet. Hoezo?'

'Omdat,' hij leunde nog verder voorover, 'omdat hij vanmorgen niets heeft gegeten, geen hap. Is je dat niet opgevallen?'

Jack haalde zijn schouders op. 'Kinderen…'

'Mijn god, zoals die jongen altijd eet. Als een paard. Weet je nog die keer dat hij alle rozijnen uit zijn kaneelbroodje peuterde en dat ik

toen vroeg, wat is er Rob, vind je de rozijnen niet lekker? En dat hij toen zei, ja hoor, opa, ik hou juist heel veel van de rozijnen, daarom bewaar ik ze voor het laatst.'

'Nog koffie?' vroeg Jack, opstaand, hij had het verhaal over het kaneelbroodje al vaker gehoord.

'Ma zet nog een pot, het is in een wip klaar. Je wilde me iets gaan vertellen, voor we over Philadelphia te praten kwamen. Waar ging dat over?'

'Niets. Je vroeg of er nog nieuws was en ik zei dat er eigenlijk geen nieuws was.'

'Hoe gaat het op je werk? Is er nog iets gebeurd op het werk? Heb je het druk?'

'Eigenlijk gaat alles min of meer zijn gangetje. We zijn bezig met die nieuwe tentoonstelling. Ik geloof dat ik je daar vorige week al over heb verteld. Die expositie over het nederzettingenpatroon. De nederzettingen rond de Grote Meren. Een nogal statistische uitleg. Ik heb er eigenlijk niet zoveel mee te maken.'

'Weet je, van de week moest ik daar op een nacht ineens aan denken. Ik werd middenin de nacht wakker en dacht daaraan. Wat gaat zo'n tentoonstelling nou kosten? Dat vroeg ik me af.'

Jack draaide er omheen. 'Dit is een van de kleinere tentoonstellingen die we houden, niet zoals die we in maart hadden over de geschiedenis van de Chicago-rivier.'

'Nou zo ongeveer dan, hoeveel kost het?'

'Drieduizend? Zoiets. Eerlijk gezegd weet ik het niet.'

'Drieduizend dollar!'

'Dat is deels arbeidsloon. Ze moeten een hele nieuwe verlichting aanleggen…'

'Drieduizend dollar. Poe! Is er verder nog nieuws?'

Jack dacht diep na. 'Moira Burke gaat deze week weg. Dinsdag. Haar man gaat met pensioen. Ze gaan naar Arizona.'

'Naar de zon, hè?'

'Hmhm.'

'Wie is Moira Burke?'

'Die heb je een keer ontmoet, Pa. Vorig jaar maart. Bij de opening van de tentoonstelling over de Chicago-rivier, jij en Ma. Ze is de secretaresse van dr. Middleton. Ze heeft vijfentwintig jaar voor hem gewerkt. Minstens.'

'Als zij die vrouw is waaraan ik nu denk, dan is ze een knappe verschijning. Een brunette?'

Jack knikte. 'Gaat wel. Ze geven dinsdag een afscheidslunch voor haar. Met de hele staf erbij, denk ik.'

'Het is vandaag de dag moeilijk om een goede secretaresse te vinden. Dat las ik in een artikel. Jammer dat Brenda het niet meer doet…'

'Ze hebben al een vervanger voor Moira. Ze hebben iemand ingewerkt.'

'Ik denk er over om te stoppen met roken.'

Jack begon te lachen.

'Wat is er zo grappig?'

'Je zit een sigaret te roken. Op ditzelfde moment. Dat vond ik eigenlijk wel grappig.'

'Ik heb er een boek over gelezen. Ken je dit boek? Het heet *Je bent je eigen oppasser.*'

'Nee, maar ik geloof dat ik er wel iets over gehoord…'

'Het is geschreven door een dokter. Een arts. Hij begint met uit te leggen hoe mensen aan dingen verslaafd raken. Slavernij noemt hij dat. Dat zijn we allemaal, slaven, niet meer en niet minder. Maar het is geen zwakte, zegt hij, het is de menselijke natuur. Maar hij beweert dat niemand een slaaf hoeft te zijn. Je kunt een besluit nemen en de cirkel doorbreken. Op een willekeurig moment op een willekeurige dag kun je zo'n besluit nemen, zegt hij. Hij zegt dat gewoonten alleen maar gewoonten zijn als we denken dat het gewoonten zijn. Maar je moet het wel opschrijven. Volgens hem is dat het belangrijkste. Als je je besluit niet op papier zet stelt het geen donder voor, dan gaat het gewoon weer in rook op. Je moet er je handtekening onder zetten. Dat noemt hij een wapening die je besluit stevig maakt.'

'Gewapend beton?' Jack voelde plotseling een scheut van liefde voor zijn vader.

'Zoiets, ja.'

'Dus je houdt op met roken?'

'Niet helemaal, niet helemaal. Maar van de week heb ik op een stuk papier geschreven: Ik, John Bowman, rook de komende week niet meer dan vijf sigaretten per dag.'

'En?'

'Daarna moet je dat stuk papier opbergen. Je mag er met niemand over praten. Eigenlijk mag ik er nu dus ook niet met jou over praten. Hij beschouwt het als een contract, zie je. Een geschreven contract met jezelf, zo noemt hij het.'

'En wat dan als je het verbreekt?'

'Tot nog toe heb ik dat niet gedaan. Deze dokter beweert dat als je het opschrijft, je een soort garantie hebt. Je zet er een datum bij en zelfs de tijd van de dag. Dit is mijn eerste sigaret van vandaag. Ik mag er nog vier roken volgens het contract. Zo werkt het.'

De boeken die Jacks vader had gelezen – allemaal paperbacks – stonden op de onderste plank van zijn rooktafeltje. *Neem je leven in eigen hand, Naar innerlijke vrede en een gezonder leven, In twee-entwintig dagen een grotere doeltreffendheid, Hoe benut je crisissen in je leven, Leven met hartstocht, Het geheugen: het geheime wapen tegen ouderdom, Het vindingrijke huwelijk, Een psychologische handleiding tot innerlijke vervulling, Je kunt het, Vaarwel lage-rugpijn, De nooitgedachte kracht van vriendschap, Terugslaan en winnen, Het ABC van de liefde voor jezelf.*

Jacks houding ten opzichte van dit soort boeken was fundamenteel sceptisch. Hij zag duidelijk hoe doorzichtig deze voorspiegeling van zelfverbetering was, die simplistische veronderstelling dat de menselijke wilskracht uitgerekt kon worden als een elastiekje. Het maakte hem razend wanneer hij bedacht dat hebberige populariseerders de fundamentele onzekerheden van mensen mochten exploiteren. Van tijd tot tijd had hij geprobeerd zijn vader andere boeken in de hand te duwen: historische romans en reisboeken, maar zijn vader was, in elk geval de laatste jaren, alleen maar geïnteresseerd in deze eindeloze reeks zelfhulpbijbels.

Af en toe had Jack zijn vaders boeken doorgebladerd, een glimp opvangend van wat wellicht de bron vormde van het diepste verlangen van zijn vader. Hij had zich zelfs vagelijk aangesproken gevoeld door de verleidelijke titels van de verschillende hoofdstukken: 'Begin vandaag nog', 'De balans opmaken', 'Obstakels overwinnen'. Soms hadden de anekdotes, die in deze boeken werden gebruikt om de diverse menselijke dilemma's te illustreren, zijn verbeelding geprikkeld, ja, dacht hij dan, ik weet hoe dat voelt, dat ken ik ook. Hij had zelfs gemerkt hoe er minieme her en der verspreide vonkjes begonnen op te vlammen met de boodschap: ja,

we kunnen overleven als we onze eigen moed erkennen; ja, er is uitsluitsel over de diepste zin van het bestaan, een universele weg naar de waarheid; broederschap, goedheid, zuiverheid en activiteit houden meer in dan de vrijblijvende abstracties waartoe Bernie en ik ze hebben teruggebracht. Wanneer Jack door de boeken van zijn vader bladerde, begreep hij wel waarom ze zo populair waren.

Wat hij niet begreep was waarom zijn eigen vader ze was gaan lezen. Zijn vader was achtenzestig en goed gezond, maar niettemin nog slechts een jaar verwijderd van het veelgenoemde gemiddelde sterftecijfer voor de Amerikaanse man. Zijn leven was reeds getekend: hij was een gehuwde man, vader, grootvader, Republikein en gepensioneerd postsorteerder. Hij woonde in Austin, een deel van Chicago dat in de afgelopen tien jaar een hoofdzakelijk zwarte buurt was geworden, en toch wilde hij geen duimbreed wijken, ze zullen me hier weg moeten dragen, zei hij. Hij was geabonneerd op de *Chicago Tribune* en *Chicago Today*, hij was een Amerikaans staatsburger, een ongelovige, iemand die Winston rookte, belastingbetaler, liefhebber van Schlitz, eigenaar van een in redelijke staat verkerende grijze Pontiac met tweetonige claxon, een niet-actieve vrijmetselaar en ontvanger van een uitkering – waarom las zijn vader dan deze boeken die nieuwe manieren van denken bepleitten, nieuwe manieren van leven en je gedragen, nieuwe vrijheden en mogelijkheden die hij nooit zou kunnen bereiken of zelfs maar overdenken op zijn leeftijd? Hij was achtenzestig. Wilde zijn vader – zijn vader nota bene – werkelijk een nieuwe vorm van creativiteit in zijn huwelijk? Kon het hem echt ook maar ene moer schelen of hij zijn doelstellingen wist af te stemmen op zijn zelfbeeld? Het was echt krankzinnig, het was een nieuwe Amerikaanse vorm van masochisme, opnieuw een pervertering van de bekende Amerikaanse droom. Jack begreep met de beste wil van de wereld niet waarom zijn vader al dit soort boeken las.

Evengoed legde hij zijn voeten op de poef, maakte het zich gemakkelijk en zei kalm tegen zijn vader dat hij nieuwsgierig was hoe de vijf-sigaretten-per-dag-campagne verliep.

'Het is een interessant idee', zei hij, terwijl hij tegelijkertijd bedacht dat het hem op de een of andere manier beter was gelukt een goede zoon dan een goede vader te zijn.

Toen kwam zijn moeder binnen met een pot koffie en twee

bekers aan haar vinger. 'Daar zijn we dan', zei ze, haar gezicht stond kalm, bijna vrolijk. Ze had steil, grijs haar, naar achteren getrokken en vastgezet met kammen. Haar oorlellen waren wit en mollig en onschuldig, ze had nog nooit van haar leven oorbellen gedragen omdat ze ervan overtuigd was dat dat pijn deed. Ze keek haar man en zoon liefdevol aan. Hoewel ze dol was op haar schoondochter en haar beschouwde als haar eigen kind, voelde Jack toch dat haar opgewektheid van vandaag iets te maken had met het feit dat Brenda afwezig was.

Zijn moeder verbaasde hem. Ooit had ze in de wereld geleefd, een andere wereld, door op haar zeventiende te trouwen met een man die ze had ontmoet op een dansavond, een man die Raymond R. Raymond heette, een schoenverkoper. Ze woonden in twee kamers aan de North Avenue en na een jaar was Raymond R. Raymond zijn baan kwijtgeraakt en met de noorderzon verdwenen. Ze had nooit meer iets van hem gehoord, hoewel men ervan overtuigd was dat hij was teruggegaan naar Noord-Michigan waar hij vandaan kwam. Dit gebeurde allemaal voordat Jack was geboren, voordat Jacks ouders elkaar ontmoetten. Zijn moeder, zo scheen het, kwam deze slag te boven en ging weer in de worstfabriek werken. Jacks vader vertelde hem het hele verhaal op een middag, een zondagmiddag in het park, toen Jack elf of twaalf was. 'Je moet het weten, voor het geval dat', zei hij. Voor het geval wat? Jack kon niets bedenken. Voor het geval dat, had zijn vader gezegd, en met deze woorden plaatste hij het verhaal van het eerste huwelijk van zijn vrouw *de facto* onder censuur, er werd nooit meer over gesproken. Maar het werd ook niet meer vergeten. Raymond R. Raymond, de man die het hart van Jacks moeder brak. Nee, Raymond R. Raymond brak het niet, want voor zover Jack begreep was daar het wonderbaarlijke feit dat zijn broze, nerveuze en verlegen moeder in staat was geweest dit korte huwelijk te verwerken en van zich af te zetten. Wat een moed moet het haar gekost hebben om weer aan het werk te gaan en een paar maanden later opnieuw meegenomen te worden naar een andere dansavond, dit keer in de Old Windmill waar ze Jacks vader ontmoette die daar toevallig ook door vrienden mee naartoe was genomen. Ze hadden die avond tweemaal samen gedanst en haar nieuwe leven was begonnen. Zijn moeder verbaasde hem.

Ze gaf hem een beker koffie. Zonder enige inleiding stelde Jack

haar een vraag. 'Ma, herinner jij je misschien nog iemand die Harriet Post heette?'

'Harriet Post.' Ze vulde de tweede beker tot de rand. 'Harriet Post? Dat komt me ergens bekend voor. Maar je weet hoe ik met namen ben, Jack, die heb ik nooit kunnen onthouden. Gezichten wel. Maar Harriet Post zei je? Was dat niet je pianolerares vroeger, Jack? Ze kwam hier altijd op woensdag, dat jaar dat je pianoles had.'

'Nee, nee, Ma', zei Jacks vader, terwijl hij zijn koffie pakte. 'Je weet best wie Harriet Post is. Ik weet het zeker. We hebben haar ontmoet op dat chique feestje van het Instituut vorig voorjaar. Dat gedoe over de Chicago-rivier. Eind maart was het geloof ik. Ze is de secretaresse van dr. Middleton. Ze heeft vijfentwintig jaar voor hem gewerkt en gaat nu met pensioen. Dat vertelde Jack. Ze verhuist naar Arizona.' Hij klopte op het borstzakje van zijn overhemd op zoek naar zijn pakje sigaretten en tikte er een uit. 'Arizona is het helemaal. Iedereen gaat er naartoe.'

15

N A EEN TIJDJE WERD ROB RUSTELOOS EN HIJ GING MET DE
bus terug naar huis, iets mompelend over huiswerk dat hij
nog moest doen en een algebraproefwerk maandagochtend. Laurie
zakte onderuit met de nieuwe *Reader's Digest*. Altijd wanneer ze in de
flat van haar grootouders was, legde ze de kussens van de bank
bovenop de lange, lage radiator in de voorkamer om er languit op
haar buik een boek te lezen. Ze deed dit al jaren, al sinds ze een klein
meisje van drie of vier was. Jack, die naar haar uitgestrekte lichaam
keek – de blanke, stevige benen, de ronde romp – bedacht dat ze over
een jaar niet langer op de radiator zou passen, nu al bungelden haar
voeten over de rand, waarbij één voet doelloos tegen de warmwater-
buis schopte.

Jack en zijn vader besloten een wandeling te gaan maken in
Columbus Park. Dat deden ze vaak op zondag, alleen zij tweeën.
Jacks moeder ging nooit mee, hoewel Brenda altijd tegen Jack zei dat
hij haar moest aansporen meer naar buiten te gaan, dat een beetje
wandelen haar goed zou doen. En dat was ook zo. Haar gezicht was
krijtwit, vooral rond haar ogen, haar mond en kin hadden iets
schilferigs en in haar hals en nek zat een droge, talkachtige schimmel.
Ze zou ongetwijfeld opknappen van de frisse lucht. Maar Jack had
geen zin om aan te dringen, ze was altijd opgelucht als ze alleen thuis
kon blijven, om datgene te doen waar ze goed in was: hier en daar
een vloerkleedje rechtleggen met de punt van haar pantoffel, een
kussen opschudden, de kranten in nette stapeltjes vouwen. Hoe
moest ze zichzelf bezighouden in de uitgestrekte helderheid van
het park? Daar waren alleen maar openbare grasvelden en de immense eenvoud van de ruimte; wat moest ze daar? En dan was er nog
de artritis. De kou kroop haar botten in, zelfs als ze dikke gevoerde
wanten droeg sloop de kou binnen.

Jack en zijn vader namen de tijd, aangenaam de tijd zoals Jacks vader het noemde, en wandelden in een lange, kalme diagonaal het hele park door, langs het meertje, de kleumerige baseballruiten en de fonteinen. Het water was nu afgesloten en de fonteinen waren vlekkerig van roest en schimmel, en dode bladeren kleefden aan de ronde metalen hoeken. Daarna kwam het terrein dat bekend stond als 'De tuinen' en vervolgens de nattige vlakte van de golfbaan.

Het was vroeg in de middag en aan het eind van het grasveld stond een aantal mensen bij elkaar. Een stuk of veertig, vijftig, schatte Jack, de meesten jongeren, waarschijnlijk studenten, zelfs een paar kinderen. Een vrouw had een baby op haar rug gebonden. Een aantal mensen droeg borden.

'Wat zullen we in hemelsnaam nu weer…' jammerde Jacks vader zachtjes.

'Het lijkt wel een of andere bijeenkomst.'

'Jezus, ik weet al wat het is. Ik zag ze vanmorgen in de krant, diezelfde club. Het zijn die idiote hongerstakers. Ze willen niet eten. Heb jij over ze gelezen, wat ze willen?'

'Ik heb vandaag nog geen krant gelezen.'

'Het gaat over die twee wetenschappers. Die in Rusland in de gevangenis zitten. Deze hongerstaakmensen willen ze uit de gevangenis halen en naar Israël sturen of zoiets.'

'Ik geloof dat ik daar gisteravond iemand over heb horen praten…' Jack had een vage, verwarde herinnering, iets wat iemand op het feestje had gezegd, een nieuwe crisis in de maak, de machthebbers in Moskou die weer met harde hand optraden.

De mensen met de borden stonden min of meer in een cirkel, sommigen ineengedoken en rillend. Het zag er uit als een vreedzame demonstratie, heel wat anders dan de demonstraties die Jack eind jaren zestig in de Loop had gezien. Een keer op een vrijdag kwamen Bernie en hij bij Roberto's vandaan en stonden ze plotseling middenin een kluwen mensen en meppende politieknuppels. Hij was bang geweest, heel even dacht hij dat er van alles kon gebeuren. Toen nam een kalme stem in zijn hoofd het over, die zei: daar sta je nu middenin een rel, kijkend naar een fenomeen van deze tijd. Maar de tijden waren veranderd. Hij had het gevoel dat de demonstraties van na Vietnam en Watergate een zekere mate van zinloosheid en sjofelheid hadden.

Een van de demonstranten in het park hief zijn armen op in een bedaard, oud-testamentisch gebaar en sprak. Het was een grote, jongensachtige man met wit haar die een geruite, tot aan zijn knieën reikende poncho droeg. Zijn stem was zo zacht dat Jack niet kon horen wat hij zei, maar hij kon wel de woorden ontcijferen op een aantal borden. *Vrijheid van meningsuiting – Vrijheid om te leven. Amerika is de volgende – Sta op vrijheid.* Een ander bord, dat ronddraaide en op en neer ging, verklaarde: *Amerikanen voelen mee.* Jack en zijn vader stonden nog te kijken toen de cirkel plotseling werd verbroken en veranderde in een lange zigzaggende rij. Jack hoorde ze zingen – wat was het ook alweer? – *The Battle Hymn of the Republic*? Dat was een eigenaardige keus, een echo van de jaren zestig. 'Glory, glory, hallelujah' zweefde onregelmatig door het vrijwel lege park, terwijl de demonstranten achter elkaar naar de westelijke ingang liepen op weg naar de Austin Boulevard. Jack en zijn vader bleven kijken tot de laatste uit het zicht verdwenen was.

'Een uitstekend idee dat ze zichzelf laten verhongeren', zei Jacks vader. 'Ik bedoel, wie kan het nou een donder schelen?'

'Ik denk dat het alleen maar bedoeld is om de aandacht van de mensen er op te vestigen. Een soort tactiek.'

'Alsof we hier niet genoeg problemen hebben met die criminaliteit op straat en wat al niet, de inflatie, dat zootje klootzakken in het stadhuis, de bijstand, en deze lui winden zich op over een stelletje Russen die waarschijnlijk niet eens Engels spreken.'

'Ik denk dat je ergens moet beginnen', zei Jack met een krachteloosheid die hem verbijsterde.

'Laat die schooiers maar verhongeren als ze zo nodig moeten.'

Ze liepen tussen de tennisvelden door en vervolgens over de kinderspeelplaats, op weg naar de uiterste zuidwesthoek van het park, naar het donkere, kalme, beboste deel dat Jack het prettigst vond. Afgezien van deze ene hoek vond hij Columbus Park precies als alle andere stadsparken, stoffig, vervuild en kunstmatig, meer een voorziening dan een schepping, met al die voorbestemde en afgemeten ruimtes, benut en onderhouden en herkenbaar – behalve dit hoekje. Hoe was het ontstaan? Dat was een raadsel. Jack kon alleen maar verzinnen dat jaren geleden iemand op het stadhuis had besloten dat het westelijke deel van Chicago – dat Columbus Park – behoefte had aan een microkosmische wildernis. Een stuk natuur

aan de rand van de stad, een wildernis op zakdoekformaat. Het hele gebied was niet veel groter dan een halve hectare, misschien driekwart hectare, maar de nietigheid ervan werd sluw gecamoufleerd door een dichte beplanting van pijnbomen en sparren en een ingewikkeld netwerk van rustieke, bochtige paadjes. De grond was hier en daar kunstmatig opgehoogd, er was een laag gedeelte waar een ruwe rotslaag te voorschijn kwam als een grove, ongenode, ondergrondse kracht. Er was een beekje en zelfs een kleine waterval waarvan je, als je goed keek, kon zien dat hij op betonnen palen rustte. Het water ruiste met verrassende snelheid over deze waterval en stortte in een schuimende vijver, gelig van kleur en naar urine ruikend. De vijver zelf liep op wonderbaarlijke wijze gestaag over in een duiker, kunstig verborgen achter planten. Ondanks het onwelriekende water had de lucht in dit deel van het park een schoongeboende, Wisconsin-achtige geur van pijnhars en rotte bladeren. Telkens wanneer Jack hier kwam schoten de woorden 'lommerrijk woud' hem in gedachten.

Lommerrijk woud – maar toen hij deze plek jaren geleden voor het eerst ontdekte, maakte lommerrijk woud nog geen deel uit van zijn woordenschat, toen noemde hij het gewoon 'het bos'. Hij was toen tien of elf en hij en Bernie Koltz kwamen hier bijna dagelijks. In die tijd stond er een hek van latten en gaas rond dit deel van het park en een streng bord waarschuwde indringers dat ze gestraft zouden worden. Dit had hen vanzelfsprekend niet tegengehouden, aangezien het belachelijk eenvoudig was om het gaas op te tillen en er onderdoor te kruipen. In die tijd kochten Bernie en hij boterhammen en appels en bleven ze de hele dag in het bos. De beek, de vijver, de waterval, het geheimzinnige naaldwoud en het stille, varenrijke kreupelhout vormden voor hun gevoel een wereld voor hen alleen; Jack beschouwde het bos niet zozeer als zijn bezit, maar als een schuilplaats, een veilige omheining – er kwam bijna nooit iemand anders, hoewel ze een keer een zwerver gebukt tussen de struiken hadden gezien met zijn broek op zijn enkels en met een stok ergens in prikkend. Het geluid van stromend water overstemde het verkeerslawaai van Austin Boulevard en de bovenkant van de bakstenen flats was nauwelijks zichtbaar boven de hoge bomen.

Het was zomer en zodra ze onder het hek door waren konden ze zijn wat ze wilden. Bernie en hij onderzochten het bos en klommen

in alle bomen waarin geklommen kon worden. In het begin bouwden ze forten en dammen van takken. Later speelden ze andere spelletjes, spelletjes die weinig van doen hadden met de wildernisachtige omgeving – het beschermende bos bood slechts een wijkplaats waarin ze hun dwaze avontuurlijke dagdromen konden uitleven. De meeste van deze dagdromen hadden te maken met de oorlog, met de heldendaden van een bepaalde elitegroep van de commando's – De Blauwe Gaaien? – het bombarderen van vijandelijke bruggen, het werpen van granaten en de gecompliceerde, dramatische eenmansacties op zoek naar Tojo of Mussolini of Adolf Hitler in hoogsteigen persoon. Ze wisselden van heldenrol en deelden die, ze volbrachten het onmogelijke en ondenkbare, op hun buik door het stekelige kreupelhout kruipend, zich een weg klauwend naar de vijandelijke schuilplaatsen, met blote handen aanvallend, ogen uitstekend en bajonetten recht in warmkloppende naziharten stekend. In deze spelletjes speelden waardering, dankbaarheid en krachtige mannelijke bescheidenheid stuk voor stuk een rol. Sommige spelletjes waren even langdurig en gecompliceerd als een film, en ze vereisten verandering van stem en telkens nieuwe personages; soms speelden ze de vijand en soms vervulden ze de kordate militaire rol van bevelvoerders als admiraal Halsey of generaal MacArthur. De bekwame imitatie van fluitende kogels, het geratel van machinegeweren en het gieren en exploderen van bommen. Hun verhalen, hun drama's, veranderden spontaan, met een soepel, onverwijld, gewillig gevoel voor aanpassing, de verschillende scènes vloeiden ineen, vorm krijgend, vervagend, weer terugkomend en hoogtepunten van bijna ontroerende grootsheid bereikend. Ze vielen gewond ter aarde, kreunden in doodsstrijd naar de lommerrijke bomen, spraken angstig gespannen boodschappen uit vlak voor de dood kwam – *probeer jij door de linies te breken... MacArthur wacht... zeg hem dat ik alles heb gedaan wat ik kon... aaaaaahhh.*
Rond twaalf uur hielden ze op en aten ze hun boterhammen naast de waterval. Eén keer namen ze aardappelen mee en maakten ze een vuurtje, dat ze weer snel doofden voor de rook hen zou verraden. Ze deden hun schoenen uit en liepen door het ondiepe water van het beekje en één keer ontdekte Jack een grote bruine pad, ineengedoken en huiverend op een platte steen. Hij was verbaasd geweest. Hij kon bijna niet geloven dat een pad in een stad als Chicago kon leven

en zo groot worden, het kwam bij hem op dat de bruine pad misschien geen idee had van de grootte van het park, waarschijnlijk dacht hij dat hij in een immense en eeuwige jungle leefde.

Waarom was dit deel van het park indertijd eigenlijk afgesloten geweest? Jack wist het niet. Hij was er nooit achter gekomen. Misschien vond men de vijver gevaarlijk voor kleine kinderen. Hij had er nooit naar gevraagd of er zich zelfs maar over verwonderd. Het omringende hek en het poortje met hangslot vond hij als jongen niet echt geheimzinnig. Het waarschuwingsbord met het dreigement van persecutie – een woord dat Jack verwarde met executie, waarbij hij zich een gemeen kijkend vuurpeloton voorstelde – vormde slechts onderdeel van het grotere universele verbod dat overal bestond: bepaalde dingen waren niet toegestaan, bepaalde handelingen waren niet geoorloofd, bepaalde plaatsen waren verboden; dit deel van Columbus Park was afgesloten, meer niet. Het was een onveranderlijk feit en behoefde geen uitleg – het was als de donkere verboden wouden waarover je hoorde in sommige oude sprookjes, onbetwistbare fenomenen op het niveau van de logica.

Maar die dag, toen ze het bos ingingen, vroeg hij aan zijn vader of die wist waarom het vroeger afgesloten was.

Eerst herinnerde Jacks vader zich helemaal niet dat het bos ooit afgesloten was geweest. Toen zweeg hij even om na te denken en herinnerde hij het zich weer.

Ja. Dit deel van het park was inderdaad ooit gesloten geweest, zei hij. Ergens in de jaren veertig. Tijdens een polio-epidemie. Een maand lang was het dicht.

'Een maand? Maar een maand? Weet je het zeker? Volgens mij was het veel langer. Het leek in elk geval veel langer. Eerder een paar jaar.'

'Een maand. Misschien twee. Het moet juli, augustus geweest zijn. Dan was er altijd polio. Wij noemden het kinderverlamming. Elke zomer was er hier in Chicago een epidemie van kinderverlamming. Je was vast nog te klein om te beseffen wat er gebeurde...'

'Ik herinner het me nog.'

'In een van die jaren – ik weet niet meer precies welk – was het echt heel erg. Honderden gevallen. Het stond elke avond in de krant, op de voorpagina. Ma en ik keken altijd gauw even om te zien hoeveel nieuwe gevallen er waren. Toen hebben ze dit deel van het

park afgesloten, een maand lang ongeveer.'

Het was bijna niet te geloven, in elk geval wilde Jack het nauwelijks geloven. En God weet dat het geheugen van zijn vader onbetrouwbaar was, vooral de laatste tijd, maar tegelijkertijd had deze verklaring een simpele, sluitende redelijkheid. Hij moest toegeven dat het ongetwijfeld de waarheid was, alles klopte behalve de tijdsduur, die een of twee maanden. Het scheen Jack onmogelijk dat wat zich zo verrukkelijk lang in zijn herinnering uitstrekte, in werkelijkheid zo kort kon zijn. Maar anderzijds wist hij – hij was een redelijk opmerkzame vader – dat kinderen er een handje van hebben de omvang van gebeurtenissen en de kwaliteit en de maat van de tijd waarin zij leven te vervormen. Het was heel goed mogelijk dat zijn geheugen beentje gelicht was, het zou niet de eerste keer zijn. Misschien was het wel een moedwillige struikeling, misschien wilde hij zich het bos onbewust herinneren als een permanent verboden en gevaarlijk gebied, een soort privé-wildernis in een ongeschonden, niet afgebakende kosmische zone van tijdloosheid. Kinderen deden dat soort dingen. Hij kon zich voorstellen dat Bernie en hij hadden geprobeerd aan de rand van Chicago, op loopafstand van huis, hun eigen illusie van een onbestaanbaar, voortdurend avontuur te creëren. Hij moest glimlachen bij de gedachte.

Dit gebeurde volwassenen natuurlijk ook, allerlei soorten fantasieën denderden door de loop der geschiedenis, die de helft van de tijd de feiten wegwisten en de andere helft iets menselijks toevoegden, een bevredigende herschikking van de logica, een manier om tegenwicht te bieden aan de ogenschijnlijke precisie van klokken en kalenders. Daar moest hij het met Bernie over hebben, over de functie van illusie in de geschiedenis. De waarde van illusie. Draken bijvoorbeeld, en eenhoorns: gefantaseerde wezens, maar toch een deel van het menselijke verleden, werkbaar en verklaarbaar en op hun manier belangrijker dan echte schepselen als wolven en beren. Hoe verraderlijk was het dan wel niet, al deze samengevoegde, onzekere aantekeningen, verduidelijkingen en registraties; wat stelde het, eenmaal tot rust gekomen, anders voor dan de grillen van ijdele hoop? Uiteindelijk was geschiedenis slechts dat wat wij wilden dat het was. Net als het bos in Columbus Park. Het hek rond het bos was al jaren verdwenen, al meer dan twintig jaar, en toch bleef Jack de plek in gedachten hardnekkig als afgescheiden zien,

mentaal had hij de verboden sfeer er nooit afgehaald, en wanneer hij hier nu op zondag met zijn vader kwam, ervoer hij nog steeds, hoewel hij zich zijn jongere ik slechts vaag herinnerde, een kleine schok van verbazing en teleurstelling omdat hij er gewoon in kon.

De grote paden van het park leidden nu rechtstreeks naar het beboste gedeelte en het leek of er meer ruimte tussen de bomen was. Het licht was anders van kleur, helderder. Sommige wandelpaden waren geasfalteerd en er werd min of meer gesnoeid. Desondanks was het er nooit druk. Vandaag waren er slechts drie jongetjes, broodmager, zwart en met spijkerbroeken en dezelfde blauwe fluwelige truien; broertjes, zo leek het, die hun hengelsnoeren in de stroom lieten hangen. 'Ha,' zei Jacks vader, 'als ze iets levends uit dit riool ophalen hebben ze geluk.'

De sneeuw van gisteravond was verdwenen. Alles was gesmolten waardoor de grond zompig was geworden. De omhoogstekende takken van de altijd groene bomen glansden schitterend groen en de lucht, vaag zichtbaar door de bomen, was als onder een stolp bedekt door nevelige wolken. De zon, waterig oranje en pluizig aan de randen als een tennisbal, leek meer op een maan dan een zon. Het gaat regenen, dacht Jack.

Zijn vader had de vraag al gesteld waarvan Jack wist dat hij zou komen: schiet het boek al op?

Elke week wachtte hij gespannen op het moment dat zijn vader deze vraag zou stellen, en toch, wanneer dat moment dan eindelijk kwam, wanneer de vraag door de lucht naar hem toe kwam zeilen, was hij telkens weer verbaasd hoe gemakkelijk hij de woorden vond om te antwoorden. En altijd waren de woorden zowel waar als niet waar. 'Het vordert', zei hij dan, of 'Het gaat langzaam, maar het begint vorm te krijgen, volgens mij.' Hij voelde zich verbaasd en schuldig dat zijn vaders nieuwsgierigheid zo gemakkelijk te bevredigen was, eigenlijk vroeg zijn vader heel weinig, hij vroeg Jack nooit naar bijzonderheden, hij knikte slechts, lachte breed en zei iets aanmoedigends en bevestigends, iets vaderlijks. 'Langzaam maar zeker, zo zeg ik altijd maar', of, 'Heel goed, zolang je maar kunt blijven doorwerken en niet in een impasse raakt', of 'Rome is ook niet in één dag gebouwd, dat weet je toch, iedereen weet dat.'

Jack had de indruk dat deze offergaven van zijn vader – als offergaven het juiste woord was – zo argeloos, zo gewillig werden

gegeven dat hij zich soms meegenomen voelde door de gloed van het moment en zijn best deed het omwille van zijn vader langer te laten duren. Dan overdreef hij zijn vorderingen en toonde een buitensporig optimisme.

'In het voorjaar moet het af kunnen zijn', had hij zijn vader een paar maanden eerder gezegd, toen ze op precies dezelfde plaats stonden bij de grote, veerachtige Noorse spar. 'Dr. Middleton zegt dat hij ten minste twee uitgevers heeft die belangstelling hebben getoond.'

'Jeetje!' Zijn vader verwelkomde deze voortgangsverslagen met een hoofdschuddend plezier. 'Tjonge jonge, dat wordt me wat, een schrijver in de familie, ik zie het al voor me. Dat verhoogt natuurlijk je status quo, als je begrijpt wat ik bedoel.'

Vandaag was de grond bij de bocht van de beek glibberig.

'Wees voorzichtig, Pa', zei Jack.

'Het gaat goed, het gaat goed.'

'Het komt door de gesmolten sneeuw, daardoor is het hier modderig.'

'Ik zie het wel, potverdrie, ik heb niet voor niets een bril.'

'Ik waarschuw alleen maar even…'

'Maar goed, wat zei je nou over het boek…'

'Ik zei dat hoofdstuk zes bijna klaar is. Ik neem het morgen mee naar het Instituut zodat het uitgetikt kan worden. Dr. Middleton wil er even naar kijken.'

'Hoeveel bladzijden zijn dat nou?' vroeg zijn vader, zich met een stralend gezicht naar Jack wendend.

'Ongeveer dertig. Ik ben nog niet helemaal klaar, maar vanavond loop ik alles nog eens door.'

'Je moeder zal heel blij zijn om dat te horen. Heb je het Ma al verteld?'

'Nee. Het is natuurlijk nog niet helemaal uitgewerkt, er moet nog veel aan geschaafd, nog flink aan gewerkt…'

'Wat ik je wilde vragen, denk je dat het in de bibliotheek komt te staan? Als het eenmaal af is?'

'In de openbare bibliotheek? Mijn boek? O, dat weet ik niet, Pa. Het is nogal gespecialiseerd voor de openbare bibliotheek.'

'Maar christus-nog-aan-toe, ze hebben daar boeken over de gekste dingen. De meest achterlijke dingen zoals flessendoppen verzamelen

en wat al niet. En jij, die geboren en getogen bent in Chicago…'

'Ik weet het niet, Pa.'

'Ik zal je eens zeggen wat ik laatst dacht. Gisternacht werd ik wakker. Ik slaap niet zo goed meer, zie je, daarom vond Ma het beter om in de andere kamer te gaan slapen…'

'Dat heb je me verteld.'

'… dan heeft ze er tenminste geen last van dat ik telkens 's nachts wakker word en rond ga rommelen. Trouwens, ik las laatst nog een artikel hierover en zal ik je eens wat zeggen? Het is volkomen normaal, zeggen ze, op mijn leeftijd. Wanneer de mens ouder wordt heeft hij niet zoveel slaap meer nodig, dat is volkomen normaal. Maar waar had ik het nou ook alweer over? Ik werd laatst wakker en toen kreeg ik een idee. Ik zei tegen mezelf, wanneer Jack zijn boek af is, helemaal kant en klaar met omslag en alles, dan ga ik naar de winkel en koop een exemplaar en geef dat aan de Austin bibliotheek. Een soort schenking. En, en, dan zou ik misschien zo'n plakkertje erin kunnen doen, je weet wel, met geschonken door John en Selma Bowman en…'

'Pa, ik geloof niet dat ze dat nog doen…'

'… John en Selma Bowman, de ouders van de auteur. Vind je dat geen goed idee? Het was natuurlijk midden in de nacht dat ik dit bedacht, dus ik ging mijn bed uit en schreef het op. Ik wilde het niet vergeten. De ouders van de auteur. Nou? Wat vind je ervan? Niet gek, hè?'

Er viel even een stilte. Toen zei Jack: 'Het is nog bij lange na niet klaar. En Pa, ik krijg misschien ook concurrentie. Het blijkt dat iemand anders een boek heeft geschreven over precies hetzelfde onderwerp.'

'Iemand anders?'

'Dat gebeurt natuurlijk wel vaker. Dat is heel gewoon. Ik ontdekte het gisteren. Heel onverwacht. Dat is nogal een tegenvaller, kun je wel zeggen.'

Zijn vader was stil blijven staan. 'Stelt dat andere boek wat voor?'

'Dat zou ik echt niet weten, Pa.' Jack dacht dat hij zijn vaders mondhoeken naar binnen zag trekken. Zijn fijnbesneden gezicht scheen te krimpen, een broze wig tussen de wijduitstaande oren.

'Maar', de stem trilde even, 'denk je dat het iets voorstelt, Jack? Dat andere boek?'

'Tja, waarschijnlijk wel, dikke kans dat het… heel goed zal zijn.'

'Zal zijn?'

'Het is nog niet verschenen. Pas van de zomer.'

'Wel verdomme,' zei zijn vader langzaam, zijn mond bol als een rookkringel, 'wel verdomme, Jack, jij bent klaar voor die andere vent. Ik bedoel, jij hebt toch een voorsprong op hem? Je zei toch dit voorjaar?'

'Ik weet nog zo net niet of het dit voorjaar wordt.'

'Trouwens, wat maakt het eigenlijk uit? Dan zijn er twee boeken over Indianen. Iedereen vindt het leuk om over de Indianen te lezen.'

'Het begint te regenen, Pa. Zullen we maar eens teruggaan?'

'Alleen een paar miezerige druppels, dat zeiden ze op het nieuws, hier en daar een bui.'

'Ik wil eigenlijk wel terug, Pa.'

'Het is nog vroeg, we zijn er net. Waarom gaan we niet nog even de brug over?'

'Ik moet echt naar huis. De kinderen – Rob – en ik moet dat hoofdstuk nog doen. Voor morgen.'

'Jezus, ja. Dat was ik vergeten. Dat moet je morgenochtend af hebben. Laten we de kortste weg maar nemen, dan komen we die hongerige hippies tenminste niet tegen. Ha. We zijn in twee tellen thuis. Zal ik je eens wat zeggen? Het begint echt te regenen, verdomme.'

Jack had de achterdeur opengelaten voor Bernie, maar toen hij en Laurie laat in de middag thuiskwamen was het huis leeg. Laurie liet haar jas op de grond vallen, liep de woonkamer in en zette de tv aan. Op de keukentafel vond Jack een briefje van Rob.

Ben met Bernie K. naar Charleston. Rond 7 uur terug. Sue K. belde, of je haar terugbelt in ziekenhuis 366 4556. Mw. Carpenter belde en zei dat men. Carpenter het wel zal overleven.
Rob

Hij las het briefje tweemaal. De woorden waren duidelijk geschreven in Robs keurige handschrift, de hoofdletters een beetje opzichtig, maar de kleine letters netjes en spaarzaam, met ondubbelzinnige, krachtige eindhalen. Een goed, agressief handschrift, dacht Jack vergenoegd. Rob was meestal heel efficiënt in het noteren van telefonische boodschappen; al met al, mijmerde Jack, was hij nog niet zo'n slechte jongen. Bokkig. En soms hebzuchtig. Maar ook verrassend beleefd, zoals hij bijvoorbeeld nooit vergat om meneer Carpenter en mevrouw Carpenter te zeggen. Gezien de kinderen van vandaag de dag, had het erger gekund. Hij had ook aan de drugs kunnen zijn of winkeldiefstallen plegen of mislukken op school. Als het er op aan kwam was hij redelijk betrouwbaar. Maar dit briefje was onzinnig.

'Meneer Carpenter zal het wel overleven.' Jack zei het hardop tegen de muur van de keuken, de woorden op hun betekenis proevend: 'Meneer Carpenter zal het wel overleven.' Die verdomde Rob ook, waarom was hij altijd zo vaag? Net als die keer dat hij een kaartje stuurde uit het welpenkamp toen hij acht was, met maar één

zin: 'Alles oké wat de slang betreft.' En nu dit – 'Meneer Carpenter zal het wel overleven' – hij moest toch beter weten. Misschien had het iets te maken met het feestje van gisteravond. Misschien was Larry echt dronken geworden; nu hij er over nadacht, hij had er inderdaad flink bezopen uitgezien toen Jack hem voor het laatst zag. Hij was waarschijnlijk wakker geworden met een kater. Maar hij zou het wel overleven – Jack nam aan dat hij dit ironisch moest opvatten, hij zou zijn kater wel overleven, was dat de betekenis van het briefje? Nee, te vergezocht, belachelijk. Misschien wel een goed idee om de Carpenters even te bellen. Voor het geval dat.

Hij draaide het nummer en wachtte tot er opgenomen werd, maar er was niemand thuis. Hij telde tot tien en probeerde het nog eens: niemand.

Knarsetandend belde hij vervolgens Sue in het Austin General ziekenhuis. Dr. Koltz was de rest van de dag afwezig, kreeg hij te horen. Nee, ze had geen nummer achtergelaten. Jack legde de hoorn neer met een zacht fluitend geluid van opluchting, het laatste waar hij zin in had was praten met Sue Koltz.

Het gevoel respijt te hebben gekregen vond hij altijd prettig. Hij was moe. Dat feestje van gisteravond, al die gezichten en al die drank, hoeveel whisky's had hij eigenlijk gedronken. Een huilende Bernie, Brenda weg en die verdomde Indianen met hun klotehandelsgebruiken. En Rob die zinloze briefjes op de keukentafel achterliet. Inmiddels had Laurie de tv op vol volume gezet, de rugbywedstrijd, die extra wedstrijd in het naseizoen tussen de Bears en de Packers, was al in het derde kwart bezig. Verdomme, hij had die wedstrijd willen zien. Zijn hoofd deed pijn en zijn ogen waren gevoelig. Hij was vergeten een pak melk te halen. Er was blijkbaar geen eten in huis – hij had het fornuis nog nooit zo koud en schoon gezien. Buiten kletterde de regen.

Hij las het briefje nogmaals, dit keer zin voor zin en woord voor woord. Hoe had Bernie het in zijn hoofd gehaald om een kind van Robs leeftijd mee te nemen naar Charleston? Rob was nog nooit in een verpleeghuis als Charleston geweest. Van zijn beide kinderen was Rob de gevoeligste. Jaren geleden had Jack hem een keer zien huilen toen hij op de televisie naar beelden uit Vietnam keek – afschuwelijk verbrande kinderen die door jammerende moeders in dekens werden gewikkeld. Charleston zou hem schokken, hij was zelf ook nog

nooit in zoiets als Charleston geweest. (Gelukkig was daar nooit een reden voor geweest. Hij kromp ineen bij de gedachte.) Het was volslagen krankzinnig, alles was krankzinnig. Maar de krankzinnigheid, bemerkte hij met een zekere kalmte, was onontwarbaar, buiten bereik. En wat kon hij doen? Hij had al gedaan wat er van hem was gevraagd, hij had teruggebeld naar Sue, geprobeerd de Carpenters te pakken te krijgen, nagedacht over Robs bezoek aan Charleston. Hij had gedaan wat hij kon en was voorlopig vrijgesteld. Hij kon nu dit briefje opvouwen, het in zijn achterzak steken, de inhoud uit zijn bewustzijn bannen en wachten op het moment van ophELDERING, dat ongetwijfeld zou komen en de betekenis duidelijk zou maken.

De verklaring zou zeer natuurlijk lachwekkend simpel zijn, Rob had het briefje waarschijnlijk snel geschreven, Bernie had haast gehad om weg te gaan, het was zestig kilometer naar het Charleston ziekenhuis waar Bernie's dochter lag en het was altijd druk op de weg. Rob had inderhaast vast een kleinigheid weggelaten of een raar grammaticaal foutje gemaakt, maar wel genoeg om de hele boodschap op losse schroeven te zetten.

Jack wantrouwde het geschrevene toch al. Woorden, inkt, papier, de beperkingen van taal en expressie, het menselijk tekort; het was absurd, het belang dat werd gehecht aan doodgewoon papier. Voor een historicus had hij altijd een eigenaardig gebrek aan vertrouwen gehad in het geschreven woord en daarbij was hij er nooit volledig van overtuigd geweest dat geschiedenis per definitie was wat het pretendeerde te zijn, een geschreven verslag. Hij had de indruk dat geschiedenis veeleer precies het tegenovergestelde was – dat wat niet was opgeschreven. Een geschreven tekst duidt slechts aan, suggereert, omschrijft, speculeert. Een huwelijksakte was niet de geschiedenis van een huwelijk, dit voorbeeld had hij nog geen twee weken geleden aan Bernie voorgehouden. Een geschreven wet, neergelegd op een vel papyrus of een kleitablet, was geen vermelding van een feit, maar slechts een manier om een toestand aan te duiden die niet bestond. Alles moest teruggelezen worden in een soort spiegelschrift.

En dan was er nog het probleem van de betrouwbaarheid van de schrijver, degene die feitelijk de schrijftaak volbracht. Neem bijvoorbeeld dagboeken, had hij tegen Bernie gezegd. Voor elke dagboekschrijver waren er tienduizend mensen die geen dagboek bijhielden.

Dus wie moest je dan vertrouwen? Die ene uitzondering, met zijn dwangmatige ganzenveer in de aanslag, of die drom van duizenden opgewekte niet-schrijvers die het merendeel van de samenleving vormde? Vastleggen betekende jezelf bekend maken als een menselijke afwijking, een soort beschuldigende, klikkende getuige, die alleen al door het opschrijven achterdocht wekt.

Maar dat was nog maar het begin, er was een nog veel grotere denkfout wat Jack betrof: het feit dat het grootste deel van het leven door de mazen viel van datgene wat beschouwd werd als de moeite waard om te worden vastgelegd. Jack had hier een paar weken geleden nog over gediscussieerd met Bernie door hem het geval van de Engelse dienster voor te leggen, een verhaal dat hij ter plekke had verzonnen en waarvoor hij sindsdien een zekere voorliefde had gekregen. De Engelse dienster, zo vertelde hij Bernie tijdens de lunch, woonde in de stad Birkenhead in het jaar 1740.

'Waarom in Birkenhead?' Bernie was die dag alert en behulpzaam geweest. 'En waarom in 1740?'

'Nou, Birkenhead omdat de verslagen in de provincie minder betrouwbaar waren. En 1740 omdat ze daarmee vrijwel zeker behoorde tot de groep der analfabeten. Maar om verder te gaan...'

'Oké.'

'Op een dag werkte deze ongeletterde, provinciale dienster in de plaatselijke kroeg. Het was laat in de middag, laten we zeggen vijftien mei. Het was rustig die dag, dus kon ze kalm het koper poetsen, de kroezen klaarzetten voor 's avonds en de vloer eens goed aanvegen...'

'En wat gebeurde er toen?'

'Toen ging tegen de avondschemering de deur plotseling open en kwam er een werkloze boerenarbeider binnen.'

'Analfabeet?'

'Natuurlijk. Volslagen. Bovendien trekt hij rond, hij is een vreemde in de streek rond Birkenhead. Afkomstig uit het zuiden, zo zei hij, in zijn zangerige, ongewone accent. Enfin, hij liet zich op een bank neerploffen, gooide een driestuiverstuk op tafel en kondigde aan dat hij dorst had.'

'Schiet eens op. Je maakt het veel te lang.'

'Het werd spoedig duidelijk dat hij naar meer dorstte dan alleen donker bier. Hij bekeek de dienster van top tot teen, nam haar

schitterende donkere ogen in zich op en haar… royale plattelands-
afmetingen, haar ongedwongen houding…'

'Ik hoor wel dat het al even geleden is dat je voor het laatst Engelse
diensters hebt gezien…'

'De vreemdeling boog zich voorover en greep de pols van de
deerne…'

'De deerne? Jezus.'

'Hij trok haar naar zich toe. En fluisterde in haar oor. Heb je zin,
zei hij, in een wandelingetje als je klaar bent met werken? Langs de
rivier, zei hij.'

'Is er een rivier in Birkenhead? En welke dan?'

'Een willekeurige rivier. Het kan ook een meertje zijn. Zoals ik zei
was het mei, de maand mei, alles bloeide en er waren narcissen.'

'Toch niet toevallig een massa gele narcissen?'

'En, wat belangrijker is, een heleboel hoog gras. Onthou dat goed,
het hoge gras is cruciaal voor dit verhaal.'

'Dat kan ik me voorstellen', zei Bernie.

'Neem dat nou maar van me aan. De potige jonge vreemdeling en
het mooie jonge meisje liepen getweeën door het zoetgeurende hoge
gras. Op een gegeven moment besloten ze in het zoetgeurende hoge
gras te gaan zitten, even uit te rusten.'

'Ja-a.'

'De sterren kwamen al te voorschijn…'

'Een voor een.'

'En de vreemdeling, deze werkloze ongeletterde landarbeider
boog zich naar de dienster en knoopte langzaam haar lijfje los.
Hij ademde inmiddels zeer snel, tenminste die indruk had zij.'

'Dit is een van je betere verhalen, Jack.'

'Daarna werden er onderrokken losgemaakt en werd er gefrie-
meld aan onderbroeken.'

'Aha! Ik geloof dat ik weet waar het heengaat.'

'En daar, onder de zwijgende sterren en de bleke blik van de maan
werd de dienster van Birkenhead plechtig ontmaagd.'

'Gepenetreerd. Door en door?'

'Volledig.'

'En?'

'Dat is het. Dat is het einde.'

'Het einde van het verhaal? Geen climax?'

'Geen climax. Nou ja, er is wel een kort naschrift. Eigenlijk een niet-naschrift omdat er in feite niets is opgeschreven. Het enige is dat de ontmaagding bij de rivier geheim bleef. Beiden gingen huns weegs na deze betoverende avond. Maar in beider harten leefde deze avond voort. Voorgoed. Begrijp je het nu?'

'Eerlijk gezegd…'

'Het was een historisch moment. Het gebeurde. Maar het is nooit op schrift vastgelegd.'

'Misschien toch wel.'

'Hoe dan?'

Bernie dacht even na. 'Als ze nou zwanger is geworden? Je zou naar Engeland kunnen snellen, naar de kerk van Birkenhead gaan en het jaar 1740 opzoeken in de registers en dan zou je een geboorte vinden, negen maanden na de gebeurtenis. Dan zou je jouw verhaal een historische gebeurtenis kunnen noemen.'

'Het was toevallig zo dat die avond de sterren gunstig stonden. Er vond geen conceptie plaats, er was geen zwangerschap en geen aantekening van een geboorte. Maar kun je ontkennen dat dit een historische gebeurtenis was?'

'Maar wat nou als de dienster oud en achteloos werd en van deze ontmoeting vertelde aan een rondtrekkende minstreel die in werkelijkheid een vermomde romanschrijver was die later een boek schreef, getiteld *Het hoge gras van Birkenhead*? Dan zou je het met recht geschiedenis kunnen noemen, hoewel van een zeer dubieus soort.'

'Maar dat gebeurde niet', zei Jack. 'De dienster bekeerde zich tot het methodisme, nam ontslag, trouwde met een zeer onbuigzame schoenmaker en leefde de rest van haar leven als een godvrezende vrouw. Ze vertelde het aan niemand, ook al gingen haar gedachten ongetwijfeld nu en dan terug naar dat moment van hartstocht. Maar er was absoluut geen geschreven verslag van deze gebeurtenis, neem dat nou maar van me aan. Haar lichaam is inmiddels een naamloos skelet onder de vloer van de kerk. En zelfs het skelet is langzaam…'

'Nee, het kan niet, Jack. Ik pik het niet. Je moet dit hele verhaal afschrijven, hoe schilderachtig je het ook vindt. Je kunt dit met geen mogelijkheid een historische gebeurtenis noemen, en dat weet je best.'

'Maar dat is toch volslagen absurd, omdat zowel jij als ik weten dat het waar is?'

'Jij wilt buiten de grenzen van de definities gaan,' zei Bernie, 'maar dat kan niet. Jouw verhaal heeft net zo veel belang als een droom.'

'Misschien zijn dromen ook wel historische gebeurtenissen.'

'Als ze vastgelegd zijn wel, in zoverre ben ik het met je eens. Het probleem met jou is dat je wilt dat geschiedenis meer is dan het ooit kan zijn. Jij wilt dat het alles omvat. Alle zandkorrels van het universum. Jezus, jij denkt dat geschiedenis een magische bulldozer is, die alles wat we tegenkomen meesleept. Terwijl het niet meer is dan een menselijke uitvinding, en een nogal arrogante ook, met alle menselijke beperkingen vandien. En dan zijn er nog de beperkingen in de tijd en de technische beperkingen, noem maar op. Het zal nooit meer zijn dan het vertellen van zeer vage verhalen.'

Bernie had natuurlijk gelijk, Jack wist dat hij gelijk had. Zelfs wanneer de Engelse dienster een geschreven verslag had nagelaten, zou hij het nooit vertrouwd hebben. Ze had een ijzige ziel, ondanks haar gewillige natuur. Als ze bijvoorbeeld op latere leeftijd had leren schrijven – Jack stelde haar zich voor, gebogen zittend over een ruwe tafel waar een glas-in-lood-raampje licht op wierp – zou wat ze opschreef iets heel anders zijn dan haar feitelijke ervaring in het hoge gras; zodra ze haar pen in de inkt doopte, zou er een tweede ik gaan schrijven, geconditioneerd, bewaakt, nalatig, extatisch, ijdel, geestdriftig en breedsprakig en de woorden zouden worden tot wat de hele vastgelegde geschiedenis uiteindelijk werd, een vals beeld, groot aangekondigd en even verhelderend als een gevelspreuk, een mengeling van het gekende en het onkenbare. De welgevormde verten van het verleden waren zinnebeeldig en meer niet.

Zelfs zo'n korte en bijna toevallige aantekening als de boodschap van zijn zoon Rob boog door onder het gewicht van bepaalde veronderstellingen. Meneer Carpenter zou het overleven. Meneer Carpenter zou het overleven? In dit geval was de veronderstelling natuurlijk, overwoog Jack, terwijl hij een blik Chinese kippensoep opendraaide, dat meneer Carpenters, Larry's, vermogen om te leven op een of andere manier in gevaar was gekomen, er was Larry Carpenter een of andere ramp overkomen. En bovendien geen gewone ramp, het moest iets buitengewoon serieus zijn.

Hij goot de soep in een steelpan, deed er water bij en verhitte haar kort boven een heldere vlam, waarna hij haar verdeelde over twee kommen.

Laurie lag op het kleed in de woonkamer en keek naar de laatste zestig seconden van de wedstrijd. Green Bay was nog maar centimeters van de doellijn toen Jack haar een kom soep gaf en zich zelf in een stoel liet zakken. Hij keek graag naar de Green Bay Packers en hij wachtte hoopvol terwijl de frontlijn na een fluitsignaal in beweging kwam en er vandoor ging met de onzichtbare bal.

Het zag er zo simpel uit op tv, Green Bay was er zo dichtbij, nog geen meter van de doellijn, maar het lukte ze niet. Jack boog voorover, een straal soep op het kleed morsend, maar hij kon niet goed zien wat er precies fout ging. Armen, benen, een close-up van schouders, gehelmde koppen en dansende, schuivende en vallende billen, waar was de bal? Een scheidsrechter stapte in beeld en hief een paar forse handen boven zijn hoofd, plotseling was het spel afgelopen.

Laurie hees zich overeind en rekte zich uit. Jack lepelde zijn laatste restje soep naar binnen en bedacht dat hij nog steeds trek had en vervolgens bedacht hij dat hij de Carpenters nog eens moest bellen.

Door het raam kon hij de hoek van hun huis zien, er brandde licht, er was iemand thuis. Hij moest iets doen. Ja, hij zou bellen. Nu meteen. Voor hij van gedachten veranderde.

17

MAANDAGOCHTEND. JACK ZAT TE WACHTEN TOT DR. Middleton kwam, hij was vroeg, het was nog maar vijf voor halfelf. Om de een of andere reden beefde hij licht en bovenaan zijn linkerwang, vlak onder zijn oog, trilde een zenuw. Zijn keel was zo droog dat het pijn deed. Natuurlijk had hij vannacht nauwelijks geslapen, het was middernacht voor alles weer wat rustiger was en al na drieën toen de slaap eindelijk kwam – vreemd genoeg had hij gedroomd over Brenda, een weelderige, seksuele droom waarin hij zich veilig kon nestelen. De wekker was klokslag zeven uur afgegaan.

Het was niet meer dan normaal, redeneerde Jack, om een beetje gespannen te zijn na zo'n nacht, en zijn nervositeit nam nog toe nu hij dr. Middletons bureau zag, breed, zwaar en bedaard onder keurige stapels papier, dat op de plaats werd gehouden door kleine glimmende klompjes ijzererts uit Michigan. Een antieke bureaulamp met een amberkleurige glazen kap wierp een cirkel van warmte op het fijngenerfde bovenblad. Een ingelijste foto van mevrouw Middleton – lachend en haar Scandinavische lippen ontspannen – stond op een hoek, naast haar glom de telefoon met een voorname luister. 'Dr. Middleton kan er elk moment zijn', zei Moira Burke tegen Jack.

Ze zag er keurig uit op haar laatste werkdag, bijna militair in haar marineblauwe blazer en geelzijden sjaaltje dat onder haar kin op-bolde. Twee bogen van blauwe oogschaduw gaven haar het onbuig-zame van een ondervrager.

'Zo,' zei Jack met wat hij herkende als zijn quasi-vrolijke stem, die hij opdregde voor ochtenden met een kater, 'dus de grote dag is eindelijk aangebroken.'

'Ha!', zei Moira.

Hij had min of meer besloten wat hij tegen dr. Middleton zou

zeggen over hoofdstuk zes. Dat was een voordeel van de afstand tussen Elm Park en hier, die verkeersopstoppingen 's morgens vroeg gaven je de gelegenheid je gedachten te ordenen. Niet dat er moeilijkheden te verwachten waren, bedacht hij, want in confrontaties met dr. Middleton was de simpele waarheid het enige vereiste. Dr. Middleton had een openhartige, ongecompliceerde, frontale benadering die ongewoon was voor een man in zijn vak. Jack zag hem als een soort boulevard-historicus met een levendige en tegelijk soepele intelligentie en een ongewone bereidheid de feiten onder ogen te zien zodat uitgebreide excuses of uitvluchten om je gezicht te redden onnodig waren. Uitstel, oponthoud, omwegen, alles was aanvaardbaar in deze beschaafde omgeving. Jack kon zich ontspannen en diep ademhalen. Goed, het was hem niet gelukt hoofdstuk zes af te ronden zoals beloofd, maar dr. Middleton zou hem daarom echt niet ontslaan, of hem met een liniaal op zijn hoofd slaan, het ergste wat hem kon gebeuren was een milde, meelevende blijk van teleurstelling, een bijna onmerkbaar hoofdschudden, zijn pen die op het vloeiblad tikte en even een stilte. Waar maakte hij zich dan zo druk over?

Moira gebaarde naar een stoel. 'Ga zitten. Laat je maar neerploffen als je toch moet wachten.'

'Ja, dank je.' Moira had iets ruws – 'Neerploffen' – een onbekrompen lef als het laten klakken van een bh-bandje – zou Mel, haar vervanger, hetzelfde zijn? Jack keek Moira aan met een vriendelijke, ietwat krachteloze glimlach en liet een zacht gekreun horen. 'Maandagochtend', legde hij uit, terwijl hij met zijn vingers over zijn pijnlijke slapen wreef.

'Je ziet er inderdaad niet al te opgewekt uit.'

'Wat een weekend!'

'Oh?' Ze keek geïnteresseerd.

'De buurman heeft geprobeerd zelfmoord te plegen.'

Waarom had hij dat gezegd? Waarom had hij sowieso zijn mond open gedaan? Hij was het niet van plan geweest, zeker niet tegen Moira. Jezus! Hij had tenminste geen namen genoemd.

'Echt waar?' Een bevredigend stokken van de adem.

Jack voelde zich kalm worden, ah, het subtiele genoegen slecht nieuws door te geven. 'Zondagmorgen vroeg, rond een uur of acht. Ze vonden hem nog net op tijd.'

'En hoe...?'

'Het bekende gedoe met de garage, koolmonoxide. Hij liet de motor draaien met de garagedeur dicht. Maar ze denken dat het wel weer goed komt met hem. Geen hersenbeschadiging, tenminste niet voor zover ze nu kunnen constateren.'

'Is hij oud, jong?' Moira liet zich in een stoel zakken. Haar voorhoofd kreeg een vijftal regelmatige groeven. Aantrekkelijk.

'Er tussenin', zei Jack. 'Ergens achterin de dertig.'

'Dat kan een moeilijke periode zijn', zei Moira. 'Ik herinner me die tijd nog goed. Dertig, begin veertig...'

Stop. Jack schrok terug, hij wilde niets weten over de tijd dat Moira begin veertig was. Of wie dan ook. 'Een andere buurman heeft hem gevonden. Meer geluk dan wijsheid. Die andere man, Bud Lewis, jogt altijd. Elke ochtend voor het ontbijt vier kilometer, zelfs op zondag, geloof het of niet. Hij rent rond Van Buren Park, elke dag dertig of veertig rondjes. Maar goed,' hij zweeg even, 'gelukkig begint hij altijd op het pad bij ons achter en toen hij langs de garage van de buren kwam, zag hij toevallig wat uitlaatgas onder de deur uitkomen. Een bof dat het koud was die dag.'

'Zeg dat wel...'

'Hij sloeg een raam in en wist binnen te komen. Het was maar een klein raam. Hij moest zich optrekken en door dat gat naar binnen kruipen. In het ziekenhuis zeiden ze dat als hij vijf minuten later was geweest...'

Hij zweeg even. *Vijf minuten*, hij zag hoe Moira de gevolgen van vijf minuten later in zich opnam.

'Mannen', merkte Moira energiek op, 'staan vandaag de dag behoorlijk onder druk. Op hun werk. Dat houdt maar niet op, het is een echte jungle. Mijn man Bradley heeft ook het een en ander meegemaakt.'

'Ja,' zei Jack, 'die dingen gebeuren nu eenmaal.'

'Of spanningen thuis', zei Moira. 'Dat kan net zo erg zijn.'

'Ja.'

'Ik ging er bijna aan onderdoor toen onze dochter Sandra ophield met school. Ze was een van de besten van de klas en toen ging ze plotseling met de verkeerde mensen om. Drugs. Ik weet hoe verschrikkelijk het kan zijn. Je komt er wel weer overheen, maar het eist wel zijn tol.'

Jack knikte. Hij had de dochter één keer ontmoet. Ze was met Moira en haar man naar een van de tentoonstellingen komen kijken, maar dat was jaren geleden. Ze was toen een jaar of acht, met prachtige lange bruine vlechten. Wat was er in godsnaam gebeurd met dat kleine meisje? Arme Moira. Arm kind.

'Weten ze ook waarom hij het deed? Had hij een briefje achtergelaten? Dat doen ze meestal.'

'Nee, er was geen briefje. Maar ze denken dat hij depressief was.'

'Depressie kan heel erg zijn.'

'Het klinkt belachelijk, vind ik tenminste, maar hij zat in een toneelstuk, mijn buurman. Zo'n plaatselijk gedoe, puur amateurtoneel. Maar iemand van de krant heeft er over geschreven en noemde het een regelrechte flop en had het met name over hem.'

'Ik heb wel eens van die recensies gelezen. In *Chicago Today*. En in de *Trib*. Die zijn soms heel hard. Gewoon gemeen.'

Jack zweeg, hield zich in. Moest hij Moira dit wel allemaal vertellen? Janey was daar heel duidelijk over geweest: ze wilde niet dat iedereen het wist van Larry, behalve dan degenen die het moesten weten. Ze zei dat ze zelfs alle verpleegsters van de afdeling was langsgegaan en ze had gevraagd het stil te houden. Larry zou er in blijven als dit bekend werd, zei Janey. 'Je weet wat ze dan zeggen, Jack. Dat Larry Carpenter prima kritiek kan geven, maar er zelf niet tegen kan. Ik hoor het ze al zeggen.'

De recensie was inderdaad keihard, gisteravond laat had Jack eindelijk tijd gehad om hem te lezen, en onder het lezen verkilde zijn hart. Larry werd volledig en ongenadig in de pan gehakt. Maar tegelijkertijd bedacht hij dat, als hij niet naast Larry Carpenter had gewoond, als hij niet had geweten waartoe het zou leiden, hij ditzelfde stuk misschien wel had gelezen met – wat? – een zeker leedvermaak? Tenslotte werd een toneelcriticus verzopen in zijn eigen vitriool. Wrange rechtvaardigheid. Een koekje van eigen deeg. Een flinke hap ironie om te herkauwen. Het was zonder meer een feit dat Larry bij tijden net zo giftig was geweest. Hij maakte korte metten met alles wat tweederangs was, hoewel hij zijn aanvallen meestal verzachtte met zijn speciale Carpenter-beminnelijkheid – misschien was dat het verschil. Gordon Tripp – Jack had zijn filmrecensies altijd stijlvol en afstandelijk gevonden – scheen ditmaal bloed te willen zien, in elk woord klonk venijn door. (Was dat wel zo? In het

jaar dat hij en Bernie het hedendaagse morele besef hadden bediscussieerd, had Jack aangevoerd dat het kwaad simpelweg het gevolg was van onverschilligheid.) Gordon Tripp had vast een hekel aan Larry. Of Larry was inderdaad de 'meest pompeuze, zelfgenoegzame Hamlet die ooit het professionele of amateurtoneel in Chicago zo te schande had gemaakt'. (Nogal overdreven, zo'n uitspraak, iets wat Larry altijd zou vermijden.) Had Larry echt midden op het toneel gestaan en 'gedeclameerd als een sentimentele uil op de versiertoer, geil van eigendunk en met grote ogen van gewichtigheid'? Christus-nog-aan-toe! Was het waar dat hij 'in zijn kruis had staan krabben achter de canvas bomen'? (En als dat zo was, zei Janey, dan kwam dat omdat het polyester harnas jeukte.) 'Deze veel te arrogante man is nog niet eens in staat Mickey Mouse te spelen, laat staan Hamlet', had Gordon Tripp gesneerd. 'Was het Elm Park Little Theatre misschien de schoenen van de schoenlapperskinderen vergeten? Of hebben ze zich eenvoudigweg laten inpakken door een snoever uit de binnenstad?' (Leah Wallberg zou hier woest over zijn, was waarschijnlijk al pisnijdig.) 'In elk geval', zo eindigde de recensie, 'is er toneelgeschiedenis geschreven. De Hamlet zoals die werd gespeeld in een van de eerbiedwaardige oude voorsteden door Chicago's eigen Larry Carpenter, is niet langer de tragische held die Shakespeare voor ogen had. Hij is volslagen onherkenbaar omgevormd tot een soort Clark Kent die geen telefooncel kan vinden.'

Het was te erg. Het was nors en onbarmhartig. Maar om er nu zelfmoord voor te plegen? Janey zei dat Gordon Tripp, ooit een van Larry's vrienden, op zijn tenen was getrapt toen Larry's column in meerdere bladen tegelijk verscheen en de zijne niet. Duidelijk een kwestie van jaloezie, meer niet. Ze suggereerde ook dat het niet alleen de recensie was die Larry de das had omgedaan. Ze vertelde Jack en Bernie gisteravond laat, toen ze bij Jack in de keuken kippenvleugeltjes zaten te eten, dat er nog meer factoren hadden meegespeeld, heel veel andere factoren. Larry had die avond behoorlijk gedronken en van bepaalde soorten rode wijn, vertelde Janey hen, was wetenschappelijk vastgesteld dat ze een negatief effect op de psyche hadden. (Jack herinnerde zich hoe Larry er zaterdagavond laat had uitgezien, vreemd kalm en vriendelijk, maar volgens Janey scheerde hij toen al met volle zeilen de rampspoed tegemoet.) Door het toneelstuk zelf was hij al tot op de draad versleten, de

repetities 's avonds laat en de veeleisende, vier uur durende opvoeringen. En jaren geleden, op Princeton, vertrouwde Janey hen toe, had Larry vlak voor een examen eens een soort zenuwinzinking gehad. Niets ernstigs, maar hij had wel een paar vakken moeten laten vallen. Eigenlijk, fluisterde Janey, is hij een beetje eenzaam, dus je begrijpt...

Janey, die op de keukentafel leunde, was bijna hysterisch geweest, haar groene ogen stonden glazig, koortsig. Ze leek wel uitgehongerd, greep de kippenvleugeltjes met haar vingers uit de saus en trok er het vlees af. Haar blonde haar hing vettig en sluik neer en haar oren staken tussen de samengeklitte strengen uit. Rond haar mond liepen angstige, lelijke lijnen, maar haar lippen waren zacht en sensueel, en hadden het aanzien van zomerfruit, dacht Jack. Ze had Larry's ouders opgebeld in Connecticut, zijn vader zou morgen met een vroege vlucht komen en rechtstreeks doorgaan naar het ziekenhuis.

Toen ze daar zo met zijn drieën zaten, had Jack het gevoel dat ze in de heftige, gepassioneerde nabijheid van andere, vroegere levens zweefden. Ziekenhuizen, gefluister, heldhaftigheid, schransen, een bezeten viering, gevaarlijk en waarschuwend en enigszins respectvol. Impulsief trok Jack een fles wijn open.

Bernie sloeg in een keer zijn glas achterover. Het licht scheen op zijn vuurrode krulletjes, waarvan de afzonderlijke haren er blauwig elektrisch uitsprongen. Vanavond zag hij er uitzonderlijk jong uit, hij zag er uit als twintig vanavond. Eerder die avond had hij uitgebreid zijn verontschuldigingen aangeboden omdat hij Rob die middag had meegenomen naar Charleston voor een bezoek aan zijn dochter Sarah. Hij zei dat Rob maar een beetje in huis rondhing en er terneergeslagen uitzag, waarop Bernie hem in een opwelling had gevraagd of hij zin had om mee te gaan. (Rob was ziek van schrik teruggekomen, met een maag die van streek was. Bernie had onderweg een paar keer voor hem moeten stoppen.) Het was niet erg, zei Jack. Over een paar dagen is hij het weer vergeten, zei Bernie. Natuurlijk, zei Jack, men beweerde immers dat de kinderen van nu te angstvallig werden beschermd tegen de realiteit van dood en mismaaktheid? Hij had het zelf ook meermalen gezegd. Rob had het vandaag in elk geval alweer goedgemaakt, hij was zodra hij thuiskwam naar bed gegaan en binnen een paar minuten in slaap gevallen.

'Ik kan er maar niet over uit, over Bud Lewis', vervolgde Janey met volle mond, een druppel saus bungelend aan haar lip. 'Als Bud niet precies op dat moment voorbij was komen joggen – ik zal hem nooit genoeg kunnen bedanken, al word ik honderd. Geen van ons tweeën.'

'Het was echt een…' Bernie aarzelde en Jack hoopte dat hij niet het woord zegen of, erger nog, wonder zou gebruiken, 'het was echt puur geluk.'

'En als Bernie gisteravond niet bij ons was blijven slapen…' Janey haalde diep adem en keek Bernie aan met een ernstige blik – het vluchtige contact met de tragiek had haar gemelijkheid weggevaagd – 'als hij niet in huis was geweest, weet ik niet wat ik gedaan had. Het was vast voorbestemd. Dan was ik waarschijnlijk ingestort. Ik beefde als een riet toen Bud hem binnenbracht. Hij droeg hem naar binnen. Hij droeg Larry letterlijk het huis in.'

'Je was heel wat kalmer dan je zelf doorhad', verzekerde Bernie haar. Zijn stem klonk vertrouwelijk. 'Jij was degene die gewoon de telefoon pakte en het alarmnummer belde. Terwijl wij nog bezig waren over wie we het eerst moesten bellen.'

'En ze waren hier zo snel met dat zuurstofapparaat', Janey's stem klonk schel, in vervoering. Ze stak haar hand uit om nog een kippenvleugeltje te pakken. 'Hoe lang denk jij, Bernie? Tien minuten?'

'Niet veel langer. Behoorlijk snel voor zo vroeg op de ochtend. En ze wisten precies wat ze moesten doen toen ze hier eenmaal waren.'

Janey wendde zich tot Jack. 'Je hebt natuurlijk wel gehoord', zei ze ernstig, 'wat Bernie heeft gedaan?'

'Wat dan?' zei Jack, die het zichzelf kwalijk nam dat hij het niet wist.

'Toen de ambulance onderweg was? Die tien minuten dat Larry daar op de bank lag met zijn ogen dicht? Bernie gaf hem mond-op-mondbeademing. Terwijl ik mijn haren uit mijn hoofd trok en liep te gillen, gaf hij hem mond-op-mondbeademing.'

'Nou ja, ik…' zei Bernie.

'De dokter, die van de Eerste Hulp, zei dat het waarschijnlijk de hersencellen in leven had gehouden tijdens die kritieke…'

'Ik heb een paar jaar geleden zo'n cursus gevolgd', verontschuldigde Bernie zich. 'EHBO.' Zijn stem sloeg over.

'En hij is de hele ochtend bij me gebleven. In het ziekenhuis.'
'Ik vond het afschuwelijk dat ik je 's middags alleen moest laten. Als ik niet naar Charleston had gemoeten...'

Jack keek eens goed naar hem. Wanneer had hij Bernie's gezicht voor het laatst zo glanzend van genegenheid gezien? Hij en Janey waren sinds acht uur op en ze zagen er allebei stralend uit.

En hij had overal doorheen geslapen, dwars door alles heen. Bud Lewis die het raam van de garagedeur insloeg, met zijn blote handen, zei Janey, hij had het moeten laten hechten. Hij had geslapen toen Bud Lewis Larry het huis binnendroeg. En hoe had hij dit kunststuk dan precies volbracht? Had Bud hem in zijn armen gedragen zoals je een kind draagt? Of over zijn schouder, of hoe dan? Hij had geslapen toen de ambulance arriveerde met het waardevolle zuurstofapparaat. Waarschijnlijk had er een sirene geklonken. Bernie die in Larry's bewusteloze mond ademde. Ook daar had Jack doorheen geslapen. Slapend, dromend, altijd slapend, zo had hij zijn leven doorgebracht, slapend, daar kwam hij uiteindelijk altijd terecht, in een toestand van halfbewustzijn, net naast de elkaar verdringende, echte gebeurtenissen. Buitengesloten. Afgesneden. Alsof er een scheidsmuur door de wereld liep, een zware, onneembare muur van spiegelglas, waar de mensen aan de ene kant immense, vanzelf ontstane drama's, overwinningen en staaltjes van moed en kennis meemaakten. Brenda bevond zich aan die kant, evenals Larry Carpenter en Janey en Bernie, en ook, het was onvoorstelbaar, Bud Lewis. Bud Lewis. Terwijl hij zelf, en met hem nog een paar anderen, veronderstelde hij, beweginglloos aan de andere kant stond, het enige wat ze konden doen was naar het gebeuren kijken, voor mensen zoals hij was er geen doorgang. Ze waren verdoemd, misschien was het voorbeschikt, een defect in de genen, een fout uit de oertijd, een ongelukkig gesternte. Hij zou altijd iemand zijn die luisterde naar het verslag van anderen, iemand die het verloop van de gebeurtenissen begreep, maar niet de gebeurtenissen zelf. Hij was iemand van secundaire bronnen, hij had zelfs de uitvoering van *Hamlet* niet gezien, zelfs zoiets simpels was hem ontglipt. En hier, aan zijn eigen keukentafel, was hij een bijkomstige getuige, die een groteske en noodlottige stap achter liep. Bernie en Janey schenen zich nauwelijks bewust te zijn van zijn aanwezigheid.

Niettemin leken ze geen zin te hebben om weg te gaan. Het werd

steeds later, maar ze bleven zitten. Na enige tijd was Janey uitgeput en huilerig. Ze begon ietwat onsamenhangend over hoe zij en Larry zich een paar jaar geleden ontheemd voelden en met de gedachte speelden – dat kon ze nu ook wel vertellen, zei ze – te gaan scheiden en toen naar Elm Park waren verhuisd als een soort laatste, wanhopig experiment. Maar ze konden zich blijkbaar niet goed aanpassen, ze werden bijna nooit teruggevraagd na hun feestjes, ze begrepen niet waarom, maar ze wisten dat het op een of andere manier aan henzelf lag. 'En kijk nou eens,' zei Janey, 'Bud Lewis komt langs en redt Larry's leven. En Hap Lewis stuurt vanavond zomaar kippenvleugeltjes, in zoetzure saus. En Bernie, terwijl hij niet eens een echte buurman is, en jij, Jack, die belt om me uit te nodigen…' Er vielen tranen uit haar ogen op haar hand. Haar gezicht versmolt, zakte in, het deed Jack aan Laurie denken wanneer die snotterde. Hij had zijn armen om haar heen willen slaan.

'Luister eens,' drong hij aan, 'je kunt vannacht echt niet alleen thuis blijven. Ik kan zo een bed voor je opmaken. In Brenda's werkkamer, daar staat zo'n opklapbed…'

'Bernie heeft al aangeboden om nog een nacht te blijven slapen', zei Janey. 'Maar heel erg bedankt, Jack, wat lief dat je er aan denkt, iedereen is zo geweldig.'

'Per slot van rekening', viel Bernie in, 'heb ik toch al in die lakens geslapen.' Hij sprak met welluidende, bijna vrolijke overtuiging.

'En het ziekenhuis kan bellen', zei Janey. 'Ze hebben beloofd dat ze zouden bellen als er iets was, wat dan ook. Ze zeiden dat ik morgenochtend vroeg bij hem mag.'

'Laat me je dan in elk geval morgenochtend naar het ziekenhuis brengen', zei Jack.

'O, dat doe ik wel', zei Bernie snel. 'Ik ben er dan toch al, dat is geen enkele moeite. Bovendien is het op weg naar mijn werk.'

Daar hadden ze het bij gelaten en toen Jack de volgende ochtend wegreed, was Bernie's auto al weg. Hij besloot tegen twaalven het ziekenhuis te bellen om te horen hoe het ging. Voorlopig scheen hij weinig meer te kunnen doen.

'Soms,' zei Moira vlakbij Jacks oor, 'soms denk ik wel eens dat vrouwen sterker zijn dan mannen. Neem nou die buurman van je, ik denk niet dat een vrouw zelfmoord zou plegen voor zoiets onbenulligs in de krant.'

'Misschien heb je wel gelijk', zei Jack.

'Denk je? Ik heb altijd het idee gehad dat mannen een gevoeliger ego hebben. Veel gevoeliger dan goed voor ze is. Een paar jaar geleden...'

Waar bleef dr. Middleton toch? Waar zat hij? Wanneer kwam hij eindelijk eens? Het was al kwart voor elf.

Ah, daar was hij. Jack hoorde zijn zachte hoestje, zijn voetstappen in de gang en het ruisen van zijn zwarte paraplu.

18

MAANDAGMORGEN GING ROB NIET NAAR SCHOOL. HIJ voelde zich nog steeds een beetje slapjes, zei hij. Zijn benen voelden als elastiek. Een beetje slapjes – een van Brenda's uitdrukkingen, onderdeel van het opgeruimde, verzoenende taalgebruik dat ze reserveerde voor kleine calamiteiten en kwaaltjes. In de put. Een beetje krakkemikkig. Niet lekker. Even uit de running. Ze was goed met de kinderen als ze ziek waren, zelfverzekerd en kordaat, een rappe, bereidwillige maker van geklutste eieren, roomsoep en roerei. Ze was heel overtuigend met een thermometer, ze hield hem tegen het licht van het raam, las kalm het aantal graden af en sloeg hem vervolgens kundig, geruststellend af. Als het om ziekte ging, was ze een en al zelfverzekerdheid. Jack vroeg zich af of Rob misschien koorts had.

's Middags belde hij van zijn werk naar huis. Toen Rob eindelijk opnam klonk zijn stem onduidelijk.

'Sliep je?' vroeg Jack schril.

'Half en half.'

'Wat denk je, is het griep?'

'Ik weet het niet. Gewoon ziek. Morgen gaat het wel weer beter.'

'Had je vandaag geen algebrarepetitie?'

'Die kan ik inhalen. Het was geen belangrijke.'

Jack hoorde de vermoeidheid in Robs stem. Misschien was hij alleen maar doodmoe, spuugzat van school en had hij genoeg van het sombere halfduister van de januari-ochtenden. 'Je hebt toch wel ontbeten?'

'Ja. Ik heb thee gezet. Van dat spul van mam, dat Chinese spul.'

'Thee? Meer niet?'

'Ik heb geen trek.'

'Je moet wel wat eten.' Hij klonk als Brenda, als Brenda's moeder.

'Pap?'

'Ja.'

'Waarom liggen er allemaal botjes op de keukentafel?'

'Dat zijn kippenbotjes. We hebben gisteravond nog kip gegeten, toen jij al sliep. Bernie en mevrouw Carpenter zijn nog even geweest...'

'Er liggen honderden botjes.'

'Honderden kan niet', zei Jack. Rob had een vervelende neiging tot overdrijven.

'Ik word misselijk als ik naar al die botjes kijk.'

'Kijk er dan niet naar.'

'Hoe kan dat nou? Ze liggen over de hele tafel.'

Het was inderdaad een rotzooi in de keuken. Toen Jack die ochtend zijn ontbijt klaarmaakte schoof hij behoedzaam langs de randen van de keuken en nam uiteindelijk zijn cornflakes en sinaasappelsap mee naar de eetkamer. Er lag inderdaad een imposante hoop afgekloven botjes op tafel. Aardig van Hap Lewis om eten te brengen. (Jack vroeg zich af of het niet iets van voedsel-in-de-rouwperiode had, maar waarschijnlijk niet, Hap Lewis kwam uit Danville in het zuiden van de staat, een pan eten neerzetten bij de achterdeur was waarschijnlijk haar tweede natuur.) Hij moest de keuken opruimen wanneer hij vanavond thuiskwam. Er stonden wijnglazen tussen de botjes, en twee lege flessen. Proppen van papieren servetten. Bierflessen op de bar – nog van zaterdag? Op de vensterbank stond een pot oploskoffie, zonder deksel. In de gootsteen weekten een leeg soepblik en een pan, inmiddels ongetwijfeld vergezeld van een lading theeblaadjes. Laurie's ski-jack lag op de grond, hij was er bijna over gestruikeld toen hij door de achterdeur wegging.

Jaren geleden belde hij Brenda altijd rond twaalf uur op. De kinderen waren toen nog klein. Het had hem altijd verbaasd mensen te horen praten over de roerige jaren zestig. Zijn jaren zestig waren vergleden als in een dagdroom: het werk op het Instituut, Brenda en de kinderen, golfen op zondag als hij het zich kon veroorloven. Om geld te besparen nam hij in die tijd boterhammen mee naar zijn werk die hij aan zijn bureau opat. Wanneer hij met haar sprak aan de telefoon en koffie dronk uit een kartonnen bekertje, deed hij zijn ogen dicht en stelde hij zich Brenda voor, staand in de keuken bij de

telefoon aan de wand. Hij was toen nog jong, nog maar net dertig. De huiselijkheid van het gezinsleven was toen wankeler en waardevoller geweest. Simpele voorwerpen hadden hem een gevoel van gelukzaligheid gegeven, blikken groente in de keukenkast, opgevouwen dekens op een kastplank, zijn sokken in een bolletje in zijn bovenste la – de gedachte aan deze dingen, hun ordening en blijvende aanwezigheid, had hem in die tijd met verbazing vervuld. Brenda was in die jaren nog slank en droeg in huis altijd een spijkerbroek. (Onlangs was ze weer spijkerbroeken gaan dragen, na lange perioden van kuitbroeken, geruite sportbroeken en dikke jersey broeken.) In die tijd nam ze de telefoon aan met een stem die geïrriteerd, geamuseerd, liefhebbend of zich misbruikt voelend klonk. Ze werd gek van de kinderen. Ze trokken lampen en stoelen omver, kropen in kasten, smeerden jam op de muur, lieten overal vingerafdrukken achter. Binnen het uur hadden ze weer melk op de vloer gemorst. Maar ze waren prachtig, intelligent, ontvankelijk, alert, beweeglijk, vindingrijk en vol zelfvertrouwen. Wanneer ze groot waren zou de wereld voor hen open liggen, ze zouden alles kunnen bereiken wat ze maar wilden.

Jack had zich instinctief aangesloten bij deze toekomstvisioenen die elke avond werden opgefrist wanneer hij Brenda hielp hun volmaakte, ronde, zoetgeurende lijfjes in pyjama's te knopen. Zijn kinderen, zijn nageslacht. (Hij hield van het woord nageslacht, zag zichzelf graag in de rol van verwekker.) Hoe konden Brenda en hij weten wat er zou gaan gebeuren? Ze waren misleid, dat eerste visioen was bedrog geweest. Niet dat de kinderen hen teleurgesteld hadden, dat ze niet langer prachtig waren. Maar hun gratie, waarvan ze dachten dat die onvergankelijk was, was verdwenen, de kinderlijke ongedwongenheid was op een of andere manier aangetast, problemen en nachtmerries waren binnengeslopen. Maar ja, zo was het nu eenmaal.

'Hé, pa,' zei Rob door de telefoon, 'het sneeuwt hier. Sneeuwt het ook in de stad?'

Jack keek uit het raam van zijn werkkamer en voelde zijn hart opspringen van blijdschap. 'Hé, het sneeuwt inderdaad. Wat zeg je me daarvan.'

'Hoe lang blijft Bernie bij ons logeren?' Rob had besloten spraakzaam te zijn.

'Dat weet ik niet precies. Ik zal hem vanavond vragen wat zijn plannen zijn. Eigenlijk logeert hij bij de Carpenters.'

'Dat weet ik. Wat raar.'

'Ja...' begon Jack, op het punt om een of andere uitleg te geven, maar zag daar toen van af. Wat viel er trouwens uit te leggen?

'Misschien gaat hij wel terug naar Sue', zei Rob, de stilte doorbrekend.

'Misschien wel.'

'Ze heeft vanmorgen gebeld. Ze vroeg of jij haar in het ziekenhuis wilt bellen.'

'Shit.'

'Wat is er?'

'Niks. Maar ik heb het al zo druk. Oké, ik bel haar straks wel.'

'Hoe is het met meneer Carpenter?'

'Niet veel nieuws.'

'Maar komt het wel weer goed met hem?'

'Ze denken van wel. Ik heb daarstraks het ziekenhuis nog gebeld, maar ik kreeg de balie. Hij is stabiel, zei ze. Zijn conditie is stabiel.'

'Dat betekent toch dat het dan goed met hem komt?'

'Waarschijnlijk wel. Het is moeilijk te zeggen. Het schijnt achtenveertig uur te duren voor ze het zeker weten.'

'Is hij gek of zo? Waarom heeft hij het gedaan?'

Jack aarzelde. Bij Rob moest hij zijn woorden zorgvuldig wegen, Rob was geneigd de dingen te dramatiseren. 'Volgens mij', zei Jack behoedzaam, 'zag hij het even niet meer zo zitten. Depressie.'

'Was het door dat stuk in de krant? Over dat dat toneelstuk zo'n flop was?'

'Deels. Ze... mevrouw Carpenter denkt dat dat wel de druppel was die de emmer deed overlopen. Maar dit soort dingen', hij aarzelde opnieuw, 'is meestal veel ingewikkelder dan ze op het eerste gezicht lijken.'

'Waarom wil zo iemand als hij er nou een eind aan maken? Iemand met zo'n auto?'

Jack besloot de opmerking over de auto te negeren, zo onnozel was Rob niet, hij viste gewoon naar iets anders. 'Iedereen is wel eens depressief', zei Jack tegen hem. 'Iedereen.'

'Ja.'

'Hoor eens, ik wil het nu weer even over jou hebben. Ik belde om te horen hoe jij je voelt.'

'Dat zei ik al, het gaat wel.'

'Wat bedoel je daar precies mee?'

'Huh?' Rob klonk ruziezoekend.

'Ik bedoel, wanneer is het begonnen, dat je je niet lekker voelde? Was dat gistermorgen of later, in de middag?'

'Allebei. Ik weet het niet, de hele dag denk ik.'

''s Morgens heb je niets gezegd over je ziek voelen. Weet je nog? Je voelde je goed toen we naar opa en oma gingen.'

'Hmhm.'

'Was het nadat je uit Charleston terug was?'

'Ik weet het niet. Ik herinner het me niet meer.'

'Probeer het je dan te herinneren. Want als je iets hebt opgelopen, een bacterie of zo, dan bel ik de dokter en haal ik medicijnen voor je.'

'Laten we er maar over ophouden, goed? Het gaat goed. Morgen ben ik weer beter. Ik voel me nu al beter.'

'Wat ik eigenlijk bedoel, is dat je nooit eerder in Charleston bent geweest. Of iets wat er ook maar op lijkt. Ik trouwens ook niet. Het lijkt me niet meer dan logisch dat je…'

'Je bedoelt dat je wilt weten of ik echt ziek ben of dat het alleen maar psychosomatisch is.'

'Eh,' draaide Jack er omheen, 'ja, dat vroeg ik me min of meer af.'

''k Weet niet. Misschien. Een beetje.'

'Kun je daar niet wat duidelijker over zijn?'

'Nou, het was nogal…'

'Schokkend?'

'Raar. Akelig, onwerkelijk. Er was een vent daar – Bernie zei dat hij achttien was. Met zwemvliesvoeten en zonder neus. Hij zat daar maar op de grond in die grote ruimte en maakte steeds geluiden. Hij… hij moet een luier aan.'

'Ik weet het', zei Jack, onwetend.

'We moesten door een hele lange ruimte vol met van die griezels voor we bij de kamer van Sarah kwamen.'

Jack wachtte.

'Ze lag in bed. Een ledikant, met hoge zijkanten. Ze zag er niet uit als vijf jaar. Ze zag er uit als een baby. Ze weegt maar vijftien kilo, meer niet. Ze zag er zelfs niet als een meisje uit. Ze had geen haar,

heel weinig in elk geval. Je kon de botten van haar hoofd zien, dwars door de huid, zo dun was die. Ze zag er een beetje grijzig uit en haar ogen waren dicht en ze heeft van die buisjes in haar neus.'

'Rob…'

'En ook als ze haar ogen opendoet, dan ziet ze nog niets. En Bernie…'

'Wat?'

'Hij gaat daar elke zondag naartoe. Ik geloof dat Sue meestal meegaat. Ze gaan erheen en kijken er dan naar. Alleen maar bij dat bed staan en er naar kijken, meer niet.'

'Dat zijn hele trieste dingen…'

'Weet je wat hij deed voor we weggingen? Wat Bernie deed?'

'Wat dan?'

'Hij boog zich voorover en kuste haar. Op haar gezicht. Vlak boven waar het buisje naar binnen gaat, op het benige gedeelte. Ik denk dat ik me toen…'

'Ziek begon te voelen?'

Er kwam geen antwoord.

'Ben je er nog?' vroeg Jack.

'Ik ga ophangen, pa. Ik denk dat ik weer in bed kruip.'

'Goed idee. Tot een uur of zes. Oké?'

Jack legde de telefoon neer. Hij bleef even achter zijn bureau zitten en keek hoe de sneeuw viel, grote natte vlokken die langs zijn raam dreven en uit het zicht vielen naar de onzichtbare straat beneden. Hij voelde paniek opkomen, een gebrek aan lucht, een scherpe pijn die niet van hem was maar van zijn zoon. Kon hij, als hij maar extra goed zijn best deed, Rob niet nog iets langer behoeden voor dit soort dingen? Hem deze afschuwelijke aanblik besparen? Hem weghouden van absurde opofferingen? Er moest een manier zijn, als hij die nu maar kon verzinnen.

Als noodafleiding bladerde hij door de laatste *Journal*, en als een zelfopgelegde marteling las hij nogmaals de aankondiging van Harriet Posts boek. De pijn die het hem vandaag deed sneed kort maar krachtig, geen echt onaangenaam gevoel. Hij deed zijn tas open en haalde het manuscript van hoofdstuk zes te voorschijn. Hij had moeten gaan lunchen, of een broodje bestellen, hij voelde zich hol vanbinnen. Hij voelde plotseling een druk op zijn borst.

Alle anderen van de afdeling waren gaan lunchen. Wanneer was

het hier ooit zo stil geweest? Dit keer leek zelfs het verkeerslawaai gedempt en ver weg. De hele lucht vulde zich met wit. Verbazingwekkend dat de verdorven lucht boven de stad zo snel kon veranderen en wijder worden.

UIT EEN APPARAAT IN DE GANG HAALDE HIJ TEGEN BE-taling een kop koffie en iets wat een Vrijetijdssnack heette, gemaakt van geperste sesamzaadjes en honing, die hij opkauwde terwijl hij de krant doorbladerde. Hij talmde, met het vage gevoel dat hij het aan zichzelf verplicht was een half uur te ontsnappen aan de werkelijkheid. Er was een nieuw toneelstuk in het Apollotheater en Gordon Tripp had een recensie geschreven. Jack las die vluchtig door, nam nota van de milde toon, de poging tot eerlijkheid en vreemd genoeg van een zekere nederigheid: 'Van deze jonge toneel-schrijver kunnen wij allemaal nog iets leren.' Gordon Tripp had inmiddels natuurlijk al gehoord wat er met Larry was gebeurd – dat had vast geleid tot een zekere loutering. Onderaan de recensie stond in cursief een korte mededeling van de redactie: *Onze vaste toneel-criticus, Larry Carpenter, is op vakantie.*

Op vakantie! Over geschiedenis gesproken. Daar zit je dan met de betrouwbaarheid van het gedrukte woord. Wacht maar tot Bernie dit onder ogen krijgt.

En wat stond daar op de achterpagina? Een foto van de honger-stakers in Columbus Park. Jack herkende de man met de poncho en het witte haar. De foto was overbelicht en zat vol witte vlekken, maar hij kon de borden nog zien en, ja hoor, daar was de vrouw met de baby op haar rug. Hij en zijn vader hadden daar iets meer naar links gestaan. Als de foto iets breder was geweest, hadden ze in *Chicago Today* gestaan – dat had zijn vader wel leuk gevonden. Misschien hadden ze ook wel op de foto gestaan, dit soort foto's werden altijd bijgesneden om ze in de pagina te passen; misschien waren hij en zijn vader wel in de prullenbak van *Chicago Today* verdwenen. Het onderschrift luidde: *Hongerstakers demonstreerden zondag voor Rus-sische dissidenten in Humboldt Park.*

Humboldt Park!

Maar het was in Columbus Park. Hij was er bij geweest. En bovendien herkende hij de hoek van het gietijzeren hek. Iemand – de fotograaf? degene die de onderschriften maakte? – had een fout gemaakt.

Een fout, en vrijwel niemand in heel Chicago zou weten dat er een fout was gemaakt. De mensen die op de foto stonden wisten het natuurlijk wel. En hij en zijn vader. Maar niemand zou de moeite nemen om naar de krant te schrijven en vragen om een correctie. Waarom zouden ze ook? Het was te onbeduidend: Columbus Park of Humboldt Park, wat maakte het uit?

Niettemin – en Jack voelde zich door dit feit op een perverse manier vergenoegd, bijna triomfantelijk – betekende dit opnieuw een onjuiste optekening, in zekere zin vergelijkbaar met Larry Carpenters 'vakantie'. En deze verkeerde vastlegging zou ongetwijfeld voortbestaan, dit historische moment zou hebben plaatsgevonden in Humboldt Park. De foto zou voorgoed worden gearchiveerd en wat er onder stond zou de waarheid worden.

De historische knoop is lastig te ontwarren, het ontsluieren van een enkel historisch moment kan een levenswerk zijn. Zo sprak dr. Gerald Middleton als gastspreker op de Northwestern Universiteit, ongeveer een jaar geleden. Daarvoor is een bijzonder soort doorzettingsvermogen nodig, zei hij. Een temperament dat onbuigzaam is maar tegelijkertijd in staat is genoegen te nemen met minder dan perfectie. De bereidheid moet aanwezig zijn om van tijd tot tijd stil te blijven staan bij bepaalde wankele hypothesen. Stevigheid en genialiteit waren gewenst maar werden zelden bereikt. Het was een frustrerende taak. De mannen die besloten hadden getuige te zijn van het historische proces en dit vast te leggen, moesten gedeeltelijk afstand nemen van de samenleving. Hier was de vaste maar onbevooroordeelde hand nodig van een vakman, die op de tast en het gevoel zijn weg zocht – geen wonder, zei hij, dat historici algemeen werden gezien als slome duikelaars (waarderend gelach). Zo iemand moet er een instinct voor hebben, vervolgde hij, om afzonderlijke feiten, die schijnbaar geen verband met elkaar houden, samen te brengen, en dit instinct, dat een grote verbeeldingskracht vereist, was slechts bereikbaar voor die paar gelukkigen – hier keek hij het publiek vriendelijk aan – die beschikken over dat onmisbare

element dat historisch besef heet.

Een historisch besef, een gevoel voor geschiedenis, een relatief zeldzaam iets. Brenda bijvoorbeeld, had geen historisch besef. Het had jaren geduurd voor Jack dit ontdekte en voor hij begreep dat ze in staat was zonder dit besef te functioneren.

Ze had ook geen vader, ze had nooit een vader gehad. Jack had het idee dat dit feit en het ontbreken van historisch besef onlosmakelijk met elkaar verbonden waren.

Jack herinnerde zich dat hij bij hun eerste ontmoeting tegen haar had gezegd: 'Maar je moet toch ooit een vader gehad hebben?' Ze werkte indertijd als jongste typiste op het Instituut en Jack, die juist was begonnen aan zijn onderzoeksproject over La Salle, kwam bij de bibliotheek van het Instituut langs om een paar oude kaarten te bekijken. Ze was op een onhandige manier behulpzaam geweest. En uitzonderlijk vriendelijk. Hij had haar uitgenodigd voor de lunch en haar meegenomen naar het om de hoek gelegen restaurant van Roberto. Ze zaten in een rustig hoekje en vertelden elkaar waar ze waren opgegroeid, op welke scholen ze waren geweest en over het gezin waar ze uit kwamen, en zo kwam het dat Brenda hem vertelde dat ze geen vader had.

'Ja, natuurlijk was er ooit wel iemand.' Ze had hem verleidelijk toegelachen over haar kom groentesoep. Ze had gave tanden. 'Een biologische vader, maar dat is alles.'

Waarom vertelde ze hem dit? Ze hadden elkaar net leren kennen. 'Maar je praat er zo nonchalant over', zei hij tegen haar.

'Je zou mijn moeder moeten leren kennen,' zei ze lachend tegen Jack, 'dan begrijp je het wel.'

Je zou mijn moeder moeten leren kennen – deze luchtig uitgesproken woorden droegen een karrevracht aan voorbeschikking in zich – ja, hij zou de moeder van dit meisje moeten leren kennen. Hij *zou* haar moeder ontmoeten. Die ene keer begreep hij dat er iets bijzonders gebeurde.

'Maar vond je het niet erg', vroeg hij haar, 'dat je geen vader had?'

'Wat grappig, dat vraagt iedereen me. Ik zeg altijd dat het net zoiets is als geboren worden met een teen minder. Die mis je niet omdat je hem nooit hebt gehad.'

'Maar je moest er toch een verklaring voor hebben? Was het niet lastig als je formulieren moest invullen, op school bijvoorbeeld, waar

je vaders naam, geboortedatum en beroep en zo werden gevraagd?'

'Dat vulde ik gewoon niet in. Eigenlijk zie ik hem altijd zo. Als een leeg hokje. Net als zo'n ijzeren dollar die mensen in een jukebox stoppen. Herkomst onbekend.'

'Bedoel je dat je het echt niet weet? Heb je het nooit gevraagd?'

'Nee.' Weer die lach. Vrij kleine tanden. 'Niet echt.'

'Maar je moet toch nieuwsgierig...'

'Nee. Dat zou je misschien denken, maar ik was wel gesteld op dat lege hokje. Ik ben er aan gewend. Dat heb ik zogezegd geërfd.' Ze haalde haar schouders op, een gebaar dat hem voorgoed aan haar zou binden, dat heel even optillen van haar schouders, een schommeling van borsten onder haar zachte trui.

'De meeste mensen zouden het wel willen weten', zei Jack. 'In elk geval de omstandigheden.'

'Waarschijnlijk wel', zei Brenda. 'Maar ik heb geluk. Ik denk dat ik gewoon niet zo nieuwsgierig ben of zo.'

Ze sublimeert, dacht Jack indertijd, hij had de verplichte colleges Inleiding in de psychologie gevolgd.

Maar toen hij haar beter kende, toen hij een aantal jaren met haar getrouwd was, besefte hij dat ze oprecht was geweest. Ze was niet nieuwsgierig. Het ontbrak haar volledig aan historische nieuwsgierigheid.

Jack had de indruk dat haar verbeeldingskracht beperkt bleef tot een dun laagje heden. Beperking was ook het woord dat bij hem boven kwam wanneer hij zich Brenda's idee van tijd probeerde voor te stellen.

'Zeg eens wat je voor je ziet', had hij haar een keer gevraagd, 'wanneer ik George Washington, de Slag bij Tippicanoe, Duinkerken en, eens zien, de Magna Charta zeg.'

Ze lagen in bed, op een ochtend in het weekend, in het huis in Elm Park. 'Zeg maar gewoon wat voor beelden er bij je opkomen', zei hij.

Ze lag op haar rug, haar ogen gesloten. 'Kleurendia's', zei ze uiteindelijk. 'Een handjevol kleurendia's.'

'Maar hebben ze ook een bepaalde volgorde?' hield hij aan. 'Is de ene verder weg dan de andere?'

Ze had de tijd genomen om te antwoorden, ongetwijfeld in een poging hem een mogelijke teleurstelling te besparen. 'Geen speciale

volgorde', zei ze. 'Ze liggen gewoon samen in een doos.'

Hij geloofde zijn oren niet.

'Nou ja, sommige zitten achter andere', zei ze. 'Ik bedoel, ik weet natuurlijk best dat ze een volgorde hebben. Eerst de Magna Charta en dan George, maar wat mij betreft zit het daar allemaal samen in het verleden.'

Hij was verbaasd. Wat zij had onthuld, zo scheen het hem, was een soort ruimtelijke blindheid, ze kon terugkijken in het verleden, maar niet met het perspectief en de nuancering die Jack zo lang als vanzelfsprekend had beschouwd. En het kon haar niets schelen. Hij zou medelijden met haar hebben gevoeld als medelijden niet zo bespottelijk had geleken.

Hij had zijn kijk op de tijd inderdaad als iets vanzelfsprekends beschouwd, ervan uitgaand dat iedereen gebeurtenissen zag zoals hijzelf, door een samengestelde lens, een compact, bijeengevoegd beeld bestaande uit vele tijdlagen. Dit beeld verliet hem nooit. Wanneer hij van zijn werk naar huis reed, was hij zich altijd min of meer bewust van het feit dat hij zich in zijn Aspen bewoog over het oppervlak van een groot alluviaal bekken; onder het beton van de snelweg, net aan de rand van het bewustzijn, lag het oude gletsjermeer, Lake Chicago. Voor hem was dat meer er nog steeds, het zou er altijd zijn, als een sub-beeld dat geen duizend lagen beton konden uitwissen. Als hij wilde kon hij doorrijden, dwars door Elm Park, naar het platteland, langs kleine plaatsen en de treurige berijpte akkers van Illinois, het pad volgen van de oude gletsjer tot zijn verste bereik in het westen en al rijdend de ruimte bevolken met opeenvolgende generaties mensen. De plaatsnamen onderweg zouden gebeurtenissen en genealogieën tot leven wekken, ingetogen psalmodiërend in een samenspraak achter de schermen, het geheel afgetekend en geïndexeerd in een innerlijk landschap, met genoeg ruimte voor alles en iedereen, en alles op zijn beurt.

De tijdlijn in zijn hoofd boog en spiraalde – elke eeuw had een eigen kleur, een eigen aura – een complex roosterwerk over het doorzichtige verleden, met twinkelende patronen en raadsels en vreemde, willekeurige, heroïsche gebeurtenissen. Hij kon zich de tijd niet heugen dat dit er niet was. Afgezien van deze ene lumineuze structuur, had hij het idee dat zijn hoofd slechts een lappenmand was, gevuld met halve waarheden, verkeerde beslissingen, onecht-

heid en uitvluchten. Maar wanneer hij wroette naar authenticiteit, vond hij altijd weer, veilig op zijn plaats, het veelkleurige breed-beeldpanorama van de tijd. Op een keer, toen hij vijftien was, hadden hij en zijn vader de El naar het centrum genomen. De door president Truman ontslagen generaal MacArthur maakte een tri-omfantelijke rondreis door het land. Er kwam een stoet auto's door State Street en tussen de menigte door had Jack het gezicht van generaal MacArthur gezien als een vage rode vlek. Een abstractie die plotseling intens werkelijk geworden was. De tijdlijn had hem toen geraakt, door hem rechtstreeks in verbinding te brengen met alle mogelijke gebeurtenissen en personen. Verleden en heden vloeiden in elkaar over. Indertijd dacht hij dat iedereen dit zo beleefde.

Het was niet alleen Brenda, hij had ook met anderen gesproken, hen aan de tand gevoeld. En was er uiteindelijk van overtuigd dat hij hét had, dat wat dr. Middleton historisch besef noemde. Het kwam minder vaak voor dan hij had gedacht en vanwege die zeldzaamheid betwijfelde hij of het in zijn geval wel waar was. Misschien was het iets gemaakts, een intellectuele opschik; nee, hij toetste het, stelde zich voor dat hij er zonder moest leven en zag de structuren aan zijn mentale horizon ineenstorten. Het was van hem zelf!

Hij gaf toe dat dat 'hét' overdreven groot was en detaillering miste; in zekere zin was hij geen wetenschapper, maar slechts iemand die in staat was de lagen van de tijd te onderzoeken. De handelsgebruiken, dat hele Indiaanse gedoe – zijn interesse voor dit soort dingen was geveinsd, maakte in feite zelfs geen deel uit van zijn specialisatie, omdat het meer iets was voor antropologen, sociologen en economen. Maar het was vrij, beschikbaar, zoals dr. Middleton het noemde. Er was nog niet veel onderzoek gedaan op dit terrein. Het had geen zin om verder te gaan met La Salle; La Salle was al tot in het kleinste detail uitgespit, het werd tijd dat Jack zich richtte op een nieuw en mogelijk vruchtbaar terrein. Wellicht ontbrak het hem aan deskundigheid op dit nieuwe terrein, hij zou een aantal boeken moeten lezen en proefschriften raadplegen, maar het was een maagdelijk terrein. Hij kon het tot zijn terrein maken als hij wilde, en het voornaamste bezat hij al, het gevoel voor geschiedenis.

Hoe eenvoudig, hoe toegankelijk moest de wereld voor Brenda zijn, maar ook hoe vlak en kleurloos. Ze zou waarschijnlijk haar schouders ophalen en het vergelijken met het missen van een teen –

wat je nooit had gehad, miste je niet. Hij wist echter dat dit een groter verlies moest zijn, zoiets als het gemis van een been of een oog.

Ze had een angora trui gedragen, de dag dat hij haar voor het eerst ontmoette en meenam uit eten. Iets blauwigs. Na de soep nam ze een tosti en koffie. Ze had maar een uur om te lunchen, zei ze, ze moest zo weer terug.

'Kun je voor deze ene keer niet te laat komen?' had hij dringend gevraagd.

'Ik werk er nog maar een maand', had ze tegen hem gezegd. 'Ik zou niet durven.'

'We kunnen een fles wijn bestellen', zei hij, zich overmoedig voelend.

Ze trok haar jas al aan. Het was eind maart, een koude voorjaarsdag. 'Wijn tussen de middag is niets voor mij', zei ze ernstig, en hij kreeg even een blij gevoel.

'Alsjeblieft?'

'Ik zou graag willen maar ik moet echt terug.'

Hij was met haar over Keeley Avenue teruggelopen naar het Instituut. De trottoirs waren bedekt met een waas van rijp. Bij de ingang draaide ze zich om en gaf hem een hand. Ze droeg wanten, die waren toen zeker in de mode. Die bewante hand in de zijne, de zachte wollen aanraking, werkte als een breekijzer naar de liefde in zijn hart, gaf hem een geluksgevoel dat hem weken bedwelmde.

Die hele winter was hij uitgegaan met Harriet Post, een professorsdochter uit Madison, Wisconsin, die hij had leren kennen tijdens de cursus Amerikaanse cultuur. Harriet met de elastische nylon truien en negens en tienen. De eerste keer dat hij met haar uitging waren ze naar een film gegaan met de titel *Het loon der angst*. Hij had haar teruggebracht naar de flat waar ze woonde en haar gebarsten lippen gekust in de schaduwplek bij de voordeur. Zij had naar beneden getast, zijn broek opengeritst en haar handen naar binnen laten glijden – een gebeurtenis die hem had vervuld met verbazing en vreugde, maar die in heftigheid werd geëvenaard door het gevoel van Brenda's bedekte hand in de zijne.

Hij zou moeten kiezen.

En hij had gekozen voor de gekoesterde en gewenste veiligheid van zijn verlangen naar Brenda. Door de kalmte ervan had het een juiste keuze geleken. Overal om hem heen, flakkerend aan de rand

van zijn gezichtsveld, woedden stormachtige hartstochten, conflicten, risico's en gevaarlijke, weinig vruchtbare verlangens, maar hij had zijn keuze gemaakt.

De historische fundering van deze keuze had hem soms gekweld. Was zijn keuze ingegeven door de teneur van die tijd, die merkwaardige jaren vijftig, die zonnige, voorkeurloze Eisenhowerdagen? Had hij, sluimerend in de zachte glitter van Hollywood – June Allyson, mooie tanden – de afgezaagde Amerikaanse keuze gemaakt, voor zuiverheid en tegen ontaarding? Nee. Hij had Brenda om geen van deze redenen gekozen. Om redenen die hij nooit helemaal begrepen had, had zij hem gekozen.

'DIT IS DE ALLERSLECHTSTE FILM DIE IK OOIT HEB GE-zien', zei Rob met een verwonderde stembuiging.

'Er is verder niks', zei Laurie opgewekt.

'Ssst', deed Jack.

Het was acht uur en het sneeuwde nog steeds. Jack had er die avond twee uur over gedaan om thuis te komen; voor zover hij zich herinnerde was het de eerste keer dat de snelweg voor het verkeer was afgesloten. Nu zaten ze met zijn drieën naar een oude film met Betty Grable te kijken. Ze aten de hamburgers en frieten die hij had meegenomen – uitgezonderd Rob die grote koppen Chinese thee dronk en bleek zag.

'Mag ik die van jou?' vroeg Laurie hem.

'Ik vind het best.'

'Zal ik met je delen?' bood Laurie aan.

'Eet maar op.'

Ze zaten onderuitgezakt in de woonkamer, in harmonie met elkaar, ontspannen. Een stuk augurk viel uit Laurie's hamburger op haar schoot, ze pakte het afwezig weer op, haar ogen op het scherm gericht, gefascineerd door het gezicht van Betty Grable. 'Ze is best wel mooi,' zei ze, 'behalve dan dat haar. En haar ogen puilen een beetje uit.'

'En die rare hoed.'

'Die droegen ze toen', zei Jack.

Betty speelde een lief jong ding dat zich een weg naar de roem vecht. Deel uitmaken van de dansgroep was meer dan ze ooit had durven dromen. Maar ze wist dat ze onverzettelijk moest zijn om de top te bereiken.

'Wat een onzin', zei Rob. Hij zag er weer iets beter uit, dacht Jack, hij ligt in elk geval niet in bed te kniezen. Misschien had Bernie wel

gelijk – kinderen vergeten snel.

Nu danste Betty op de stoep voor het theater. Ze had zojuist haar naam in neonlicht gezien en kon haar geluk niet op. Voorbijgangers bleven staan om naar haar te kijken. Ze tikten met hun paraplu's op het plaveisel. Toen begonnen ook zij te dansen. Ze hesen Betty bovenop een brievenbus, waar ze tapdanste en zong met een dwaze, uitgegalmde vreugde. Haar armen maaiden als waanzinnige wieken boven haar hoofd en haar benen strekten zich onmenselijk lang uit.

'Wat grappig', zei Laurie, kauwend.

Daarna was Betty opnieuw in haar, nu halfduistere, kleedkamer, afgewezen, gekwetst en teleurgesteld. Haar stem klonk stroef en moedig. Ze kon er niets aan doen dat ze fatsoenlijk was, zei ze. Zo was ze nu eenmaal.

Jack legde zijn voeten op de salontafel. Hij moest nog uren werken voor dinsdag, hij had – opnieuw – beloofd dat hij de volgende morgen met heel hoofdstuk zes zou komen. Maar eerst moest hij zich even ontspannen, bij de kinderen zijn.

Hij keek liefdevol naar ze, waaraan hadden hij en Brenda deze lieve, intelligente kinderen verdiend? De argeloze, volledige aandacht waarmee ze zich overgaven aan deze ongeloofwaardige en slechte film ontroerde hem. Vanavond, terwijl hij keek naar Betty's met lovertjes bezaaide veerkracht, woog zijn wanhoop minder zwaar. Hij had dit ogenblik voor altijd willen laten duren, een eeuwigheid Betty, met haar haarlinten dansend op blonde krullen en haar korte patriottische plooirok rood-wit-blauw opvlammend. Prachtig.

En dan het mooiste moment van de avond: toen Laurie zag dat Betty haar netkousen aantrok, riep ze: 'Kijk eens, papa, ze draagt van die eenbenige kousen.' Zelfs Rob moest lachen.

Larry Carpenter scheen goed vooruit te gaan.

Vanavond kwamen er van alle kanten berichten over hem. Eerst belde Hap Lewis om Jack te vertellen dat ze eindelijk verder was gekomen dan de balie van het ziekenhuis en had gesproken met de hoofdzuster, het kreng. 'Ze mag geen mededelingen doen over patiënten,' zei Hap Lewis, 'maar ze zei dat er absoluut geen reden voor bezorgdheid was.'

'Nou,' zei Jack, 'dat is tenminste goed nieuws.'

'Wie had dat nou ooit gedacht', zei Hap Lewis. 'Uitgerekend Larry Carpenter. Dan sta je toch wel even te kijken.'

'Gelijk heb je', zei Jack, hopend dat Hap zou ophangen zodat hij aan het werk kon. Maar ze bleef maar doorpraten, ze scheen ergens op te wachten. Toen wist hij het... natuurlijk, dat was het.

'Je bent natuurlijk wel trots op Bud', zei hij tegen haar. 'Als Bud er niet geweest was...'

'Ik weet het', was het enige wat Hap zei, maar ze zei het met een enorme ernst. En plotseling kreeg Jack een toekomstbeeld waarin zowel Bud als Hap veranderd waren in andere, betere mensen. Bud zou verrijzen uit zijn armzalige, schimmige kalmte en iets afschudden van zijn moeiteloze handigheid. Hap zou ongemerkt opschuiven naar een nieuwe mildheid, een zachtmoedig aanvaard ontzag voor de duistere problemen van het leven. Jack had het gevoel dat hij vanavond het begin hiervan hoorde doorklinken in haar donkere, ingehouden stem. 'Ik weet het', zei ze nog eens.

Bernie kwam zelf met nieuws uit het ziekenhuis. Hij was eerder op de avond langs gekomen om te vragen of hij iets kon doen. Hij zag er stoer en koud uit in zijn besneeuwde windjack, op en top de loyale vriend van de familie die in tijden van nood klaarstaat. Larry mocht nog geen bezoek, zei Bernie, behalve Janey en zijn vader. (Zijn vader was 's morgens aangekomen, had even bij Larry gekeken, beraadslaagd met de dokter en was 's middags weer naar het oosten gevlogen, waardoor hij op het nippertje de storm miste; zijn korte bezoek was het bewijs dat alles goed ging, zei Bernie.) Larry moest een week voor observatie blijven. Er was natuurlijk al een psychiater bij hem geweest. Janey was kalm. Bernie had afgesproken haar later van het ziekenhuis op te halen en thuis te brengen. Hij moest er nu weer vandoor, zei hij tegen Jack, hij was alleen maar teruggekomen om Cronkite en Brinkley even uit te laten. Janey zat vast al op hem te wachten. En waar zou hij vannacht slapen? Bernie zei er niets over en Jack vroeg er niet naar.

Sue Koltz belde. 'Wees maar niet bang,' zei ze kordaat tegen Jack, 'ik wil niet met Bernie maar met jou praten.'

'O?' Jack hoorde dat ze vanuit het ziekenhuis belde, ze sprak met haar doktersstem, kernachtig, scherp; hij stelde zich het kortgeknipte, kleurloze haar boven de witte jas voor, en haar lichtelijk roodgevlekte hals.

'Ik weet dat hij bij jou is. Daar heb ik in elk geval een verdraaid sterk vermoeden van.'

'Eigenlijk…'

'Eerlijk gezegd wil ik hem momenteel liever niet zien. Tot we een aantal dingen hebben geregeld. Hebben nagedacht over een aantal dingen. Misschien zou je dat tegen hem willen zeggen, dat hij me niet moet lastigvallen.'

'Lastigvallen?'

'Ik zag hem vanavond in de wachtkamer hier in het ziekenhuis. Ik kon nog net op tijd wegduiken. Ik hou er niet van', sprak ze met ijzige bedaardheid, 'om bespioneerd te worden.'

'Ik zal het tegen hem zeggen.'

'Is hij nou wel of niet bij jou en Brenda?'

'Moet je horen, Sue, ik geloof niet dat het aan mij is om…'

'Ik weet dat hij niet meer thuis geweest is. Ik was er vanmiddag even om een paar dingen te halen en de kat eten te geven. Mijn god, we raken volledig ingesneeuwd. En Bernie heeft zijn overjas niet bij zich. Ik zag dat die nog in de kast hing.'

'Ik denk dat hij het wel overleeft.'

'En ook geen laarzen.'

'Ik leen hem de mijne wel.'

'Trouwens, Jack, ik heb je een paar keer gebeld. Toen drong het langzaam tot mijn botte hersens door dat je me niet zou terugbellen. Dat je niet van plan was me terug te bellen.'

'Dat heb ik wel geprobeerd. Een paar keer, maar je bent nooit…'

'Ik begrijp wel dat je er liever niet bij betrokken raakt…'

'Sue. Daar gaat het helemaal niet om. Ik zit tot over mijn oren in andere toestanden. En ik moet vanavond nog uren werken. Dus…'

'Trouwens, een van je buren is op mijn afdeling opgenomen, hoewel ik zoiets natuurlijk niet mag zeggen. Carpenter. Larry Carpenter. Wist je dat?'

'Ja, dat wist ik.'

'Ik ben vanmorgen even bij hem geweest. Hij maakt het naar omstandigheden redelijk goed.'

'Dat is goed nieuws', zei Jack.

'Hij heeft geluk dat hij nog leeft', zei Sue. En verbazingwekkend vriendelijk voegde ze eraan toe: 'De arme drommel.'

Arme drommel, arme Larry Carpenter. Voor het eerst dacht Jack aan Larry. Een vluchtig, tweeledig beeld kwam hem voor ogen: Larry's bevende handen die ijsklontjes pakken en zijn in de leegte starende ogen.

Vreemd genoeg had hij nog nauwelijks aan hem gedacht, alleen aan alle toestanden er omheen, het feestje van zaterdagavond en de zenuwslopende, triomfantelijke redding op zondagochtend. Hij had nog helemaal niet gedacht aan het moment dat Larry de donkere garage binnenging, de deur sloot, in de auto stapte en de motor startte.

Iemand die hij en Brenda kenden – niet goed, maar redelijk goed, zoals ze zoveel mensen kenden – had besloten een eind te maken aan zijn leven, en was daar bijna in geslaagd.

En daarna later in het ziekenhuis – Jack probeerde zich voor te stellen hoe dat geweest moest zijn: Larry die langzaam weer bij bewustzijn kwam in een vreemd bed omgeven door schermen en het doffe wit van gezichten en muren. Beweging van de lucht en geluiden. Het rinkelen van ziekenhuisapparatuur, voetstappen, fluisterende stemmen, stuk voor stuk getuigend van mislukking. Zou dit besef van mislukking langzaam tot Larry doordringen als in een droom of zou hij zijn ogen opendoen en onmiddellijk begrijpen wat er was gebeurd? En zou hij in het leven terugkeren met woede of met dankbaarheid? Alle zelfmoordgevallen zijn slachtoffers van een bepaald moment – waar had hij dat ook alweer vandaan? Uit een van de boeken van zijn vader waarschijnlijk. Degenen die overleefden werden verondersteld hun herwonnen leven te verwelkomen en degenen die tussenbeide kwamen dankbaar te zijn. Was dat zo?

En daarna dan? Hoe moest dit post-suïcidale leven dan geleefd worden? Alles weer zijn gewone gangetje, alsof er niets gebeurd was? Alle gewone dagelijkse dingen weer opnemen? Hallo, Larry, hoe gaat-ie? Larry die zijn auto de oprit afrijdt, op weg naar zijn werk. Zou er een dag komen dat hij weer mensen uitnodigde voor een feestje, ze geforceerd aan elkaar voorstellen, flessen wijn ontkurken – Jack kon zich niet voorstellen dat dit ooit nog zou gebeuren. Evenmin kon hij zich voorstellen wat hij tegen Larry zou zeggen wanneer hij hem weer zag – wat zeker zou gebeuren – bij de heg. Wat vervelend dat je ziek geweest bent. Ziek, ha! Ik hoop dat je weer een beetje de oude bent. Welke oude in godsnaam? Hoezo verve-

lend? Welkom terug in het land van de levenden, arme drommel.

Moest hij bloemen sturen? Nee. Een briefje dan? Brenda zou het wel weten. Een kort briefje, meelevend en bemoedigend. Waarom waren mensen tegenwoordig zo bang voor woorden?

Hij rommelde in een la op zoek naar papier, hij zou het morgen moeten sturen, Bernie had toch gezegd dat hij maar een week in het ziekenhuis zou blijven? Hij vond Brenda's postpapier. 'Voor kleine krabbels' stond er op de doos en op elk vel de afbeelding van een grasetend hert in Bambi-stijl. Nee! Hij had altijd zijn typepapier nog, gewoon wit en van redelijke kwaliteit. Beste Larry, zou hij kunnen schrijven, ik wens je een spoedig herstel toe. Dat klonk vrij neutraal, maar het was meer iets voor na een operatie. Beste Larry, ik ben in gedachten bij je? Te vriendelijk, te oneerlijk, ook al was het in zekere zin waar. Beste Larry, dus toen het menens werd kon je er niet meer tegen, hè? Beste Larry, ik weet hoe je je voelt. Ik weet heel goed hoe je je nu moet voelen. Ik begrijp het…

Tegen middernacht had Jack besloten geen briefje te sturen, maar in plaats daarvan een plant. Snijbloemen, die in dit seizoen mooi waren, zouden te veel doen denken aan iets feestelijks. Of aan een ontslag. Een kleine groene plant met grote gezonde bladeren, hij wist niet hoe de plant waaraan hij dacht heette, maar hij zag de vorm en kleur glashelder voor zich. Hij kon 's morgens de bloemist bij het ziekenhuis bellen en hem laten bezorgen. En zeggen dat ze er zo'n kaartje bij moesten doen. *Van de Bowmans*, dat zou genoeg zijn. Het besluit hulde hem in een mantel van kalmte.

Het was stil in huis. Rob en Laurie waren diep in slaap. Rob was al voor tienen naar bed gegaan, misschien, dacht Jack, had hij een of ander virus. Als hij morgen nog niet beter is, nou ja, dan zien we wel verder.

Het was te laat om Brenda nog te bellen in Philadelphia, hoewel de gedachte al vroeger op de avond bij hem opgekomen was. Wat zou Brenda nu doen? Aan een banket zitten? Of bij de ontvangst van de burgemeester? Ze zou in elk geval dinsdag bellen, zei ze, morgenavond. En het was ook te laat om Harriet Post nog te bellen, maar hij zou haar morgen proberen te bereiken, besloot hij. Het idee dat hij Harriet zou spreken – eerder die dag nog een verontrustend idee – scheen nu zonder meer aanvaardbaar en zelfs verstandig. Hij had

haar al dagen geleden moeten bellen, zodra hij de aankondiging van haar boek had gezien. (Was hij misschien bang geweest dat ze hem zou antwoorden met een verbaasd en geïrriteerd 'Jack wie?')

Het was dr. Middletons idee geweest om contact op te nemen met Harriet Post. Dr. Middleton had het nieuws over Harriets boek ernstig en geschrokken aangehoord, erger geschrokken dan Jack had verwacht. 'Dit is zeer verontrustend', had hij gezegd, zijn handen over zijn kin strijkend. 'Dit moet uitgezocht worden.'

Anderzijds had dr. Middleton nog nooit gehoord van Harriet Post. 'Afgestudeerd aan DePaul, zei je?' Ze was zeker geen erkend wetenschapper op dit terrein, haar naam kwam hem totaal niet bekend voor. Maar tegelijkertijd, vervolgde hij, veranderden de vakgebieden voortdurend. De laatste tijd waren er steeds meer amateurs – hij sprak het woord met enige norsheid uit – binnengedrongen, die niet altijd even gemakkelijk weggewuifd of veronachtzaamd konden worden. Dr. Middleton vond behoedzaam inlichtingen inwinnen het verstandigst. En aangezien Jack juffrouw Post – *juffrouw Post* – persoonlijk kende, was het betrekkelijk eenvoudig en heel professioneel om haar te benaderen en te proberen de reikwijdte van haar monografie vast te stellen. Als bleek dat er te veel overeenkomsten waren – dat gebeurde nu eenmaal van tijd tot tijd – dan was het soms verstandiger het zinkende schip te verlaten en het zwaartepunt te verleggen of zelfs – hier aarzelde dr. Middleton even – zelfs helemaal te stoppen met het onderzoek als het echt niet anders kon. Ondertussen zag hij hoofdstuk zes graag tegemoet op dinsdagochtend. Om tien uur. Hij was verbazend stellig geweest over hoofdstuk zes.

In de lege keuken maakte Jack een kop oploskoffie en een geroosterde boterham die hij besmeerde met frambozenjam. Hij hield zijn ogen afgewend van de hoop kippenbotjes die nog steeds op tafel lag. En van de gootsteen, die verstopt scheen met theebladeren. In de studeerkamer was het bitter koud en even overwoog hij de typemachine naar de woonkamer te verhuizen. Maar de salontafel stond vol met de overblijfselen van het avondmaal. En ook met soepkommen? O ja, hij en Laurie hadden gisteravond soep gegeten. Morgen moest hij de kinderen optrommelen en het huis op orde brengen. Hij had niet genoeg kamers meer. Vanavond moest hij wel genoegen nemen met de koude studeerkamer. Op de grond van de

woonkamer zag hij een deken liggen, was dit dezelfde deken die hij over Bernie had gelegd, wanneer ook weer, afgelopen zaterdagmiddag? Hij sloeg de deken om zijn schouders en nestelde zich in zijn bureaustoel. De oude lamp met zwanenhals wierp zijn verblindende ovale lichtkring op de typemachine. Hij tikte een zin.

Het handelspatroon in het zuidelijke deel van het gebied rond de Grote Meren duidt op meerdere interpretatiemogelijkheden van de onderlinge betrekkingen en het communicatieniveau van de verschillende stammen.

Middenin het woord 'stammen' bleef het typelint vastzitten, helemaal verkreukeld tussen de stalen driehoekjes die het op zijn plaats hielden. Hij probeerde het, eerst voorzichtig, strak te trekken. Het weigerde door te schuiven. Hij trok harder. Het lint, dat oud was, scheurde. O, verdomme nog aan toe.

Het was een buitengewone meevaller dat er een nieuw lint in de bureaula lag. Hij haalde het te voorschijn en kon het bijna niet geloven, Brenda had het vast gekocht, ah, die Brenda. Hij haalde het uit het doosje en bestudeerde het, terwijl zijn verrukking wegebde. Hij had geen idee hoe hij het in de typemachine moest zetten.

Brenda had altijd het lint voor hem verwisseld: les één op Katherine Gibbs. Trouwens, zij was handig, maar hij... hoe was het mogelijk dat hij op zijn drieënveertigste nog steeds niet had geleerd hoe je een typelint moet verwisselen? Shit. Hij had het Brenda tientallen keren zien doen, ze deed het in een paar tellen, in een oogwenk, griste het uit het doosje, klikte het op zijn plaats en probeerde het even uit door een paar woorden te tikken op een stuk kladpapier. Ze liet deze stukjes papier altijd voor hem in de typemachine zitten: 'De kwieke querulante Brenda joeg de sexy Jack na' of 'De hoogste tijd dat Jack naast zijn Brenda komt liggen.' En één keer, in hun eerste flat, op een winteravond als deze: 'Ik hou van je hou van je hou van je.'

Tussen halfeen en een uur probeerde hij het nieuwe lint erin te krijgen. Hij begreep niet waarom het zo moeilijk was. Zo ingewikkeld kon het toch niet zijn, elke dag werden er duizenden precies dezelfde linten verwisseld in heel Chicago, in heel Amerika. Waarom stonden er geen aanwijzingen op het doosje? Wat was er mis met

hem? Zijn vingers waren zwart van de inkt. Zijn koffie was koud geworden en hij zweette inmiddels. De klok tikte als een waanzinnige door, het huis scheen luguber en angstaanjagend en zijn maag krampte, hij zou het kloteding er nooit in krijgen.

Toen, alsof er een lampje ging branden in zijn hoofd, dacht hij aan Laurie die boven lag te slapen. Laurie had iets van Brenda's handigheid met mechanische dingen. Toen hij op een keer de grasmaaier uit elkaar had gehaald, was het Laurie gelukt hem weer in elkaar te zetten – hij had een moer verkeerd om vastgedraaid. Ze wist een aantal verbazingwekkende dingen, bijvoorbeeld dat ze de hoofdwaterkraan moest dichtdraaien die keer dat er een leiding was gesprongen in de badkamer. En toen de ruitenwisser van de auto op een keer bleef steken, had ze die een heel klein beetje verbogen zodat hij het weer deed.

Hij ging op zijn tenen naar haar slaapkamer en deed de deur open.

De kamer was gevuld met weerkaatst wit. Achter de geplooide witte vitrage viel de sneeuw. In het licht van een straatlantaarn zweefde de sneeuw als een kanten kegel, er viel sneeuw op de daken van Elm Park, de raamkozijnen en de hagen, waarbij elk voorwerp werd verdubbeld en opnieuw geschapen, getransformeerd onder die lichte lading.

Laurie lag op haar rug te slapen met haar handen gespreid, er moediger uitziend dan wanneer ze wakker was. Haar ademhaling was gelijkmatig en intens kalm. Jack bleef even op de rand van het bed naar haar zitten kijken.

'Laurie', fluisterde hij.

'Ja.' Haar stem klonk hees.

'Liefje, doe je ogen eens open.'

Haar ogen gingen onmiddellijk open en staarden hem wezenloos aan.

'Hoor eens, Laurie. Weet jij hoe je het lint van de typemachine moet verwisselen?'

'Ja.' Haar ogen gingen weer dicht, ze viel weer in slaap.

'Laurie. Schatje? Papa wil graag dat je opstaat. Heel even maar, oké? Alleen om het lint erin te doen. Wil je dat voor me doen?'

Ze stond naast het bed en strompelde naar de verlichte overloop, haar pyjama onder het lopen ophijsend. Bij de trap pakte hij haar bij

de arm zodat ze niet zou vallen, maar ze schoof nu gestaag naar beneden, met het verdoofde richtinggevoel van een slaapwandelaar. Beneden in de studeerkamer stond ze lichtelijk zwaaiend bij het bureau en Jack legde het lint in haar handpalm. Binnen tien seconden had ze het lint geplaatst. Hij hoorde het vastklikken. Jack had de indruk dat ze het had gedaan met haar ogen dicht.

'Oké, lieverd. Ga maar weer slapen.' En vervolgens: 'Je bent een schat.'

Ze ging de trap weer op, haar handen voor zich uitgestrekt, op de tast, en Jack liep snel naar haar toe, nam haar in zijn armen en droeg haar terug naar bed. Ze was verbazend zwaar, hij herinnerde zich niet wanneer hij haar voor het laatst had gedragen. Zou ze zich de volgende ochtend herinneren dat hij haar in zijn armen naar boven had gedragen en had ingestopt? Waarschijnlijk niet. Ze sliep alweer.

Hij was zo dankbaar. Zijn gevoel van dankbaarheid was extreem en absurd. Hij zag dit moment al voor zich met het wazige halo van de nostalgie: die nacht dat het sneeuwde, die nacht dat zijn dochter hem redde. Laurie.

TOEN HIJ WAKKER WERD ZAG HIJ NIET HET SAAIE GRIJS VAN een januari-ochtend, maar zonlicht dat de slaapkamer binnenkwam als een lange, doorschijnende staaf die rustte op de bovenrand van het gordijn. Was het al ochtend? Er klopte iets niet, dit zonlicht klopte niet, hij had zich vast verslapen. De wekker op het nachtkastje wees halfnegen aan.

Dat kon niet. Of hij was vergeten de wekker te zetten. En de afspraak met dr. Middleton was om tien uur. Het spookbeeld van dr. Middleton stond hem plotseling helder voor ogen, als de wraakgeest van inquisiteur Torquemada. Nee, dat was heel onwaarschijnlijk, in feite zelfs onmogelijk, het strookte totaal niet met diens aard – en toch, toen Jack zich voorstelde hoe dr. Middleton in werkelijkheid was, een en al rustige, betrouwbare verwachting, voelde hij woede opkomen.

En vanochtend was er geen tijd voor een douche, deze opoffering ergerde hem, hij voelde zich maar een half mens zonder de dagelijkse, harde straal warm water tussen zijn schouderbladen, de kleverigheid van geslachtsdelen en nachtzweet maakte hem traag, ontkrachtte hem. Nou ja, niets aan te doen. Hij kleedde zich vlug aan, T-shirt en boxershort. Zijn nieuwe pak – vandaag was de afscheidslunch voor Moira Burke, dus een bepaalde vormelijkheid was gewenst – met streepjes, roomkleurig op donkerbruin. De streepjes waren Brenda's idee, het streepjespak was weer terug, zei ze, iedereen droeg dit jaar een streepjespak. Desondanks voelde Jack zich ongemakkelijk in het nieuwe pak – het had iets gedateerds en opzichtigs.

De kinderen waren in elk geval al op, hun kamers waren leeg, die van Rob was een stoffige warboel van stapels kleren, koffiebekers, tijdschriften en platen, maar in het midden stond zijn bed, merkwaardig genoeg keurig opgemaakt, met bovenop een van Brenda's

vroege quilts, een kordate, kleurige collage van blauwe zeilbootjes, frisgroene golven en een primitieve oranje zon met lange zonnestralen die doorliepen tot de geschulpte boorden. Hij was bedoeld voor een jonger kind, een ander soort jongen.

Laurie's kamer, netter en lichter, schitterde van het zonlicht, en vanuit haar raam overzag Jack het stralende nieuwe Siberische landschap. Franklin Boulevard was verdwenen. Dit was echte sneeuw, het was jaren geleden dat hij dit soort sneeuw had gezien. Het lag zeker dertig centimeter dik en de opgewaaide sneeuwhopen tegen huizen en bomen hadden de perfectie van de sneeuw die hij zich, waarschijnlijk onterecht, uit zijn jeugd herinnerde. Forten, tunnels, torens, wonderbaarlijke mogelijkheden. Op een keer in Columbus Park hadden Bernie en hij bij de fontein een sneeuwpop gemaakt met een brede borstkas en een immense ijzige erectie, de volgende dag was de penis eraf geslagen en de dag daarop was de hele sneeuwpop gesmolten tot een zachte hoop, de sneeuw in Chicago bleef niet liggen. Zelfs een dag lang durende sneeuwval als deze zou binnen een paar dagen verdwenen zijn.

Laurie stond bij de bar in de keuken, muesli in een kom te kruimelen. 'Je komt te laat', zei ze met haar mond vol en haar ogen waakzaam.

'Is het waarachtig?' Waarom scheen dit kind van hem toch altijd haar mond vol te hebben? 'Je had me wel eens wakker kunnen maken', zei hij op iets vriendelijker toon.

'Ik ben ook laat. Rob heeft me wakker gemaakt. Heb je de sneeuw gezien?'

'Waar is Rob eigenlijk?'

'Naar school.' Die knarsende vrolijke toon! En dat zo vroeg 's morgens!

'Dus hij voelt zich weer beter?'

''k Weet niet.' Waarom wist ze het niet?

'Heeft hij ontbeten?'

''k Weet niet.' Alweer? 'Hij heeft wel koffie gezet. Een hele pot. Wil je een kopje, papa?'

Hij klaarde op. 'Echte koffie?'

Het was goede koffie. Uitstekende koffie eigenlijk, vers en zo zwart als chocolade. Hij had graag een tweede en een derde kopje gedronken, vanochtend wilde hij het liefst – daar snakte hij naar –

rustig de krant lezen, het zich makkelijk maken in een hoek van de eetkamer met zijn kop koffie en de krant, zich verliezen in de geurige damp en de grimmige problematiek van inflatie, werkloosheid en hongerstakingen. De besluitvorming in de auto-industrie, de arrestatie van moordenaars, de huwelijken van filmsterren – hij voelde zich gezond en geborgen wanneer hij las dat de wereld vooruit ging ondanks de gecompliceerde bemoeienissen van de mens. Wat had Carter gezegd over de Russische dissidenten? Hoe stond het met de wapenstilstand in Libanon? Hij wist dat Carter iets waarschuwends zou zeggen uit eigenbelang: Amerika kwam op voor individuele vrijheid maar zou niet, ahem, tussenbeide komen; hij wist ook dat de ene wapenstilstand in het Midden-Oosten onvermijdelijk zou overgaan in weer een andere, en het was allemaal zo ver weg; de wereld bleef draaien zo lang de *Trib* kolommen vol kon schrijven over menselijke catastrofen. Het was geruststellend en goed voor de geestelijke gezondheid, een aangename drug om af en toe het gevoel te hebben dat jij er weinig toe doet. Maar vandaag was hij al laat. Jezus, het was al negen uur. Laurie schoot langs hem naar de voordeur, uitroepend: 'Ik ben te laat, ik kom te laat.' Een angstkreet.

Zijn tas stond klaar naast de keukentafel. Die had hij daar gisteravond neergezet, eigenlijk vanmorgen vroeg, om vier uur, nadat hij de slotzin van hoofdstuk zes had getikt.

Uit het voorgaande kan dus geconcludeerd worden dat de rituele uitwisseling tussen de verschillende families en gemeenschappelijke groepen minder uitgesproken was dan eerdere gegevens deden vermoeden.

Resoluut maar speculatief, de juiste toon, tenminste dat dacht hij vanochtend om vier uur. Hij moest het echt nog eens overlezen.

Hij trok zijn overjas aan en een paar warme handschoenen. Achterin de gangkast, achter de stofzuiger, vond hij zijn oude rubberen overlaarzen, glanzend en slap, met goedkoop ogende gespen, ze waren al minstens tien jaar oud. De laarzen leken minstens twee maten te groot, ongelofelijk.

Toen hij door de achterdeur op de veranda stapte, stond hij plotseling tot zijn knieën in de sneeuw. Er lag meer dan hij dacht, minstens vijfendertig centimeter en twee keer zoveel waar het was

opgewaaid. Het zonlicht fonkelde op het vochtige oppervlak, de temperatuur moest exact op het vriespunt liggen. Hij had naar het weerbericht moeten luisteren. Vanaf die treden in de achtertuin zag de hele wereld – grote delen ervan, zo scheen het – er verlaten uit. Waar was iedereen?

De ruimte vol sneeuw wenkte. Met heel veel moeite waadde Jack door de tuin naar de garage, zijn tas hoog in de lucht geheven. Een ring van verstijving omvatte terstond zijn kuiten, er was sneeuw in zijn overlaarzen terechtgekomen, natte, aangekoekte klonten die de flapperende randen van zijn laarzen opvulden. De keurige zomen van zijn broek met krijtstreepje waren al kletsnat. Vaarwel, scherpe vouw, vaarwel, nette, op maat gemaakte zoom. Jezus!

Achter de garage was het pad achterom – gewoonlijk een smalle, verwaarloosde doorgang – als een pasgeschapen weide, van het ene tot het andere einde gevuld met glinsterende, zonbeschenen sneeuw. Jack zag onmiddellijk dat hij naar de stad rijden wel kon vergeten. Het was belachelijk om in dit weer met de auto te gaan. Het zou hem uren kosten om een pad naar de straat te scheppen. Het was zelfs onmogelijk om de garagedeuren te openen. Idioot van hem dat hij had gedacht met de auto te kunnen gaan, absurd. Goddank was er de El nog.

Het was maar een paar honderd meter naar het station, gewoonlijk vier minuten lopen, maar vandaag liep hij door pasgevallen, dikke sneeuw. Hij was zich plotseling bewust van het gewicht en gesop van zijn sokken; onder zijn voeten brak de sneeuw met zijn natte, bezwijkende namaakstevigheid tot een onverwijld bevroren grijze massa, een platte sorbet van sneeuwbrij. Het was een vergissing geweest om het pad te nemen, het had hem tijd bespaard als hij via de straat was gegaan. Maar gelukkig had er al iemand voor hem gelopen en hij deed zijn best om zorgvuldig zijn laarzen in de diepe regelmatige gaten te laten zakken, in en uit, in en uit. Van wie waren die voetstappen? Misschien van Rob op weg naar school? Of van Bud Lewis? Waar was iedereen? vroeg hij zich af.

Terwijl hij voortworstelde vergaarde de onderkant van zijn wollen overjas een zware korst van sneeuw, hij trok zijn tas hoog onder zijn ene arm, knelde hem vast met zijn elleboog en hees zijn jaspanden zo hoog mogelijk op. Onmiddellijk sprong een van de knopen eraf, viel in de sneeuw en verdween. Tegelijkertijd gleed de tas onder zijn arm

uit en viel ondersteboven in een sneeuwhoop. Mijn god! Hij rukte zijn das af en wreef de tas verwoed droog, hopend dat de rits waterdicht was. Hij voelde plotseling de kou in zijn nek en begon te klappertanden.

Nog een kleine tien meter en dan was hij het pad uit. Hij tilde de tas op, hield hem met een hand in evenwicht op zijn hoofd en hield zijn jas als een rok, als een vrouw, van voren bijeen. Het was vast al halftien. Het had hem een half uur gekost om tot het eind van het pad te raken, dit was waanzin.

Zodra hij op straat kwam, ging het lopen iets gemakkelijker. Hij liep midden op straat, zorgvuldig een bandenspoor volgend. Er was maar weinig verkeer – Elm Park was verlaten. Zelfs het station was vrijwel verlaten – er stonden slechts drie mensen op het perron. Hij zette opgelucht zijn tas op de grond. Hij voelde zich licht in zijn hoofd en een beetje misselijk.

'Ik heb geen idee of er wel treinen rijden', zei een vrouw met een boodschappentas en een stem als een elektrische deurbel. 'Ik sta al twintig minuten te wachten.'

'Ik wacht al bijna een half uur', zei een tenger meisje met een gebreide muts.

'Ze gaan toch echt', lichtte een grijsharige, grootneuzige man met een geel ski-jack hen in. 'Dat hoorde ik op de radio. Ze rijden langzaam, maar ze komen er doorheen.'

'Ik moet om tien uur in de stad zijn', zei Jack tegen hen allemaal.

'Vergeet het maar', zei het tengere meisje vrolijk.

'Dat red je nooit', zei de man in de parka. Betweter!

En op datzelfde ogenblik reed de trein, bijna geluidloos in de tintelende lucht, het station binnen. Kwart voor tien. Jack kreeg een schok van vreugde. Als hij geluk had haalde hij het nog.

De stad schoot voorbij, vertrouwd maar ook vreemd onder zijn stille, dorpsachtige bedekking. Chicago zag er onschuldig, ongerept, gekalmeerd uit. De man in de gele parka, zijn adem stinkend naar whisky, wilde het hebben over weerrecords – de ijzel van '49 en de sneeuwstorm van '53, maar Jack hield zijn ogen strak op het raam gericht. De Merchandise Mart, dat immense, oude gebouw, de snelle, slechts een tel durende sprong over het witte lint van de rivier en vervolgens de Loop in. Tien uur. Hij was te laat. Maar hij was er bijna.

Hij rende de paar honderd meter naar het Instituut. De straten van het zakencentrum waren verlaten maar wonderlijk genoeg vrijgemaakt van sneeuw, een desolate, bijna nucleaire leegte. Er reed nauwelijks een auto op Keeley Boulevard, Jack rende midden op straat, zijn zwarte laarzen flapperend. Bij de hoek van Keeley en Archer deden de stoplichten het niet. Een stroomstoring? Hij bleef even stilstaan midden op het kruispunt en draaide rond in de verblindend witte schittering, de straten strekten zich breed en leeg uit, rondom een cirkel van fel licht, uitzicht biedend op reinheid en een heldere lucht. Hij kon wel schreeuwen van vreugde.

De lift in het Instituut deed het evenmin. Hij zwoegde de trappen op en liep de gang door. Het was halfelf. Hij was een half uur te laat. De betegelde vloer was glad onder zijn voeten. Hij ademde met horten en stoten. Hij klopte op dr. Middletons deur. Geen antwoord. Hij bonsde. Niets. Hij deed zijn overlaarzen en schoenen uit en liep zuchtend de gang door naar zijn eigen kamer.

Vanwaar dit jubelende gevoel? Hij kon niet verzinnen waar dat vandaan kwam. Hij ontdeed zich van zijn jas en hing die op een hangertje, druppend op de grond van de kast. Hij legde zijn doornatte handschoenen op de verwarmingsbuis, zette zijn laarzen omgekeerd in een hoek en deed zijn sokken uit. Vervolgens schopte hij de deur dicht en trok zijn doorweekte broek uit. Arm krijtstreepje, het zou dit nooit overleven. Hij perste zoveel mogelijk water uit de pijpen door ze uit te wringen boven zijn filodendron en streek de stof vervolgens met zijn handen weer glad op zijn bureau. Er was een extra hangertje in de kleine kast en Jack hing de broek zorgvuldig op, met zijn hand langs de plaats gaand waar eens de vouw had gezeten.

Hij voelde plotseling een golf van energie door zich heen gaan. Hij overwoog opdrukoefeningen te doen op de grond van zijn werkkamer. Of kniebuigingen? Jammer dat hij geen rekstok in zijn kamer had zoals Brian Petrie. Lachend om zijn eigen dwaasheid liet hij zich in zijn bureaustoel vallen en greep in zijn haar. Zijn blote benen begonnen weer op te warmen, zijn dijen tintelden. Het was hem gelukt, hij was eerder op kantoor dan dr. Middleton. In feite had hij iedereen verslagen. Hij was de enige aanwezige.

Nee. Iemand klopte op zijn deur. 'Binnen', brulde hij blij.

Het was Moira Burke. Ze droeg een lichtblauwe, fluwelen rok. En een zijden blouse met wijde lange mouwen. Haar haar had een ander

model, een beetje Grieks, dacht Jack, met die voorname boog bij haar oren. Haar glimlach was scheef, onthutst, aarzelend, moeizaam.

'Moira! Je hebt het gehaald met al die sneeuw.' Hij schreeuwde.

Ze antwoordde kortaf. 'Ik heb een taxi genomen. Helemaal van Evergreen Park. Veertien dollar.'

'En waar is dr. Middleton? We hadden een afspraak om tien uur.'

'Ha! Hij belde. Hij kan niet komen, zegt hij. Alle straten in Highland Park zijn afgesloten.'

'Jezus christus. Ik heb de halve nacht doorgewerkt om hoofdstuk zes af te krijgen.'

'Hmmm.'

'Moira! Je lunch. Hoe moet het nu met je afscheidslunch?'

'Die is afgezegd.'

'Wat?' Hij draaide zijn stoel een slag.

'Afgezegd.'

'Je bedoelt uitgesteld. Die verzetten ze wel. Naar morgen of zo.'

'Morgen. Laat me niet lachen. Morgen zit ik in Arizona.'

'O, Moira.' Hij stond bruusk op. Moira's gespannen, strakke blik deed Jack plotseling denken aan Larry Carpenter in de keuken. Hij deed zijn mond open om iets te zeggen.

Ze wierp zich tegen zijn borst en bonkte jammerend met haar vuist op zijn schouder.

'DIE DINGEN GEBEUREN NU EENMAAL', ZEI JACK TEGEN Moira.

'Dat weet ik ook wel', zei ze.

Ze aten spaghetti bij Roberto's. De sfeer was die van een onverwacht feestje. Op het Instituut had Moira uit haar bureaula een kleine plastic haardroger te voorschijn gehaald waarmee ze eerst Jacks broek droogde en daarna zijn sokken en overlaarzen. Binnen een uur was de broek zo stijf en droog als calqueerpapier en de hitte tegen zijn kuiten was onverwacht plezierig, hetzelfde opwindende sensuele gevoel dat hij vroeger kreeg op regenachtige dagen op school wanneer hij tegen de hete radiator stond na de pauze.

Moira en hij waren de enige klanten bij Roberto's. En om de een of andere reden was de spaghetti vandaag redelijk goed, met een grote hoeveelheid geurige saus. Er waren geen obers te zien, de maaltijd was opgediend door de kok, een kleine man met een dikke nek en vlakke spleetogen. Zijn onderkin ging vriendelijk dansend heen en weer. 'Ik was vanochtend bijna in mijn nest gebleven', vertelde hij hen, toen hij uit de keuken kwam. 'Eerst dacht ik nog, wat heeft het voor zin, er komt toch niemand voor de lunch op zo'n beroerde dag als vandaag. Toen dacht ik, ach wat, laat ik toch maar even gaan kijken of de koelkast het nog doet, omdat de elektriciteit overal plat gaat. Zal ik jullie eens wat vertellen, ik heb de zaak nog nooit dichtgegooid, alleen met kerst en oud en nieuw. Dat vind ik toch wel een record, vijfentwintig jaar, en al die jaren nooit dichtgegaan, weer of geen weer. Geen slechte prestatie, dus zei ik vanmorgen tegen mezelf, wat doet dat beetje sneeuw er toe?'

Jack ging recht zitten. 'Dus dan bent u,' hij zweeg even, 'de eigenaar?'

'Klopt als een bus. Eigenaar, bezitter, oprichter en kok.'

'Ik kom hier al twintig jaar', zei Jack.

'O ja? Asjemenou.'

'En ik heb u nooit eerder gezien.'

'Ik blijf achter. Ik hou graag een oogje in het zeil.'

Jack moest het weten: 'Bent u Roberto?'

'Dat heb je goed geraden. Zeg, lui, willen jullie een glas wijn om warm te worden?'

'Absoluut', zei Jack, verbaasd en verward door de onaangename ondertoon van graagte in zijn stem.

'Hoor eens, de wijn is vandaag op mijn rekening. Willen meneer en mevrouw het goedkope of het goede spul? Neem de goede maar. Ik heb hier nog een dubbele fles, een magnum heet dat. Wedden dat je niet eens wist dat ik goede wijn in huis heb? Die staat niet op de kaart vanwege het soort klanten dat we hier krijgen, die kennen het verschil niet eens tussen wijn en bananen, jullie niet te na gesproken natuurlijk. Maar ik drink dat bocht niet dat we op tafel zetten, dus hou ik een paar flessen achter slot en grendel. Ik moet hier alles wegsluiten, anders weet je het wel. Daarom blijf ik ook altijd achter. Mondje dicht en ogen open. Wijd open. Nou, eet smakelijk dan maar.'

Jack, met zijn voeten warm onder de tafel en voldaan door de gloed van de mooie rode wijn, probeerde Moira af te leiden. Hij sprak snel, bijna dwangmatig, vervuld van een duistere opwinding omdat hij zo vreselijk graag aardig tegen haar wilde zijn, de leegte van haar teleurstelling wilde opvullen met zijn eigen ellende; alles en iedereen werd immers geteisterd door teleurstelling, wilde hij zeggen, door de ene teleurstelling na de andere. Ze stond niet alleen, ze was in goed gezelschap, niemand had het patent op lijden, we hebben allemaal onze tegenslagen. In zijn geval – hij leunde voorover, steunend op zijn ellebogen – in zijn geval was dat Harriet Post, zijn jarenlange arbeid, vertelde hij Moira, was plotseling waardeloos geworden door het werk van een vrouw uit Rochester, New York, genaamd Harriet Post.

'Mijn god', zei Moira. 'Dat is wel klotepech.' Ze schudde verdrietig haar hoofd, wat Jack, schuldbewust, het gevoel gaf dat hij haar medeleven had verworven onder valse voorwendselen; een onvoorziene gulheid in Moira's gezicht deed het glanzen van een al te lichtvaardig mededogen.

Vanavond, vertelde Jack haar, zou hij Harriet Post bellen en er achter komen wat de inhoud en de reikwijdte van haar boek was. Maar ongeacht haar antwoord, had hij vrijwel definitief besloten niet verder te werken aan zijn boek. Want wat had het nog voor zin? 'Zoals dr. Middleton zegt...'

'Die ouwe lul', mompelde Moira zachtjes.

'... is het soms verstandiger', hij haalde even diep adem, 'om je bij de feiten neer te leggen.'

'Hmmm.'

'Die dingen gebeuren nu eenmaal', zei hij tegen Moira, verbaasd over de vastberadenheid in zijn stem.

Hij had de indruk dat hij die zinsnede de laatste tijd vaak had gehoord – *die dingen gebeuren nu eenmaal*. Had iemand dat niet ook gezegd over Larry Carpenters zelfmoordpoging? Hij had het zelf gezegd tegen Rob toen ze het hadden over diens bezoek aan Charleston – *die dingen gebeuren nu eenmaal*. De woorden hadden een verleidelijke, magische klank – als je ze vlug genoeg uitsprak, verdreven ze schuld en verantwoordelijkheid. Ze hadden de macht om allerlei soorten en maten van teleurstelling te doen verbleken. Je moet de realiteit onder ogen zien, je er niet tegen verzetten, *et cetera*. Mannen en vrouwen krijgen nu eenmaal monsterlijke kinderen, ontbinden hun huwelijk, plegen zelfmoord; nu eens winnen ze, dan verliezen ze en ze ondergaan absurde vernederingen. Hoewel zijn eigen kinderen in een tijd leefden die werd gekenmerkt door vervreemding en in een stad die berucht was vanwege de gewelddadigheid, zouden ze ongetwijfeld overleven. De wereld verging niet omdat Harriet Post hem de loef had afgestoken – gedane zaken nemen geen keer, zoals Brenda zou zeggen.

'Kan het je dan echt niets schelen?' zei Moira, terwijl haar ogen, tot Jacks verbazing, vol tranen stonden, 'na al het werk dat je er aan hebt gehad?'

'Wat kan ik eraan doen?' Hij haalde zijn schouders op. En vroeg zich af of hij haar zou opbiechten dat de gedachte – alleen de gedachte al – om op te houden met het boek een opluchting was geweest. Sinds dr. Middleton hem deze gedachte had ingeprent – 'deze dingen gebeuren nu eenmaal, Jack' – had hij deze week eindelijk weer kunnen ademhalen. Het was waar. Het vonkje van wat mogelijk was, was een vlam geworden – hij zag nu dat hij het, met

een zekere waardigheid, de rug kon toekeren; hij kon zijn aantekeningen voorgoed wegbergen.

'Tja', knikte Moira. Jack had altijd al gevonden dat ze grove trekken had en vandaag hadden haar lippen een rimpelige gezwollenheid, een beverig bijna-huilen dat eigenaardig genoeg aantrekkelijk was en dat Jack herinnerde aan de vreemde, lichte opwinding toen hij in zijn werkkamer stond en de druk van Moira's dijen voelde door de dunne stof van zijn onderbroek. Over tafel leunend vulde hij haar glas nog eens bij.

Hij werd onbesuisd en vertelde Moira dat hij nooit had moeten beginnen aan dat Indianen-gedoe. Dat was niet zijn soort onderzoek, hij was veel beter in korte verhandelingen over een specifiek probleem. Sommige mensen hielden van uitvoerige, diepgravende studies, maar voor hem waren de Indianen en hun handelsgebruiken – toch al zo duister en moeilijk te doorgronden – een frustrerend en slopend onderwerp geweest. Gezanik. Een voortdurende nachtmerrie.

Waarom vertelde hij Moira dit allemaal? Het was vast de wijn die naar zijn hoofd steeg. Ze knikte nu, glimlachend naar de vloer, weer opgewekt. Ze liet een ruwe, harde lach weerklinken die Jack als een aanmoediging opvatte.

'De ellende is', vertelde hij haar, 'dat iedereen de hele tijd aan me vraagt hoe het met het boek staat. Mijn ouders bijvoorbeeld, die wachten met smart tot ze mijn werk in druk zien. Hún zoon. Daar leven ze helemaal naartoe. Zelfs de kinderen vragen me wanneer het boek eindelijk eens af is. Hét boek. En dan die buurman…'

'Die probeerde zelfmoord te plegen? In de garage?'

'Ja, die. Die nodigt me uit op zijn feestjes, hij geeft de hele tijd feestjes, het soort feestjes waar je alleen voor uitgenodigd wordt als je iets belangrijks doet, en dan stelt hij me voor als de buurman die een expert is op het gebied van Indiaanse handelsgebruiken.'

'Je kunt ook tegen ze zeggen dat ze allemaal kunnen oprotten.'

Jack keek haar over de lege borden aan. Haar gezicht was rood. De fles wijn was leeg. Leeg! En Moira was dronken.

'Wil je een kop koffie?' zei hij. Hij hoorde zijn eigen stem, luchthartig en galant, zijn maag draaide om. Het geblokte tafelkleed deed pijn aan zijn ogen. 'Zullen we een potje…'

'Wil je met me vrijen?' vroeg Moira.

'Sorry, ik bedoelde niet dat je…'

Ze zei het opnieuw, ongedwongen, alsof het mondstuk van haar haardroger, gericht op zijn natte broekspijp, haar het recht had gegeven alles te zeggen wat haar voor de mond kwam. 'Wil je vanmiddag met me vrijen?'

'Volgens mij moeten we echt een kop koffie nemen', zei Jack.

'Nee, dat is niet wat…'

'Wil je niet liever…'

'Ik ga naar huis', zei ze, plotseling ingetogen. 'Ik bestel een taxi.' Een van haar zijden mouwen schoot dwaas de lucht in. 'Dan nog maar veertien dollar. Morgen ben ik vrij. Dan lig ik lekker te bakken in de zon.'

'Het spijt me als ik je…'

'Wil je zo vriendelijk zijn', sprak ze vastberaden, 'een taxi voor me te bellen?'

Hij stond op. Er was een telefoon bij de deur en Jack strompelde erheen. Het binnenste van zijn hoofd was verweekt tot vochtig gips, een gonzend wit met lange rijen krijtachtige bogen die zich voortzetten zover zijn oog reikte, een katholiek en rein vergezicht. Hij wilde er het liefst op zijn tenen doorheen lopen en onder het gaan kaarsen aansteken. Salvador Dali. Het lukte hem een taxi te bellen.

'Ah', zei hij tegen Moira, toen hij weer bij de tafel was. 'Jij hebt geluk. Naar Arizona en nog jaren voor de boeg…'

'Ik hou van je.' Ze sprak zacht en met een lichte trilling in haar stem. 'Na vandaag zie ik je toch nooit meer, dus kan ik voor de verandering eens zeggen wat ik wil. Ik hou van je. Je weet helemaal niets van mij. Al die tijd dat ik op het Instituut heb gewerkt. Hoe denk je dat ik dat heb uitgehouden, al die verslagen uittikken over glaciale overblijfselen en bonthandelaren met Franse namen – ik moest die verdomde Franse accenten er met de hand inzetten, wist je dat? Niet bepaald spannend werk, dat kan ik je wel vertellen. En dr. Middleton met zijn stroom rotzooi over de Oude Wereld, die zes keer per dag zijn excuses aanbood, dat was ook bepaald niet prettig. Ik moest wel iets verzinnen om het vol te houden. Ik moest zorgen dat ik niet gek werd. Seksuele fantasieën, heet dat. En jij – jij was mijn partner, mijn vaste vriend, zogezegd. Ik wed dat je nooit iets hebt doorgehad.'

'Moira…'

'Toen het begon, toen ik die fantasieën voor het eerst kreeg, dacht ik dat ik aan het doordraaien was. O, Moira, zei ik, je bent rijp voor het gesticht. De mannen in de witte jassen. Ha. Toen las ik een paar boeken uit de bibliotheek, van die dame uit New York, die schrijft over seksuele fantasieën en die zegt dat zelfs normale mensen die van hun man houden en zo, dat zelfs zulke mensen soms hele rare gedachten krijgen. Zoals over mannen met wie ze werken, begrijp je?'

'Ik denk...' Hij lachte zijn afschuwelijke lach.

'De dingen die ik met je gedaan heb. O. En de dingen die jij met mij hebt gedaan.'

'Jezus, Moira.'

'Trek het je niet aan. Het is niet iets om je voor te schamen, het is heel gewoon. Je moet dat boek eens lezen. En je ziet me hierna nooit meer, dus waarom zou je er verlegen van worden? Wat doet het ertoe? Ik ben niet gek. Ik hoop tenminste dat je niet denkt dat ik gek ben.'

'Natuurlijk niet...'

'Soms bind je me aan het bed vast met mijn panty. Soms zuig ik aan je vingers, een voor een. Je duwt je neus in mijn knieholten...'

'Denk je niet dat...'

'En vanmorgen? Toen je daar in je kamer stond? In die boxershort? Eerlijk gezegd heb ik altijd gedacht dat jij het type was dat gewone onderbroeken draagt. Zo heb ik me je altijd voorgesteld, de hele tijd...'

'Het spijt me als ik...' Hij hield zijn mond strak.

'Spijt? Praat me in godsnaam niet van spijt, het kan me niets schelen. Ondergoed, wat doet ondergoed er nou toe? Het gaat er mij om hoe iemand in wezen is.'

'Ik ben blij dat...'

'Ik had ook een ander kunnen nemen. Brian Petrie bijvoorbeeld. Die heb ik een tijdje geprobeerd. Maar waar ik bij jou echt voor gevallen ben, en nou moet je niet lachen, dat waren die kleine haartjes bovenop je handen. Zelfs op je vingers. Dat zie je niet zo vaak, dat er zo ver haar groeit op de hand van een man, bijna helemaal tot aan de nagels. Ik zag het al toen dr. Middleton je aan me voorstelde. Lang geleden. Aangenaam, zei je, en ik dacht, mijn god, die prachtige haartjes op de rug van zijn handen.'

Jack kon geen woord uitbrengen, al wilde hij nog zo graag. Moira's handen lagen op tafel, de palmen open – *ik heb je nu alles verteld*, scheen ze te zeggen. En hij, op zijn beurt, had haar niets verteld, niets van enig belang. En dat zou ook nooit gebeuren. Hij kreeg plotseling een duidelijk beeld van de menselijke geslotenheid, die was zo ondoorgrondelijk, zo zinloos, zo'n verspilling.

Nu Moira zich van een last had bevrijd, scheen ze te ontnuchteren. Ze leek nu jonger, met een zekere gemoedsrust. 'Jij bent gekomen', zei ze met die nieuwe, kalme stem. 'Jij was de enige die vandaag door de sneeuw bent gekomen. Dat zegt toch wel iets?'

Hij wilde het beamen, maar was bang in de woorden verstrikt te raken, in plaats daarvan legde hij zijn hand op de hare, hij was zo zacht als die van een jong meisje. Wat had hij dan verwacht? Roberto riep vanuit de keuken: 'Hé, er staat een taxi voor de deur. Hebben jullie een taxi gebeld?'

'Ja', zei Moira duidelijk hoorbaar.

Jack hielp haar in haar jas.

'Heb jij nooit fantasieën?' zei ze, de benen knopen beetgrijpend.

'Ja. Natuurlijk. Die heeft iedereen.'

'Ik ben dronken. Mijn god, wat ben ik bezopen.'

'Ik ook.'

'Ik hou van je.' Ze botste tegen hem aan op weg naar de deur. 'Ik hou ook van jou', riep hij haar na. Wat bedoelde hij daarmee? Hij wist het niet. Hij hoopte dat ze zich niet zou omdraaien om het te vragen.

O M EEN AANTAL REDENEN, GEEN VAN ALLE ERG DUIDE-
lijk, besloot Jack te voet terug te gaan naar Elm Park. Moira's
ontboezeming had hem draaierig gemaakt, een beverige euforie
vulde zijn hoofd, zijn tanden klapperden, hij voelde zich overweldigd en duizelig. Hij moest nadenken, met zijn voeten terug op de
grond. Het had geen zin om terug te gaan naar het Instituut –
vandaag was duidelijk een officieuze vrije dag. En te zien aan de lege,
ondergesneeuwde straten in het centrum reden er geen bussen. Hij
kon natuurlijk de trein nemen, maar waarom zou hij zich haasten?
Het was nog maar twee uur, hij had nog de hele middag om naar
huis te lopen.

Het was iets wat hij nog nooit had gedaan, hoewel hij, nu hij er
over nadacht, zich niet kon voorstellen waarom niet. Vijftien kilometer vond men vandaag de dag geen opzienbarende afstand; voor
een marathonloper, zelfs voor een jogger als Bud Lewis, was vijftien
kilometer niet veel meer dan een opwarming. Vijftien kilometer
lopen zou hem goed doen, het zou hem weer nuchter maken en de
middag doorhelpen – want de middag stond plotseling wijd gapend
voor hem, een muil van tijd die hij hoe dan ook moest vullen. Een
lange, eenzame wandeling, daar had hij behoefte aan. Later zou hij
zelfs kunnen zeggen, als mensen het hem vroegen, of zelfs als ze dat
niet deden, dat hij de dag na de grote sneeuwstorm helemaal had
gelopen van de Loop naar Elm Park. 'Klopt het dat je helemaal bent
komen lopen van…?' 'Ben jij degene die echt…?' (Hij wenste vaak
dat hij deze zoemende gedachten kon afzetten – waarom kon hij
nooit iets doen, zelfs nooit denken aan iets doen, zonder te spelen dat
hij het deed; het had iets verachtelijks, die kleine oefenverhalen en
afgewogen antwoorden van hem, was hij de enige die last had van dit
soort echo's?)

Vreemd dat hij zijn hele leven in Chicago had gewoond zonder ooit op het idee van een dergelijke wandeling te komen. Hoe kwam dat? Nee, het lag niet aan de afstand op zich, maar juist dit traject had iets verbodens, de vormeloze uitgestrektheid ervan, zijn ogenschijnlijk ondoordringbare en onbuigzame lagen, zijn ruige, grootstedelijke warboel. Het strekte zich uit als een omvangrijk vreemd terrein, een drooggevallen waterbekken dat alleen veilig doorkruist kon worden in een gesloten voertuig.

Vijftien kilometer lopen op het platteland was één ding, maar lopend het centrum van een grote stad verlaten was ronduit excentriek, in feite goedkoop romantisch, smartlapperig. En bovendien was er geen gemakkelijke uitweg naar het westen, geen bedding van verzachtende parkgronden om je langs te spoeden. Alleen maar die enorme, weerzinwekkende, vuile keten van huizenblokken, metselwerk en verkeer – en dit alles nu bedolven onder sneeuw. En de gevaren natuurlijk: straatbendes op de hoeken, messen, vreemde talen en gehoon, straatventers, zakkenrollers, zuiplappen en pooiers. Maar vandaag kon je nog geloven dat deze gevaren wellicht beteugeld waren. De sneeuw was niet zozeer een hindernis als wel een vorm van verzachting. Door het wit leek het idee van naar huis lopen een mogelijkheid. Sneeuw en onschuld: een moeiteloos te vatten symboliek, sneeuw kon vreemde, snelle veranderingen bewerkstelligen door, net als nu, Chicago's chaotische wirwar een nonchalante mantel van eenvoud te geven. Het ene met sneeuw dichtgestopte huizenblok zou er hetzelfde uitzien als alle andere, de ene verkeerloze straat als de volgende, buurten zouden de ene na de andere in elkaar overgaan, een samensmelting van postdistricten, politiedistricten en scholen. Het deed Jack genoegen en gaf hem vreemd genoeg een veilig gevoel, wanneer hij dacht aan deze nieuwe naamloosheid en de manier waarop de sneeuw geografische grenzen had uitgewist, omdat hij zich zelfs uitstrekte tot voorbij de stadsgrens en deze roestige, slordige, steedse massa verbond met de stilte van natuurreservaten, kleine boerderijen, dorpen en meren. Hij haalde diep adem. De invloed van de wijn werd minder en vervangen door een eigenzinnig, snel toenemend vertrouwen in zijn eigen voeten en in het hoge, witte licht van de lucht. Hij besloot heel Washington Boulevard uit te lopen.

Hij had een voorliefde voor Washington Boulevard, 's zomers was

het oppervlak glad en minzaam door het asfalt, hij vond het een van de beschaafdste oost-weststraten, kaarsrecht, maar met hier en daar een bepaalde Europese mildheid; verderop zou hij langs Garfield Park komen, de gouden koepel van het Conservatory, bomen en huizenblokken waarvan de solide bruine façades bij mooi weer glansden als betrouwbare gezichten. Zelfs het centrumdeel van Washington Boulevard zoemde op een andere, prettiger toon. Het had iets beleefders, koelers, fatsoenlijkers. De sneeuwschuivers hadden de weg deels geruimd, aan weerszijden langgerekte sneeuwhopen achterlatend. Hij liep midden op straat, moedig het verblindend witte licht tegemoet tredend. De paar automobilisten die hem zagen voortploeteren minderden vaart om hem niet onder te spatten met de zich snel vermeerderende sneeuwbrij.

Er stopte een auto naast hem, een kleine verroeste Ford met een smeltende sneeuwkorst op het dak. Een man leunde uit het raam en bood Jack een lift aan. 'Stap maar in als je naar het westen moet.' Hij had een waanzinnige ragebol, het haar van een student, en een vriendelijk gezicht.

'Ik maak een wandeling', zei Jack en riep hem na, 'maar evengoed bedankt.' Het was jaren geleden dat iemand hem een lift had aangeboden.

Tegen de tijd dat hij Halsted bereikte was het geflap van zijn overlaarzen onverdraaglijk geworden. Hij zag een sigarenzaak vlak bij de hoek, ging naar binnen en vroeg of hij een bolletje touw kon kopen. 'Touw?' Een kleine, gezette, immens gerimpelde oude vrouw in een grijs gebreid vest zat op een stoel bij de kassa, met een blik of ze nog nooit van touw had gehoord. Haar stemgeluid had het onversneden snauwerige accent van Chicago. 'We verkopen hier geen touw. Er is weinig vraag naar touw.'

'Ik heb maar een klein stukje nodig. Om mijn laarzen aan de bovenkant bij elkaar te binden. De sneeuw…'

'Nou, als je meer niet nodig hebt…' De mond klapte dicht; was dat brede, vochtige terugtrekken van lippen een soort glimlach? 'Dan kan ik je wel een stuk touw van ons geven.'

Ze sneed een stuk af, deelde het in tweeën en gaf het aan Jack. Haar oorbellen tikten tegen haar hoge schouders. 'Hier', zei ze. 'Ga daar maar zitten om je overlaarzen op te binden.' Een bevel.

Hij ging op een houten kist zitten, reeg de touwtjes door de

gespen en deed elk daarna tweemaal om een been, zijn broekspijpen diep instoppend zodat ze een comfortabel kussen vormden tussen zijn enkels en het glijdende rubber. Toen stond hij op, ha, dat was veel beter, veel zekerder, hij had het gevoel dat hij nu mijlen kon lopen.

'Heel hartelijk bedankt', zei hij. Mijn god, wat klonk hij elegant – vreselijk. Een heer uit een kostuumstuk.

Ze zat een krant te lezen, maar keek op. 'Christenezielen, wat is een stuk touw op een dag als vandaag.'

'Het verbaast me dat u op een dag als vandaag open bent.' Jack talmde bij de deur, hij was nog maar bij Halsted en smachtte al naar conversatie.

'Ja, kijk,' schokschouderde ze, 'de keus is openblijven of de tent overlaten aan plunderaars. Kinderen op jacht naar sigaretten, allemaal kwajongens…'

De feiten, dacht Jack, terwijl hij tussen Halsted en Damen liep in de richting van het silhouet van het Chicago Stadium, voortdurend de feiten onder ogen zien, wat een manier van leven – altijd op je hoede voor overvallers, plunderaars en verdachte figuren, altijd ervan uitgaan dat er iets vreselijks gebeurt zodra je even niet oplet. Was er ooit rust voor degenen die een sigarenzaak hadden? Hield het ooit op voor wie dan ook, dit dagelijks onder ogen zien van de feiten? Deze behoedzame dagelijkse rondgang, deze eentonigheid? Er moest iets onverwachts gebeuren om de kringloop te doorbreken, daarvoor was een speciale samenloop van omstandigheden nodig.

Het afgelopen uur had een man hem een lift aangeboden en een vrouw hem een stuk touw gegeven. Dat was niet genoeg. Ah, maar een vrouw had hem verteld dat ze van hem hield. Dat ze al jaren van hem hield. Het was ongelofelijk. Hoe langer hij er over nadacht, hoe ongelofelijker het hem toescheen. Hij voelde zich licht in het hoofd maar gesterkt, in zijn gezicht trok een spiertje. Wat nog meer? Het was januari en Chicago was bedolven onder sneeuw. Het was vast een of ander record. En daar liep hij op Washington Boulevard, om drie uur op een dinsdagmiddag. Dat was op zich al genoeg om de alledaagsheid een halt toe te roepen. Of in elk geval een tijdelijke onderbreking af te kondigen. En nog iets: geen mens wist waar hij uithing. Niemand kon hem bereiken. Op dat moment werd er niets van hem geëist, hij kon nergens verantwoordelijk voor gesteld wor-

den. Hij had een hele, wijd open liggende middag zo voor het pakken. Misschien was het wel een illusie – het was natuurlijk een illusie – maar de eerstkomende drie uur, zo lang schatte hij dat hij nog onderweg zou zijn van Damen naar Elm Park Avenue, was hij, tijdelijk, bevrijd, een onzichtbare man glijdend over een spookachtige straat in een onbekende stad.

Er passeerde een aantal auto's. Willa Cather School stond er donker en leeg bij, een paar kinderen speelden buiten in de sneeuw – de scholen waren vast gesloten – en gooiden sneeuwballen. Hij had het gevoel dat gevaren en rampen hem niet konden deren. De lunch met Moira had hem op een eigenaardige manier verdoofd, maar tegelijkertijd bevrijd. Hij had bepaalde antwoorden gekregen, maar de antwoorden zelf waren onbenoembare mysteries. Washington Boulevard was een landweg en hij liep in een mat, metaalkleurig zonlicht naar een niet onaangenaam netwerk van verbanden en mogelijkheden. Vanavond zou hij Harriet Post bellen. Vanavond zou Brenda vanuit Philadelphia naar huis bellen en zou haar heldere stem uit de hoorn klinken. Zijn kinderen zouden thuis zitten wachten. Hij zou hen verstandig toespreken. Hij zou met Bernie praten, er eens goed voor gaan zitten, hem vragen wat zijn plannen waren en, als hem dat werd gevraagd, advies of troost bieden. Zijn leven kon nog steeds op orde gebracht worden.

Hij kwam langs een gesloten winkel met een handgeschreven bordje in de etalage: 'Meervallen'. Een intens gevoel van rust overweldigde hem. Hij zou contact moeten maken, zijn kalme bewustzijn met anderen moeten delen. Als er een arme sloeber voorbijkwam die om een dollar vroeg, zou hij er tien geven. Als hij beroofd werd, zou hij zeggen, hier is mijn portemonnee, hier zijn mijn hoed en mijn handschoenen, neem alles maar. Hij was een man, een historicus, op weg naar huis, vandaag was er een zekere ernst in zijn leven gekomen, een evenwichtige kijk op de dingen, doordacht en onbaatzuchtig. Ontevredenheid, zo overwoog hij, werd alleen maar veroorzaakt door de onwil het leven nuchter te beschouwen – we kunnen niet altijd de makkelijkste weg kiezen.

'Natuurlijk,' had hij tegen Moira Burke gezegd, dronken in de deuropening van Roberto's staand, 'natuurlijk heb ik ook wel eens seksuele fantasieën.'

Maar wat hij haar niet had verteld, was dat zijn fantasieën steevast

over zijn vrouw Brenda gingen, en zich altijd afspeelden in een veilige, vertrouwde omgeving, het huis in Elm Park, de blauwwitte slaapkamer met de foto's van de kinderen op de ladenkast. Moira zou hierover verbaasd en waarschijnlijk verdrietig zijn geweest, na de boeken die ze had gelezen. Zelfs hij was enigszins verbaasd en verdrietig; hij had ofwel geen verbeeldingskracht of hij had een saaie, hardnekkig monogame en huiselijke natuur. (Iemand die hij onlangs op een feestje had gesproken, een psycholoog uit de schoolcommissie, had hem verteld dat de gemiddelde man om de twintig minuten aan seks denkt – hij had zich afgevraagd, en betwijfeld, of hij wel zo gemiddeld was.)

De zachte zwelling van Brenda's heupen – Jack kon zich niet voorstellen dat er een tijd zou komen, ook al wist hij dat een mensenlichaam onvermijdelijk slap en oud werd, dat hij niet geroerd zou zijn wanneer hij zijn vlakke hand liet rusten op Brenda's heup. Of voelde hoe haar vingertoppen kalm en vertrouwd zijn wang streelden.

Twintig jaar geleden had Harriet Post hem uitgenodigd in haar éénkamerflat en in een vloeiend gebaar, met haar ellebogen boven haar hoofd, haar trui uitgerukt. Ze had de slaapbank opengeklapt met een dreun die zijn hart angstig had doen overslaan en gezegd: 'Nou?'

De eerste keer had ze hem moeten helpen, maar hij leerde snel. Op winteravonden, liggend op de zwarte corduroy sprei van Harriets slaapbank, oefende hij op de fijne kneepjes van timing en intensiteit en voelde hij zijn trage lichaam tot leven komen. Onder hem kreunde en hijgde Harriet heel realistisch, haar smalle bekken had de stevigheid van een degelijke houtconstructie. Hij zwom over haar lichaam, bijna verdrinkend, bijna in haar versmeltend, maar werd telkens weerhouden door iets onbewogens en behoedzaams achterin zijn hoofd, een beschamende tinteling die hem toesprak met een vreemd, op radiostoring lijkend stemmetje dat zei: 'Maar waar dient dit toe? Waar dient dit toe?'

Nadat hij getrouwd was met Brenda verdween de stem spoorloos. Hij had er in geen jaren aan gedacht. Hij had Brenda er ook nooit iets over verteld, hij zou niet weten hoe. Hij was simpelweg dankbaar dat hij er van af was. En verbaasd. Hij besefte dat hij maar op het nippertje ontsnapt was, ook al wist hij niet precies aan wat.

Het werd kouder op Washington Boulevard. Toen hij Kedzie overstak, knapte het touw rond zijn linkerlaars. Shit, net nu hij er aardig de pas in had. Naast een met ketenen gesloten drankzaak was wonder boven wonder een café open, Margie's Lunchroom, en hij ging er naar binnen voor een kop koffie en om zijn laarzen opnieuw vast te binden. Het café was verlaten. Hij hees zich op een barkruk en voelde de vermoeidheid trillen in zijn rug en benen, hij boog zijn knieën, het afwisselende gevoel van pijn en opluchting beproevend, en voor het eerst kwam het bij hem op dat hij het misschien toch niet zou halen. Kedzie was nog niet halverwege – Jezus. Hij deed voorzichtig zijn laarzen uit en door zijn sok heen voelde hij op de teen van zijn rechtervoet het begin van een blaar.

'Wil je een donut bij je koffie?' De jongen achter de bar zag er bijna even oud uit als Rob. Witte tanden in een donker gezicht, onzeker en bitter van droefgeestigheid.

'Alleen koffie. Zwart graag. Heb je misschien een stuk touw voor me? Voor mijn laars?'

'Nee. We hebben geen touw.'

'Ik denk dat ik dit nog wel aan elkaar kan knopen, maar het is een beetje kort.'

'Jezus, hoe kom je aan die laarzen, man?'

'Die heb ik al jaren.'

'Dat meen je niet. Hé man, hoe kun je op van die laarzen lopen?'

'Als ik nou een stuk touw had…'

'Hé, geef eens hier. Laat me eens kijken.'

Jack gaf de eindjes touw over de bar aan en keek toe hoe de jongen ze beetpakte, ze snel ronddraaide tussen zijn rozebruine vingers en een dikke knoop legde die hij testte met een scherpe ruk en een tevreden mauw. 'Hé man, zo houdt het wel.'

'Dank je.'

'Als ik jou was, zou ik een paar nieuwe laarzen kopen.' Hij keek naar het plafond en liet een schrille, mysterieuze lach horen.

'Ja, dat voelt een stuk beter', zei Jack. De koffie had hem verwarmd en hij was gereed om weer verder te gaan. 'Nou, tot ziens dan maar.' Hij glimlachte nadrukkelijk over de bar heen, in een poging de jongen een glimlach te ontlokken, hij had hard gelachen, waarom kon hij dan niet glimlachen?

De zon ging onder toen Jack door Garfield Park liep en bij

Pulaski kwam. De gebouwen op de hoek – een grillbar, een benzine-station en de Kerk der Verlossing – schenen in vuur en vlam te staan. Een echte naam uit Chicago, Pulaski, Brenda's meisjesnaam. 'Je weet wel, Pulaski, net als de straatnaam', had ze tegen hem gezegd toen ze zich voorstelde. En wanneer hij later een bordje zag met Pulaski erop, wist hij nog precies hoe ze het had gezegd: luchtig, maar met een betekenisvolle nadruk, alsof het een oude, afgezaagde grap was, die toch nog iets leuks had. Ze hield haar hoofd licht gebogen, haar lippen vaneen in een klein lachje.

Het gemak waarmee hij deze beelden kon oproepen. Het was alsof hij altijd een film bij zich had, een complete geschiedenis van Brenda Pulaski Bowman die volledig losstond en verschilde van haar geschiedenis zoals ze die zelf zag. Ongetwijfeld had ze van hem ook zo'n filmpje – hij kon zich niet indenken hoe dat er uit zag, maar de details waren ongetwijfeld raadselachtig en vreemd voor hem. Hij had echt nooit kunnen denken dat hij al die jaren nóg een leven had geleefd in Moira Burkes gedachten. (Hij dacht aan haar vastbinden met een panty en voelde een pijnlijk snijdende druk opkomen achterin zijn keel, een verdikking van genot – moest hij er om lachen of huilen?) Het aantal geschiedenissen dat opgeborgen kon zitten in iemands hoofd was oneindig. Zelfs het meest geavanceerde opsporingsapparaat ter wereld zou ze niet allemaal kunnen verzamelen en samenvoegen (daar moest hij het vrijdag met Bernie over hebben). Er zou altijd een bron over het hoofd gezien worden of een bepaald feit niet onderzocht.

Hij herinnerde zich dat hij jaren geleden op een avond tegen zijn moeder zei dat hij een meisje zou meenemen dat Brenda Pulaski heette. 'Een polakkenmeisje?' had zijn moeder gealarmeerd ge-vraagd. 'Pools', had Jack haar gewichtig gecorrigeerd. Zijn moeder herinnerde zich vast niet meer dat ze die woorden had gebruikt – 'een polakkenmeisje' – en zou zeker niet meer denken aan de uiteenlopende vooruitzichten die dit woord had opgeroepen. Slechts één keer had hij Harriet Post meegenomen naar huis. Op een zondag, zijn moeder had een varkensrollade gebraden, en nu wist ze niet eens meer wie Harriet was.

Naar alle waarschijnlijkheid, bedacht Jack, was Harriet zijn moe-der ook vergeten, was ze de varkensrollade met appelmoes vergeten, en misschien ook hem vergeten en hun lange, tastende nachten op

de smalle slaapbank. Wanneer hij haar vanavond opbelde, moest hij er maar van uitgaan dat ze het vergeten was, hij zou zich langzaam een weg naar het verleden moeten banen. 'Hallo? Harriet? Dit (ahum) is een stem uit het verleden, ik denk niet dat je nog weet wie ik ben, maar…' Of kort maar krachtig: 'Je spreekt met Jack Bowman, Harriet. Weet je nog, Chicago, 1956?'

Cicero Avenue. Eindelijk. Een meubelzaak op de hoek maakte reclame met een aanbieding voor de complete inrichting van een vierkamerwoning. Een medische kliniek was gehuld in sombere duisternis. Het werd snel donker in deze tijd van het jaar. In elk geval was Washington Boulevard vrij goed verlicht. Als hij een taxi zag, zou hij misschien zwichten en de rest naar huis rijden. De blaar op zijn teen werd groter en hij begon bibberig te worden van de kou. Het was vijf uur.

Hij kwam langs een bloemenzaak, Flower City, en was verbaasd dat een winkel van dergelijke niet-noodzakelijke artikelen open was. Een mooie, evenwichtige uitstalling van gladiolen sierde de etalage, en er stond een bordje bij: *Opruiming. Alleen vandaag* – wat Jack ontzettend grappig vond. Wie snelde er op een dag als deze nu zijn huis uit om bloemen te kopen? Zouden er vandaag mensen trouwen? Of begraven worden? Toen kwam het bij hem op dat hij zelf bloemen kon kopen. Hij zou – en hij straalde van blijdschap bij het idee – hij zou Moira Burke een bos bloemen sturen.

Hier stond hij voor een verlichte bloemenzaak. En Moira Burke was thuis, bezig haar koffer te pakken terwijl ze weer nuchter werd en ongetwijfeld tot haar schrik zou beseffen welke uitspraken ze had gedaan. In zijn hart vlamde een oprechte genegenheid voor haar op. Hij zou haar bloemen sturen. Maar geen gladiolen. Wat zou een minnaar sturen? Rozen. 'Hebt u ook rozen?' vroeg hij de vrouw achter de toonbank. Ze keek hem achterdochtig aan. Ze had haar jas aan en de sleutels in haar hand, blijkbaar op het punt om de zaak te sluiten.

'We hebben alles wat u maar wilt', zei ze tegen hem. 'Achterin de zaak.'

'Hebt u twaalf rozen?'

'Wilt u ze meenemen of laten bezorgen?'

'Laten bezorgen. In Evergreen Park. Bezorgt u daar ook?'

'Daar kan ik wel voor zorgen, maar dat kost flink wat.'

'Kan dat vanavond nog?'

'Dat weet ik niet. Met al die sneeuw? Misschien. Ik kan het proberen.'

'Ze moeten vanavond bezorgd worden.'

'Wat moet er op het kaartje?'

'Welk kaartje?'

'Het kaartje waar op staat van wie de bloemen komen.' Licht spottend tikte ze met haar pen op de toonbank.

'Geen kaartje', besloot Jack. 'Alleen de bloemen.'

'Zoals u wilt.' Ze keek hem even strak aan.

'Kan ik met een cheque betalen?' vroeg hij.

'Hmmm. Dat is niet de gewoonte.'

'Alstublieft.'

Hij deed zijn handschoenen uit om zijn chequeboekje te pakken en in het felle licht dansten de haartjes op de rug van zijn hand. Hij spreidde zijn vingers en zag hoe het licht er op speelde, hij was een man die rozen zond naar een vrouw die zei dat ze hield van de haartjes op zijn handen. Hij schudde zijn hoofd, verbluft, gelukkig. Wat moest hij met deze wetenschap?

'Dank u, meneer Bowman. Wilt u hier even tekenen…?' Door de manier waarop ze meneer Bowman zei en waarop ze hem de pen overhandigde, wist hij dat hij bijna thuis was. Nog een uur, als hij snel liep.

Het duurde net iets meer dan een uur voor hij bij zijn voordeur stond. De lucht zag er mat en drukkend uit, de sneeuw in Elm Park was dikker en steviger dan de sneeuw in de binnenstad en lag overal opgehoopt rond de verlichte huizen, prachtig. Kleine struiken zwaaiden zacht heen en weer onder het gewicht, zijn eigen huis was fraai afgezoomd met smalle blauwwitte richels. Niemand had eraan gedacht de gordijnen dicht te doen en uit de ramen van de woonkamer stroomde licht dat gouden vlakken wierp in de voortuin. Hij duwde de voordeur open en ademde warmte in en de geur van gebraden vlees. Laurie sprong hem onmiddellijk wild om de hals. 'Bernie is er. Hij maakt biefstuk voor ons. T-bones.'

Rob verscheen in de deuropening van de keuken, met een dromerige blik en verbazingwekkend groot. 'Mam belde net vanuit Philly. Tien minuten geleden.'

'Vijf minuten geleden', corrigeerde Laurie hem.

'Heeft ze gebeld?' Jack was duizelig van vermoeidheid. 'Nu al?'

'We hebben allemaal met haar gepraat.'

'Wat zei ze?' Hij wilde zijn jas uitdoen, gaan zitten, zijn laarzen uittrekken.

'Alleen maar dat ze het fantastisch heeft.'

'Fantastisch?'

'*De tweede komst* heeft een eervolle vermelding gekregen', zei Laurie.

'En wat nog meer?'

'Behalve de eervolle vermelding?'

'Zei ze verder nog iets? Had ze nog een boodschap?'

'Dat we tegen jou moesten zeggen dat ze van je houdt', zei Rob.

'Meer niet?' zei Jack. Hij was zo moe dat hij bijna flauwviel. 'Meer niet?'

B ERNIE ZETTE FLUITEND EN DE MAAT STAMPEND DE BIEF-
stukken op de keukentafel en liet ze met behulp van een
vleesvork op de borden ploffen. Dit huiselijke tafereel had iets
verbijsterends – Bernie die keukencorvee deed als een tot dienst-
verlening gedwongen kamerhuurder – maar Jack, die misselijk was
van de honger, voelde zich te dankbaar om hierover te piekeren. Om
zich heen kijkend zag hij dat de keuken ook was opgeruimd. De
borden waren in de afwasmachine gezet. Een grote, groene, keurig
dichtgebonden afvalzak stond bij de keukendeur. Zelfs de vloer zag
er schoon uit.

Bernie, hoorbaar kauwend op rood vlees, was vrolijk maar rusteloos, zijn rossige haardos stond steil boven zijn voorhoofd en er zaten
witte ribbels boven zijn ogen. Jack had hem graag verteld dat hij
vandaag bij Roberto's was geweest, niet over Moira Burke, maar dat
hij oog in oog had gestaan met de echte Roberto, maar Bernie had
het druk met andere dingen; vanavond zou hij in het Austin General
ziekenhuis een bezoek brengen aan Larry Carpenter. Hij keek op
zijn horloge, het bezoekuur begon om acht uur.

Larry voelde zich al een stuk beter, meldde Bernie, tenminste dat
was het laatste nieuws van Janey, die de hele dag in het ziekenhuis
was gebleven. Hij wilde wel bezoek ontvangen, zei Janey, en volgens
de psychiater was dat waarschijnlijk een goed idee. Eén tegelijk
natuurlijk. Janey had hem gevraagd vanavond een uurtje met haar
mee te gaan. 'O ja, Janey zei ook nog dat ik Laurie moest bedanken
omdat ze de honden eten heeft gegeven.'

'Ik wilde een plant sturen', zei Jack.

'Larry is heel opgewekt, volgens Janey. Het is echt verbazend. Hij
wil zo snel mogelijk naar huis, en weer naar de krant en zo.'

'Zo vlug al?'

'Ze zegt dat hij misschien morgen al naar huis mag. Dan moet hij natuurlijk nog wel een tijd tranquillizers slikken.'

'Dat neem ik aan.'

Bernie sprong op en greep zijn jack. 'Sorry dat ik even gauw eet en weer weg ben, maar ik moet er vandoor.'

Stilte. Toen zei Rob, met een blik op Bernies windjack: 'Wil je mijn ski-jack lenen?'

'Nee, dank je. Zo koud is het niet.'

'En laarzen dan?' vroeg Jack.

Bernie haalde zijn schouders op met een overdreven variétégebaar en uit zijn mond kwam een vreemde hinnikende lach. 'Mijn schoenen zijn toch al doornat, dus waar zou ik me nog druk om maken…'

'En wat vannacht betreft…' begon Jack.

'Maak je over mij geen zorgen,' glimlachte Bernie, bijna met de uitstraling van een bruidegom, 'ik pit gewoon hiernaast.'

Hij ging door de achterdeur, ze hoorden zijn schoenen glijden toen hij op de houten veranda stapte. Onder de keukenlamp zaten Rob en Laurie zwijgend als beelden, zonder op te kijken voelde Jack hun beschuldigende blikken. Verdomme, waarom moesten ze hem hebben? Laurie zaagde in haar biefstuk en zei: 'Ik begrijp het nog steeds niet.'

'Wat begrijp je niet?'

'Waarom je bent komen lopen in plaats van met de El.'

'Waarom?' Een dergelijke ondervraging had hij niet verwacht. Niet dat hij felicitaties of applaus had verwacht voor iets wat inmiddels niet alleen raar maar ook roekeloos scheen, maar anderzijds had hij ook niet gerekend op deze vraag om uitleg. 'Ik weet het niet', zei hij tegen haar.

'Dat heb je nooit eerder gedaan.' Ze was oprecht verbluft – Jack herkende de toon. Het was de verwarring van een jong kind dat bedreigd werd door verandering. Twaalf is ook nog erg jong, dacht hij.

'Misschien heb ik het juist daarom gedaan', zei Jack. 'Alleen maar omdat ik het nooit eerder heb gedaan.'

'Dat vind ik niet zo'n goede reden…'

Maar Rob kwam tussenbeide. 'Je hoeft ook niet overal een reden voor te hebben, stommerd.' Een lichte bijklank van kameraadschap haalde de scherpe kantjes van het woord 'stommerd'.

Jack keek hem over tafel aan met plechtige goedkeuring.

Rob zat aan zijn derde kop thee. Hij had vanavond geen zin in biefstuk, zei hij. Dit verbaasde niemand, niemand vroeg er iets over. Hij was al dagen zo.

Maar zijn gebrek aan eetlust was nog geen voldongen feit. Jack maakte er zich nog niet druk over. Hij had het zelfs nog geen naam gegeven. Anderzijds was het wel geregistreerd. En opgeslagen. En voorlopig in elk geval als gegeven aanvaard.

De telefoniste was allervriendelijkst. 'Het spijt me echt heel erg', zei ze.

'Maak ik een kansje als ik het over een uur nog eens probeer?'

'Ik weet het niet.' Ze stelde hem voorzichtig teleur. 'Ze hebben ons gezegd dat we vanavond geen contact meer kunnen krijgen met Rochester, ook niet met Buffalo, trouwens.'

'Weet u het zeker?' Hij had al nauwkeurig geoefend wat hij tegen Harriet zou zeggen. 'Ik bedoel, het is toch bijna niet mogelijk dat Bell Telepone niet in staat is...'

'Het is inderdaad heel ongewoon, maar ze zeggen', – wie waren ze? – 'dat onze sneeuwstorm nu daar zit.'

Jack genoot van de manier waarop ze 'onze sneeuwstorm' zei. Hij stelde zich haar voor als een beetje oudere, ietwat grijzere versie van Moira Burke en treuzelde met ophangen. 'We kregen vanavond nog een interlokaal gesprek uit Philadelphia', vertelde hij haar. 'Als je hierheen kunt bellen vanuit Philadelphia, zou je toch verwachten dat je ook kunt bellen naar Rochester?'

'Hoe laat was dat telefoontje uit Philadelphia, meneer?' Waarom moest ze het nu bederven door hem 'meneer' te noemen?

'Ik geloof rond een uur of zes.'

'Tja, ik kan alleen maar zeggen dat de situatie sindsdien veel slechter is geworden. Het schijnt dat er veel lijnen zijn uitgevallen en we hebben gehoord dat het oosten het veel harder te verduren heeft dan Chicago.'

'Ongelofelijk', zei Jack vriendelijk. 'Bijna niet te geloven dat het nog erger kan zijn dan wat wij hier hadden.'

'Ja, hè', leefde ze mee. 'Het was echt ongelofelijk.'

'Dan zal ik het morgenavond nog maar eens proberen.'

'Morgenavond moet geen enkel probleem zijn. Ik weet zeker dat

de lijnen dan weer in orde zijn. Dat kan ik u bijna garanderen.'

'Wie probeerde je te bellen?' vroeg Laurie nadat hij had opgehangen.

Ze zaten met zijn drieën te lezen in de woonkamer.

'Een vrouw die in Rochester woont.' *Een vrouw die in Rochester woont* – alsof ze een mythisch wezen was, de Vrouw van het Meer.

'Wie dan?' vroeg Laurie rechtstreeks.

'Ze heet Harriet Post.'

'Harriet Post?' Rob kwam achter de krant vandaan. Een uur lang had hij de berichten over de storm zitten lezen. 'Wie is Harriet Post?'

Jack ging gemakkelijk zitten en nam een slokje van zijn koffie, blij dat hij vanavond een gehoor had. 'Om precies te zijn, Harriet Post is iemand die ik heb gekend in mijn studententijd.'

'En waarom belde je haar dan?' Laurie scheen aandachtiger dan anders.

'Nou, ik heb net ontdekt dat ze een boek heeft geschreven. En toevallig is dat hetzelfde soort boek als wat ik aan het schrijven ben.'

'Over Indianen bedoel je?' Dat kwam van Rob.

'Bedoel je dat jullie allebei precies hetzelfde boek hebben geschreven?'

'Min of meer. Zij wist niet dat ik het aan het schrijven was en ik wist niet dat zij het aan het schrijven was. Het gebeurt wel vaker, dit soort dingen. Deze dingen gebeuren nu eenmaal.' Toch een handige zin.

'En waarom bel je haar dan?'

'Nou kijk,' Jack zweeg even, 'ik moet er achter zien te komen over welk materiaal haar boek precies gaat. En dan moet ik besluiten of het de moeite waard is om mijn boek af te maken of niet.'

Rob legde de krant weg. 'Bedoel je dat je het misschien niet afmaakt?'

'Tja, het zou een beetje absurd zijn om twee boeken over hetzelfde onderwerp te hebben. Die in hetzelfde jaar uitkomen. Als je begrijpt wat ik bedoel.'

'Ja,' zei Laurie, 'dat zou stom zijn.'

'Zeker weten', zei Rob, die de krant weer oppakte.

Jack hoorde hoe de wind het voorzetraam deed rammelen. Hij voelde een vredig gevoel over zich heen komen, hij zou zo in zijn stoel in slaap kunnen vallen.

Om middernacht ging de telefoon.

'Hallo', zei hij verdoofd.

'Ik ben het, Jack. Pa.'

'Pa. Christus-nog-aan-toe, wat is er aan de hand?'

'Niets aan de hand. Helemaal niets. Je klinkt alsof je al sliep.'

'Ik dutte wat. Ik sliep nog niet echt.'

'Ik wilde gewoon even bellen.'

'Alles goed met ma?'

'Prima. Uitstekend. Die slaapt al uren.'

'En hoe gaat het met jou? Heb je de sneeuwstorm doorstaan?'

'Prima, prima, geen probleem voor ons. Geen trottoirs om te ruimen.'

'Pa?'

'Ja.'

'Waarom bel je? Anders bel je nooit middenin de nacht. Er moet iets aan de hand zijn.'

'Nee Jack, er is niets…'

'Je kunt niet slapen. Is dat het?'

'Dat heb ik wel vaker.'

'Kun je me dan misschien vertellen…'

'Nou kijk, ik heb laatst een boek gekocht. En daar heb ik de hele dag in zitten lezen.'

'Wat voor boek?'

'Het heet *Avontuurlijk leven.*'

'Vertel eens.'

'Het is geschreven door een makelaar uit Californië. Tenminste, hij was vroeger een makelaar. Een intelligente vent. Hij heeft in elk geval een heleboel goede ideeën.'

'Zoals…'

'Over hoe je avontuur in je leven moet brengen. Je weet wel wat ik bedoel, Jack. Je vastgeroeste gewoontes doorbreken.'

'Hmhm.'

'Over allerlei dingen die je kunt doen zonder de boel helemaal in het honderd te sturen.'

'Wat dan?'

'Nou, gewoon als voorbeeld, dat je je toetje vooraf kunt eten. Dat is een begin, zegt hij.'

'O ja? Heb je dat geprobeerd?'

'Morgen. Een ander voorbeeld dat hij noemt is dat je iemand een bedankbriefje kunt sturen, zoals een familielid of degene op wie je hebt gestemd. Zomaar, onverwacht, begrijp je?'

'En heb je dat gedaan?'

'Ik ben het wel van plan.'

'En wat nog meer?'

'Nou, hij zegt, bel eens iemand middenin de nacht op. In een soort opwelling.'

'En dat heb je gedaan.'

'Hij zegt dat als je avontuur in je leven wilt brengen, dan moet je met kleine dingen beginnen. Dus toen dacht ik, waarom ook niet?'

'Prachtig, pa.'

'Ik ben blij dat je nog niet in bed lag. Ik zou je niet graag wakker gebeld hebben.'

'Ik ga nu naar bed.'

'Goed, welterusten dan maar.'

'Ik zie je morgen, pa.'

'Morgen? Morgen is het woensdag.'

'Ik was van plan om na het werk even langs te komen.'

'Weet je het zeker? Op een woensdag?'

'Ja, hoor.'

'Nou…'

'Welterusten, pa.'

'Welterusten, Jack. Slaap lekker.'

25

OP WOENSDAGMORGEN ZOU JACKS DOCHTER LAURIE VER- moord worden. Tenminste, dat zei ze.

Ze zou worden vermoord, afgeslacht door haar lerares huishoud- kunde omdat ze het patroon en de stof niet had gekocht voor de rok die ze moest maken.

'Doe niet zo mal', zei Jack tegen haar. 'Het is geen ramp als je geen patroon hebt.'

'Wel waar, wel waar', jammerde ze erbarmelijk. Haar hoofd ging op en neer met het ritme van het lijden, en haar vuisten geselden de lucht.

'Dan neem je het morgen maar mee', zei Jack vastberaden.

Ze begon onbeheerst te huilen, zonder de moeite te nemen haar gezicht met haar handen te bedekken. Laurie's tranen, zo verschil- lend van Brenda's zeldzame en traag komende tranen, spoten te voorschijn in hete vlagen. 'Ze vermoordt me. Je weet niet hoe ze is.'

Het was acht uur. Hij zat rustig een kop koffie te drinken toen Laurie jammerend de keuken binnenkwam. 'Waarom heb je dat gisteren dan niet gezegd?'

Er ontsnapte haar een lange, smartelijke kreet. 'Ik ben het ver- geten.' Haar gezicht zwol op terwijl hij toekeek, de amoebe-achtige zachtheid van haar lichaam vervulde hem altijd met medelijden.

'Je hebt waarschijnlijk weken de tijd gehad om het te kopen.'

'Mam zou het vorige week voor me kopen.' Ze hield zich vast aan de rugleuning van een stoel, nu iets zachter snikkend.

'Je moeder had het druk vorige week.' Nu ging hij Brenda ook nog zitten verontschuldigen – hij voelde een vlaag van woede op- komen, *Verdomme, Brenda, wat moet er van dit kind terechtkomen als je zo doet* – de zinsnede *jij lekker aan de boemel ergens in het land* kwam bij hem op, maar dat wees hij van de hand als oneerlijk.

'Oké, oké, Laurie, hoe laat heb je huishoudkunde?'

Ze duwde haar vuisten in haar ogen en hield op met huilen. 'Om halftien. Gelijk na de dagopening.'

'Luister eens, schat, ik kan het niet beloven. Ik heb een afspraak met dr. Middleton om tien uur. Maar ik zal het proberen, oké?'

'O, pappie!' De kracht van haar dankbaarheid was vernietigend, haar zachte gezicht glansde wonderschoon.

'Schrijf maar op wat je nodig hebt, dan probeer ik het op school af te geven. Ik breng het naar de administratie. Weet je wat je nodig hebt?'

'Hier heb ik het patroonnummer. Het is van Butterick. Ze hebben het bij Zimmerman.'

'En de stof?'

'Die moet deels polyester zijn. Maar niet helemaal. Het moet een patroon hebben.'

'Een patroon? Oké.'

'Maar pappie, het moet wel een klein patroontje zijn, oké? Juffrouw Frost zei dat ik er met een groot patroon uitzie als een olifant.'

'Zei ze dat, lieverd?'

'En een donkere kleur. Ze zei dat ik iets donkers moest hebben. Dat flatteert meer, zei ze.'

'Voor wie wordt die rok eigenlijk? Je kunt toch maken wat je wilt, in hemelsnaam.'

'Ik kan maar beter nemen wat zij zegt anders vermoordt ze me. O ja, papa, en een rits. Een rits van achttien centimeter, goed?' Ze greep zijn hand en kneedde die heftig.

'Godallemachtig, Laurie!'

'Denk je echt dat je het voor halftien kunt brengen?'

'Tuurlijk', zei hij tegen haar. 'We gaan in elk geval ons best doen.'

Rob was laat opgestaan, hij geeuwde, pakte zijn boeken bij elkaar en trok zijn nieuwe sneeuwlaarzen aan. In tegenstelling tot Laurie was hij ergerlijk kalm. Bijna als in een trance. 'Hé, pa, kun je me bij school afzetten? Ik heb de wekker niet gehoord.'

'Ik moet nog iets gaan halen voor Laurie. Kun je over vijf minuten klaarstaan?'

'Ik ben al klaar.'

'Moet je dan niet ontbijten?'

'Ik heb koffie gedronken.'

'Wil je niet een geroosterde boterham of zo?'

'Ik heb helemaal geen honger.'

'Waarom niet?'

'Hoe bedoel je, waarom niet?'

'Oké, Rob. Nu hebben we er lang genoeg omheen gedraaid. Wat is er met je aan de hand?'

'Met mij?'

'Voor zover ik weet heb je niets meer gegeten sinds afgelopen zaterdag.'

'Ik weet niet waar je het over hebt.'

'Natuurlijk weet je dat.'

'Nou en?' zei hij, 'dan heb ik geen honger. Dat is toch geen misdaad of zo?'

'Het is vandaag al woensdag. Van zaterdag tot woensdag, reken maar uit. Dat is behoorlijk lang voor een gezond iemand.'

Rob staarde broedend naar de rug van zijn handen.

'Kun je me in elk geval zeggen, Rob,' Jack haalde diep adem, 'of je van plan bent ooit weer te gaan eten?'

'Tuurlijk.'

'Wanneer dan?'

'Zaterdag.'

'Zaterdag? Waarom zaterdag?'

Rob trok een gezicht tegen de vloer. 'Dan zijn het zeven dagen.'

'Ik begrijp het', zei Jack. Vreemd genoeg begreep hij het inderdaad. Er was geen lichtexplosie in zijn hoofd, in plaats daarvan zag hij er de waarheid van in met een helder, naderkomend, rinkelend geluid, ongeveer als van een fietsbel. 'Is dit dan een soort hongerstaking waar je mee bezig bent? Een soort vasten?'

'Zoiets, ja.'

'Ik begrijp het.' Kon hij niets beters verzinnen om tegen zijn knul te zeggen dan *ik begrijp het*? 'Tja, kun je me dan misschien vertellen of er een bepaalde reden voor is?'

'Er is niet echt een reden. Ik wil gewoon weten of ik het kan.'

'Je doet toch geen boete voor het een of ander?'

'Nee.'

'En het heeft ook niet te maken met je bezoek aan Charleston vorige week?'

'Nee. Dat is het niet, daar ben ik overheen. Ik heb zelfs tegen Bernie gezegd dat ik zondag weer met hem meega.'

'Om te zien of je het aankunt.'

'Zoiets.'

'Ik begrijp het. Ik denk dat ik het begrijp.'

'Het klinkt waarschijnlijk idioot.'

'Nee. Nou ja, misschien klinkt het wel idioot maar dat is het waarschijnlijk niet.'

'Dat klinkt pas echt idioot.' Uit Robs keel kwam een droog, hees geluid.

'Kom op, Rob, we moeten gaan. Ik weet niet eens of ik de auto wel uit de garage kan krijgen.'

'Er is veel sneeuw gesmolten. En Bernie heeft gisteren bijna het hele pad geruimd. DePaul was dicht dus hij was de hele dag hier.'

'Ouwe trouwe Bernie. Hij bakt biefstuk voor ons en maakt ons pad schoon. Wat moeten we zonder hem beginnen?'

'Wat Bernie betreft,' begon Rob, 'denk je, ik bedoel, vind je het niet een beetje raar dat Bernie hiernaast logeert?'

'Een beetje wel.'

'Ik vroeg me af of ze... denk je dat ze? Bernie en mevrouw Carpenter... denk je dat ze, nou ja...'

'Waarschijnlijk wel, ja. Dikke kans. Gezien de menselijke natuur.' Jack zocht in zijn jaszakken naar zijn autosleutels. Wat klonk hij kalm, zo wonderlijk gematigd en objectief.

Rob wreef langs zijn kin met de bovenkant van zijn handschoen. 'Maar is dat dan niet een beetje... ik bedoel, meneer Carpenter ligt in het ziekenhuis. Ik bedoel, hij heeft geprobeerd zich van kant te maken. En nu gaat Bernie, je weet wel, vreemd met zijn vrouw.'

'Heb je de autosleutels gezien?'

'Op het tafeltje in de gang.'

'Dank je. Er zijn waarschijnlijk een heleboel dingen die eigenlijk onzinnig zijn. Soms reageren mensen anders dan we verwachten.' Hij zwaaide met zijn arm. 'Net als toen oma Elsa stierf. De begrafenis was op een maandag, weet je nog? Jij was nog maar, eens kijken, tien...'

'Ik herinner me de begrafenis nog.'

'En weet je ook nog wat er na de begrafenis gebeurde? Wat we toen deden?'

'Niet echt.'

'We gingen terug naar het huis van opa en oma en hebben de hele middag canasta gespeeld.'

'Canasta?'

'Ik weet wel dat dat niet hetzelfde is, maar ik wil alleen maar zeggen…'

'Ik begrijp wat je bedoelt.'

'Ik weet zeker dat wanneer meneer Carpenter weer thuiskomt, alles weer normaal wordt.'

'Heb jij ooit…? Ik bedoel nadat je met mam was getrouwd, heb je toen ooit… je weet wel… met iemand anders?'

'Nooit.' De kracht van zijn verklaring benam hem bijna de adem, zoveel leugentjes in zijn leven, zoveel doen alsof en onbetrouwbaarheid, maar nu en dan een opbeurende kans om de waarheid te spreken. 'Nooit. Ik kan je niet zeggen waarom. Maar om een lang verhaal kort te maken, ik wilde het nooit. Het is te ingewikkeld, maar nee, nooit.'

'We moeten gaan.'

'Wat ga je als eerste eten wanneer je ophoudt met vasten?'

'Een kingburger. Met alles erop en eraan. En een dubbele portie frites en een milkshake banaan of een groot glas limonade. Ik ben er nog niet helemaal uit, maar waarschijnlijk wordt het de limonade.'

26

H ET WERK WAS WOENSDAG NIET MEER HETZELFDE NU
Moira weg was.

Calvin White van Geologie, wiens werkkamer naast die van Jack
lag, leunde vlak na de lunch tegen de koffieautomaat en klaagde dat
nu Moira was vertrokken en vervangen door de goudgelokte Melvin
Zaddo, het Instituut een mannenbastion was geworden. 'Moira zat
ons achter de broek', zei Calvin ietwat dubbelzinnig, koffie tappend
in een piepschuim bekertje.

Brian Petrie van Culturele Antropologie was het daarmee eens.
Moira Burke zou hier hevig gemist worden. 'Het aantal uren dat die
vrouw werkte! En ook nog onbetaald! Het was altijd Moira die de
directiekamer versierde met kerst. Jaar in jaar uit, god-nog-aan-toe.'

'Mel Zaddo is volgens mij een mislukkeling', zei Milton McInnis
van Restauratie. 'En spellen kan hij ook niet.'

'Arme Mel, die niet kan spellen. Ha!'

'Hij typt aardig goed', zei Calvin White fronsend. 'Verbazend
goed eigenlijk.'

'Hij heeft wel iets humeurigs', zei Brian Petrie. 'Zoals hij hier
rondloopt. De ene dag vrolijk, de volgende dag chagrijnig.'

'Het samenvatten van die concepten heeft hij goed gedaan', zei
Jack. 'Eerlijk gezegd heeft hij verrassend goed werk geleverd.'

'Ik heb het idee dat hij hier niet zo lang zal blijven.'

'Het gekke is dat dr. Middleton hem sowieso...'

'Bizar, kun je het beter noemen.'

'Het is interessant om eens te kijken hoe lang hij zo met dat haar
van hem blijft rondlopen...'

'Zo lang hij maar bijblijft met catalogiseren...'

'En de telefoon bemant zoals Moira altijd deed...'

'Die aftershave,' zei Brian Petrie, 'of wat voor spul hij ook op

heeft, begint op mijn allergie te werken.'

'Zo humeurig als een haan, maar...'

'De tijd zal het wel leren.'

'Het schijnt dat hij al bezig is zo'n nieuwe typemachine hier te krijgen. Zo een met een letterbolletje, geloof ik.'

'Jezus christus, die zijn er al jaren.'

'Nou, hier niet dus.'

'Daar komt hij aan, als je het over de duivel hebt. Mijn god, een paarse broek.'

'Hallo Mel, hoe gaat het?'

'Niet slecht.'

'Nou, vanaf vandaag sta je er alleen voor, hè?'

'Daar lijkt het wel op.'

'Wil je koffie?' vroeg Jack.

'Nee, dank u. Ik wilde alleen even zeggen, meneer Bowman, dat er in uw kamer iemand op u wacht.'

'Op mij?'

'Ze heet dr. Koltz.'

'Dr. Koltz?'

'Dat zegt ze.'

'Kijk eens aan.'

'Hallo, Jack.'

'Sue.'

'Verbaasd?'

'Een beetje. Ga zitten. Geef me je jas maar.'

'Weet je, ik ben hier nooit eerder geweest. Op je werkkamer.' Haar toon was assertief, maar ook gevoelig.

'Het stelt niet veel voor. Ga zitten alsjeblieft.'

'Ik wil je niet ophouden.'

'Maak je geen zorgen. Ik heb het vanmiddag niet zo druk.'

'Weet je het zeker?'

'Zeker weten. Echt. Ga zitten. Je ziet er... erg goed uit.'

'Dank je. Dat komt door mijn haar.'

'Het zit leuk.'

'Ze noemen me nu Pluizebol in het ziekenhuis.' Ze lachte plotseling, op een verlegen manier dankbaar, ingenomen met zichzelf. 'Dr. Pluizebol.'

'Ik vind het je mooi staan', zei hij naar waarheid. Hij had Sue's wangen, met het kortgeknipte haar ertegen vallend, altijd agressief mager gevonden. Net binnenstebuiten gekeerde kaakholten. De krullen waren een vooruitgang. Haar gezicht keek nu intelligent en levendig de wereld in, hij kon zich voorstellen dat een dergelijk gezicht hartstocht opwekte.

'Hoe gaat het met het befaamde boek?' zei ze, terwijl ze zich in een stoel liet zakken.

'Niet zo best, eigenlijk. Het schijnt' – daar gaan we weer, dacht hij – 'het schijnt dat iemand anders met een vergelijkbaar boek komt. Dr. Middleton – misschien herinner je je dr. Middleton nog, je hebt hem een keer bij ons thuis ontmoet…'

'Hoe zou ik dat kunnen vergeten.'

'We hebben vanochtend een uitgebreid gesprek gehad en hij denkt… hij is het met me eens dat het misschien wel zinloos is.'

'Je bedoelt het boek?'

'Ik heb nog geen definitief besluit genomen, maar dikke kans dat ik het laat vallen.'

Sue's kleine ogen knipperden even. 'Laten vallen?'

'Ermee ophouden. Het opgeven.'

Ze vulde haar wangen met lucht en liet die met een plof ontsnappen. 'Tja, Jack, soms denk ik wel eens dat er al veel te veel boeken in de wereld zijn. Ik vraag me wel eens af wie al die boeken leest.'

'Dat is inderdaad de vraag.'

'Jack, hoor eens.' Haar stem zakte een octaaf en werd plotseling splinterig. 'Ik weet dat Bernie bij jou in huis is. Ik bedoel, dat kan haast niet anders, toch? Dat is de enige plek waar hij kan zijn. Weet je waarom ik dat weet? Omdat jij de enige echte vriend bent die hij heeft. Dus nu heb ik een paar dingen meegenomen waarvan ik denk dat hij ze nodig heeft. Zijn overjas en een paar truien en sokken en zo. Het leek me het beste om het hier te brengen en misschien kun jij dan zorgen dat hij het krijgt.'

'Natuurlijk. Met genoegen.'

'En de sleutels van de flat. Mijn sleutels.'

'Heb jij ze dan niet nodig?'

'Ik heb vanmorgen mijn spullen eruit gehaald. Mijn kleren. En de kat. De rest heb ik daar gelaten. Zou jij hem dat willen vertellen?'

'Oké.'

'Je klinkt een beetje aarzelend, Jack.'

'Nee, nee. Ik dacht alleen maar… het gaat mij natuurlijk niets aan…'

'Zeg eens wat je denkt, Jack.' Ze plaatste haar kleine ellebogen op zijn bureau, haar blote ellebogen deden Jack denken aan nieuwe aardappelen, bruin en schattig. 'Je zegt nooit wat je denkt. Dat heb je nooit gedaan. Tenminste niet tegen mij. Wanneer je met Bernie praat is dat natuurlijk anders.'

Jack vatte dit op als een beschuldiging. 'Ik dacht alleen maar dat het nogal definitief is. De sleutels afgeven en zo.'

'Dat weet ik. Definitief en verdrietig. Zo voelt het ook voor mij, hoor.'

'Het enige wat ik kan bedenken is dat… kijk nou eens naar jezelf, je hebt Bernie's overjas ingepakt en die helemaal naar het Instituut gesleept, de lift in en naar mijn werkkamer, alleen maar omdat je dacht dat hij het koud zou kunnen hebben. Duidt dat er niet een beetje op dat, nou ja, ik bedoel, zegt dat niet iets? Dat je nog steeds een beetje van hem houdt, bijvoorbeeld?'

'Je moet niet…'

'Dat is toch zo…?'

'Maar het is niet zo.' Er kwamen tranen in haar ogen. Haar mond was vagelijk blauw. 'Ik wil niet dat hij het koud heeft, ik wil niet dat hij kou vat en longontsteking krijgt. Maar ik… hou niet meer van hem.'

'Hoe kun je nu zo zeker zijn van iets dat…'

'Ongeveer een jaar geleden gingen Bernie en ik naar de bioscoop.' Ze haalde diep adem. 'Woody Allen. Een van zijn oude films. We gaan nooit naar de bioscoop. Vrijwel nooit. Midden onder die film keek ik naar Bernie. Hij zat popcorn te eten. Ik keek naar de zijkant van zijn gezicht. En toen wist ik dat ik niet meer van hem hield.'

'Gewoon zomaar.'

'Min of meer. Ik wou dat het niet zo was, geloof me. Maar het is weg. Dat komt deels door Sarah, natuurlijk, maar het is weg.'

'En denk je niet dat het nog terug kan komen?'

'Nee. Het is geschiedenis geworden, zoals jij en Bernie waarschijnlijk zouden zeggen, iets metafysisch. Geschiedenis is toch jullie onderwerp dit jaar?'

'Ja', zei Jack, zich enigszins dwaas voelend.

'Twintig jaar doen jullie dat nu al, jij en Bernie. Elke vrijdag! Verbazend.'

'Ja.' Jack wist niet of ze de spot met hem dreef of niet. 'Zo verbazend is het niet...'

'Ik neem aan dat jullie gewoon doorgaan.'

'Dat is moeilijk te zeggen...' Hij voelde even de paniek opflakkeren.

'Dan zijn jullie allebei grijs geworden. Of kaal. Het lijkt me interessant om te zien of jullie meer of juist minder abstract worden.'

'Ik denk...'

'Ik wed minder.'

'Ik zal je op de hoogte houden.'

'Dat zou ik prettig vinden. Dat meen ik echt.' Haar hoofd ging zacht heen en weer, als een wilg. 'Ik denk wel dat ik me nog een tijd lang bezorgd zal maken over Bernie. Denk je dat het goed komt met hem, Jack? Of niet?'

Jack zweeg even. Geluk was niet meer dan een nuttige abstractie, had Bernie een keer tegen hem gezegd, in het jaar dat ze praatten over Kierkegaard, in 1972.

'Nou Jack, wat denk je?'

'Ik denk dat hij het wel redt. Echt waar. Ik moet wel toegeven dat we natuurlijk nooit echt gepraat hebben over...'

'Natuurlijk niet.' Haar stem klonk slechts licht spottend.

'Maar wie weet, misschien is ons volgende onderwerp wel...'

'De liefde? Dat zou heel interessant zijn. Daar zou ik mijn oor wel eens bij te luisteren willen leggen.'

Jack glimlachte en zei niets.

'Jij en Brenda,' vervolgde Sue, 'jullie hebben geluk gehad. Jullie hebben een soort samenhang of zo door de kinderen. Hoe gaat het trouwens met de kinderen? Ik heb ze in geen tijden gezien.'

'Goed hoor. Ze worden groot. De helft van de tijd worden we krankzinnig van ze, maar... het gaat goed met ze.'

'Gelukkig maar.' Een kille glimlach, vastberaden opgewekt. Haar vraag was niet meer dan een beleefdheid geweest.

'Rob heeft op het ogenblik een soort vreemde manie. Misschien... nou ja... misschien moet ik jou om raad vragen. Het is een soort medisch probleem.'

'Masturbatie?'

'Hij eet niet.'

'O nee? Waarom niet?'

'Hij is aan het vasten. Een week lang, zegt hij.'

Haar gezicht werd zachter. 'Doet hij mee met de hongerstakers?'

'Nee. Hij is alleen. Hij vast in zijn eentje.'

'Hij stelt zichzelf op de proef', knikte ze. Jack had haar nog nooit zo aandachtig gezien. 'Dat doen veel kinderen. Ik wou dat ik dat kon. Ik ben vijf kilo aangekomen het afgelopen jaar.'

'Het misstaat je niet.'

'Dank je. Maar goed, een week kan geen kwaad.'

'Daar bezwijkt hij dus niet aan?'

'Zo lang hij maar veel vocht drinkt kan hij het weken volhouden. Men zegt zelfs dat het goed is voor mensen, als je het niet overdrijft. Dat geeft ze het gevoel dat ze hun leven in eigen hand nemen.'

'Misschien ga ik dan ook wel vasten.' Hij maakte maar half en half een grapje.

'Jij, Jack?' Ze trok haar mond scheef. 'Laat me niet lachen.'

'Echt waar? Maak ik je aan het lachen?'

27

'J E KLINKT ALSOF JE HET MEENT, JACK', ZEI ZIJN VADER.
'Dat hoor ik.'
'Ja.'
'Maar heb je al helemaal honderd procent een besluit genomen?'
'Nog niet voor honderd procent. Maar wel bijna.'
Zijn vader trommelde op de tafel, ingespannen nadenkend. Zijn moeder knikte met een soort instemming, of was het medelijden? Jack kon de vertrouwde roze plek bovenop haar schedel zien waar haar scheiding zat. Ze bewoog haar kaken geluidloos, haar gezicht was lang en smal. Ze zaten plechtig rond de keukentafel, gedrieën koffie te drinken.

Jack was langsgegaan van het Instituut op weg naar huis, iets wat hij maar zelden deed. Hij had om halfzes een vreemd tafereel aangetroffen.

'De deur is open', hoorde hij de bevende stem van zijn moeder, en toen hij binnenkwam trof hij zijn vader en moeder aan, naast elkaar op de oude rode bank. De woonkamer van zijn ouders was in halfduister gehuld, er brandde slechts een klein lampje in een hoek op tafel en er was het paarsige geflikker van de televisie. Het duurde even voor Jack begreep wat ze deden.

Zijn moeders hand lag op zijn vaders schoot bovenop een witte handdoek. Zijn vader hield een schaartje in zijn hand, een nagelschaartje, waarmee hij haar vingernagels knipte.

'Wil je het geluid wat zachter zetten, Jack?' instrueerde zijn vader.
'Ga zitten,' zei zijn moeder opgewekt, 'we zijn bijna klaar.'
Jack ging zitten en keek toe. Zijn vader knipte de laatste nagels en vijlde ze vervolgens met een kartonnen nagelvijl, elke vinger beurtelings beetpakkend. En ten slotte lakte hij elke nagel met een kleurloze nagellak. De kleine kamer vulde zich kortstondig met de geur

van nagellak; Jack keek sprakeloos toe hoe zijn vader het delicate Cutex-kwastje vasthield en er behendige, vrouwelijke streepjes mee trok. Het kostte hem nog geen minuut – hij deed dit vast al jaren, dacht Jack – en vervolgens schroefde hij de bovenkant er weer op en zette het flesje op de salontafel, zonder een woord van uitleg.

En waarom zou hij ook? vroeg Jack zich af. Zijn moeder had al een aantal jaren last van artritis in haar handen. Het was lang geleden dat ze had kunnen breien of zelfs maar een pen vasthouden. Het was niet meer dan logisch dat ze haar eigen nagels niet kon verzorgen, hoewel dit vreemd genoeg nooit bij hem was opgekomen.

Later, in de keuken, legde Jack de problemen met het boek uit en zijn ouders luisterden zwijgend.

'Ik begrijp wat het probleem is, Jack', zei zijn vader. 'Ik begrijp heel goed wat je bedoelt.'

'Het gaat niet zozeer om het werk', legde Jack uit. 'Het is een kwestie van zinloos kopiëren. En de vraag of dat uiteindelijk de moeite waard is.'

'Het is toch ook niet zo dat je het per se af móet maken', zei zijn moeder, koffie inschenkend. 'Er is toch geen voorschrift dat zegt dat je dat moet?'

'Natuurlijk niet', zei zijn vader. 'Per slot van rekening heb je een goede baan, boek of geen boek.'

'En zoals je al zei, Jack, deze dingen gebeuren nu…'

'Dus waar maak je je dan druk om?'

'Ik was bang dat jullie misschien teleurgesteld zouden zijn.'

'Jezus, Jack, later kun je altijd nog een boek schrijven. Dan neem je een ander onderwerp, wat kan dat verdommen.'

'Je hebt nog genoeg tijd', zei zijn moeder. 'Je bent nog jong.'

'Ook niet meer zo jong.'

'Het belangrijkste is', zei ze, 'dat je doet wat je wilt doen.'

'Hoe vind je de koffie die je moeder heeft gekocht?' Zijn vaders gezicht stond opgewonden en geestdriftig van voldoening.

'Lekker', zei Jack. 'Lekker sterk.'

'Turkse koffie. Heb je ooit eerder Turkse koffie gedronken? Je ma heeft het vandaag in de delicatessenwinkel gekocht. Weet je nog dat boek waar ik je over vertelde. *Avontuurlijk leven*? Probeer eens Turkse koffie, zegt hij. Voor de verandering. Gewoon een van zijn vele ideetjes.'

'Neem nog een kopje, Jack. Ik heb een volle pot gezet.'

'Ja, schenk maar in, daar krijg je haar van op je borst, zoals het gezegde luidt.'

Hij had niet gedacht dat ze hiertoe in staat waren – tot dit soort afleiding en kalme vergevingsgezindheid, en hun bezorgdheid om dat krankzinnige iets, dat ongerijmde en vormeloze iets – zijn geluk.

Hij luisterde naar hun stemmen, eerst zijn vader, dan zijn moeder, heen en weer, heen en weer, als een soort weven. De gelakte nagels van zijn moeder glansden in het licht, zij zag het ook, hield haar handen omhoog, spreidde haar vingers en taxeerde ze met milde goedkeuring.

Jack keek naar hen, er schenen tussen hen talloze stilzwijgende afspraken te bestaan. En hij had gedacht dat ze machteloos waren in zijn afwezigheid.

28

H ISTORICI, DACHT JACK, ZIJN GENEIGD DE TIJD ARCHI-
tectmraal te zien, als iets gestructureerds en meetbaars, iets
nauwkeurigs en onverplaatsbaars. Honderd jaar is honderd jaar. Vijf
dagen is vijf dagen is honderdtwintig uur. Het feit dat vijf dagen
soms kort en soms lang kunnen duren is irrelevant en irreëel. En dit
had Jack altijd beschouwd als een van de tekortkomingen van het
historisch perspectief. Hij wist dat er zoiets bestond als trage en
snelle tijd. Geschiedenis was een wetenschap met twee zielen, een
meetlat en een telescoop.

Woensdagavond om tien uur, toen Rob en Laurie allebei naar bed
waren, had hij het gevoel dat Brenda al honderd jaar weg was, en
geen vijf dagen. Hij herinnerde zich hoe ze er uit zag, maar hij kon
zich niet meer herinneren waarover ze spraken op doordeweekse
avonden als deze. Het nieuws? Nee, in elk geval zelden. Hoe zijn dag
was? Of die van haar? De kinderen? Allerlei dingen? Roddels en
voornemens? Het weer? Waarover?

Iets na tienen werd er op de voordeur geklopt. Het was Bernie,
rillend van de kou, Jack had zich al afgevraagd wat er van hem was
geworden.

'Hier,' zei Bernie bij het binnenkomen, 'met mijn excuses.'

'Wat is dat?'

'Je jasje. Weet je nog? Je hebt het me zaterdag geleend.'

'Waarom is het ingepakt?'

'De stomerij. Op de een of andere manier, het moet tegen het
eind van de avond geweest zijn, heb ik er een hele fles wijn op
gemorst. Rode wijn. Maar ik geloof wel dat ze het er helemaal uit
gekregen hebben.'

'Ik heb ook iets voor jou. Hier, in de kast.'

'Mijn jas! Hoe kom je daaraan?'

'Sue kwam hem vanmorgen op mijn werk brengen.'

'Sue?'

'Ze was bang dat je het koud zou hebben.'

'Een gebaar maken, daar was ze altijd al goed in.'

'En', Jack zweeg even, knipperde met zijn ogen, 'hier zijn ook de sleutels van de flat.'

'Sleutels?'

'Haar sleutels. Ze zei dat hij voor jou was. De flat dus.'

'Ik dacht wel dat het zo zou aflopen.'

'Het spijt me, Bernie…'

'Dat hoeft niet. Het was onvermijdelijk.'

'Wil je wat drinken of zo?'

'Nee. Ik ga vanavond terug naar de flat. Ik kan maar beter gelijk met mijn nieuwe leven beginnen.'

'Waarom blijf je vannacht niet hier? Je kunt op de bank slapen. Je hoeft echt nog niet weg.'

'Ik wil eigenlijk liever naar huis. Trouwens, bedankt dat ik hier de hele week mocht blijven.'

'Waarom blijf je niet nog…'

Bernie liet zich in een stoel zakken. 'Ik moet je iets vertellen.'

'Wat dan?'

'Larry Carpenter is vandaag thuisgekomen.'

'Je zei al dat dat misschien zou gebeuren. Gisteravond zei je…'

'Dit is het verhaal dat ze de wereld insturen. Dat hij afgelopen zaterdag te veel had gedronken. Nadat iedereen weg was besloot hij naar het meer te rijden om er de zon te zien opkomen, maar hij raakte bewusteloos in de auto, vlak nadat hij die had gestart.'

'Voordat hij de garagedeur had opengedaan?'

'Precies. Goed geraden.'

'Wat zei ik je over geschiedenis, Bernie? Verhalen uit de tweede hand kun je niet vertrouwen.'

'We hebben waarschijnlijk allemaal behoefte aan illusies.'

'Hoe ging het gisteravond? Toen je bij hem was in het ziekenhuis?'

'Dat probeer ik je nou juist te vertellen, Jack.'

'Wat bedoel je?'

'Ga even zitten, Jack. Ik kan niet praten als jij zo heen en weer loopt.'

'Oké. Zo beter?'

'Ja.'

'Ga door.'

'Ik vind dit heel moeilijk.'

'Vertel op.'

'Ik heb iets behoorlijk onbezonnens gedaan. Iets stoms. Eerlijk gezegd weet ik niet hoe het kon gebeuren. Ik denk dat ik aangeslagen was door de verwarring en de chaos van de afgelopen week.'

'Kom op, Bernie. Wat wil je nou vertellen?'

'Ik denk dat ik me – zo zou je het kunnen noemen – heb laten meeslepen. Als je begrijpt wat ik bedoel.'

'Dat denk ik wel, ja.'

'Ik zou alles doen om het weer ongedaan te maken. Maar ik weet niet hoe. En het spijt me vooral voor jou, Jack.'

'Voor mij?'

'Ik heb het gevoel dat ik je verraden heb.'

'Wat heb ik er in godsnaam mee te maken?'

'Dat probeer ik je nu net te vertellen…'

'Nou, vertel het me dan.'

'Ik met mijn grote mond.'

'Kom op, Bernie, voor de draad ermee.'

'Toen ik gisteravond met Larry zat te praten, in het ziekenhuis, zat Janey daar natuurlijk ook bij.'

'Natuurlijk.'

'Ze wilde zo graag een beetje gezelschap voor hem. Ze was echt geweldig. Ze wilde gewoon dat hij een beetje aanspraak had. Dat zei ze toen we er naartoe reden. Ze wilde dat ik zou proberen het met hem over iets interessants te hebben.'

'Ga door.'

'In het begin ging het niet zo goed. Totdat we over jou begonnen te praten. Want jij bent immers onze gemeenschappelijke noemer. Als jij er niet geweest was, had ik deze vent nooit ontmoet en op een dinsdagavond aan een ziekenhuisbed gezeten…'

'Kom ter zake.'

'Dus ik vertelde hem dat wij elkaar al als jochies kenden.'

'Ja?'

'En dat we samen naar school zijn geweest en zo, tot en met de universiteit. En dat we nu elke vrijdag samen lunchen.'

'En wat dan nog?'

'Nou, ik vertelde hem waar we over praten, een paar van de onderwerpen die we in de loop van de jaren hebben behandeld. Ik merkte dat hem dat afleidde van zijn eigen problemen. Hij was vroeger echt geïnteresseerd in entropie, zei hij. En hij heeft alles van Kierkegaard gelezen.'

'En wat gebeurde er toen?'

'Nou, hij reageerde echt. Hij stelde vragen en werd levendig en zo. Hij bleef maar zeggen hoe bijzonder het was dat we dit al die jaren hebben volgehouden. Twintig jaar. En weet je, Jack, het is eigenlijk ook wel bijzonder.'

'Dat weet ik.'

'Het probleem was dat hij maar bleef zeggen dat het zo bijzonder was. En hoe belangrijk het was om zo'n soort – nou ja, ik weet niet meer welk woord hij precies gebruikte – zo'n soort band te hebben. Of iets dergelijks.'

'En toen?'

'En voor ik het wist flapte ik eruit of hij zin had om vrijdag ook te komen.'

'Larry? Heb je Larry Carpenter gevraagd om bij de lunch te zijn?'

'Vraag me niet waarom. Ik deed het gewoon. Het ligt misschien iets gecompliceerder, maar…'

'En komt hij ook?'

'Ik vind het vreselijk om te zeggen, maar hij komt. Hij was – ik kan niet anders zeggen dan dat hij verrukt was alleen al bij het idee.'

'Om naar Roberto's te gaan? Christus, wacht maar tot hij de tent ziet.'

'Jack, ik kan me mijn strot wel afsnijden. Nog geen minuut nadat ik het had gezegd kon ik mijn tong er wel uitrukken.'

'Maar toen was het al te laat.'

'Ja maar, hoor eens, het is maar voor één vrijdag. Ik bedoel, we zitten niet voor eeuwig aan die kerel vast, hoor. Ik heb niet gezegd, kom gezellig bij de club of iets dergelijks.'

'Dan kunnen we hem dus min of meer uitproberen.'

'Het kwam alleen maar omdat – ik probeer me niet te verontschuldigen – maar als jij daar gezeten had…'

'Dan zou ik hetzelfde gedaan hebben?'

'Dat weet ik niet. Misschien niet. Ik weet dat je niet gek op hem

bent. Maar goed, ik heb het wel gedaan en dat spijt me. Ik voel me eerlijk gezegd een verrader.'

'Het geeft niet, Bernie. Misschien is een beetje vers bloed na al die tijd wel goed. Misschien komen we wel in een nieuw tijdperk of zo…'

'Het was een daad van naastenliefde. Of misschien is dat niet helemaal het goede woord.'

'Boetedoening?'

'Dat komt in de richting.'

'Wil je echt niets drinken?'

'Nee.' Bernie stond op en rekte zich uit. 'Ik ga naar huis. Jij moet waarschijnlijk ook nog aan je boek werken.'

'Ik denk erover om me terug te trekken vanwege Harriet.'

'Waarom?'

'Ach, ik weet het niet.' Jack probeerde een luchtige toon aan te slaan. 'Ik zou het graag een daad van naastenliefde noemen.'

'Naastenliefde?'

'Of misschien wil ik er gewoon vanaf.'

'Tja, als je dat graag wilt…'

'Ik denk het wel. Ik denk…'

'Slaap er eerst nog maar een nachtje over.'

'Dat is de eerste keer dat je me ooit een advies hebt gegeven, Bernie, weet je dat?'

'O ja? Echt waar?'

'Welterusten, Bernie.'

'Welterusten, ouwe makker. Tot vrijdag… hoop ik.'

'Ja. Tot dan.'

29

O M ÉÉN MINUUT OVER ELF BELDE JACK ROCHESTER. Hij kreeg onmiddellijk verbinding. Vanavond geen gezellige gesprekjes met telefonistes van Bell, alles was weer als vanouds.

'Spreekt u maar', zei de telefoniste.

'Harriet?' Was dat zijn stem, dat gekras als van een raaf?

'Wilt u Harriet spreken?' Een mannenstem, solide, ontwikkeld, een prachtige bariton. Jack stelde zich een brede borstkas voor, en veel haar.

'Ja. Kan ik Harriet misschien spreken?' Ah, dat klonk al beter.

'Het spijt me, maar Harriet is de stad uit.'

'De stad uit?'

'Ze komt pas over drie dagen terug. Ze is in feite het land uit. Belt u interlokaal?'

'Ja. Uit Chicago.'

'Misschien', de stem klonk beleefd, hartelijk, bezorgd en had iets Engels, 'misschien kunt u uw nummer geven zodat Harriet kan terugbellen wanneer ze weer terug is.'

'Over drie dagen, zei u?'

'Ja. Ze zit in Calcutta, maar morgen vliegt ze naar Bombay en vandaar rechtstreeks naar huis.'

'Calcutta?'

'Kan ik haar zeggen wie gebeld heeft?' Ja, onomstotelijk Brits.

'Een collega van haar.' Een collega van vroeger – het woord collega was een inval. Veel beter dan een vriend van vroeger of medestudent of...

'Ja, ik begrijp het. Harriet is nog gauw even een aantal bronnen en dergelijke gaan natrekken voor haar nieuwe boek...'

'Het boek over Indiaanse handelsgebruiken?'*

'Eh… ja.' Op verwonderde toon. 'Dus u weet van het boek?'

'Ja, ik zag de aankondiging. In de *Historical Journal.*'

'Goeie god, is het al aangekondigd? Haar uitgever weet wel van wanten.'

'Calcutta, zei u? Bombay?'

'New Delhi ook, maar dat was meer voor vakantie.'

'Ja ja.'

'Zit u in hetzelfde vakgebied?'

'Niet direct, nee. Eigenlijk helemaal niet. Ik belde alleen om haar te feliciteren.'

'Ik zal vragen of ze u terugbelt.'

'Misschien kunt u haar gewoon mijn oprechte…'

'Natuurlijk, met alle genoegen. Harriet zal blij zijn dat u haar gebeld hebt.'

'U hoeft haar alleen maar te zeggen…'

'Wat was uw naam ook alweer?'

'Jack Bowman.'

'Fantastisch, Jack. Wat attent om even te bellen.'

'Het was geen moeite.' Totaal geen moeite.

* Het Engelse *Indian* betekent zowel 'Indiaas' als 'Indiaans' (noot van de vert.)

30

B RENDA'S VLIEGTUIG ZOU DONDERDAG VROEG IN DE
avond landen. Jack reed rechtstreeks van het Instituut naar
vliegveld O'Hare en was een half uur te vroeg.

De meeste sneeuw in de stad was gesmolten. Brenda zou nooit
geloven dat het zo erg was geweest. Hoe kon zo'n pak sneeuw zo
snel smelten en in de grond wegzakken? De straten in het centrum
waren bijna weer kaal, in één nacht teruggekeerd tot hun droge
zanderige uiterlijk. De daken van huizen en fabrieken verloren
onder de gloedvolle, dampig uitziende maan hun witte lading.
Alle vluchten uit het oosten, zo werd hem meegedeeld, lagen op
schema.

Toen hij naar huis belde, had Laurie geantwoord met een bijna
hysterische stem. 'Ik probeer de woonkamer op te ruimen', snerpte
ze. 'Hoor je het stofzuigen op de achtergrond? Dat is Rob.'

'Maak je maar niet zo druk over dat opruimen.'

'Maar het is zo'n rotzooi.'

'Het hoeft echt niet perfect te zijn.'

'Ik heb vandaag mijn rok uitgeknipt, pap. Bij huishoudkunde.'

'Prima.'

'Juffrouw Frost vindt de stof die je hebt uitgekozen mooi. Het
staat me goed, zegt ze.'

'Dat is prachtig, lieverd.'

Hij wachtte op het vliegtuig en dacht terug aan vanmorgen toen
hij de deur van Brenda's werkkamer had opengedaan. De lucht was
er roerloos en kil, de deur was dichtgebleven sinds Brenda was
vertrokken. Vanochtend had hij het gevoel dat deze kamer de enige
nog ordelijke plek in huis was. Het werkraam, de doos met quilts,
het flikkeren en spatten van het zonlicht door de planten voor het
raam, de wanordelijke properheid van verwarde draden en stukjes

stof; uit de beweginglooscheid steeg een soort traagbewegende muziek op, elke noot lepelvormig en perfect. Uitgespreid over twee stoelen lag Brenda's jongste quilt in wording.

Het was een maalstroom van kleuren, voornamelijk gelen met een paar strepen felgroen. De gelen kolkten weg vanuit een borrelend middelpunt. Hij had nooit beseft dat er zoveel tinten geel waren. De vormen zeiden hem niets. Het was dit keer geen herkenbaar beeld, zoals in Brenda's eerdere quilts. Dit was een simpele – nee, geen simpele – een vreemde en complexe explosie van licht. Brenda is zo open, hielden anderen Jack voortdurend voor, maar deze draaikolk was vastgelegd in geheimschrift. Waaraan, zo vroeg hij zich af, dacht Brenda wanneer ze urenlang in deze kamer zat te naaien? Die uren bestonden en moesten iets betekenen. Hij liet zijn vingers over het stiksel glijden. Een gedachte schoot door zijn hoofd, een zilvervis, in en uit, te snel om te vangen. Deze manier van quilten, had Brenda hem verteld, werd dolen genoemd, de dolende steek. Hij zwierf over de stof, het patroon volgend en weerspiegelend, een dansende kleefstof die aan de kleurige vormen trok en er zich mee verenigde. Maar dolen was eigenlijk niet het juiste woord ervoor, want deze steken waren doelbewust en fel, een tegenstelling en ironie suggererend die hem boeiden, hij had er haar naar willen vragen. Maar dat zou hij niet doen. Ze zou niet begrijpen wat hij met zijn vraag bedoelde en hij zou niet begrijpen wat ze hem antwoordde.

Hij sprong op toen het bord AANKOMSTEN verlicht werd. Brenda's vliegtuig was geland. Ze zou over een paar minuten door de uitgang komen.

Ze had hem vaak afgehaald bij deze zelfde uitgang. Vanaf hier was het een half uur rijden naar huis, het duurde altijd langer dan ze dachten vanwege het verkeer. 'Wat was het leukste dat je op reis hebt meegemaakt?' vroeg ze altijd. En daarna: 'En het vervelendste?'

Dat was haar vaste recept, haar manier om het onwennige van hun hereniging te bezweren. Eerst het goede nieuws en dan het slechte. Of was het andersom? Hij wist het niet meer.

Hij had vaak gemerkt dat deze onthullingen in de auto slechts in de buurt van de waarheid kwamen, dat het echte goede en slechte nieuws altijd werd bewaard tot ze veilig thuis waren. Onderweg

namen ze genoegen met iets er tussenin, een welwillende, humoristische verklaring, het soort anekdote dat paste in de auto, dat hun eerste stap naar vertrouwelijkheid vergemakkelijkte.

Het beste nieuws, zou hij haar vertellen, was dat Laurie misschien minder dik zou worden. Ze had hem vanavond aan de telefoon verteld dat ze had besloten een week te vasten. Ze was van plan op zaterdag te beginnen, zodra Rob gestopt was. 'Ik kan bijna niet wachten', had ze in zijn oor gesnerpt.

Het slechtste nieuws, zou hij Brenda vertellen, was dat dr. Middleton vanmorgen tijdens hun bespreking had voorgesteld, omdat ze al zo lang samenwerkten, dat Jack hem niet langer dr. Middleton zou noemen, maar Gerald.

Gerald! De rest van de dag had hij hem gemeden door laat te gaan lunchen en daarna vroeg weer weg te glippen. De koffiepauze 's middags had hij overgeslagen. Gerald! Het zou wel even duren voor hij daaraan gewend was. Hij zou het toch moeten uitproberen, het kruiperige, gedurfde uitspreken van die naam: goede morgen, Gerald. Jazeker, Gerald, hoofdstuk zeven moet begin maart klaar zijn. Uiterlijk in april. Ja, Gerald, we hebben een goed weekend gehad. En jij, Gerald?

Het beste en het slechtste – en de rest kon wel even wachten, een aantal dingen misschien wel voorgoed. In elk geval totdat hij de tijd had gekregen om het te verwerken, hij had zijn geloof in zichzelf verloren, maar zijn geestkracht had zich geleidelijk en onbegrijpelijk hersteld. Het zou nog eens kunnen gebeuren, begreep hij. En nog eens.

Daar kwam ze aan. Hij zag haar rode regenjas, maar niet haar gezicht. Iemand stond in de weg, zwaaiend met een tas. Hij stapte opzij. Ja, daar was ze. Maar zij zag hem niet, ze keek verward om zich heen. Plotseling wilde hij haar redden van die verwarring, vol liefde en aanmoediging naar haar toerennen.

Hij liep dichter naar de uitgang en voelde, terwijl hij zich bewoog, hoe zijn hart zich onverwacht aangespte, omdat hij dit moment nu al veilig opborg in de heldere, conserverende gelei van de geschiedenis. Hij scheen niet anders te kunnen. Hij voelde het licht wegglijden, als een lichamelijke zwakte. Hij hield van haar. Maar hij vreesde dat iets in zijn begroeting tekort zou schieten. Een verband tussen de waarneming en het moment zelf zou ontbreken, zou altijd ontbreken.

Wat er ook in zijn leven gebeurde, hij moest zorgen dat zij dit nooit te weten kwam.

Ja! Nu had ze hem gezien. Ze zwaaide, riep zijn naam en kwam naar hem toe.